Héros de l'Olympe

Le Héros perdu

Rick Riordan

Héros de l'Olympe

Le Héros perdu

Traduit de l'anglais (américain)
par Mona de Pracontal

Du même auteur chez Albin Michel Wiz :

PERCY JACKSON
Le Voleur de foudre
La Mer des Monstres
Le Sort du Titan
La Bataille du Labyrinthe
Le Dernier Olympien

HÉROS DE L'OLYMPE
Le Fils de Neptune

KANE CHRONICLES
La Pyramide rouge
Le Trône de feu

Titre original :
THE HEROES OF OLYMPUS BOOK ONE :
THE LOST HERO
(Première publication Hyperion Books for Children, New York, 2010)
© 2010, Rick Riordan
Cette édition a été publiée en accord avec The Nancy Gallt Literary Agency.
Tous droits réservés, y compris droits de reproduction totale ou partielle,
sous toutes ses formes.

Pour la traduction française :
© Éditions Albin Michel, 2011

Pour Haley et Patrick,
toujours les premiers à entendre les histoires.
Sans eux, la Colonie des Sang-Mêlé
n'existerait pas.

1 JASON

Déjà, avant même de se faire foudroyer, ça n'allait pas très fort pour Jason.

Il s'était réveillé au fond d'un bus scolaire sans savoir comment il y était monté, la main dans celle d'une fille qu'il ne connaissait pas. Ça, en soi, ce n'était pas forcément le pire, surtout que la fille était mignonne. L'ennui c'était qu'il n'avait aucune idée de qui elle était, ni de ce qu'il faisait là. Il se redressa et cligna des yeux en essayant de rassembler ses idées.

Quelques dizaines d'ados étaient affalés dans les rangées devant lui et bavardaient, écoutaient de la musique sur leurs iPods ou dormaient. Ils avaient tous l'air de son âge, c'est-à-dire... quinze ans ? Seize ans ? Bon, là, ça craignait : Jason ne connaissait même pas son âge.

Le car bringuebalait sur une route cahoteuse. Derrière les vitres, le désert défilait sous un ciel d'un bleu éclatant. Jason était quasiment sûr qu'il n'habitait pas dans le désert. Il fit un effort pour se souvenir... la dernière chose qu'il se rappelait...

La fille lui serra fort la main et demanda :

– Ça va, Jason ?

Elle portait un jean délavé, des chaussures de randonnée et un blouson de snowboard en laine polaire. Ses cheveux brun chocolat étaient coupés en mèches irrégulières et

9

désordonnées, avec quelques fines tresses sur les côtés. Elle n'était pas maquillée, comme si elle essayait de passer inaperçue, mais c'était raté ; cette fille était jolie, quelque chose de grave. Ses yeux semblaient changer constamment de couleur, à la façon d'un kaléidoscope : marron, bleu, vert.

Jason dégagea sa main.

– Euh... je ne...

À l'avant du car, un prof cria :

– Bon, les cocos, écoutez-moi !

Visiblement, c'était un entraîneur. Sa casquette de base-ball était vissée si bas sur sa tête qu'on apercevait à peine ses petits yeux brillants. Il arborait une barbichette clairsemée et un air revêche, comme s'il avait mangé quelque chose qui passait mal. Ses bras et son torse râblé étaient comprimés dans un polo orange vif, qui contrastait avec son jogging en Nylon et des Nike d'une blancheur immaculée. Il portait un sifflet autour du cou et un mégaphone accroché à la ceinture. Une dégaine qui aurait été impressionnante, en somme, s'il ne plafonnait pas à un mètre cinquante. Quand il s'avança entre les sièges du car, une voix lança :

– Levez-vous, m'sieur Hedge !

– J'ai entendu, grogna l'entraîneur, qui balaya les rangs du regard, à la recherche de l'auteur de la boutade. Ses yeux se posèrent sur Jason et son rictus s'accentua.

Un frisson parcourut l'échine du garçon ; il était certain que l'entraîneur ne le reconnaissait pas. Il allait l'interpeller, lui demander ce qu'il fabriquait dans ce car, et Jason serait incapable de lui répondre.

Hedge, pourtant, détourna le regard. Il s'éclaircit la gorge et annonça :

– On arrive dans cinq minutes ! Restez en tandem et ne perdez pas vos fiches d'exercices. Et je vous préviens, mes cocos chéris, si l'un d'entre vous cause des problèmes pendant cette

10

excursion, je le renvoie moi-même au campus, et à la manière forte.

Sur ces mots, il attrapa une batte de base-ball et fit mine de frapper un grand coup.

Jason jeta un coup d'œil à sa voisine et lui glissa :

– Il a le droit de nous parler comme ça ?

Elle haussa les épaules.

– Il le fait, en tout cas. C'est l'École du Monde Sauvage. Et nous, on est les animaux.

Son ton donna à Jason l'impression que c'était une vieille plaisanterie entre eux.

– Il doit y avoir erreur, dit-il. Je ne suis pas censé être là.

Le garçon du rang de devant se retourna en riant.

– Ouais, t'as raison, Jason. C'est un coup monté, on est tous des enfants modèles. J'ai pas fait six fugues et Piper a pas volé une BMW.

La fille rougit.

– J'ai pas volé cette voiture, Léo !

– Ah, j'ai oublié, Piper. C'est quoi, ta version ? Tu as « convaincu » le concessionnaire de te la prêter ?

Il regarda Jason en levant les sourcils, l'air de dire : *T'y crois, à cette blague ?*

Léo avait l'air d'un lutin latino, avec ses cheveux noirs bouclés, ses oreilles pointues, son visage de bébé jovial et son sourire malicieux qui vous disait immédiatement qu'il valait mieux ne pas lui confier des allumettes ou des objets tranchants. Ses longs doigts souples étaient sans cesse en mouvement : il tambourinait sur le dossier du siège, glissait une mèche de cheveux derrière l'oreille, tripotait les boutons de son blouson de treillis. Soit il était de tempérament hyperactif, soit il avait avalé des doses de cheval de sucre et de caféine.

– En tout cas, poursuivit Léo, j'espère que t'as ta feuille d'exercices, parce que j'ai fait des boulettes avec la mienne

11

l'autre jour. Pourquoi tu me regardes comme ça ? On m'a encore fait des dessins sur la figure sans que je m'en aperçoive ?

– Je ne te connais pas, dit Jason.

Léo se fendit d'un sourire de caïman.

– T'as raison, mec. J'suis pas ton meilleur ami, je suis son clone maléfique.

– Léo Valdez ! hurla l'entraîneur, à la tête du car. Il y a un souci dans le fond ?

– Attends voir, murmura Léo à l'oreille de Jason avec un clin d'œil, avant de se tourner vers l'avant du car. Désolé, m'sieur ! J'avais du mal à vous entendre. Vous pourriez pas utiliser votre mégaphone ?

Hedge poussa un grognement, visiblement ravi d'avoir un prétexte. Il décrocha son mégaphone, le porta à sa bouche et répéta ses consignes... mais la voix qui sortit était celle de Dark Vador. Tout le car éclata de rire. L'entraîneur fit une nouvelle tentative, et cette fois-ci le mégaphone beugla :

– Meuh fait la vache !

Nouveau fou rire général. Hedge jeta le mégaphone et cria :

– Valdez !

Piper se retenait de rire.

– Franchement, Léo, comment t'as fait ?

L'intéressé sortit un minuscule tournevis cruciforme de sa poche.

– Je suis très doué, comme garçon.

– Sérieusement, les gars, insista Jason. Qu'est-ce que je fais là ? Où est-ce qu'on va ?

Piper fronça les sourcils et dit :

– Tu plaisantes, Jason, ou quoi ?

– Non ! Je n'ai aucune idée de...

– Mais si, il plaisante, fit Léo. Il essaie de se venger du coup de la crème à raser sur son flan. C'est ça, Jason ?

12

Jason le dévisagea sans comprendre.

– Non, dit Piper, je crois qu'il parle sérieusement.

Elle voulut lui prendre la main de nouveau, mais il se déroba.

– Excuse-moi, murmura-t-il. Je ne... je peux pas...

– C'est bon ! cria Hedge, toujours à l'avant du car. Le dernier rang vient de se porter volontaire pour faire la vaisselle de midi.

Tous les autres applaudirent.

– C'est un truc de ouf, ton histoire, marmonna Léo.

Piper, quant à elle, gardait les yeux rivés sur Jason, comme si elle hésitait encore entre s'inquiéter ou se vexer.

– T'as pas reçu un coup sur la tête, par hasard ? Tu ne sais vraiment pas qui nous sommes ?

Jason haussa les épaules avec fatalisme.

– C'est pire que ça, répondit-il. Je ne sais pas qui je suis.

Le car se rangea devant un grand complexe en stuc rouge qui ressemblait à un musée, planté au milieu de nulle part. C'était peut-être ça, d'ailleurs : le musée national de Nulle Part. Un vent froid soufflait sur le désert. Jusqu'alors, Jason n'avait pas prêté attention à ses vêtements, mais il se rendait compte maintenant qu'il n'était pas assez couvert : il ne portait qu'un jean et des baskets, avec un tee-shirt violet et un léger coupe-vent noir.

– Bien, cours de rattrapage intensif pour amnésiques, annonça Léo d'un ton, trouva Jason, qui ne présageait rien de bon. Nous sommes pensionnaires à l'École du Monde Sauvage, ce qui veut dire que nous sommes des jeunes *à problèmes*. Ta famille, le tribunal ou va savoir qui d'autre a estimé que tu étais trop galère et t'a expédié dans cette charmante prison – pardon, *pension*, à Troudenez, dans le Nevada, où tu peux apprendre des choses utiles pour vivre dans la nature, par exemple courir quinze kilomètres par jour entre les cactus ou tresser des chapeaux en marguerites. Et comme faveur spéciale, nous avons droit à des excursions *éducatives* avec l'entraîneur, M. Hedge, qui fait la discipline à coups de batte de base-ball. Ça te revient, maintenant ?

– Non.

Jason lança un regard plein d'appréhension autour de lui : une vingtaine de garçons, peut-être moitié moins de filles. Aucun d'eux n'avait l'air d'un criminel endurci, mais il se demanda ce qu'ils avaient fait, tous, pour se retrouver dans un centre pour délinquants, et également s'il avait sa place parmi eux.

Léo roula les yeux.

– Tu insistes dans ce rôle, hein ? OK, je t'explique. Tous les trois, on est arrivés ici ensemble, au début du semestre. On est super proches. Tu fais tout ce que je te dis, tu me donnes ton dessert et tu fais mes corvées à ma place.

– Léo ! gronda Piper d'un ton sec.

– D'accord. Oublie la dernière phrase. Mais on est très amis. En fit, Piper est un peu plus qu'une amie pour toi, depuis quelques semaines...

– Léo, tais-toi ! s'écria Piper, cramoisie.

Jason avait sans doute rougi, lui aussi. Il se disait que s'il sortait avec une fille comme elle, il s'en souviendrait.

– Il a une amnésie, dit Piper. Il faut qu'on prévienne quelqu'un.

– Qui ça, Hedge ? ricana Léo. Il essaierait de le guérir à coups de claques sur la nuque.

L'entraîneur, à la tête du groupe, aboyait des ordres et donnait des coups de sifflet pour maintenir le calme dans les rangs, mais de temps en temps, il jetait un coup d'œil en direction de Jason et grimaçait.

– Léo, insista Piper, on peut pas laisser Jason comme ça. Si ça se trouve, il a une commotion cérébrale ou...

– Yo, Piper. (Un garçon s'était détaché du groupe qui se diri-geait vers le musée. Il se glissa entre Jason et Piper, bousculant Léo au passage.) Perds pas ton temps avec ces ringards. Tu es ma coéquipière, tu te rappelles ?

Le nouveau venu avait les cheveux bruns coupés à la Superman, le teint ultra-bronzé et des dents d'un blanc si éclatant qu'il aurait dû porter un panneau d'avertissement : *ATTENTION, NE PAS REGARDER LES DENTS EN FACE – RISQUE D'AVEUGLEMENT.* Il avait un tee-shirt des Dallas Cowboys, des santiags et un jean, et arborait un sourire arrogant qui sous-entendait qu'il était un don du ciel pour toutes les jeunes délinquantes de la terre. Jason le trouva immédiatement odieux.

– Va-t'en, Dylan, grogna Piper. J'ai pas demandé à travailler avec toi.

– T'as pas la bonne attitude, rétorqua le garçon. C'est ton jour de chance, aujourd'hui !

Sur ces mots, il prit Piper par le bras et l'entraîna dans le musée. En franchissant l'entrée, elle tourna la tête et lança un dernier regard de S.O.S.

Léo se leva et s'épousseta.

– Je peux pas sacquer ce type. (Il offrit le bras à Jason comme pour l'inviter à entrer dans le musée avec lui.) Moi, c'est Dylan. Je suis tellement cool que je voudrais sortir avec moi-même, mais je sais pas comment m'y prendre. Tu veux sortir avec moi, à la place ? T'as trop de la chance aujourd'hui !

– Léo, dit Jason, t'es bizarre.

– Ouais, tu me dis ça souvent. (Léo sourit.). Mais si tu m'as oublié, je peux te ressortir toutes mes vieilles blagues. Allez, viens !

Jason se dit que si c'était ça, son meilleur ami, ça en disait long sur lui-même et sur la vie qu'il avait dû mener. Malgré cela, il suivit Léo dans le musée.

Ils visitèrent le bâtiment en s'arrêtant de temps en temps. À chaque halte, Hedge leur faisait un petit topo au mégaphone, lequel produisait tantôt une voix de seigneur Sith, tantôt des commentaires saugrenus du style : « Groink le cochon ! »

Léo sortait des boulons, des écrous et des cure-pipes des poches de son blouson militaire et les assemblait, comme s'il avait besoin de s'occuper constamment les mains.

Jason n'était pas en état de faire véritablement attention aux œuvres et objets présentés dans les vitrines, mais ils avaient trait au Grand Canyon et à l'histoire de la tribu huala-pai, propriétaire du musée.

Un petit groupe de filles regardait Piper et Dylan par en-dessous et ricanait. Jason devina que c'étaient les meneuses du groupe. Elles portaient des jeans assortis et des hauts roses, plus assez de maquillage pour une fête déguisée. L'une d'elles lança :

– Hé, Piper, c'est ta tribu qui dirige ce musée ? Tu peux entrer gratos si tu fais une danse de la pluie ?

Le reste de la bande pouffa de rire. Même le soi-disant coéquipier de Piper réprima un sourire. Les manches du blou-son de la jeune fille lui couvraient les mains, mais Jason eut l'impression qu'elle serrait les poings.

– Mon père est cherokee, répondit-elle. Pas hualapai. Bien sûr, il te faudrait quelques cellules grises pour comprendre la différence, Isabel.

Cette dernière écarquilla les yeux en feignant la surprise, ce qui lui donna l'air d'une chouette accro au maquillage.

– Ah, excuse-moi ! s'écria-t-elle. C'est ta maman qui était de cette tribu ? Ah non, c'est vrai. T'as jamais connu ta mère.

Piper se jeta sur elle, mais avant que la bagarre éclate, l'entraîneur aboya :

– Calmez-vous, les filles ! Donnez le bon exemple ou je sors ma batte de base-ball !

Le groupe se dirigea vers la vitrine suivante en traînant des pieds, mais les filles continuèrent de lancer des petites piques à Piper.

– T'es contente d'être de retour à la reserve ? demanda l'une d'elles d'une voix doucereuse.

– Son père boit trop pour pouvoir travailler, j'imagine, dit une autre avec une fausse compassion. C'est pour ça qu'elle est devenue cleptomane.

Piper les ignorait, mais Jason se sentait prêt à cogner. Il ne se souvenait peut-être pas de Piper, ni même de sa propre identité, il n'empêche qu'il ne supportait pas la méchanceté.

Léo l'attrapa par le bras.

– T'énerve pas, mec. Piper aime pas qu'on livre ses batailles à sa place. En plus, si ces filles découvraient la vérité sur son père, elles se prosterneraient devant elle en criant : « Nous ne sommes pas dignes de toi ! »

– Pourquoi ? Qu'est-ce qu'il a, son père ?

Léo se mit à rire, incrédule.

– Tu plaisantes pas ? Tu as vraiment oublié que le père de ta copine...

– Écoute, je suis désolé, mais je ne me souviens même pas d'elle, alors son père...

Léo siffla.

– D'accord... Faudra *vraiment* qu'on parle, quand on sera rentrés à la pension.

Ils arrivèrent au bout de la salle, où de grandes baies vitrées ouvraient sur une terrasse.

– Bon, les cocos, annonça M. Hedge. Vous allez voir le Grand Canyon. Essayez de ne pas le casser. La passerelle peut supporter le poids de soixante-dix avions gros porteurs, donc théoriquement même ceux d'entre vous qui ont la densité mentale d'un trou noir ne craignent rien. Si possible, évitez de vous pousser l'un l'autre par-dessus la balustrade, ça me ferait trop de paperasse.

L'entraîneur ouvrit les portes et ils sortirent. Le Grand Canyon se déployait devant eux dans toute sa majesté. En surplomb, une passerelle dessinait un fer à cheval, et comme elle était en verre, on pouvait voir le canyon au travers.

– C'est géant, commenta Léo.

Jason ne pouvait pas dire le contraire. Malgré son amnésie et le sentiment très fort qu'il n'avait rien à faire là, il était impressionné par le spectacle.

Le canyon était plus grand et plus étendu qu'on aurait pu le croire en regardant une photo. Ils étaient si haut que les oiseaux tournoyaient à leurs pieds. À cent cinquante ou deux cents mètres en contrebas, un fleuve serpentait. De gros nuages d'orage qui s'étaient amassés pendant leur visite du musée projetaient des ombres menaçantes sur les falaises. À perte de vue, d'un côté comme de l'autre, des ravins gris et rouge entaillaient le désert. *Comme si un dieu pris de folie avait attaqué les falaises à coups de couteau*, songea Jason. Une douleur aiguë lui traversa le cerveau, derrière les orbites. *Des dieux pris de folie...* d'où lui venait une idée pareille ? Jason eut l'impression qu'il venait de passer tout près de quelque chose d'important – une chose qu'il devait savoir. Il eut aussi la sensation, reconnaissable entre toutes, qu'il était en danger.

– Ça va ? lui demanda Léo. Tu vas pas vomir, dis-moi ? Parce que j'ai oublié mon appareil photo.

Jason agrippa la balustrade. Il tremblait et il était en sueur, mais ça n'avait rien à voir avec le vertige. Il cligna des yeux, et la douleur se calma.

– Ça va, parvint-il à dire. J'ai mal à la tête, c'est tout.

Un grondement de tonnerre retentit. Une bourrasque faillit renverser Jason

– Y a du danger dans l'air, dit Léo, qui regardait les nuages en clignant des yeux. L'orage est pile au-dessus de nous, et c'est dégagé tout autour. Tu trouves pas ça bizarre ?

Jason leva la tête et vit que Léo disait vrai. Un cercle de nuages gris plafonnait au-dessus de la passerelle, mais tout autour le ciel était limpide. Jason se sentit gagné par l'inquiétude.

– Bon, les cocos ! hurla M. Hedge. On sera peut-être obligés d'abréger, alors au travail ! Et n'oubliez pas : je veux des phrases entières !

Le tonnerre gronda de plus belle et Jason sentit son mal de tête reprendre. Sans savoir pourquoi, il plongea la main dans la poche de son jean et en sortit une pièce de monnaie : un rond en or épais, à la surface bosselée. Sur une face, une hache d'armes était poinçonnée, et sur l'autre, la tête d'un gars couronné de lauriers. L'inscription, sous la hache, ressemblait à : IVLIVS.

– Purée, c'est de l'or ! s'exclama Léo. Tu m'as fait des cachotteries !

Jason rangea la pièce en se demandant comment elle s'était trouvée en sa possession et pourquoi il avait l'impression qu'il en aurait besoin bientôt.

– Ce n'est rien, dit-il. Juste une pièce de monnaie.

Léo haussa les épaules. Peut-être que son esprit avait lui aussi besoin de s'activer sans cesse, car il changea de sujet.

– Chiche que tu craches par-dessus la balustrade ?

Ils ne firent pas preuve de beaucoup de bonne volonté pour remplir la fiche d'exercices. Jason était trop distrait par l'orage et tous les sentiments qui se bousculaient en lui. En plus, il aurait été bien incapable de « nommer trois couches sédimentaires observées » ou de « décrire deux exemples d'érosion ».

Léo n'était pas d'un grand secours. Il était trop absorbé par l'hélicoptère qu'il fabriquait avec des cure-pipes.

– Regarde.

Léo lâcha l'hélico dans le vide. Jason s'attendait à le voir tomber en vrille, mais les pales en cure-pipes se mirent à tourner. Le petit hélico traversa la moitié du canyon avant de perdre le contrôle et de piquer en tourbillon.

– Comment t'as fait ? demanda Jason.

Léo haussa les épaules.

– Ça aurait mieux marché si j'avais eu des élastiques.

– Sérieusement, reprit Jason, on est amis ?

– Aux dernières nouvelles, oui.

– Tu es sûr ? Quand est-ce qu'on s'est rencontrés pour la première fois ? De quoi on a parlé ?

– C'était... (Léo fronça les sourcils.) Je ne m'en souviens pas, au juste. Je suis hyperactif, mon pote. Faut pas me demander de me souvenir des détails.

– Mais moi je n'ai *aucun* souvenir de toi. Je ne me souviens de personne, ici. Et si...

– Si tu avais raison et que tous les autres se trompent ? demanda Léo. Tu crois que tu es apparu ici ce matin seulement et qu'on a tous de faux souvenirs de toi ?

Une petite voix dans la tête de Jason répondit : *C'est exactement ce que je crois.*

Mais c'était trop fou. Tout le monde, ici, trouvait sa présence normale. Ils se comportaient tous comme si Jason avait toujours fait partie de la classe – tous, sauf M. Hedge.

– Prends la fiche d'exercices, dit Jason en tendant la feuille à Léo. Je reviens tout de suite.

Sans laisser à Léo le temps de protester, il s'avança sur la passerelle.

Le groupe scolaire avait les lieux pour lui tout seul. Peut-être l'heure était-elle trop matinale pour les touristes, à moins que le drôle de temps les ait refroidis. Les élèves de l'École du Monde Sauvage s'étaient répartis deux par deux tout le long de la passerelle. La plupart bavardaient et riaient. Certains lançaient des pièces de monnaie dans le vide. À une quinzaine de mètres, Piper essayait de remplir la fiche d'exercices, mais son imbécile de coéquipier, Dylan, la draguait avec lourdeur – il passait la main sur ses épaules et lui décochait son fameux sourire étincelant. Elle n'arrêtait pas de le repousser, et quand elle aperçut Jason, elle lui adressa un regard qui semblait dire : *Tu pourrais l'étrangler, s'il te plaît ?*

Jason lui fit signe de patienter. Il se dirigea vers M. Hedge, qui examinait les nuages, appuyé sur sa batte de base-ball.

– C'est toi qui as fait ça ? demanda l'entraîneur.

Jason recula d'un pas.

– Fait quoi ?

On aurait dit que M. Hedge venait de lui demander s'il avait provoqué l'orage. Il fusillait Jason du regard et ses petits yeux brillaient sous la visière de sa casquette.

– Ne joue pas au malin avec moi, petit. Qu'est-ce que tu fais là et pourquoi tu interfères dans mon boulot ?

– Vous voulez dire... vous voulez dire que vous ne me connaissez pas ? fit Jason. Je ne suis pas un de vos élèves ?

Hedge renifla.

– Jusqu'à aujourd'hui, dit-il, je ne t'avais jamais vu.

Jason se sentit tellement soulagé qu'il en aurait pleuré. Il ne perdait donc pas la tête : il n'était effectivement pas à sa place.

– Écoutez, Monsieur, dit-il, je ne sais pas comment je suis arrivé ici. Je me suis réveillé dans ce car scolaire. Tout ce que je sais, c'est que je ne suis pas censé être là.

– Pigé. (La voix bourrue de l'entraîneur se réduisit à un murmure, comme s'il partageait un secret.) Tu dois avoir une maîtrise exceptionnelle de la Brume, petit, pour faire croire à tous ces gens qu'ils te connaissent, mais moi, tu ne m'auras pas. Ça fait plusieurs jours que je sens une odeur de monstre. Je savais qu'on avait un infiltré dans nos rangs, mais tu ne sens pas le monstre. Tu as une odeur de sang-mêlé. Alors qui es-tu et d'où viens-tu ?

Jason ne comprenait quasiment rien de ce que venait de lui dire l'entraîneur, mais il décida de jouer la franchise.

– Je ne sais pas qui je suis, dit-il. Je n'ai aucun souvenir. Il faut que vous m'aidiez.

Hedge scruta le visage de Jason comme pour y lire ses pensées.

– Formidable, grommela-t-il. Tu dis la vérité.

– Bien sûr que je dis la vérité ! Et c'est quoi, ces histoires de monstres et de sang-mêlé ? C'est un code secret ou quoi ?

Hedge plissa les yeux. Jason se demanda si l'entraîneur n'était pas fou, mais dans un coin de sa tête, il savait bien que non.

– Écoute, petit. Je ne sais pas qui tu es, mais je sais ce que tu es, et ça n'annonce rien de bon. Maintenant j'ai trois jeunes à protéger au lieu de deux. Tu es le colis spécial, c'est ça ?

– De quoi vous parlez ?

Hedge leva les yeux vers le ciel d'orage. De gros nuages noirs s'accumulaient au-dessus de la passerelle.

– Ce matin, dit-il, j'ai reçu un message de la colonie. Une équipe d'extracteurs est en route. Ils viennent chercher un colis spécial, mais ils ont refusé de m'en apprendre davantage. Je me suis dit : « Très bien. » Les deux que je surveille sont assez puissants et plus âgés que les autres. Je sais qu'ils sont traqués. Je suppose que c'est pour ça qu'à la colonie ils sont tellement pressés de les rapatrier. Là-dessus, tu débarques, comme tombé du ciel. D'où ma question : es-tu le colis spécial ?

La douleur qui tançait Jason derrière les yeux redoubla d'intensité. *Sang-mêlé, colonie, monstres.* Il ne comprenait toujours pas ce dont Hedge lui parlait, mais ses paroles lui provo-quaient une névralgie violente – comme si son cerveau moulinait pour accéder à des informations qui auraient dû être disponibles mais ne l'étaient pas.

Il tituba et Hedge le rattrapa. Pour un type aussi petit, l'entraîneur avait une sacrée poigne.

– Houlà, mon coco. Tu dis que t'as aucun souvenir ? D'accord. Ben je vais devoir veiller sur toi aussi, en attendant que l'équipe arrive. On laissera le directeur démêler cette his-toire.

– Quel directeur ? Quelle colonie ? fit Jason.

– Reste tranquille, les renforts devraient pas tarder. Avec un peu de chance, il ne se passera rien avant que...

Un grondement de tonnerre retentit au-dessus de leurs têtes. Le vent s'emballa, des fiches d'exercices voltigèrent dans le Grand Canyon et le pont tout entier se mit à trembler. Des ados, affolés, s'agrippèrent à la balustrade en hurlant.

– Encore perdu une occasion de me taire, marmonna Hedge, qui empoigna son mégaphone et hurla : Tout le monde dans le bâtiment ! Meuh fait la vache ! Évacuez la passerelle !

– Vous aviez dit que c'était stable ! cria Jason pour couvrir le vent.

– Ouais, en temps normal, acquiesça Hedge. Ce qui n'est pas le cas maintenant. Allez, viens !

2   JASON

L'orage enfla et prit des proportions d'ouragan miniature. Des trombes s'allongeaient vers la passerelle comme les tentacules d'une monstrueuse méduse.

Les élèves couraient en hurlant vers le musée. Le vent arrachait leurs carnets, leurs vestes, leurs bonnets et leurs sacs à dos. Jason dérapa sur le sol glissant. Léo perdit l'équilibre et faillit basculer par-dessus bord, mais Jason le rattrapa *in extremis* par son blouson.

– Merci, mec ! hurla Léo.

– Allez, allez, on se presse ! criait M. Hedge.

Piper et Dylan tenaient les portes et faisaient entrer les autres. Le blouson de snowboard de Piper claquait furieusement au vent, et ses cheveux noirs lui fouettaient le visage. Elle devait être frigorifiée, pourtant elle gardait son sang-froid, encourageait les autres et les rassurait.

Jason, Léo et Hedge s'élancèrent vers eux, mais c'était comme s'ils couraient dans des sables mouvants. Le vent les repoussait, semblait presque les combattre.

Dylan et Piper firent entrer un ado de plus, puis perdirent prise ; les poignées leurs glissèrent des mains et les portes claquèrent. La passerelle était soudain coupée du musée.

Piper tira sur la poignée. À l'intérieur, certains tambourinaient sur les panneaux de verre, en vain : les portes étaient bloquées.

– Dylan, aide-moi ! cria Piper.

Le garçon restait planté là, un sourire crétin aux lèvres, comme si soudain il trouvait la tempête des plus agréables.

– Désolé, Piper, dit-il, mais j'aide plus personne.

Il donna un brusque coup de poignet et la jeune fille vola en arrière, heurta violemment les portes et s'affaissa au sol.

– Piper !

Jason voulut foncer lui porter secours, mais il avait le vent contre lui et l'entraîneur le retint.

– Laissez-moi y aller, m'sieur Hedge ! s'écria-t-il.

– Jason et Léo, restez derrière moi, ordonna l'entraîneur. C'est à moi de mener ce combat. J'aurais dû deviner que c'était lui, notre monstre.

– Quoi ? fit Léo, qui reçut une fiche d'exercices en pleine figure, mais l'écarta d'un geste. Quel monstre ?

La casquette de l'entraîneur s'envola et ils aperçurent deux protubérances qui dépassaient de ses cheveux bouclés – un peu comme les bosses des personnages de bandes dessinées quand ils prennent des coups sur la tête. Hedge brandit sa batte de base-ball... qui n'en était plus une. Allez savoir comment, elle s'était changée en gourdin taillé grossièrement dans une branche d'arbre, encore hérissé par endroits de brindilles et de feuilles.

Dylan le gratifia de son sourire de psychotique béat.

– Allez, m'sieur l'entraîneur, soyez cool ! Laissez le petit jeune m'attaquer. Vous voyez bien que vous êtes trop vieux pour ce jeu ! C'est pas pour ça qu'on vous a mis au placard dans cette colonie à la gomme ? Je suis dans votre équipe depuis le début de la saison et vous m'avez même pas repéré... Tu perds ton flair, papy.

L'entraîneur émit un grognement de colère qui n'était pas sans ressembler à un bêlement.

– Tu l'as cherché, mon coco. Ton compte est bon.

– Tu crois que tu peux protéger trois sang-mêlé à la fois, papy ? ricana Dylan. Bonne chance.

Sur ces mots, il pointa du doigt Léo, et un entonnoir nuageux se matérialisa autour de lui. Léo tomba de la passerelle comme s'il avait été projeté dans le vide. Il parvint à se retourner en plein vol et s'écrasa contre le flanc du canyon. Il dérapa, cherchant désespérément une prise. À une quinzaine de mètres en dessous de la passerelle, il parvint enfin à se raccrocher à une saillie rocheuse du bout des doigts.

– Au secours ! leur cria-t-il. Une corde, un élastique, quelque chose !

Avec un juron, Hedge lança son gourdin à Jason.

– J'sais pas qui tu es, petit, mais j'espère que t'es bon. Occupe cette chose (d'un geste, il désigna Dylan) pendant que je vais chercher Léo.

– Comment ? demanda Jason. Vous allez voler ?

– Non. Grimper.

Sur ces mots, l'entraîneur enleva ses chaussures et Jason faillit faire une crise cardiaque. Hedge n'avait pas de pieds. Il avait des sabots – des sabots de chèvre. Ce qui voulait dire, comprit Jason, que ces protubérances sur sa tête n'étaient pas des bosses, mais bel et bien des cornes.

– Vous êtes un faune, dit Jason.

– Un *satyre* ! corrigea Hedge d'un ton sec. Les faunes, c'est chez les Romains. Mais on parlera de ça plus tard.

Hedge enjamba d'un bond la rambarde. Il se laissa glisser vers le canyon et toucha la paroi du bout des sabots. Il se mit alors à dévaler à flanc de falaise avec une agileté sidérante pour se rapprocher de Léo, prenant appui sur des saillies pas plus grosses qu'un timbre, esquivant les trombes qui tentaient de l'attaquer.

– Si c'est pas mignon ! (Dylan se tourna vers Jason.) À ton tour, mon garçon !

Jason lança le gourdin. Vu la force des vents, c'était une tentative vouée à l'échec, et pourtant la massue fusa droit vers Dylan, obliqua quand ce dernier se baissa et le frappa si fort qu'il tomba à genoux.

Piper était moins sonnée qu'elle le laissait paraître. Quand le gourdin roula près d'elle, elle s'en empara aussitôt, mais elle n'eut pas le temps de s'en servir. Dylan se relevait déjà. Un filet de sang – de sang *doré* – coulait à son front.

– Bel effort, petit ! cracha-t-il en fusillant Jason du regard. Mais ça ne va pas suffire.

La passerelle trembla. Le verre se couvrit de mille fissures. Les élèves, à l'intérieur du musée, arrêtèrent de tambouriner contre la porte et reculèrent, les yeux écarquillés par l'effroi.

Le corps de Dylan était en train de se réduire en fumée, comme si ses molécules se disloquaient. Il avait toujours le même visage, le même sourire à la blancheur éclatante, mais son corps entier était à présent composé de vapeur noire et ses yeux brillaient comme des étincelles électriques au cœur d'un nuage d'orage. Il déploya des ailes sombres et vaporeuses et s'éleva au-dessus de la passerelle. *Si les anges pouvaient être maléfiques*, pensa Jason, *c'est exactement à ça qu'ils ressembleraient.*

– Tu es un *ventus*, dit Jason, qui n'avait pas la moindre idée d'où il sortait ce mot. Un esprit de la tempête.

Le rire de Dylan résonna comme une tornade qui arrache un toit.

– J'ai pas attendu pour rien, demi-dieu. Léo et Piper, je les ai identifiés depuis des semaines, j'aurais pu les tuer n'importe quand. Mais ma maîtresse a dit qu'un troisième allait venir,

27

quelqu'un de spécial. Elle me récompensera généreusement pour ta mort !

Deux autres nuages en forme de tuba se posèrent de part et d'autre de Dylan et se changèrent en *venti* – de jeunes gens fantomatiques avec des ailes de fumée et des yeux qui lançaient des éclairs.

Piper restait à terre en faisant semblant d'être dans les vapes, le gourdin à la main. Elle était très pâle, mais elle adressa un regard déterminé à Jason, qui comprit le message : *Occupe-les. Je vais les assommer par derrière.*

Jolie, intelligente *et* violente. Jason aurait bien aimé se souvenir que c'était sa petite amie.

Il serra les poings et se prépara à charger, mais n'en eut pas le loisir.

Dylan leva une main aux doigts parcourus d'arcs électriques, et foudroya Jason en plein torse.

Bang ! Jason tomba à plat dos. Il avait un goût d'aluminium brûlé dans la bouche. Il leva la tête et vit que ses vêtements fumaient. L'éclair avait traversé son corps et carbonisé sa chaussure gauche. Son pied était noir de suie.

Les esprits de la tempête riaient. Les vents faisaient rage. Piper lançait des cris de défi, mais tous ces sons semblaient réduits à de lointains tintements de crécelle.

Du coin de l'œil, Jason aperçut Hedge qui escaladait la falaise, Léo sur le dos. Piper, debout, faisait de vigoureux moulinets avec le gourdin pour repousser les deux nouveaux *venti*, mais ils se moquaient d'elle. Ses coups traversaient leurs corps comme s'ils n'étaient pas là. Et Dylan, telle une sombre tornade ailée, s'apprêtait à fondre sur Jason.

– Arrête ! ordonna ce dernier d'une voix étranglée.

Il se releva, les jambes flageolantes et au moins aussi surpris par sa réaction que les esprits de la tempête.

– Comment se fait-il que tu sois encore en vie ? interrogea la silhouette mouvante de Dylan. Y avait assez de jus dans ces éclairs pour griller vingt hommes !

– À mon tour, dit Jason pour toute réponse.

Il plongea la main dans sa poche et en sortit la pièce d'or. Se laissant guider par son instinct, il la lança en l'air, comme s'il l'avait déjà fait des centaines de fois. Lorsqu'il tendit la main pour la rattraper, c'est sur la poignée d'une épée qu'elle se referma – une épée à double tranchant, redoutablement affûtée. Le pommeau lui tenait parfaitement au creux de la main et il était en or massif, tout comme la garde et la lame.

Dylan recula avec un rictus mauvais.

– Eh bien, hurla-t-il en toisant ses deux camarades, qu'est-ce que vous attendez pour le tuer ?

L'air peu enthousiastes, les autres esprits de la tempête se jetèrent sur Jason ; le bout de leurs doigts crachait des étincelles électriques.

Jason porta une botte au premier des deux esprits et le corps de fumée de la créature se désintégra. Le deuxième décocha un éclair, mais la lame de Jason en absorba la charge électrique. Le garçon avança d'un pas ; une estocade rapide, et l'esprit vola en poussière d'or.

Dylan mugit de rage. Il regardait les tas de poussière d'or comme s'il s'attendait à voir ses camarades se reformer, mais le vent dispersa leurs vestiges.

– Impossible ! Qui es-tu, sang-mêlé ?

Quant à Piper, elle était tellement estomaquée qu'elle lâcha le gourdin.

– Jason, comment... ?

À ce moment-là, M. Hedge se hissa sur la passerelle et jeta Léo par terre, comme un vulgaire sac de farine

– Esprits, tremblez ! tonna-t-il en bombant son torse trapu. (Il regarda autour de lui et se rendit compte qu'il ne restait plus que Dylan.) Bon sang, mon garçon, tu aurais pu m'en laisser un de plus ! Moi aussi, j'aime bien en découdre !

Léo se releva, le souffle court. Il avait l'air mortifié, et ses mains, tout écorchées, saignaient.

– Eh, l'homme-bouc, s'écria-t-il, ch'aipas qui vous êtes, mais je vous rappelle que je viens de tomber dans le Grand Canyon !

Dylan les toisa rageusement, mais Jason lut de la peur dans ses yeux.

– Vous pouvez pas imaginer le nombre d'ennemis que vous venez de réveiller, sang-mêlé ! cria le *ventus*. Ma maîtresse va anéantir les demi-dieux, tous autant qu'ils sont. Vous n'avez aucun espoir de remporter cette guerre.

Au-dessus de leurs têtes, la tempête redoublait de violence. Les fissures du sol de la passerelle s'élargirent. Il se mit à pleuvoir des cordes, et Jason dut s'accroupir pour ne pas perdre l'équilibre.

Un trou en forme de cône perça les nuages : un tourbillon noir et argenté.

– La maîtresse me rappelle ! hurla Dylan avec délectation. Et toi, demi-dieu, dit-il à Jason, tu vas venir avec moi !

Il se jeta sur lui, mais Piper l'attaqua par derrière. Il avait beau être fait de fumée, elle arriva à l'empoigner à bras-le-corps et ils s'étalèrent pêle-mêle. Léo, Jason et l'entraîneur se ruèrent à la rescousse, mais l'esprit rugit et cracha un torrent qui les projeta tous en arrière. Jason et Hedge tombèrent sur leur derrière. Jason perdit son épée, qui glissa sur le verre. Léo se cogna la tête et se roula en boule en gémissant, sonné par le choc. Piper fut celle qui souffrit le plus de la déferlante d'eau. Arrachée du dos de Dylan, elle percuta la rambarde, bascula par-dessus bord et se retrouva pendue par une seule main dans le vide.

À l'instant où Jason s'élançait vers elle, Dylan hurla :

– Je me contenterai de celui-là !

Il attrapa Léo par un bras et se mit à grimper dans le ciel, emportant avec lui le garçon à demi inconscient. La tornade s'accéléra pour les happer comme un aspirateur.

– Au secours ! cria Piper.

Là-dessus, elle perdit prise et tomba dans le vide en hurlant.

– Jason, vas-y ! ordonna Hedge. Sauve-la !

L'entraîneur s'attaqua à l'esprit de la tempête dans une débauche de coups de sabots, façon kung-fu caprin, et parvint à libérer Léo. Ce dernier tomba au sol sain et sauf, mais Dylan empoigna l'entraîneur par les deux bras. Hedge tenta de lui donner des coups de tête, puis des coups de sabots, et le traita même de petit coco. Ils s'élevèrent dans l'air en gagnant de la vitesse.

Hedge cria une dernière fois :

– Sauve-la ! Je m'occupe de lui !

Puis il disparut entre les nuages, emporté par la spirale avec l'esprit de la tempête.

La sauver ? pensa Jason. *Elle est perdue !*

Malgré tout, une fois de plus, il obéit à son instinct. Il courut à la balustrade en se disant « Je suis dingue » et sauta dans le gouffre.

Jason n'avait pas peur du vide. Il avait peur de s'écraser au fond du canyon, cent cinquante mètres plus bas. Il se dit qu'il n'aurait accompli aucun exploit, à part mourir avec Piper. Néanmoins, il plaqua les bras contre le corps et piqua la tête la première. Les flancs du canyon défilèrent comme un film en accéléré. Il avait l'impression que son visage se détachait de son crâne.

En une fraction de seconde, il rattrapa Piper, qui battait désespérément des bras. Il l'enlaça par la taille, ferma les yeux et attendit la mort. Piper hurla. Le vent soufflait aux oreilles de Jason. Il se demanda quel effet ça faisait de mourir. À son avis, il y avait mieux comme expérience. Avec la logique du désespoir, il espéra qu'ils ne touchent jamais le fond.

Soudain, le vent tomba. Les hurlements de Piper se muèrent en un hoquet étranglé. Jason se dit qu'ils devaient être morts, pourtant ils n'avaient pas senti d'impact.

– J-J-Jason, articula Piper.

Il ouvrit les yeux. Ils ne tombaient plus. Ils flottaient, suspendus trente mètres au-dessus du fleuve.

Il serra Piper plus fort dans ses bras, et elle modifia sa position pour se lover contre lui. Leurs nez se touchaient presque. Le cœur de Piper battait si fort que Jason le sentait à travers les vêtements.

– Comment tu as fait ? dit-elle.

Son haleine sentait la cannelle.

– Je n'ai rien fait. Si je savais voler, je crois que je serais au courant...

Mais Jason pensa aussitôt : *Je ne sais même pas qui je suis.*

Il s'imagina en train de grimper dans l'air. D'un coup, ils furent propulsés d'un mètre vers le haut, et Piper laissa échapper un petit cri. Ils ne flottaient pas à proprement parler, estima Jason, qui sentait une pression sous ses pieds, comme s'il se tenait en équilibre au sommet d'un geyser.

– L'air nous porte, dit-il.

– Ben dis-lui de nous donner un coup de pouce en plus ! Tire-nous de là !

Jason baissa les yeux. Le plus simple était encore d'aller se poser doucement au fond du canyon. Puis il leva la tête. La pluie avait cessé. Les nuages d'orage semblaient moins menaçants, mais il y avait encore des grondements de tonnerre et des éclairs. Rien ne garantissait que les esprits étaient partis pour de bon. Il ignorait ce qu'était devenu M. Hedge. Et il avait laissé Léo seul là-haut, presque inconscient.

32

– Il faut qu'on les aide, dit Piper, comme si elle lisait dans ses pensées. Peux-tu...

– On va voir.

Jason pensa : *en haut* et, aussitôt, ils montèrent en flèche.

Dans d'autres circonstances, ça aurait été très cool de naviguer les vents, mais là, le choc était trop fort. Aussitôt sur la passerelle, ils coururent auprès de Léo. Piper le retourna sur le dos et il poussa un gémissement. Sa veste de l'armée était trempée par la pluie ; ses cheveux bouclés étaient pailletés d'or tant il avait roulé dans la poussière de monstres, mais il était vivant.

– L'affreux... homme-bouc...

– Où est-il ? demanda Piper.

Léo pointa le doigt vers le ciel.

– Il est jamais redescendu. S'il vous plaît, ne me dites pas qu'il m'a sauvé la vie.

– Deux fois, dit Jason.

Léo gémit de plus belle.

Qu'est-ce qui s'est passé ? L'homme-tornade, l'épée en or... J'ai reçu un coup sur la tête. C'est ça, hein ? J'hallucine ?

Jason avait oublié l'épée. Il se dirigea vers l'endroit où elle gisait et la ramassa. La lame était bien équilibrée. Mû par une intuition, il la lança en l'air. À mi-parcours, elle se transforma de nouveau en pièce de monnaie, puis retomba dans la paume de Jason.

– Ouais, pas de doute, j'hallucine, conclut Léo.

Piper, trempée jusqu'aux os, frissonnait.

– Jason, fit-elle, ces créatures...

– Des *venti*, précisa-t-il. Des esprits de la tempête.

– D'accord. Tu te comportais avec eux... comme si tu les avais déjà vus. Qui es-tu vraiment ?

Il secoua la tête.

– Je sais pas. C'est ce que je me tue à vous dire.

33

La tempête se calma. Les autres pensionnaires de l'École du Monde Sauvage regardaient par les portes vitrées, visiblement terrifiés. Des vigiles s'efforçaient d'ouvrir les verrous, à présent, mais ils n'avaient pas l'air d'y arriver.

– Hedge a dit qu'il devait protéger trois personnes, se souvint Jason. Je crois qu'il parlait de nous trois.

– Et Dylan qui s'est transformé en monstre... Quand je pense qu'il me draguait ! Il nous a traités de quoi... de *demi-dieux* ?

Léo, couché sur le dos, regardait le ciel. Il n'avait pas l'air pressé de se lever.

– Je sais pas ce qu'il voulait dire, mais là je me sens pas très divin. Et vous, les gars, vous vous sentez divins ?

Un craquement sec se fit entendre, et les fissures qui sillonnaient la passerelle s'élargirent.

– Il faut qu'on s'en aille de cette passerelle, dit Jason. Peut-être qu'en...

– D'ac-cord..., interrompit Léo. Regardez dans le ciel et dites-moi si vous voyez des chevaux volants.

Au début, Jason se dit que Léo avait vraiment pris un coup sur la tête. Puis il distingua une forme sombre qui piquait du côté est, trop lente pour un avion, trop grande pour un oiseau. Quand elle se rapprocha, il vit une paire d'animaux ailés – gris, à quatre jambes, exactement comme des chevaux – sauf que chaque bête avait des ailes d'une envergure de sept à huit mètres. Elles tiraient une caisse peinte en couleurs vives et dotée de deux roues : un char.

– Les renforts, commenta Jason. Hedge m'avait dit qu'une équipe d'extracteurs allait venir nous chercher.

– Des extracteurs ? (Léo se releva avec effort.) Rien que le nom, ça me fait mal.

– Et où est-ce qu'ils nous emmènent, ces extracteurs ? demanda Piper.

Jason regarda le char se poser à l'autre bout de la passerelle. Les chevaux volants replièrent les ailes et trottèrent avec appréhension sur le sol de verre, comme s'ils sentaient qu'il était sur le point de casser. Deux ados se tenaient dans le char : une grande blonde qui devait être un peu plus âgée que Jason et un type au crâne rasé, l'air patibulaire. Ils étaient en jean et en tee-shirt orange et portaient tous les deux un bouclier sur l'épaule. La fille sauta à terre avant même que le char se soit complètement arrêté. Elle sortit un poignard et se dirigea vers le groupe de Jason pendant que le gros costaud amenait les chevaux au pas.

– Où est-il ? demanda la fille.

Elle avait des yeux farouches, d'un gris saisissant.

– Où est qui ? rétorqua Jason.

Elle fronça les sourcils comme si cette question était inacceptable. Puis elle s'adressa à Piper et à Léo.

– Et Gleeson ? Où est votre protecteur, Gleeson Hedge ?

L'entraîneur se prénommait Gleeson ? Jason aurait ri, s'il ne venait pas de passer une matinée aussi folle et périlleuse. Gleeson Hedge, entraîneur de foot, homme-bouc, protecteur de demi-dieux. Oui, pourquoi pas ?

Léo s'éclaircit la gorge.

– Il a été enlevé par des... des espèces de tornades.

– Des *venti*, spécifia Jason. Des esprits de la tempête.

La blonde dressa le sourcil.

– Tu veux dire des *anemoi thuellai* ? C'est ça le terme, en grec. Qui es-tu et qu'est-ce qui s'est passé ?

Jason le lui raconta de son mieux, même s'il avait du mal à soutenir le regard implacable de ses yeux gris.

Il en était à la moitié de son récit quand l'autre passager du char les rejoignit. Il se planta devant eux, croisa les bras et les toisa en silence. Il avait un arc-en-ciel tatoué sur le biceps, ce qui était plutôt inattendu.

35

Quand Jason se tut, la blonde prit l'air mécontent.

– Non, non et non ! s'exclama-t-elle. Elle m'a dit qu'il serait là. Elle m'a dit que si je venais, je trouverais la réponse.

– Annabeth, grommela Crâne Rasé en pointant du doigt vers les pieds de Jason, regarde.

Jason n'y avait plus trop pensé mais, effectivement, il lui manquait sa chaussure gauche, soufflée par l'éclair. Son pied nu ne lui faisait pas mal, mais il était noir comme un bloc de charbon.

– Le type à la chaussure en moins, dit Crâne Rasé. C'est lui, la réponse.

– Non, Butch, insista la fille. C'est impossible. Je me suis fait rouler. (Elle regarda le ciel comme s'il lui avait fait du tort.) Que me voulez-vous ? hurla-t-elle. Qu'avez-vous fait de lui ?

La passerelle trembla et les chevaux hennirent.

– Annabeth, dit Butch, faut qu'on y aille. On emmène ces trois-là à la colonie et on réfléchira plus tard. Les esprits de la tempête pourraient revenir.

Elle ragea en silence un instant, avant de grommeler : « D'accord. »

– On réglera ça plus tard, ajouta-t-elle en gratifiant Jason d'un regard hostile.

Là-dessus elle tourna les talons et se dirigea vers le char.

Piper secoua la tête.

– C'est quoi son problème, à celle-là ? Qu'est-ce qui se passe ?

– Franchement, renchérit Léo.

– Il faut qu'on vous évacue, dit Butch. Je vous expliquerai en route.

– Je ne pars pas avec elle, dit Jason en montrant la blonde d'un geste. On dirait qu'elle veut me tuer.

Butch marqua une hésitation.

– Annabeth est réglo, dit-il ensuite. Vous devez être indulgents avec elle. Elle a eu une vision lui disant de venir ici et de chercher un gars avec une chaussure en moins. C'était censé résoudre son problème.

– Quel problème ? demanda Piper.

– Elle cherche un de nos pensionnaires qui a disparu il y a trois jours, expliqua Butch. Elle est morte d'inquiétude. Elle espérait le trouver là.

– Qui ça ? demanda à son tour Jason.

– Son copain, dit Butch. Un type qui s'appelle Percy Jackson.

3   PIPER

A près une matinée peuplée d'esprits de la tempête, d'hommes-boucs et de petits copains volants, Piper aurait dû perdre la boule. Or elle ressentait de l'effroi, et rien d'autre.

Ça commence, pensait-elle. *Exactement comme l'annonçait le rêve.*

Elle était debout au fond du char avec Léo et Jason, tandis que Butch, le gars au crâne rasé, maniait les rênes et que la blonde, Annabeth, réglait un instrument de navigation en bronze. Ils s'élevèrent au-dessus du Grand Canyon et mirent le cap sur l'est. Un vent glacial transperçait le blouson de Piper. Derrière eux, des nuages d'orage s'amoncelaient.

Le char faisait des embardées, cahotait brutalement. Vu qu'il n'y avait pas de ceintures de sécurité et que l'arrière était ouvert, Piper se demanda si Jason la rattraperait une deuxième fois, au cas où elle tomberait. C'était cela, le plus troublant de cette folle matinée : pas le fait que Jason puisse voler, mais qu'il l'ait tenue dans ses bras sans savoir qui elle était.

Elle s'était appliquée à forger cette relation pendant tout le semestre, s'était efforcée de faire remarquer à Jason qu'elle pouvait être plus qu'une camarade. Enfin, le grand dadais s'était décidé à l'embrasser. Ces dernières semaines avaient été les plus belles de sa vie. Et puis, il y a trois jours, le rêve avait tout gâché : cette voix horrible, qui lui annonçait des nouvelles abominables. Elle n'en avait parlé à personne, pas même à Jason.

Et maintenant, elle l'avait perdu C'était comme si une main avait effacé la mémoire de son ami d'un coup d'éponge, et elle se retrouvait dans un vide total. Elle avait envie d'hurler. Jason était debout, juste à côté d'elle : ses yeux bleu ciel, ses cheveux blonds coupés très court, cette petite cicatrice sur la lèvre supérieure, tellement craquante. Il avait une expression pleine de gentillesse, mais toujours teintée d'une pointe de tristesse. Et là, il fixait l'horizon sans prêter attention à la présence de Piper.

Léo, quant à lui, cassait les oreilles à tout le monde, comme d'habitude.

– Je kiffe trop la balade ! (Il recracha une plume de pégase.) Où est-ce qu'on va ?

– En lieu sûr, répondit Annabeth. Dans le seul lieu où les ados comme nous sont en sécurité. À la Colonie des Sang-Mêlé.

– Des Sang-Mêlé ? répéta Piper, immédiatement sur ses gardes. (Ce genre de mots avaient des connotations désagréables à ses oreilles ; elle qui était moitié cherokee, moitié blanche, elle s'était fait traiter de métisse trop souvent, et jamais en compliment.) Tu rigoles, ou quoi ?

– Elle veut dire demi-dieux, expliqua Jason. Moitié dieu, moitié mortel.

Annabeth se tourna vers lui.

– Tu as l'air de savoir beaucoup de choses, Jason. Mais oui, c'est ça, des demi-dieux. Ma mère est Athéna, déesse de la Sagesse. Butch est le fils d'Iris, la déesse de l'Arc-en-ciel.

Léo faillit s'étrangler.

– Ta mère est une déesse de l'arc-en ciel ?

– Ça te dérange ? rétorqua Butch.

– Du tout, du tout, dit Léo. Très macho, les arcs-en-ciel.

39

– Butch est notre meilleur cavalier, ajouta Annabeth. Il s'entend très bien avec les pégases.

– Des arcs-en-ciel, des poneys..., marmonna Léo.

– Je sens que je vais te jeter par-dessus bord, l'avertit Butch.

– Des demi-dieux, dit alors Piper. Tu crois que tu es... tu crois que nous...

À ce moment-là, un éclair zébra le ciel. Le char trembla et Jason s'écria :

– La roue gauche a pris feu !

Piper s'écarta. Effectivement, la roue brûlait et des flammes léchaient le côté du char.

Le vent rugissait. Piper jeta un coup d'œil derrière elle et aperçut des formes sombres qui s'extirpaient des nuages et grimpaient en spirale vers le char ; une nouvelle escouade d'esprits de la tempête, sauf que ceux-là ressemblaient plus à des chevaux qu'à des anges.

– Pourquoi sont-ils..., commença-t-elle.

– Les *anemoi* peuvent prendre différentes formes, dit Annabeth. Des formes d'humains ou d'étalons, ça dépend de leur niveau de chaos. Accrochez-vous, ça va secouer.

Butch donna un petit coup avec les rênes et les pégases décuplèrent aussitôt de vitesse. Tout devint flou autour du char. Piper sentit son estomac se nouer ; le noir se fit dans ses yeux et quand elle recouvra une vision normale, ils étaient dans un lieu entièrement différent.

Sur la gauche s'étirait un océan gris. Sur la droite, des champs couverts de neige, des routes et des forêts. Pile en dessous d'eux, elle vit une vallée verte qui avait tout d'une oasis de printemps, encerclée de collines enneigées sur trois côtés et bordée par l'océan sur le quatrième. Piper aperçut un groupe d'édifices qui ressemblaient à des temples de l'Antiquité grecque, une grande maison bleue, des terrains de sport, un lac et un mur d'escalade qui avait l'air en flammes. Elle n'eut pas le temps de réfléchir à ce que ses yeux voyaient car leurs roues se détachèrent soudain et le char piqua comme une pierre.

Annabeth et Butch tentèrent de garder le contrôle du véhicule. Les pégases faisaient tout leur possible pour maintenir le char en vol, mais leur pointe de vitesse les avait visiblement épuisés, et porter le poids du char et de ses cinq passagers était au-dessus de leurs forces.

– Le lac ! hurla Annabeth. Visez le lac !

Piper se souvint que son père lui avait dit un jour que lorsqu'on tombait de très haut dans un plan d'eau, c'était comme si on percutait une dalle de béton.

Et puis... *BOUM* !

Le choc le plus violent, ce fut le froid. Piper se retrouva sous l'eau, tellement déboussolée qu'elle ne savait pas où était la surface.

Elle n'eut que le temps de penser : *Ce serait bête de mourir de cette façon.* Puis des visages surgirent dans l'eau trouble : des filles aux longs cheveux noirs et aux yeux jaunes et luisants. Elles lui sourirent, l'attrapèrent par les épaules et la hissèrent hors de l'eau.

Elles la jetèrent sur le rivage, tremblante et hoquetante. Butch, debout dans l'eau à quelques pas d'elle, tranchait les harnais en partie démolis des pégases. Ces derniers n'étaient pas blessés, heureusement, mais ils battaient des ailes en arrosant tout le monde à la ronde. Jason, Annabeth et Léo étaient déjà sur la rive, entourés de jeunes gens qui leur donnaient des couvertures et leur posaient des questions.

Quelqu'un prit Piper par les bras et l'aida à se relever. Ces ados devaient tomber souvent à l'eau, car ils étaient équipés : un groupe de pensionnaires accourut en portant des espèces de grandes souffleuses à feuilles en bronze et braquèrent un jet d'air chaud sur Piper, dont les vêtements séchèrent en deux secondes.

Ils étaient entourés d'au moins une vingtaine de pensionnaires. Le plus jeune devait avoir neuf ans, le plus âgé dix-huit ou dix-neuf, et ils portaient tous des tee-shirts orange comme celui d'Annabeth. Piper tourna la tête vers le lac et vit ces filles étranges qui flottaient juste en dessous de la surface, les cheveux déployés dans le courant. Elles agitèrent la main, *ciao, ciao !* et disparurent dans les profondeurs. Un instant plus tard, la carcasse du char, arrachée au lac, s'écrasait bruyamment sur la rive.

– Annabeth ! s'écria un type qui portait un arc et un carquois sur l'épaule et se frayait un chemin dans le groupe en jouant des coudes. Je t'ai dit que tu pouvais emprunter notre char, pas le démolir !

– Je suis vraiment désolée, Will, soupira Annabeth. Je le ferai réparer, je te promets.

Will, l'air dégoûté, contemplait son char. Puis il jaugea du regard Piper, Jason et Léo.

– C'est eux ? Ils ont bien plus de treize ans. Comment ça se fait qu'ils n'aient toujours pas été revendiqués ?

– Revendiqués ? demanda Léo.

Sans laisser le temps à Annabeth d'expliquer de quoi il s'agissait, Will enchaîna :

– Des nouvelles de Percy ?

– Non, avoua Annabeth.

Un murmure de déception monta du groupe. Piper ne savait pas qui était ce Percy, mais, manifestement, sa disparition inquiétait tout le monde.

Une autre fille s'avança – grande, sino-américaine, des cheveux noirs qui cascadaient en boucles sur ses épaules, couverte de bijoux, un maquillage parfait. Hyper-classe en simple jean et tee-shirt orange. La nouvelle venue jeta un bref coup d'œil à Léo, posa plus longuement le regard sur Jason comme s'il était susceptible de retenir son attention, puis toisa dédaigneusement Piper, tel un hamburger vieux de huit jours tout juste repêché d'une benne à ordures. Piper vit tout de suite à qui elle avait affaire. Elle en avait rencontré un paquet, des filles de ce genre, que ce soit à l'École du Monde Sauvage ou dans toutes les autres écoles débiles où son père l'avait envoyée. Elle sut immédiatement qu'elles deux seraient ennemies.

– Eh ben, dit la fille, j'espère qu'ils en valent la peine.

Léo fit la grimace.

– Merci, c'est trop sympa ! On est quoi, vos nouveaux joujoux ?

– Carrément, renchérit Jason. Si vous nous donniez des infos avant de commencer à nous juger ? Par exemple où est-ce qu'on est, qu'est-ce qu'on fait là, combien de temps on va devoir rester ?

Piper se posait les mêmes questions, mais une vague d'angoisse monta en elle. *J'espère qu'ils en valent la peine.* Si seulement ils étaient au courant de son rêve. Ils étaient loin de soupçonner...

– Jason, dit Annabeth, je te promets que nous répondrons à tes questions. Et Drew (elle regarda la fille sublime en fronçant les sourcils) tous les demi-dieux méritent d'être sauvés. Mais je reconnais que j'avais espéré autre chose de cette expédition.

– Hé, s'écria Piper, on n'a pas demandé à venir ici.

– Et personne ne veut de toi, ma chérie, rétorqua Drew en plissant le nez. T'as toujours les cheveux en vieilles queues de rat comme ça ?

Piper avança d'un pas, prête à en découdre, mais Annabeth dit :

– Piper, arrête.

La jeune fille obtempéra. Elle n'avait pas peur de Drew, seulement elle ne voulait pas se mettre Annabeth à dos.

– Nous devons faire un bon accueil aux nouveaux venus, reprit Annabeth en gratifiant Drew d'un regard lourd de sous-entendus. Nous allons leur donner un guide à chacun et leur faire visiter la colonie. Avec un peu de chance, d'ici au feu de camp de ce soir, ils auront été revendiqués.

– Est-ce que quelqu'un pourrait m'expliquer ce que ça signifie, « revendiqué » ? demanda Piper.

Soudain, un murmure monta du groupe. Les pensionnaires s'écartèrent. Piper commença par croire qu'elle avait fait une gaffe, puis elle remarqua qu'ils avaient tous le visage baigné d'une lumière rouge, comme si quelqu'un avait allumé une grande torche derrière elle. Elle tourna la tête et en eut le souffle coupé.

Au-dessus de la tête de Léo flottait un hologramme rougeoyant : un marteau crépitant de flammes.

– C'est ça, être revendiqué, dit alors Annabeth.

– Qu'est-ce que j'ai fait ? (Léo recula d'un pas vers le lac. Puis il leva la tête et laissa échapper un petit cri.) J'ai les cheveux en flammes ?

Il se baissa, tourna la tête à gauche et à droite, mais le symbole le suivit comme s'il essayait de tracer des paroles de feu avec le sommet de son crâne.

– C'est mauvais, ça, marmonna Butch. La malédiction...

– Butch, la ferme, le coupa Annabeth. Léo, tu viens d'être revendiqué...

– Par un dieu, intervint Jason. C'est le symbole de Vulcain, n'est-ce pas ?

Tous les yeux se tournèrent vers lui.

– Jason, dit Annabeth en maîtrisant sa voix, comment le sais-tu ?

– Je ne pourrais pas dire.

– Vulcain ? fit Léo. Qu'est-ce que vous racontez ? J'aime pas *Star Trek*, de toute façon.

– Vulcain est le nom romain d'Héphaïstos, dit Annabeth, le dieu du Feu et des Forges.

Le marteau enflammé s'éteignit, mais Léo continua d'agiter la main comme s'il avait peur que le symbole le suive.

– Le dieu de quoi ? Qui ça ?

Annabeth se tourna vers le type à l'arc.

– Will, tu pourrais t'occuper de Léo ? Fais-lui visiter la colonie et présente-le à ses compagnons du bungalow neuf.

– Pas de problème, Annabeth.

– C'est quoi le bungalow neuf ? demanda Léo. Je suis pas un vulcain !

– Viens, Spock, je vais tout t'expliquer.

Will posa une main sur l'épaule de Léo et l'entraîna vers les bungalows.

Annabeth reporta son attention sur Jason. D'habitude, Piper n'appréciait pas que d'autres filles s'intéressent à son copain, mais Annabeth avait l'air de se moquer que Jason soit mignon. Elle donnait plutôt l'impression de l'étudier comme un schéma compliqué. Au bout de quelques instants, elle dit :

– Jason, tends le bras.

Piper, voyant ce qu'Annabeth regardait, écarquilla les yeux.

Jason, qui avait enlevé son coupe-vent après le plongeon dans le lac, était bras nus. À l'intérieur de son avant-bras, il avait un tatouage que Piper n'avait jamais remarqué. Comment était-ce possible ? Elle avait regardé les bras de Jason des milliers de fois. Or le tatouage ne pouvait pas avoir surgi brusquement, il était gravé en marques sombres et profondes, impossibles à rater : une douzaine de traits droits comme un code-barre, surmontés d'un aigle et des lettres SPQR.

– Je n'ai jamais vu un tatouage pareil, dit Annabeth. D'où te vient-il ?

Jason secoua la tête.

– Je commence vraiment à me fatiguer de le répéter, mais je ne sais pas.

Les autres pensionnaires se rapprochèrent pour essayer de voir le tatouage de Jason. Il semblait les troubler beaucoup – presque comme si c'était une déclaration de guerre.

– On dirait que tu as été marqué au fer rouge, dit Annabeth.

– Effectivement, répondit Jason, avant de grimacer comme s'il avait mal à la tête. Enfin... je crois. Je ne me souviens pas.

Un silence se fit. Il était clair que les pensionnaires considéraient Annabeth comme leur chef. Tous attendaient son verdict.

– Il faut qu'il aille tout de suite voir Chiron, décida-t-elle. Drew, pourrais-tu...

– Avec plaisir. (Drew prit Jason par le bras.) Par ici, mon cœur. Je vais te présenter à notre directeur. C'est un type... intéressant.

Elle gratifia Piper d'un regard arrogant, puis entraîna Jason vers la grande maison bleue sur la colline.

Le groupe se dispersa, et Piper se retrouva seule **avec** Annabeth.

– Qui est Chiron ? s'enquit-elle. Jason va-t-il avoir des ennuis ?

Annabeth hésita.

– C'est une bonne question, Piper. Viens, je vais te faire visiter la colonie. Il faut qu'on parle.

4 PIPER

Piper se rendit rapidement compte qu'Annabeth n'avait pas le cœur à lui faire visiter les lieux.

Elle lui parla de toutes les disciplines merveilleuses qu'on pouvait apprendre à la colonie – le tir à l'arc magique, l'équitation à dos de pégase, l'escalade du mur de lave, l'entraînement au combat contre les monstres, mais elle ne faisait preuve d'aucun enthousiasme, comme si elle avait l'esprit ailleurs. Elle lui montra du doigt le pavillon-réfectoire en plein air, qui dominait le détroit de Long Island. (Eh oui, Long Island, dans l'État de New York : ils avaient fait tout ce trajet dans le char volant.) Annabeth lui expliqua que la Colonie des Sang-Mêlé était surtout un camp d'été mais que certains pensionnaires y passaient toute l'année, et qu'il y avait tellement de nouveaux venus que la colonie était toujours bondée, maintenant, même l'hiver.

Piper se demanda qui dirigeait cet endroit et comment ils avaient su qu'elle et ses amis devaient y venir. Elle se demanda si elle allait devoir y rester à plein temps, et comment elle se débrouillerait dans les diverses activités. Pouvait-on être nul en combat contre les monstres ? Un millier de questions se bousculaient dans sa tête mais, vu l'humeur d'Annabeth, Piper décida de les garder pour elle.

47

Alors qu'elles grimpaient une colline à la lisière de la colonie, la jeune fille se retourna et découvrit une vue magnifique sur la vallée. Un vaste bois au nord-ouest, une plage superbe, la rivière, le lac de canoë-kayak, et l'ensemble des bungalows – un groupe hétéroclite d'édifices disposés comme un oméga grec, Ω : un cercle ouvert, autour d'une pelouse centrale, avec deux ailes au bas de la courbe, une de chaque côté. Piper compta vingt bungalows en tout. Il y en avait un qui était doré, un autre argenté. Un au toit couvert de gazon, un rouge vif et encerclé d'une tranchée hérissée de barbelés. Un autre encore tout noir, à la façade ornée de torches aux flammes vertes. Tous semblaient appartenir à un monde différent de celui des collines enneigées et des champs.

– La vallée est protégée du regard des mortels, expliqua Annabeth. Comme tu peux voir, nous contrôlons aussi notre climat. Chaque bungalow correspond à un dieu grec ; c'est un lieu où les enfants de ce dieu peuvent habiter.

Elle jeta un coup d'œil à Piper comme pour voir de quelle façon celle-ci encaissait l'information.

– Tu veux dire que ma mère était une déesse, dit Piper.

Annabeth hocha la tête et observa :

– Tu prends ça avec un calme étonnant.

Piper n'aurait pas su lui expliquer pourquoi. Comment lui dire que cela ne faisait que confirmer cette drôle d'impression qu'elle avait depuis des années, que cela expliquait toutes ces disputes qu'elle avait eues avec son père quand elle lui demandait pourquoi il n'y avait pas de photo de sa mère à la maison, et pourquoi il ne voulait jamais lui dire comment ou pour quelle raison elle les avait quittés ? Et puis surtout, le terrible rêve lui avait annoncé ce qui se passait à présent. « Ils viendront bientôt te chercher, sang-mêlé, » avait grondé la voix. « Quand ils viendront, obéis à nos directives. Sois coopérative, et peut-être épargnerons-nous ton père. »

Piper respira avec effort.

– Après tout ce qui s'est passé ce matin, dit-elle, c'est sans doute un peu plus facile à croire. Alors qui est ma mère ?

– Nous devrions l'apprendre bientôt, répondit Annabeth. Tu as quoi, quinze ans ? Les dieux sont censés vous revendiquer à l'âge de treize ans. C'était l'accord.

– Quel accord ?

– Ils ont prêté serment l'été dernier... C'est une longue histoire, mais ils ont promis de ne plus ignorer leurs enfants demi-dieux et de les reconnaître au plus tard à l'âge de treize ans. Ça prend un peu plus longtemps quelquefois, mais tu as vu à quelle vitesse Léo a été reconnu, une fois arrivé à la colonie. Ça devrait t'arriver bientôt. Je te parie que ce soir au feu de camp, nous recevrons un signe.

Piper se demanda si elle aurait droit à un marteau géant au-dessus de sa tête, voire, avec sa chance coutumière, à quelque chose d'encore plus gênant. Un wombat de feu, par exemple. Piper ignorait qui était sa mère, mais elle ne voyait pas comment celle-ci pourrait être fière de revendiquer une fille cleptomane et bourrée de problèmes.

– Pourquoi à l'âge de treize ans ? demanda-t-elle.

– Quand tu grandis, dit Annabeth, les monstres te repèrent plus facilement et ils essaient de te tuer. Ça commence vers l'âge de treize ans, en général. C'est pour ça que nous envoyons des protecteurs dans les écoles pour vous trouver et vous amener ici avant qu'il soit trop tard.

– Comme M. Hedge ?

Annabeth fit oui de la tête.

– C'est – c'était un satyre, moitié homme, moitié chèvre. Les satyres travaillent pour la colonie. Ils cherchent les demi-dieux, les protègent et les amènent ici le moment venu.

Piper n'avait pas de mal à croire que l'entraîneur était à moitié chèvre, vu sa façon de manger. Elle ne l'avait jamais beaucoup apprécié, mais elle était stupéfaite qu'il se soit sacrifié pour leur sauver la vie.

– Qu'est-ce qu'il lui est arrivé ? demanda-t-elle. Quand nous sommes montés dans les nuages, est-ce que... a-t-il disparu pour de bon ?

– C'est dur à dire. (Annabeth semblait attristée.) Ils sont difficiles à combattre, les esprits de la tempête. Même nos armes les plus puissantes, en bronze céleste, les transpercent sans rien leur faire si on ne les attaque pas par surprise.

– L'épée de Jason les a réduits en poussière, se souvint Piper.

– Ben il a eu de la chance. Si on arrive à frapper un monstre pile comme il faut, on peut le dissoudre et renvoyer son essence au Tartare.

– Le Tartare ?

– Un immense abîme au cœur des Enfers. C'est de là que proviennent la majorité des monstres. Imagine une fosse de mal sans fond. Une fois que les monstres sont dissous, il leur faut en général des mois, voire des années, pour se reconstituer. Mais dans la mesure où cet esprit de la tempête qui se faisait appeler Dylan s'est tiré indemne du combat, je ne vois pas pourquoi il aurait épargné Hedge. Cela dit, Hedge était un protecteur. Il savait à quoi il s'exposait. Les satyres n'ont pas d'âme mortelle. Il se réincarnera en arbre ou en fleur.

Piper essaya d'imaginer l'entraîneur en massif de primevères furibardes. Ça lui donna encore plus mauvaise conscience.

Elle porta le regard sur les bungalows, en contrebas, et sentit un malaise l'envahir. Hedge avait donné sa vie pour lui permettre d'arriver ici saine et sauve. Le bungalow de sa mère se trouvait là, quelque part sous ses yeux, ce qui signifiait qu'elle avait des frères et sœurs – autant de personnes en plus qu'elle allait devoir trahir. « Fais ce que nous te dirons, avait ordonné

50

la voix. Sinon, tu le paieras très cher. » Piper coinça ses mains sous ses bras pour les empêcher de trembler.

– T'inquiète pas, tout ira bien, lui promit Annabeth. Tu as des amis ici. On est tous passés par un tas de trucs bizarres. On sait ce que tu vis en ce moment.

J'en doute, songea Piper, qui se contenta de répondre :

– Ces cinq dernières années, je me suis fait virer de cinq écoles différentes. Mon père ne sait plus où m'envoyer.

– Cinq seulement ? (Annabeth ne donnait pas l'impression de la taquiner.) Piper, on a tous eu l'étiquette du môme à problèmes. J'ai fugué de chez moi à sept ans.

– Vraiment ?

– Ouais. Chez la majorité d'entre nous, les médecins ont diagnostiqué une dyslexie, un trouble déficitaire de l'attention avec hyperactivité, ou les deux.

– Léo est hyperactif, dit Piper.

– Tu vois. La réalité, c'est que nous sommes programmés pour le combat. Ça nous rend impulsifs et remuants ; on a du mal à s'intégrer dans un groupe d'ados. Si tu savais tous les ennuis que Percy... (Annabeth s'assombrit.) Tout ça pour dire que les demi-dieux se font vite une mauvaise réputation. Et toi, dans quel genre de mauvais plans tu te mets ?

En général, quand on lui posait ce genre de questions, Piper se fâchait, changeait de sujet ou éludait la question. Sans savoir pourquoi, cette fois-ci, elle se surprit à dire la vérité.

– Je vole des trucs. Enfin, je ne vole pas à proprement parler...

– Tu viens d'une famille pauvre ?

Piper rit avec amertume.

– Même pas. Je le fais... je sais pas pourquoi. Pour me faire remarquer, je suppose. Mon père ne prend le temps de s'occuper de moi que quand j'ai des problèmes.

– Je peux comprendre, fit Annabeth en hochant la tête. Tu as dit que tu ne volais pas à proprement parler ? Qu'est-ce que tu veux dire ?

– Eh ben... les gens ne me croient jamais. Les flics, les profs.... Même les gens à qui j'ai pris des trucs, ils sont tellement gênés qu'ils nient ce qui s'est vraiment passé. Mais la vérité, c'est que je ne vole rien. Je demande juste des choses aux gens. Et ils me les donnent. Même un cabriolet BMW, dernièrement. J'ai juste demandé, et le concessionnaire m'a dit : « Bien sûr. Prends-le. » Je suppose qu'après-coup il s'est rendu compte de ce qu'il avait fait. Et la police est venue m'arrêter.

Piper se tut et attendit. Elle avait l'habitude de se faire traiter de menteuse, mais Annabeth se contenta de hocher la tête.

– Intéressant, fit-elle. Si ton parent divin était ton père, alors je dirais que tu es une enfant d'Hermès, dieu des Voleurs. Il peut être assez convaincant. Mais ton père est mortel...

– Très mortel, acquiesça Piper.

Annabeth avait l'air perplexe.

– Je sais vraiment pas. Avec un peu de chance, ta mère te revendiquera ce soir.

Piper aurait presque préféré que sa mère s'abstienne de la reconnaître. Car si c'était une déesse, ne devait-elle pas être au courant du rêve ? Et savoir ce qui était exigé de Piper ? Elle se demanda s'il arrivait souvent aux dieux olympiens de carboniser leurs enfants d'un coup de foudre quand ils se tenaient mal, ou de les envoyer en colle aux Enfers.

Annabeth l'examinait. Piper songea qu'elle devait faire attention à ce qu'elle raconterait à partir de maintenant. Annabeth était intelligente, ça sautait aux yeux. Si jamais quelqu'un devinait le secret de Piper...

– Viens, finit par dire Annabeth. Il y a un autre truc que j'aimerais vérifier.

52

Elles grimpèrent un peu plus haut et arrivèrent devant une grotte, juste avant le sommet de la colline. Le sol était jonché d'ossements et de vieilles épées. L'entrée était flanquée de deux torches et couverte de rideaux de velours brodés de serpents. On aurait dit un théâtre de marionnettes d'un genre un peu particulier.

– Qu'est-ce qu'il y a là-dedans ? demanda Piper.

Annabeth pointa la tête à l'intérieur, puis la ressortit et referma les rideaux avec un soupir.

– Rien pour le moment. J'ai une amie qui habite là. Je l'attends depuis plusieurs jours, mais elle n'est toujours pas arrivée.

– Ton amie vit dans une grotte ?

Annabeth esquissa un sourire.

– En fait ses parents possèdent un appartement de grand luxe à New York et elle va en pension dans un institut de bonnes manières pour jeunes filles, dans le Connecticut. Mais quand elle est à la colonie, ouais, elle habite dans la grotte. C'est notre Oracle, elle prédit l'avenir. J'espérais qu'elle pourrait m'aider...

– À trouver Percy, devina Piper.

Annabeth parut brusquement vidée de son énergie, comme si elle arrivait au bout de sa résistance. Elle s'assit sur une pierre, et son visage exprimait une si grande souffrance que Piper se sentit indiscrète.

Elle détourna la tête. Son regard vagabonda sur la crête de la colline, s'arrêta sur un grand pin qui se dressait contre le bleu du ciel. Quelque chose brillait, pendu à sa branche la plus basse – on aurait dit un tapis de bain à bouclettes, mais doré.

Non... pas un tapis de bain. C'était une peau de mouton.

D'accord, songea Piper. *Une colonie grecque. Ils ont une imitation de la Toison d'Or.*

Alors elle remarqua le pied de l'arbre. Elle crut d'abord qu'il était pris dans un enchevêtrement de gros câbles violacés. Mais les câbles avaient des écailles de serpent, des pattes griffues et une tête reptilienne avec des yeux jaunes et des narines qui crachaient de la fumée.

– C'est... c'est un dragon, bafouilla-t-elle. Est-ce que c'est la véritable Toison d'Or ?

Annabeth fit oui de la tête, mais il était clair qu'elle n'écoutait que d'une oreille. Elle se tenait les épaules voûtées. Elle passa la main sur sa figure et soupira.

– Excuse-moi, dit-elle, j'ai un coup de barre.

– Tu as l'air crevée, acquiesça Piper. Ça fait combien de temps que tu cherches Percy ?

– Trois jours, six heures et une douzaine de minutes.

– Et tu n'as aucune idée de ce qu'il lui est arrivé ?

Annabeth secoua la tête, l'air malheureuse.

– On était trop contents parce qu'on avait commencé les vacances d'hiver tôt tous les deux. On s'est retrouvés à la colonie mardi en se disant qu'on avait trois semaines pleines à passer ensemble. Après le feu de camp, il... il m'a embrassée et est parti se coucher dans son bungalow. Le lendemain matin, il avait disparu. On a fouillé toute la colonie. On a contacté sa mère. On a essayé de le joindre par tous les moyens dont on dispose. En vain. Il a disparu.

Trois jours, pensait Piper. Autrement dit, la nuit où elle avait fait son rêve.

– Ça fait longtemps que vous êtes ensemble ? demanda-t-elle.

– Depuis le mois d'août, dit Annabeth. Depuis le 18 août.

– J'ai rencontré Jason presque le même jour. Mais on est ensemble depuis quelques semaines seulement.

Annabeth tiqua.

– À ce propos, Piper... Tu devrais peut-être t'asseoir.

Piper se doutait de ce qui allait suivre. La panique s'empara d'elle, comme si ses poumons s'emplissaient d'eau.

– Écoute, dit-elle, je sais que Jason croyait que... il croyait qu'il était *apparu* à notre école aujourd'hui, comme ça. C'est faux. Je le connais depuis trois mois.

– Piper, dit Annabeth d'une voix triste, c'est la Brume.

– La quoi ?

– La Brume. C'est une sorte de voile qui sépare le monde mortel du monde magique. Les esprits des mortels ne peuvent pas comprendre des manifestations étranges comme les monstres et les dieux, alors la Brume déforme la réalité. Elle la présente aux mortels sous un aspect qu'ils peuvent appréhender. Par exemple, leur regard glisserait sur cette vallée sans la voir, ou prendrait le dragon pour un tas de câbles.

Piper ravala sa salive.

– Non. Tu l'as dit toi-même, je suis un demi-dieu, pas une mortelle ordinaire.

– Même les demi-dieux peuvent être touchés par la Brume. Je l'ai constaté plein de fois. Un monstre s'infiltre dans une école en se faisant passer pour un être humain, par exemple, et tout le monde est *persuadé* de connaître cette personne. Les gens sont sûrs de l'avoir toujours vue. La Brume peut affecter les mémoires et même créer le souvenir d'événements qui ne se sont jamais produits.

– Mais Jason n'est pas un monstre ! insista Piper. Il est humain, ce garçon ! Ou ce demi-dieu, si tu préfères. Mes souvenirs ne sont pas inventés. Ils sont réels ! La fois où on a mis le feu au pantalon de Gleeson Hedge. Celle où Jason et moi, on a regardé une pluie de météores depuis le toit du pensionnat et où je l'ai enfin amené à m'embrasser, cet imbécile...

Elle se mit à déblatérer, à raconter à Annabeth le semestre qu'elle venait de passer à l'École du Monde Sauvage. Jason lui avait plu dès la première semaine où ils s'étaient rencontrés.

Il était tellement gentil avec elle, et si patient qu'il supportait même Léo et ses blagues pourries. Il l'acceptait pour elle-même, sans la juger pour les bêtises qu'elle avait faites. Ils avaient passé des heures à parler, à regarder les étoiles, pour finir, enfin, par se prendre par la main. Tout ça ne pouvait pas être inventé.

Annabeth pinça les lèvres.

– Piper, tu as des souvenirs beaucoup plus forts que la plupart des gens. Je ne comprends pas pourquoi mais je dois bien l'admettre. Maintenant, si tu connais si bien Jason...

– Je le connais !

– Alors dis-moi, d'où vient-il ?

Piper eut l'impression de recevoir un coup de poing entre les deux yeux.

– Il a dû me le dire, mais..., bafouilla-t-elle.

– Avais-tu déjà remarqué son tatouage, avant aujourd'hui ? Est-ce qu'il t'a parlé de ses parents, de ses amis, de la dernière école où il est allé ?

– Je... je ne sais pas, mais...

– Piper, c'est quoi, son nom de famille ?

La jeune fille se sentit la tête vide. Elle ne connaissait pas le nom de famille de Jason. Comment était-ce possible ?

Elle fondit en larmes. Elle se sentait complètement idiote, mais elle s'assit sur la pierre à côté d'Annabeth et craqua. C'était trop. Fallait-il que tout ce qu'elle avait de bon dans sa vie pitoyable lui soit retiré ?

« Oui, avait menacé le rêve. Oui, sauf si tu nous obéis à la lettre. »

– Hé, lui dit doucement Annabeth, on démêlera tout ça. Jason est là, maintenant. Qui sait ? Il va peut-être se passer quelque chose de sympa entre vous pour de bon.

Peu probable, pensa Piper. Pas si le rêve lui avait dit la vérité. Mais elle ne pouvait pas en parler.

56

Elle essuya une larme sur sa joue.

– Tu m'as amenée ici pour que personne ne me voit chialer, hein ?

Annabeth haussa les épaules.

– Je me suis dit que ce serait dur pour toi. Je sais ce que c'est de perdre son copain.

– J'arrive toujours pas à y croire... Je *sais* qu'il y avait quelque chose entre nous. Et maintenant c'est mort, il ne me reconnaît même pas. S'il est vraiment apparu aujourd'hui seulement, alors pourquoi ? Et comment est-il arrivé à l'école ? Pourquoi ne se rappelle-t-il rien ?

– Bonnes questions, tout ça. J'espère que Chiron trouvera les réponses. Mais pour le moment, il faut qu'on t'installe. Tu te sens prête à redescendre ?

Piper regarda l'assemblage délirant de bungalows dans la vallée. Son nouveau foyer, une famille qui était censée la comprendre – mais qui ne serait bientôt qu'un autre groupe de gens qu'elle aurait déçus. Et la colonie, un endroit de plus d'où elle se ferait renvoyer. « Tu les trahiras pour nous servir, avait dit la voix. Ou tu perdras tout. »

Piper n'avait pas le choix.

– Oui, mentit-elle. Je suis prête.

Sur la pelouse centrale, des pensionnaires jouaient au basket-ball. C'étaient de vrais virtuoses. Jamais de rebond contre le bord du panier, et ils mettaient systématiquement des ballons à trois points.

– Le bungalow d'Apollon, commenta Annabeth. Une bande de frimeurs avec les armes à projectiles – flèches, ballons de basket, tout ça.

Elles longèrent une grande fosse centrale dans laquelle deux types ferraillaient à l'épée.

– Ce sont de vraies lames ? remarqua Piper. C'est pas dangereux ?

– C'est un peu le but du jeu, rétorqua Annabeth. Regarde, c'est mon bungalow, là-bas. Le numéro six.

Annabeth donna un coup de menton en direction d'un bâtiment gris, dont l'entrée était surmontée d'une chouette gravée dans la pierre. Par la porte ouverte, Piper aperçut des étagères, des vitrines pleines d'armes et un de ces tableaux numériques interactifs comme on en voit souvent dans les salles de classe. Deux filles dessinaient une carte qui avait l'air d'un plan de bataille.

– À propos de vraies lames, dit Annabeth, viens voir.

Elle emmena Piper sur le côté du bungalow, à une grande remise en métal du genre cabane à outils. Annabeth ouvrit le cadenas, et ce qu'il y avait dedans ne relevait pas du jardinage – sauf s'il vous venait l'idée de partir en guerre contre vos plants de tomates. Les étagères de l'appentis étaient couvertes d'armes de toutes sortes, allant de l'épée au javelot, en passant par des gourdins comme celui qu'affectionait Hedge.

– Les demi-dieux ont tous besoin d'une arme, expliqua Annabeth. Ce sont les Héphaïstos qui font les meilleures, mais nous avons quelques beaux spécimens également. L'approche des Athéna est purement stratégique : adapter l'arme à la personne qui va s'en servir. Voyons...

Piper n'était pas emballée par l'idée de choisir une arme, mais elle voyait bien qu'Annabeth essayait de lui rendre service.

Cette dernière lui tendit une énorme épée que Piper arriva difficilement à soulever.

– Non, dirent-elles en même temps.

Après avoir fouillé quelques instants dans la remise, Annabeth lui tendit autre chose.

– Un fusil à pompe ? demanda Piper.

– Un Mossberg 500. (Annabeth vérifia le fonctionnement de la détente à pompe comme si de rien n'était.) Ne t'inquiète pas. Tu ne peux pas blesser d'humains avec. Il a été modifié pour n'accepter que des munitions en bronze céleste, qui tuent seulement les monstres.

– Euh... je crois pas que ce soit mon style.

– Mouais, non, en convint Annabeth. Trop tape-à-l'œil pour toi.

Elle rangea le fusil à sa place et se mit à examiner une série d'arbalètes. Quelque chose, dans un coin du cabanon, retint alors l'attention de Piper.

– Et ça, demanda-t-elle, qu'est-ce que c'est ? Un poignard ?

Annabeth l'attrapa et en épousseta la gaine. L'arme semblait ne pas avoir vu la lumière du jour depuis des siècles.

– Je le sens pas trop, Piper, dit Annabeth, visiblement mal à l'aise. Je te le déconseille. En règle générale, il vaut mieux prendre une épée.

– Tu as un poignard, toi.

– C'est vrai, mais... (Annabeth haussa les épaules.) Écoute, regarde-le si tu veux.

La gaine était en cuir noir usé, ceint de bronze. Simple, sans fioritures. La poignée en bois polie prenait merveilleusement bien sa place dans la paume de Piper. Lorsqu'elle dégaina le poignard, elle découvrit une lame triangulaire en bronze, longue de sept centimètres, qui étincelait comme si elle avait été astiquée la veille. Les bords étaient redoutablement tranchants. Piper fut surprise par son reflet dans la lame. Elle avait l'air plus âgée, plus mûre, et moins effrayée qu'elle ne l'était réellement.

– Il te va bien, reconnut Annabeth. Ce type de dague s'appelle un *parazonium*. C'était essentiellement une arme cérémonielle, portée par les gradés de l'armée grecque. Elle indiquait que tu étais quelqu'un de riche et puissant, mais ça ne l'empêchait pas de te protéger très bien dans un combat.

– Elle me plaît, dit Piper. Qu'est-ce qui te faisait dire que ça n'irait pas ?

Annabeth soupira.

– Cette dague a un passé chargé. Beaucoup de gens auraient peur de se l'approprier. La première personne qui l'a possédée... ben, l'histoire a mal fini pour elle. Elle s'appelait Hélène.

Piper digéra l'info en silence, puis s'écria :

– Une seconde, tu veux dire la célèbre Hélène ? Hélène de Troie ?

Annabeth hocha la tête.

Piper eut brusquement l'impression qu'elle aurait dû porter des gants de chirurgien pour manipuler le poignard.

– Et vous le laissez traîner dans votre remise à outils ?

– Nous sommes entourés d'objets de la Grèce antique, expliqua Annabeth. Ce n'est pas un musée. Toutes ces armes sont là pour qu'on s'en serve. C'est l'héritage laissé aux demi-dieux. Ce poignard était un cadeau de mariage de Ménélas, le premier mari d'Hélène. Elle lui donna le nom de *Katoptris*.

– Ce qui veut dire ?

– « Miroir », répondit Annabeth. Sans doute parce que c'est le seul usage qu'Hélène en ait fait. Je ne crois pas que ce poignard ait jamais connu le combat.

Piper contempla la lame de nouveau. Un bref instant, sa propre image la fixa du regard, puis le reflet se transforma. Piper vit des flammes et un visage grotesque, comme taillé dans de la pierre. Elle entendit le même rire que dans son rêve. Elle aperçut son père enchaîné et ligoté à un poteau, devant un bûcher embrasé.

Le poignard lui tomba des mains.

– Piper ? (Annabeth se tourna vers les Apollon, sur le terrain de basket-ball.) Vite, des secours !

– Non, non, ça va aller, dit Piper à grand-peine.

– Tu es sûre ?

– Ouais. C'est juste que... (Il fallait qu'elle se maîtrise. Les doigts tremblants, elle ramassa la dague.) Il m'est arrivé tellement de choses aujourd'hui ! Ça m'a tourné la tête, d'un coup, mais là c'est bon. Euh, j'aimerais garder le poignard, si ça ne pose pas de problème.

Annabeth hésita. Puis elle congédia les Apollon d'un geste.

– Pas de problème, si tu es sûre. Tu as vraiment blêmi, tu sais. J'ai cru que tu faisais une attaque.

– Je me sens bien, maintenant, affirma Piper, dont le cœur battait encore très fort. Est-ce qu'il y a... euh... un téléphone, à la colonie ? Je peux appeler mon père ?

Les yeux gris d'Annabeth étaient presque aussi troublants que la lame du poignard. Elle donnait l'impression de calculer un million de possibilités, de tenter de lire dans les pensées de Piper.

– On a pas le droit d'avoir de téléphone, dit-elle. Pour la plupart des demi-dieux, se servir d'un portable, c'est envoyer un signal qui informe les monstres d'où ils sont. Cela étant... j'en ai un. (Elle le sortit de sa poche.) C'est plutôt contraire au règlement, mais si ça peut rester entre nous...

Piper prit le téléphone avec reconnaissance, en s'efforçant de maîtriser le tremblement de ses mains. Elle s'écarta d'Annabeth et se tourna face à la pelouse centrale.

Elle appela son père sur sa ligne personnelle, tout en sachant très bien ce qui l'attendait : le répondeur. Cela faisait trois jours qu'elle essayait de le joindre, depuis le rêve. L'École du Monde Sauvage n'autorisait les appels qu'une fois par jour et elle avait appelé tous les soirs, sans succès.

À contrecœur, elle composa l'autre numéro. La secrétaire de son père décrocha immédiatement.

– Bureau de M. McLean, bonjour.

– Jane, dit Piper, les mâchoires crispées, où est papa ?

– Piper, je croyais que tu n'avais pas le droit de téléphoner de l'école.

– Peut-être que je ne suis pas à l'école. Peut-être que j'ai fugué pour aller vivre avec les créatures des forêts.

– Hum... (Jane ne semblait pas inquiète pour deux sous.) Eh bien je lui dirai que tu as appelé.

– Où est-il ?

– Il est sorti.

– Vous n'en savez rien, en fait, hein ? (Piper baissa la voix en espérant qu'Annabeth serait assez discrète pour ne pas écouter.) Qu'attendez-vous pour appeler la police, Jane ? Il est peut-être en danger.

– Piper, on ne va pas lancer tout un cirque médiatique. Je suis sûre qu'il va bien. Il s'éclipse de temps en temps, mais il revient toujours.

– Alors j'ai raison. Vous ne savez pas où...

– Il faut que je te laisse, Piper, trancha Jane. Amuse-toi bien à l'école.

La communication coupa. Piper étouffa un juron. Elle rejoignit Annabeth et lui tendit le téléphone.

– Tu l'as pas trouvé ? demanda Annabeth.

Piper ne répondit pas. Elle craignait de fondre en larmes de nouveau.

Annabeth jeta un coup d'œil à l'écran du portable et parut hésiter.

– Ton nom de famille, c'est McLean ? demanda-t-elle. Excuse-moi, ça ne me regarde pas, mais c'est parce que ça me dit quelque chose.

– C'est fréquent, comme nom.

– Peut-être. Il fait quoi, ton père ?

– Il est diplômé des Beaux-Arts. C'est un artiste cherokee.

C'était sa réponse toute faite à la question. Pas un mensonge, juste en deçà de la vérité. En entendant cela, les gens s'imaginaient pour la plupart que son père vendait des souvenirs indiens sur un étal de bord de route, devant une réserve indienne. Des statuettes de Sitting Bull, des colliers en perles, des cahiers avec un chef indien en couverture, ce genre de trucs.

– Ah bon. (Annabeth ne semblait pas convaincue, mais elle rangea le téléphone.) Tu te sens mieux ? Tu as envie de continuer ?

Piper attacha sa nouvelle dague à sa ceinture et se promit, plus tard quand elle serait seule, de s'entraîner à la manier.

– Bien sûr, dit-elle, j'ai envie de tout voir.

Tous les bungalows plurent à Piper, mais aucun ne lui donna le sentiment d'être *chez elle*. Aucun signe de feu – wombat ou autre – ne se matérialisa au-dessus de sa tête.

Le bungalow huit était entièrement argenté et luisait comme un clair de lune.

– Artémis ? devina Piper.

– Tu connais la mythologie grecque, observa Annabeth.

– J'ai fait quelques lectures dessus l'année dernière, quand mon père travaillait sur un projet.

– Je croyais qu'il faisait de l'art cherokee.

Piper se mordit la langue.

– Ah, oui. Mais il travaille sur d'autres trucs, aussi, tu sais.

Elle eut peur d'avoir vendu la mèche : McLean, mythologie grecque. Dieu merci, Annabeth n'avait pas fait le rapprochement.

– En tout cas, reprit cette dernière, Artémis est la déesse de la Lune et de la Chasse. Mais elle n'a pas de pensionnaires. Artémis étant une vierge éternelle, elle n'a pas d'enfants.

– Ah.

Voilà qui décevait Piper. Elle avait toujours aimé les histoires d'Artémis et commençait à se dire que ce serait sympa de l'avoir pour mère.

– Il y a bien les Chasseresses d'Artémis, rectifia Annabeth. Ce ne sont pas ses filles, mais ses servantes. Une bande d'adolescentes qui partent à l'aventure ensemble et chassent les monstres.

– Ça doit être cool, ça ! dit Piper, retrouvant un peu d'enthousiasme. Est-ce qu'elles deviennent immortelles ?

– Oui, sauf si elles sont tuées au combat ou enfreignent leurs serments. T'ai-je dit qu'elles doivent jurer de renoncer aux garçons ? Pas de petits copains. Jamais. De toute l'éternité.

– Ouh là là ! Oublie ! fit Piper.

Annabeth éclata de rire. Un court instant, elle eut l'air presque heureuse et Piper se dit que ce serait une amie sympa, dans un contexte meilleur.

Ne rêve pas, pensa alors Piper. *Tu ne vas pas te faire d'amis ici. Pas quand ils sauront.*

Elles passèrent au bungalow suivant, le numéro dix, aménagé comme une maison de Barbie, avec des rideaux en dentelles, une porte rose et des pots d'œillets sur les rebords de fenêtres. Quand elles arrivèrent devant la porte, les effluves de parfum prirent Piper à la gorge.

– Waouh ! C'est là que les super-mannequins viennent pour mourir ou quoi ?

Annabeth plissa le nez.

– C'est le bungalow d'Aphrodite, la déesse de l'Amour. La conseillère en chef est Drew.

– Ça m'étonne pas, marmonna Piper.

– Elles sont pas toutes comme ça, dit Annabeth. La conseillère en chef d'avant était super.

– Qu'est-ce qu'il lui est arrivé ?

Le visage d'Annabeth s'assombrit.

– On devrait continuer.

Elles firent le tour des bungalows restants, mais Piper se sentait de plus en plus découragée. Elle se demanda si elle pouvait être la fille de Déméter, déesse de l'Agriculture. Sauf que Piper faisait mourir toutes les plantes qu'elle touchait. Athéna lui plaisait bien. Ou Hécate, déesse de la Magie. Mais quelle importance, de toute façon ? Même ici, où chacun était censé retrouver son parent perdu, elle savait qu'elle serait une fois de plus le rejeton dont personne ne voulait. Elle appréhendait le feu de camp du soir.

– On avait commencé par les douze dieux de l'Olympe, lui expliqua Annabeth. Les dieux sur la gauche, les déesses sur la droite. Et puis l'année dernière, on a ajouté un tas d'autres bungalows pour les dieux qui n'avaient pas de trône à l'Olympe : Hécate, Hadès, Iris...

– À qui sont les deux grands bungalows du bout ? demanda Piper.

– À Zeus et Héra, répondit Annabeth en fronçant les sourcils. Le roi et la reine des dieux.

Piper partit dans la direction des bungalows royaux. Annabeth lui emboîta le pas, mais sans grand enthousiasme.

Piper trouva que le bungalow de Zeus resssemblait à une banque américaine, avec sa colonnade de marbre blanc et ses portes en bronze poli gravées d'éclairs de foudre.

Le bungalow d'Héra était plus petit mais d'inspiration analogue à cette différence près que les portes de bronze s'ornaient de motifs de plumes de paon aux teintes irisées.

Contrairement aux autres bungalows, bruyants et débordants d'activités, ceux d'Héra et de Zeus étaient silencieux et fermés.

– Ils sont vides ? demanda Piper.

Annabeth fit oui de la tête et ajouta :

– Zeus est resté longtemps sans avoir d'enfants. Enfin, en gros. Zeus, Poséidon et Hadès sont les frères aînés des dieux, et on les appelle les Trois Grands. Leurs rejetons sont particulièrement puissants et dangereux. Depuis environ soixante-dix ans, ils essaient d'éviter d'avoir des enfants demi-dieux.

– Ils *essaient* ?

– Il a pu leur arriver de... euh... tricher. J'ai une copine, Thalia Grace, qui est la fille de Zeus. Mais elle a renoncé à la colonie pour se faire Chasseresse d'Artémis. Mon petit ami, Percy, est le fils de Poséidon. Et puis il y a un gars qui vient de temps en temps, Nico. C'est le fils d'Hadès. Ces trois-là sont les seuls enfants des Trois Grands qui existent à l'heure actuelle. En tout cas, à notre connaissance.

– Et Héra ? demanda Piper en regardant les portes ornées de paons.

Ce bungalow avait quelque chose qui la dérangeait, sans qu'elle puisse mettre le doigt dessus.

– La déesse du Mariage. (On sentait qu'Annabeth contrôlait sa voix, comme pour se forcer à rester calme). Elle n'a d'enfants avec personne d'autre que Zeus, son époux. Donc non, pas de demi-dieux. Le bungalow est strictement honorifique.

– Tu ne l'aimes pas, remarqua Piper.

– Nous avons un passif, admit Annabeth. Je croyais qu'on avait fait la paix, mais quand Percy a disparu... elle m'a envoyé en rêve une vision bizarre.

– Qui te disait de venir nous chercher. Mais tu pensais trouver Percy avec nous.

– Il vaut peut-être mieux que je m'abstienne d'en parler. Je n'ai rien de bon à dire sur Héra, pour le moment.

Piper porta le regard vers le bas des portes.

– Alors qui fréquente son bungalow ? demanda-t-elle.

– Personne. Comme je te disais, on l'a construit pour la forme, c'est tout.

– Quelqu'un est entré, pourtant.

Piper montra du doigt une trace de pas dans la poussière du seuil. Mue par un instinct, elle poussa un battant, qui s'ouvrit sans offrir de résistance.

Annabeth recula.

– Euh, Piper, je ne crois pas que ce soit...

– On est censées vivre dangereusement, non ? rétorqua Piper.

Sur ces mots, elle entra.

Piper n'aurait pas aimé habiter dans le bungalow d'Héra. Il y faisait un froid de congélateur quatre étoiles. Au centre, un cercle de colonnes blanches entourait une statue haute de trois mètres représentant la déesse assise sur son trône, dans un drapé d'étoffes dorées. Piper s'était toujours imaginé les statues grecques en pierres entièrement blanches, y compris les yeux, mais celle-ci était peinte de couleurs si vives que, si ce n'était sa taille, on l'aurait presque crue humaine.

Les yeux perçants d'Héra semblaient suivre Piper.

Un feu brûlait dans un brasero de bronze, aux pieds de la déesse. Piper se demanda qui l'entretenait, si le bungalow était toujours vide. Un faucon de pierre était perché sur l'épaule d'Héra, qui tenait à la main une canne surmontée d'une fleur de lotus. Les cheveux noirs de la déesse étaient tressés. Son visage était souriant, mais son regard calculateur et froid semblait dire : *Maman a toujours raison. Ne m'énerve pas ou je t'écrase sous mes talons.*

Il n'y avait rien d'autre dans le bungalow – pas de lit, pas de meubles, pas de salle de bains, rien qui permette d'y habiter. Héra avait beau être la déesse du mariage et du foyer, son bungalow avait tout du mausolée.

Non, songea Piper, ce n'était pas sa mère. Elle avait au moins cette certitude-là. Ce qui l'avait poussée à entrer dans le bungalow n'était pas l'intuition d'un lien bénéfique avec cet endroit, mais au contraire le fait que son angoisse y était plus forte. Son rêve – l'horrible ultimatum qui lui était posé – avait un rapport avec ce bungalow.

Piper se figea. Elles n'étaient pas seules. Derrière la statue, devant un petit autel dressé au fond de la salle, se tenait une silhouette drapée d'un châle noir. On ne voyait du personnage que ses mains tournées vers le ciel. Elle psalmodiait des sons qui pouvaient être une incantation aussi bien qu'un sortilège.

– Rachel ? s'écria Annabeth, stupéfaite.

La fille se tourna face à elles. Écartant son châle, elle découvrit une tignasse rousse et un visage parsemé de taches de son qui contrastaient avec la gravité du bungalow et du châle noir. Elle avait dans les dix-sept ans et, avec son jean couvert de dessins au marqueur et sa chemise verte, avait tout d'une ado normale. Elle était pieds nus sur le sol glacé.

– Hé, salut ! (Elle courut embrasser Annabeth.) Je suis désolée ! Je suis venue aussi vite que j'ai pu.

Elles parlèrent quelques minutes du petit copain d'Annabeth, de sa disparition, des recherches vaines, etc, puis se souvinrent enfin de Piper, qui commençait à se sentir un peu mal à l'aise.

– Excuse-moi, dit Annabeth, c'est impoli, ce que je fais. Rachel, je te présente Piper, un des demi-dieux que nous avons sauvés aujourd'hui. Piper, voici Rachel Elizabeth Dare, notre Oracle.

– Ta copine qui vit dans une grotte, comprit Piper.

– C'est moi, fit Rachel avec un grand sourire.

– Alors comme ça, tu es Oracle ? Tu peux prédire l'avenir ? demanda Piper.

– C'est plutôt que de temps en temps, l'avenir m'envahit, expliqua Rachel. Je dis des prophéties. L'esprit de l'Oracle s'empare de moi, si tu veux, pour me faire prononcer des paroles importantes que personne ne comprend. Il n'empêche que les prophéties annoncent l'avenir.

– Ah ouais, fit Piper en gigotant d'un pied sur l'autre. C'est cool.

Rachel rit.

– Te bile pas. Ça fait un peu froid dans le dos à tout le monde, et à moi la première. Mais en temps ordinaire, je suis parfaitement inoffensive.

– Tu es un demi-dieu ?

– Non, une simple mortelle.

– Alors qu'est-ce que tu...

Sans finir sa phrase, Piper désigna la pièce d'un geste interrogatif.

Rachel reprit son sérieux. Elle jeta un coup d'œil à Annabeth, avant de répondre à Piper :

– Une intuition, c'est tout. Il y a un lien entre ce bungalow et la disparition de Percy, j'ignore lequel mais je le sens. J'ai appris à écouter mes intuitions, surtout ce dernier mois, depuis que les dieux se sont tus.

– Les dieux se sont tus ? répéta Piper.

Rachel fronça les sourcils.

– Tu ne le lui as pas encore dit ? demanda-t-elle à Annabeth.

– J'allais y venir. Piper, depuis un mois... Bon, il faut savoir que les dieux parlent peu à leurs enfants, c'est normal, mais d'habitude, on peut s'attendre à recevoir un message de temps en temps. Certains d'entre nous sont même autorisés à se rendre à l'Olympe. J'ai passé pratiquement tout le semestre dernier à l'Empire State Building.

– Pardon ?

– L'entrée actuelle du mont Olympe.

– Oui, bien sûr, pourquoi pas ? fit Piper

– Annabeth travaillait à la reconstruction de l'Olympe, après les dégâts causés par la guerre des Titans, expliqua Rachel. C'est la maîtresse d'œuvre. C'est une architecte de génie. Si tu voyais le bar à salades...

– Bref, trancha Annabeth. Il y a environ un mois, l'Olympe s'est tue. La porte s'est fermée et personne ne peut plus entrer. Nous ne savons pas pourquoi. On dirait que les dieux se barricadent à l'intérieur. Même ma mère ne répond plus à mes prières et Dionysos, le directeur de la colonie, a été rappelé.

– Le directeur de votre colonie était le dieu du... Vin ?

– Ouais, c'est...

– Compliqué, devina Piper. OK, continue.

– C'est tout, en fait. Les dieux continuent de revendiquer leurs enfants nouveaux venus, mais ça s'arrête là. Plus de messages. Plus de visites. Aucun signe qu'ils nous écoutent. On dirait qu'il s'est passé quelque chose, quelque chose de vraiment grave. Là-dessus, Percy a disparu.

– Et Jason est apparu pendant notre excursion, glissa Piper. Sans aucun souvenir.

– Qui est Jason ? demanda Rachel.

– Mon... (Au prix d'un douloureux effort, Piper rectifia.) Un copain. Mais, Annabeth, tu as dit qu'Héra t'avait envoyé une vision en rêve ?

– Exact, répondit celle-ci. C'était la première communication provenant d'un dieu en un mois, et elle émanait d'Héra, la déesse la moins encline à nous aider. Elle s'adressait à moi, en plus, alors que je suis le demi-dieu qu'elle supporte le moins. Elle me disait que je découvrirais ce qui était arrivé à Percy si j'allais sur la passerelle du Grand Canyon et que j'y cherchais un type avec une chaussure en moins. J'y vais et je tombe sur vous, et le type avec une chaussure en moins, c'est Jason. C'est absurde.

70

– Il se passe quelque chose de grave, renchérit Rachel, qui regarda Piper.

Celle-ci sentit alors un violent désir de leur parler de son rêve, de leur avouer qu'elle savait ce qui se passait, du moins en partie. Et que les calamités ne faisaient que commencer.

– Les filles, dit-elle, il faut que je...

Brusquement, Rachel se raidit ; une lueur verte s'alluma dans ses yeux et elle empoigna Piper par les épaules.

La jeune fille tenta de se dégager, mais les mains de Rachel étaient comme des pinces d'acier.

Libère-moi, dit-elle, d'une voix qui n'était plus la sienne. C'était celle d'une femme plus âgée, qui semblait leur parvenir de très loin, par un long tuyau qui faisait caisse de résonance. *Libère-moi, Piper McLean, ou la terre nous engloutira. Agis avant le solstice.*

La pièce se mit à tourner. Annabeth essaya de séparer Piper de Rachel, rien à faire. Une fumée verte les enveloppait toutes deux et Piper ne savait plus si elle rêvait ou était éveillée. Elle crut voir la statue géante de la déesse se lever de son trône. Se pencher sur elle, plongeant son regard dans le sien. Puis ouvrir la bouche, soufflant une haleine forte comme un parfum horriblement capiteux. Et la même voix alourdie par l'écho se fit entendre : *Nos ennemis s'agitent. Le flamboyant n'est que le premier d'entre eux. Si tu te soumets à sa volonté, leur roi ressurgira et nous serons tous condamnés. LIBÈRE-MOI !*

Alors les genoux de Piper flanchèrent, et tout vira au noir.

5 Léo

Léo prit grand plaisir à la visite de la colonie jusqu'au moment où il entendit parler du dragon.

L'archer, Will Solace, était plutôt sympa comme gars. Tout ce qu'il montrait à Léo était tellement génial que ça aurait dû être illégal. De véritables navires de guerre grecs ancrés devant la plage, où on s'entraînait au combat avec des flèches enflammées et des explosifs ? Très cool ! Des cours de travaux manuels où on pouvait sculpter à la scie tronçonneuse et au lance-flammes ? Léo disait oui tout de suite, *je m'inscris !* Les bois étaient pleins de monstres dangereux et il était interdit de s'y aventurer tout seul. Sympa ! Ajoutez à ça que la plupart des filles de la colonie étaient du genre craquantes. Léo ne comprenait pas très bien cette histoire selon laquelle ils seraient tous reliés par leur parent divin, mais il espérait qu'il n'était pas cousin avec toutes ces gazelles. Ça craindrait grave. Il comptait bien aller revoir les beautés sous-marines du lac – elles méritaient qu'on risque de se noyer pour leurs charmes.

Will lui montra les bungalows, le pavillon-réfectoire et l'arène des escrimeurs.

– On va me donner une épée ? demanda Léo.

Will lui jeta un coup d'œil intrigué, comme si l'idée lui semblait bizarre.

– Tu te fabriqueras sans doute ta propre épée, dit-il, puisque tu es du bungalow neuf.

– Ah ouais, c'est quoi, l'histoire ? Vulcain ?

– On n'appelle pas les dieux par leurs noms romains, d'habitude. Les noms d'origine sont grecs. Ton père est Héphaïstos.

– Festus ? (Léo avait déjà entendu quelqu'un prononcer ce nom, mais ça demeurait vague dans son esprit.) On dirait un nom de cow-boy.

– Héphaïstos, corrigea Will. Le dieu du Feu et des Forgerons.

Léo avait déjà entendu ça, également, mais il essayait de ne pas y penser. Le dieu du Feu... Sans rire ? Vu ce qui était arrivé à sa mère, Léo trouvait ça de mauvais goût.

– Alors le marteau en flammes au-dessus de ma tête, demanda-t-il, c'est un bon signe ou un mauvais ?

Will ne répondit pas tout de suite.

– Tu as été revendiqué presque immédiatement, finit-il par dire. En général, ça, c'est bien.

– Mais le type à l'arc-en-ciel, là, Butch. Il a parlé d'une malédiction.

– Oh, écoute, c'est rien. Depuis la mort de l'ancien conseiller en chef du bungalow neuf...

– Il est mort comment ? Douloureusement ?

– Il vaut mieux que je laisse tes compagnons de bungalow te raconter ça.

– Ouais, au fait, où sont mes potes ? Leur conseiller ne devrait pas me dérouler le tapis rouge, là, me faire la visite guidée pour V.I.P. ?

– Euh... il ne peut pas. Tu verras pourquoi.

Will pressa le pas sans laisser le temps à Léo de poser d'autres questions.

– Des morts et des malédictions, bougonna Léo à part soi. De mieux en mieux.

Au milieu de la pelouse centrale, Léo aperçut son ancienne baby-sitter. Et ce n'était pas du tout le genre de personnes qu'il se serait attendu à rencontrer dans une colonie pour demi-dieux.

Il pila net.

– Qu'est-ce qu'il y a ? lui demanda Will.

Tìa Callida – Tatie Callida. C'était le nom qu'elle se donnait, à l'époque, mais Léo ne l'avait plus revue depuis le jardin d'enfants. Debout dans l'ombre d'un grand bungalow blanc au bout de la pelouse, elle l'observait. Elle portait sa robe noire de veuve et un châle noir lui couvrait les cheveux. Son visage n'avait pas changé : une peau parcheminée, des yeux sombres et perçants. Ses mains fripées ressemblaient à des serres d'oiseau. Elle avait l'air très âgée, mais pas plus que dans les souvenirs de Léo.

– Cette vieille dame, demanda-t-il, qu'est-ce qu'elle fait là ?

Will essaya de suivre la direction de son regard.

– Quelle vieille dame ? rétorqua-t-il.

– La vieille dame, là, mec. La vieille en noir. T'en vois combien ?

Will fronça les sourcils.

– T'as eu une dure journée, Léo. Je crois que la Brume te joue encore des tours. Si on allait directement à ton bungalow, maintenant ?

Léo voulut protester mais lorsqu'il jeta un nouveau coup d'œil vers le grand bungalow blanc, Tìa Callida avait disparu. Il était sûr et certain de l'avoir vue, pourtant, à croire que penser à sa mère avait ramené Callida des profondeurs du passé.

Ce qui n'avait rien de réjouissant, car Tìa Callida avait essayé de le tuer.

– Je te faisais juste marcher, mec.

Léo sortit une poignée de manettes et de rouages de sa poche et se mit à les tripoter pour se calmer. Il ne pouvait pas se permettre de passer pour un fou aux yeux de tous, à la colonie. Du moins, pas plus fou qu'il ne l'était réellement.

– Allons au bungalow neuf, dit-il. Je me sens d'attaque pour une bonne malédiction.

Vu de l'extérieur, le bungalow d'Héphaïstos avait l'allure d'un immense camping-car aux parois de métal brillant et aux fenêtres en lattes d'acier. La porte d'entrée ressemblait à une écoutille de salle des coffres, circulaire et épaisse de près d'un mètre. Elle s'ouvrait en actionnant un tas de rouages en laiton et de pistons hydrauliques qui crachaient de la vapeur.

Léo siffla.

– Il y a un côté Jules Verne, ici, hein ?

À l'intérieur, le bungalow semblait vide. Des banquettes en acier étaient repliées contre les murs, offrant une version très moderne du lit escamotable : chacune était équipée d'une table de commande numérisée aux voyants LED clignotants, pleine de rouages et d'incrustations lumineuses. Léo se dit que chaque pensionnaire devait avoir sa propre combinaison pour déplier son lit, et qu'il y avait sans doute derrière une alcôve avec des rangements, voire quelques pièges pour dissuader les visiteurs indésirables. En tout cas, c'est comme cela que Léo aurait conçu le sien. Un poteau descendait du premier étage, en cas d'incendie, alors que vu de l'extérieur le bungalow semblait de plain-pied. Un escalier en colimaçon s'enfonçait vers un sous-sol. Les murs étaient tapissés de tous les outils possibles et imaginables, ainsi que d'une impressionnante collection d'épées, de poignards et d'autres engins meurtriers. Il y avait un grand établi qui croulait sous la ferraille, les pièces détachées et les vis, clous, rivets et autres boulons. Léo dut se retenir pour ne pas en fourrer quelques poignées dans ses poches. Il adorait ce genre de trucs, mais il lui aurait fallu une centaine de poches pour tout caser.

Le jeune garçon regarda autour de lui. Il se sentit presque ramené à l'atelier de sa mère. Les armes en moins, peut-être, mais tout le reste : les outils, la ferraille, l'odeur de graisse, de moteurs chauds et de métal. Elle aurait adoré cet endroit.

Il chassa cette pensée. Il n'aimait pas les souvenirs doulou-reux. *Va de l'avant*, telle était sa devise. *Ne ressasse pas. Ne reste pas trop longtemps dans le même endroit.* C'était le seul moyen de battre la tristesse de vitesse.

Il décrocha du mur un outil allongé.

– Une désherbeuse ? Quel usage le dieu du Feu peut-il bien avoir d'une désherbeuse ?

– Tu n'imagines pas ! dit une voix provenant d'un coin sombre.

Au fond de la pièce, une des banquettes était occupée. Un rideau de camouflage noir coulissa, permettant à Léo de voir le garçon encore caché quelques instants plus tôt. Difficile de le décrire car il était dans le plâtre de la tête aux pieds. Sa tête était enveloppée de bandages qui ne laissaient apparaître que son visage, rouge et contusionné. Il avait l'air d'un bibendum Michelin qui se serait fait tabasser.

– Je m'appelle Jake Mason, dit-il. Je t'aurais volontiers serré la main, mais...

Le garçon esquissa un sourire, puis grimaça comme si ça lui faisait mal de bouger le visage. Léo se demanda ce qu'il lui était arrivé, mais il n'osa pas poser la question.

– Bienvenue au bungalow neuf, ajouta-t-il. Ça faisait presque un an qu'on avait pas eu de nouveaux. Je suis le conseiller en chef pour le moment.

– Pour le moment ?

Will Solace s'éclaircit la gorge.

– Où sont les autres, Jake ? demanda-t-il.

– À la forge, répondit le conseiller avec une pointe de tristesse. Ils travaillent sur... tu sais, ce problème qu'on a.

– Ah. (Will changea de sujet.) Tu as une banquette libre pour Léo ?

Jake jaugea le nouveau venu du regard.

– Tu crois aux malédictions, Léo ? lui demanda-t-il. Ou aux fantômes ?

Je viens de voir mon abominable baby-sitter Tìa Callida, pensa Léo. Elle est forcément morte, depuis tout ce temps. Et pas un jour ne se passe sans que je repense à ma mère en proie aux flammes dans l'incendie de son atelier. Alors viens pas me parler de fantômes, Bibendum.

Mais il répondit :

– Les fantômes ? Nan. Pas de problème. Un esprit de la tempête m'a jeté dans le Grand Canyon ce matin mais bon, c'est des choses qui arrivent, pas vrai ?

Jake hocha la tête.

– Tant mieux. Parce que je vais te donner le meilleur lit du bungalow. Celui de Beckendorf.

– Waouh, Jake, tu es sûr ? s'exclama Will.

Jake articula d'une voix forte :

– Banquette 1-A, s'il vous plaît.

Un grondement secoua le bungalow. Une portion circulaire du sol s'ouvrit en spirale, comme le diaphragme d'un objectif, et un grand lit en surgit. Le cadre en bronze comprenait une console de jeu intégrée dans le pied de lit, une chaîne stéréo à la tête, un réfrigérateur vitré et tout un tas de commandes sur les côtés.

Léo sauta dessus et s'allongea immédiatement, les bras derrière la tête.

– Ça me va parfaitement, déclara-t-il.

– Il se replie sur une pièce privée en sous-sol, expliqua Jake.

– Super ! À plus tard, tout le monde. Si on me cherche, je serai dans la Grotte à Léo. Sur quel bouton j'appuie ?

– Une seconde, protesta Will Solace, vous avez des chambres privées en sous-sol, les gars ?

Jake aurait sans doute souri si ça ne faisait pas si mal.

– On a plein de secrets, Will. Y a pas de raison que vous, les Apollon, soyez les seuls à vous amuser. Ça fait un siècle que nos pensionnaires fouillent le réseau de tunnels qui se trouve sous le bungalow neuf. On n'en a toujours pas vu le bout. En tout cas, Léo, si ça ne te gêne pas de dormir dans le lit d'un mort, il est à toi.

D'un coup, le jeune garçon perdit toute envie de farniente. Il se redressa en prenant garde à ne toucher aucun bouton.

– C'était le lit de l'ancien conseiller qui est mort ? demanda-t-il.

– Oui, dit Jake. Charles Beckendorf.

Léo s'imagina des lames dissimulées dans le matelas, ou une grenade cousue dans l'oreiller.

– Il n'est pas mort dans ce lit, quand même ?

– Non. Il est mort l'été dernier, pendant la guerre des Titans.

– La guerre des Titans, répéta Léo. Aucun rapport avec ce lit merveilleux ?

– Les Titans, répéta Jake comme si Léo était idiot. Les grands types très puissants qui régnaient sur le monde avant les dieux. Ils ont tenté de reprendre le dessus l'été dernier. Leur chef, Cronos, a construit un nouveau palais au sommet du mont Tam, en Californie. Leurs armées ont marché sur New York et failli raser l'Olympe. Beaucoup de demi-dieux sont morts en essayant de les arrêter.

– J'imagine qu'on n'a pas parlé de ça aux nouvelles, dit Léo.

La question semblait légitime, pourtant Jake secoua la tête, l'air stupéfait.

– T'as pas entendu parler de l'éruption du mont Saint Helens ? Ou des tornades qui ont ravagé le pays ? Du gratte-ciel qui s'est écroulé à Saint Louis ?

78

Léo haussa les épaules. L'été dernier, il avait fugué de chez une énième famille d'accueil. Un policier l'avait épinglé au Nouveau-Mexique et le tribunal l'avait envoyé dans la maison de correction la plus proche : l'École du Monde Sauvage.

– À croire que j'étais occupé, répondit-il.

– Pas grave, dit Jake. Tant mieux pour toi, d'ailleurs, c'était horrible. Le truc, c'est que Beckendorf a été une des premières victimes, et depuis sa mort...

– Votre bungalow est maudit, devina Léo.

Jake ne répondit pas. Cela dit, il était dans le plâtre de la tête aux pieds, ce qui était une réponse en soi. Léo commença de remarquer des détails qui lui avaient échappé : une marque d'explosion sur un mur, une tache par terre qui ressemblait à de l'essence... ou du sang. Des épées brisées, des machines cassées, jetées dans les coins de la pièce, par dépit peut-être. Les lieux semblaient effectivement avoir la guigne.

Jake soupira.

– Bon, faut que je dorme un peu. J'espère que tu vas te plaire ici, Léo. C'était vraiment sympa, tu sais... avant.

Il ferma les yeux et le rideau de camouflage se déploya devant le lit.

– Viens, Léo, dit Will. Je t'emmène à la forge.

Sur le pas de la porte, Léo se retourna. Il pouvait presque voir mentalement la silhouette du conseiller mort, assis sur son nouveau lit – encore un fantôme qui ne le lâcherait pas.

6 Léo

– Comment est-il mort ? demanda Léo. Beckendorf, je veux dire.

Will Solace avançait à grandes enjambées.

– Dans une explosion. Beckendorf et Percy Jackson ont fait sauter un paquebot plein de monstres. Beckendorf n'a pas survécu.

Encore ce nom : Percy Jackson, le petit copain d'Annabeth qui avait disparu. Ce gars devait être sur tous les coups, à la colonie.

– Beckendorf était populaire ? Avant de sauter, je veux dire.

– Oh oui, c'était un type super, acquiesça Jake. Ça a été très dur pour tout le monde à la colonie quand il est mort. Jake est devenu conseiller en chef pendant la guerre. Comme moi, d'ailleurs. Il fait de son mieux, mais le commandement, c'est pas son truc. Lui, ce qu'il aime, c'est bidouiller et fabriquer des engins. Ensuite, après la guerre, les ennuis ont commencé. Sans qu'on sache pourquoi, les chars du bungalow neuf se sont mis à exploser. Leurs robots sont devenus incontrôlables. Leurs inventions ne marchaient plus. Ça ressemblait à une malédiction, et c'est comme ça qu'on a fini par l'appeler : la malédiction du bungalow neuf. Et puis Jake a eu son accident...

– Lié au problème auquel il a fait allusion, glissa Léo.

– Ils essaient de le régler, dit Will sans enthousiasme. On est arrivés.

On aurait dit qu'une locomotive à vapeur était entrée en collision avec le Parthénon d'Athènes, et que les deux avaient fusionné pour former cet endroit improbable : la forge. Des colonnes de marbre blanc s'alignaient contre les murs noirs de suie. Les conduits de cheminée crachaient leurs panaches de fumée au-dessus d'une toiture ornée de sculptures de monstres et de dieux. La forge était située en bordure d'une rivière et plusieurs roues à eau actionnaient une série de pignons crantés. De l'intérieur parvenaient des vrombissements de moteur, des crépitements de flammes et des coups de marteau.

Ils entrèrent et la douzaine de garçons et de filles qui s'activaient à différents projets s'immobilisèrent aussitôt. Le vacarme cessa et on n'entendit plus que le *clic-clic* des rouages et leviers et le grondement de la forge.

– Salut les mecs, lança Will. Voici votre nouveau frère, Léo. Euh, c'est quoi, ton nom de famille ?

– Valdez.

Léo balaya du regard le groupe rassemblé dans la forge. Avait-il vraiment un lien de parenté avec tous ces gens ? Certains de ses cousins appartenaient à des familles nombreuses, mais lui n'avait jamais eu que sa mère – jusqu'au jour où elle était morte.

Tour à tour, les jeunes s'approchèrent et se présentèrent en lui serrant la main. Leurs noms se mélangèrent vite dans l'esprit de Léo : Shane, Christopher, Nyssa, Harley (comme la moto, oui). Il savait qu'il ne pourrait jamais les retenir. Il y en avait trop, il s'embrouillerait forcément.

Ils ne se ressemblaient vraiment pas : il y avait dans le groupe toutes les tailles, toutes les formes de visage et couleurs de peau et cheveux. Impossible de se dire en les voyant : *Tiens,*

81

voilà les enfants d'Héphaïstos ! Mais ils avaient tous des mains fortes et calleuses, tachées de graisse de moteur. Même la petite Harley, qui ne devait guère avoir plus de huit ans, donnait l'impression de pouvoir mener aisément quelques rounds de boxe.

Tous avaient en commun une certaine tristesse. Les épaules affaissées, comme si la vie leur avait donné quelques coups de trop. Certains avaient l'air d'avoir souffert dans leur corps, aussi : Léo compta deux bras en écharpe, une paire de béquilles, six bandes Velpeau et environ sept mille petits pansements adhésifs.

– Bon, s'exclama-t-il, je vois que c'est la teuf permanente, ici !

Personne ne rit. Tous le toisèrent en silence.

Will Solace tapota Léo sur l'épaule.

– Je vous laisse faire connaissance. Quelqu'un pourra emmener Léo au pavillon-réfectoire, ce soir ?

– Je m'en occupe, lança une des filles.

Nyssa, se souvint Léo. Elle portait un pantalon de treillis, un débardeur qui mettait en valeur ses bras musclés et un bandana rouge qui retenait sa tignasse brune. À part le sparadrap à fleurs sur son menton, elle avait l'air d'une héroïne de jeu d'action ; Léo l'imaginait bien attrapant une mitraillette pour faucher une bande d'ennemis extraterrestres.

– Cool, dit-il. J'ai toujours rêvé d'avoir une sœur qui pourrait me casser la figure.

Nyssa ne daigna pas sourire.

– Viens, le comique. Je vais te faire visiter.

Léo avait l'habitude des ateliers. Il avait grandi entouré de mécanos et d'outils électriques. Sa mère disait pour rire que sa première tétine avait été une clé à molette. Il n'empêche qu'il n'avait jamais vu d'endroit pareil.

Un garçon travaillait à une hache de combat. Il testait la lame sur un bloc de béton. Chaque fois qu'il abattait la hache, elle s'enfonçait comme dans une motte de fromage fondu, mais il semblait toujours mécontent et se remettait à aiguiser la lame.

– Il a l'intention de tuer quoi, avec sa hache ? Un cuirassé ? demanda Léo à Nyssa.

– On sait jamais. Même le bronze céleste...

– C'est le métal ?

Nyssa fit oui de la tête.

– Il vient de la mine du mont Olympe et est extrêmement rare. En principe, son seul contact suffit à désagréger les monstres, mais il y en a, parmi les plus puissants, qui ont la carapace particulièrement dure. Les drakons, par exemple...

– Tu veux dire les dragons ?

– Une espèce voisine. Tu apprendras la différence en cours de combat contre les monstres.

– Un cours de combat contre les monstres. Ouais, je suis déjà ceinture noire dans cette discipline.

La boutade n'arracha pas un sourire à Nyssa. *Pourvu qu'elle ne soit pas aussi sérieuse tout le temps*, se dit Léo. On devait bien avoir un peu le sens de l'humour, du côté paternel, quand même, non ?

Ils passèrent devant deux types qui fabriquaient un jouet mécanique en bronze. Du moins ça y ressemblait : c'était un centaure haut de vingt centimètres – moitié homme, moitié cheval – armé d'un arc miniature. Un des pensionnaires tourna la queue du centaure, et celui-ci s'anima avec un bourdonnement. Il galopa sur la table en criant : « Crève, moustique, crève ! » et se mit à cribler de flèches tout ce qu'il voyait.

Ce n'était pas une première, apparemment, car tout le monde pensa à se jeter au sol, sauf Léo. Le temps qu'un pensionnaire attrape un marteau et écrase l'automate, six flèches grandes comme des aiguilles s'étaient plantées dans son tee-shirt.

— Fichue malédiction ! (Le garçon agita le marteau avec exaspération.) Je veux juste un tueur d'insectes magique, c'est trop demander ?

— Aïe, fit Léo.

— Mais non, t'as rien, dit Nyssa en retirant les aiguilles. Viens, avançons avant qu'ils le reconstruisent.

Léo se frotta la poitrine tout en marchant.

— Ça arrive souvent, ce genre de choses ? demanda-t-il.

— Ces derniers temps, dit Nyssa, tous les engins qu'on fabrique foirent.

— À cause de la malédiction ?

Nyssa fronça les sourcils.

— Je ne crois pas aux malédictions. N'empêche qu'il y a quelque chose qui cloche. Et si on n'arrive pas à résoudre le problème du dragon, ça va s'aggraver.

— Le problème du dragon ?

Léo espérait qu'elle parlait d'un dragon miniature, un dragon exterminateur de cafards, par exemple, mais il n'y croyait pas trop.

Nyssa l'emmena devant une grande carte qui occupait tout un pan de mur. Deux filles étaient en train de l'étudier. On y voyait la colonie : un terrain en demi-cercle bordé par le détroit de Long Island sur la rive nord, des bois sur l'ouest, les bungalows à l'est et une rangée de collines au sud.

— Il est forcément dans les collines, dit une des filles. Obligé.

— On a déjà cherché là-bas, objecta l'autre. Les bois sont une meilleure cachette.

— Mais on a posé des pièges...

— Une seconde, intervint Léo. Vous avez perdu un dragon ? Un dragon grandeur nature ?

– C'est un dragon en bronze, expliqua Nyssa. Mais oui, c'est un automate grandeur nature. Les Héphaïstos l'ont construit il y a plusieurs années de ça. Puis il s'est perdu dans les bois il y a deux ou trois étés, et Beckendorf l'a retrouvé en morceaux et l'a reconstruit. Il sert à la protection de la colonie, mais il est devenu un peu, euh, imprévisible.

– Imprévisible ? répéta Léo.

– Il se détraque et démolit des bungalows, brûle des gens, essaie de manger les satyres, ce genre de choses.

– Imprévisible, effectivement.

Nyssa hocha la tête.

– Seul Beckendorf était capable de le contrôler. Depuis sa mort, l'état du dragon s'est terriblement aggravé. Il a fini par se déglinguer complètement et s'enfuir. De temps en temps, il fait une apparition à la colo, démolit quelque chose et reprend la fuite. Tout le monde attend qu'on le capture et qu'on le détruise.

– Le détruire ? (Léo était consterné.) Vous avez un dragon en bronze grandeur nature et vous voulez le détruire ?

– Il crache du feu, dit Nyssa. C'est devenu un tueur incontrôlable.

– Mais c'est un dragon ! Tu te rends pas compte, c'est géant. Vous pouvez pas essayer de lui parler, de le réapprivoiser ?

– On a essayé. Jake Mason a essayé. Tu as vu ce que ça a donné.

Léo repensa à Jake, tout seul sur sa banquette, plâtré de la tête aux pieds.

– Quand même...

– On n'a pas le choix. (Nyssa s'adressa aux deux autres filles.) Essayons de poser de nouveaux pièges dans les bois, ici, ici et là. Appâtez-le avec de l'huile 30 W.

– Le dragon boit de l'huile de moteur ? demanda Léo.

85

– Ouais. (Nyssa poussa un soupir chargé de regrets.) Il aimait bien ça le soir avant de se coucher, avec un peu de Tabasco. S'il se laisse prendre dans un piège, on pourra venir avec des pulvérisateurs d'acide. Ça devrait nous permettre de faire fondre sa carapace. Après, on y va à la pince à métaux et... on finit le boulot.

Elles avaient l'air tristes toutes les trois. Léo comprit qu'elles n'avaient pas plus envie de détruire le dragon que lui.

– Écoutez, dit-il, il doit bien y avoir un autre moyen.

Nyssa semblait sceptique, mais quelques autres pensionnaires levèrent le nez de leur travail et vinrent se joindre à la conversation.

– Comme quoi ? demanda l'un d'eux. Il crache du feu, ce dragon. On ne peut même pas s'en approcher.

Le feu, songea Léo. Il en aurait, des choses à leur raconter sur le feu... Mais il devait rester prudent, même si c'étaient ses frères et sœurs. Surtout s'il devait vivre avec eux.

– Mais... Héphaïstos est le dieu du Feu, on est d'accord ? Alors comment ça se fait qu'aucun de vous n'ait de résistance au feu ?

Personne n'eut l'air de trouver la question absurde, ce qui fut un soulagement pour Léo, mais Nyssa hocha gravement la tête.

– C'est une aptitude qu'ont les Cyclopes, Léo. Nous, les demi-dieux enfants d'Héphaïstos, on est juste habiles de nos mains. On construit, on fabrique, on forge... tout ça, tu vois.

– Ah.

Les épaules de Léo s'affaissèrent.

Un gars, dans le fond de la pièce, dit :

– Enfin, il y a longtemps...

– D'accord, concéda Nyssa. Il y a longtemps, certains enfants d'Héphaïstos naissaient avec le pouvoir du feu. Mais c'était une faculté très, très rare. Et toujours dangereuse. Ça fait des siècles qu'aucun demi-dieu n'est né avec. Le dernier, ça remonte à...

Elle interrogea une autre pensionnaire du regard.

— 1666, enchaîna celle-ci. Un certain Thomas Faynor. C'est lui qui a déclenché le grand incendie de Londres, qui a presque entièrement détruit la ville.

— Exact, dit Nyssa. Quand un enfant d'Héphaïstos possède ce don, c'est signe, en général, qu'il va se passer une catastrophe. Et on n'a pas besoin de nouvelles catastrophes.

Léo essaya de garder le visage vide de toute émotion, ce qui n'était pas son fort.

— Je comprends le problème, dit-il. Mais c'est dommage. Si vous pouviez résister aux flammes, vous pourriez vous approcher du dragon.

— Et alors ? Il nous tuerait avec ses griffes et ses crocs, rétorqua Nyssa. Ou nous écraserait. Non, faut qu'on le détruise. Crois-moi, si quelqu'un pouvait trouver une autre solution...

Elle laissa sa phrase en suspens, mais Léo reçut le message. C'était la grande épreuve à laquelle était soumis leur bungalow. S'ils parvenaient à faire quelque chose dont seul Beckendorf avait jamais été capable, s'ils pouvaient maîtriser le dragon sans le tuer, alors leur malédiction serait peut-être brisée. Mais ils étaient à court d'idée. Le pensionnaire qui trouverait la solution serait un héros.

Le son d'une conque retentit au loin. Les Héphaïstos commencèrent à ranger leurs projets et leurs outils. Léo ne s'était pas rendu compte qu'il était si tard, mais en regardant par la fenêtre, il vit que le soleil se couchait. C'était un tour que lui jouait parfois son TDAH, son trouble de déficit de l'attention avec hyperactivité. S'il s'ennuyait, un cours de cinquante minutes lui semblait durer six heures. S'il était intéressé par ce qu'il faisait, visiter une colonie pour demi-dieux, par exemple, les heures filaient comme des minutes.

– Viens, Léo, dit Nyssa. Allons dîner.

– Au pavillon-réfectoire ? demanda-t-il.

Elle fit oui de la tête.

– Allez-y, les gars, dit Léo. Vous... vous me donnez une seconde ?

Nyssa hésita, puis son expression s'adoucit.

– Pas de problème. Ça te fait beaucoup de choses à digérer. Je me souviens de mon premier jour. Rejoins-nous quand tu te sentiras prêt. Simplement, ne touche à rien. Presque tous les projets sur lesquels on travaille peuvent te tuer, si tu ne fais pas gaffe.

– Je toucherai à rien, promit Léo.

Ses compagnons de bungalow sortirent de la forge et il se retrouva seul dans le bruit des soufflets, des roues à eau et des diverses petites machines.

Il scruta la carte de la colonie, examina les emplacements où ses frères et sœurs tout nouvellement acquis comptaient poser des pièges pour capturer le dragon. Ça n'allait pas. Mais pas du tout.

Très rare, songea Léo. *Et toujours dangereux.*

Il tendit la main et regarda ses doigts. Ils étaient longs, fins et dépourvus de callosités, contrairement à ceux des autres Héphaïstos. Léo n'avait jamais été le plus grand ou le plus fort de sa classe. Il avait survécu dans des quartiers durs, dans des écoles et des foyers difficiles, en se servant de son intelligence et de son esprit. C'était le clown de la classe, le bouffon du roi. Il avait appris très jeune que si on lançait plein de vannes en faisant semblant de ne pas avoir peur, en général on ne se faisait pas tabasser. Même les caïds les plus endurcis vous toléraient et vous gardaient dans leur entourage parce qu'ils vous trouvaient drôle. En plus, l'humour était une bonne façon de cacher la douleur. Et puis si ça ne marchait pas, il y avait toujours le plan B. Fuir. Encore et toujours.

Il y avait bien un plan C, mais il s'était juré de ne plus jamais y recourir.

Léo éprouvait maintenant le besoin irrésistible de le tester – ce qu'il n'avait plus fait depuis l'accident qui avait coûté la vie à sa mère.

Il tendit la main et sentit le bout de ses doigts picoter – comme s'il avait des fourmis. Brusquement, de petites flammes rouge ardent en jaillirent et se mirent à danser au creux de sa paume.

7   JASON

Dès qu'il vit la maison, Jason sut qu'il était fichu.
— On est arrivés ! s'écria Drew avec enthousiasme. La Grande Maison, Q. G. de la colonie.

Elle n'était guère menaçante, pourtant : un manoir de trois étages, peint en bleu clair avec des moulures blanches. Il y avait une terrasse qui faisait tout le tour de la maison, meublée de chaises longues, d'une table de jeu et d'un fauteuil roulant inoccupé. Le carillon était orné de nymphes qui se changeaient en arbres en tournant au vent. Jason imaginait bien des personnes âgées venant passer leurs vacances d'été ici, sirotant du jus de pruneau en admirant le coucher de soleil. Il n'empêche que les fenêtres semblaient le toiser avec colère, et la porte grande ouverte prête à l'avaler. Sur le pignon le plus élevé, une girouette en bronze, en forme d'aigle, tourna et pointa droit vers lui, comme pour lui intimer l'ordre de rebrousser chemin.

Toutes les molécules du corps de Jason lui disaient qu'il se trouvait en terrain ennemi.

— Je ne devrais pas être ici, murmura-t-il.

Drew glissa le bras sous le sien.

— N'importe quoi. Tu es parfaitement à ta place ici, mon cœur. Crois-moi, j'en ai vu, des héros.

Drew sentait Noël : un mélange insolite de sapin et de muscade. Jason se demanda si c'était son odeur habituelle, ou un parfum pour les grandes occasions. Son eyeliner rose attirait vraiment l'attention. Dès qu'elle battait des paupières, il se sentait presque obligé de la regarder. C'était peut-être fait exprès, pour mettre en valeur ses yeux bruns. Elle était jolie, aucun doute là-dessus. Mais elle mettait Jason mal à l'aise.

Il se dégagea aussi doucement qu'il put.

– Écoute, j'apprécie...

– C'est cette fille, c'est ça ? demanda Drew avec une moue horrifiée. S'il te plaît, dis-moi que tu ne sors pas avec la reine des thons ?

– Tu veux dire Piper ? Euh...

Jason fut pris de court. Il ne croyait pas avoir jamais vu Piper avant ce jour-là, mais ça lui donnait un étrange sentiment de culpabilité. Il savait qu'il ne devait pas être là. Il ne devait pas sympathiser avec ces gens, et surtout pas sortir avec l'une d'eux. Il n'empêche... Piper lui tenait la main quand il s'était réveillé dans l'autocar. Elle était persuadée d'être sa petite amie. Elle avait fait preuve de courage sur la passerelle, pour combattre ces *venti*, et quand Jason l'avait rattrapée dans l'air et qu'ils étaient restés suspendus face à face, il ne pouvait nier qu'il avait été un peu tenté de l'embrasser. Mais ce n'aurait pas été bien. Il ignorait tout de sa propre histoire. Il ne pouvait pas jouer comme ça avec ses émotions.

Drew leva les yeux au ciel.

– Je vais t'aider à décider, mon cœur. Tu mérites mieux que ça. Un gars avec ton physique et ton talent ?

Elle ne le regardait pas, pourtant. Elle fixait un point au-dessus de sa tête.

– Tu attends un signe, devina-t-il. Comme celui qui est apparu au-dessus de la tête de Léo.

91

– Quoi ? Mais non ! Enfin si. Je veux dire, à ce que j'ai compris, tu es assez puissant, non ? Tu vas devenir quelqu'un d'important à la colo, donc je suppose que ton parent divin ne va pas tarder à te revendiquer. Et j'adorerais y assister. Je veux être avec toi à chaque étape. Alors c'est ton père ou ta mère qui est un dieu ? Dis-moi que c'est pas ta mère. Ça craindrait trop si tu étais un fils d'Aphrodite.

– Pourquoi ?

– Ben tu serais mon demi-frère, idiot. On peut pas sortir avec quelqu'un de son bungalow.

– Mais les dieux ne sont-ils pas tous parents ? demanda Jason. Vous n'êtes pas tous plus ou moins cousins, par conséquent, ici ?

– Tu me fais trop rire ! C'est pas grave d'avoir un dieu dans la famille, mon cœur, il faut juste que ce soit pas le même. Tu peux draguer n'importe qui, en dehors de ton bungalow. Alors qui est ton parent divin, ta mère ou ton père ?

Comme d'habitude, Jason n'avait pas la réponse. Il leva les yeux, mais aucun signe lumineux ne se matérialisa au-dessus de sa tête. Sur le toit de la Grande Maison, la girouette pointait toujours dans sa direction, avec cet aigle de bronze étincelant qui semblait dire : *Va-t'en, petit, sauve-toi tant que tu peux.*

Jason entendit des bruits de pas sur la terrasse. Des bruits de sabots, plus exactement.

– Chiron ! s'exclama Drew. Je te présente Jason. Il est méga-cool !

Jason recula si abruptement qu'il manqua trébucher. Un homme à cheval débouchait du coin de la maison. En fait non. Il n'était pas à cheval... il faisait corps avec le cheval. À partir de la taille, c'était un humain, à la chevelure brune et bouclée, à la barbe taillée avec soin. Il portait un tee-shirt sur lequel était marqué *Centaure du Siècle*, ainsi qu'un arc et un carquois sur l'épaule. Il avait la tête si haute qu'il dut la baisser pour éviter les lampes de la terrasse car, sous la taille, c'était un étalon blanc.

Chiron sourit à Jason. Et puis, soudain, il blêmit.

– Tu... (Les yeux du centaure brillaient comme ceux d'un animal traqué.) Tu devrais être mort.

Chiron ordonna à Jason d'entrer dans la maison – il l'y invita, en fait, mais ça ressemblait à un ordre. Et il renvoya Drew à son bungalow, ce qui n'eut pas l'air de plaire à la demoiselle.

Le centaure s'approcha du fauteuil roulant en trottinant. Il retira son arc et son carquois et recula vers le siège, qui s'ouvrit comme un coffre de magicien. Chiron y introduisit délicatement les pattes arrière et entreprit de se loger dans un espace qui semblait beaucoup trop petit pour accueillir son arrière-train. Jason imagina les *bip-bip-bip* d'un camion faisant marche arrière lorsque la moitié inférieure du centaure disparut et que le fauteuil se plia, laissant apparaître une paire de fausses jambes humaines drapées d'une couverture. Chiron avait maintenant l'air d'un simple humain en fauteuil roulant.

– Viens avec moi, dit-il. Nous avons du citron pressé.

On aurait dit que le salon avait été avalé par une forêt tropicale. Des vignes grimpaient sur les murs et au plafond, à la grande surprise de Jason. Il ne pensait pas que ce genre de plantes pouvaient pousser en intérieur, surtout en hiver, mais celles-ci étaient verdoyantes et couvertes de grappes de raisin noir.

Des canapés de cuir étaient disposés devant une cheminée de pierre où crépitait un feu. Dans un coin, un vieux jeu vidéo du style Pac-Man clignotait en émettant des bips. Une collection de masques était déployée sur les murs : les masques tragiques et comiques du théâtre grec, ceux de Mardi gras ornés de plumes, d'autres du carnaval de Venise aux nez en bec

93

d'oiseau, ou encore des masques africains en bois sculpté. Les treilles se glissaient par leurs bouches et leur faisaient comme des langues feuillues ; des grains de raisin débordaient pour certains de leurs orbites.

Mais le plus étrange de tout, c'était la tête de léopard empaillée au-dessus de la cheminée. Elle paraissait tellement vivante que Jason eut l'impression que les yeux le suivaient. Là-dessus elle feula, et Jason sauta en l'air.

– Allons, Seymour, gronda Chiron. Jason est un ami. Tiens-toi bien.

– Cette chose est vivante ! s'écria le jeune garçon.

Chiron farfouilla dans la poche latérale du fauteuil roulant et en sortit un paquet de saucisses de Francfort. Il en lança une au léopard, qui l'engloutit dans un claquement de mâchoires et se lécha les babines.

– Excuse la décoration, dit Chiron. C'est un cadeau d'adieu de notre ancien directeur, quand il a été rappelé au mont Olympe. Il s'est dit que ça nous empêcherait de l'oublier. Monsieur D. a un sens de l'humour assez particulier.

– Monsieur D. ? fit Jason. Dionysos ?

– Hmm hmm. (Chiron servit du citron pressé dans deux verres, d'une main légèrement tremblante.) Quant à Seymour, Monsieur D. l'a rescapé d'une brocante. Le léopard est son animal sacré, tu comprends. Monsieur D. a été consterné de voir que quelqu'un avait empaillé une créature si noble, et il a décidé de lui accorder la vie en se disant qu'il valait mieux vivre en tant que tête empaillée que pas du tout. Je dois dire que le propriétaire de la brocante a connu un sort beaucoup moins clément.

Seymour dégarnit les crocs et huma l'air, à l'affût de saucisses supplémentaires.

– S'il n'est qu'une tête, demanda Jason, où passe tout ce qu'il mange ?

– Je préfère ne pas savoir, fit Chiron. Assieds-toi.

Jason, la gorge serrée, fit un effort pour avaler quelques gorgées de citron pressé. Chiron se cala dans son fauteuil et lui adressa un sourire, mais Jason voyait bien qu'il se forçait. Les yeux du vieil homme étaient sombres et profonds.

– Alors, dit-il, veux-tu bien me confier, euh, d'où tu viens ?

– Si seulement je savais.

Et Jason lui raconta toute l'histoire, depuis le moment où il s'était réveillé dans l'autocar jusqu'à leur atterrissage en catastrophe à la Colonie des Sang-Mêlé. Il n'omit aucun détail et Chiron savait écouter. Il n'exprimait aucune réaction, mais hochait la tête pour encourager Jason à poursuivre son récit. Lorsque ce dernier se tut enfin, Chiron but un peu de citron pressé et lança :

– Je vois. Tu dois avoir des questions à me poser.

– Une seule, répondit Jason. Que vouliez-vous dire en m'annonçant que je devrais être mort ?

Chiron l'examina avec inquiétude, comme s'il s'attendait à le voir exploser.

– Mon garçon, fit-il, sais-tu ce que signifient ces marques que tu as au bras ? Et la couleur de ton tee-shirt ? N'as-tu aucun souvenir ?

Jason regarda le tatouage : SPQR, l'aigle, douze traits.

– Non, dit-il, aucun.

– Sais-tu où tu es ? reprit Chiron. Comprends-tu ce qu'est cet endroit et qui je suis ?

– Vous êtes le centaure Chiron. Je suppose que vous êtes celui des histoires anciennes, celui qui formait les héros grecs comme Héraclès. Cet endroit est une colonie pour les demi-dieux, qui sont les enfants des dieux de l'Olympe.

– Alors tu crois que ces dieux existent toujours ?

– Oui, rétorqua Jason presque aussitôt. Enfin, je ne pense pas qu'on devrait les adorer ni leur sacrifier des poulets ou quoi, mais ils sont toujours présents parce qu'ils constituent une part importante de la civilisation occidentale. Ils se déplacent de pays en pays pour suivre le centre de cette civilisation. C'est ainsi qu'ils avaient quitté la Grèce antique pour Rome.

– *Je n'aurais pu le formuler mieux.* (La voix de Chiron avait pris des inflexions nouvelles.) *Tu sais donc déjà que les dieux sont réels. Tu as été revendiqué, n'est-ce pas ?*

– *Peut-être*, répondit Jason. *Je ne sais pas vraiment.*

Seymour le léopard feula.

Chiron attendit et Jason comprit ce qui venait de se passer. Le centaure avait changé de langue et Jason l'avait non seulement compris, mais il lui avait répondu automatiquement dans le même idiome.

– *Quid eram...* (Jason balbutia et fit un effort conscient pour parler anglais.) Qu'est-ce que c'était ?

– Tu connais le latin, observa Chiron. La plupart des demi-dieux savent quelques phrases, bien sûr. Ils l'ont dans le sang, mais moins fortement que le grec ancien. Personne ne peut parler couramment le latin sans le pratiquer.

Jason essaya d'analyser ce que cela impliquait, mais il lui manquait trop d'éléments. Il avait toujours le sentiment qu'il n'aurait pas dû être dans ces lieux. Il percevait quelque chose d'anormal, de dangereux, même. Au moins Chiron n'était-il pas menaçant. Le centaure avait plutôt l'air de se faire du souci pour lui, de se préoccuper de sa sécurité.

Le feu, se reflétant dans les yeux de Chiron, y faisait danser des lueurs inquiètes.

– J'ai formé ton homonyme, tu sais, dit-il. Le premier Jason. Il a connu un destin difficile. Je vois passer beaucoup de héros. Ils ont parfois une fin heureuse, mais le plus souvent c'est le contraire. Ça me brise le cœur à chaque fois qu'un de mes élèves meurt, c'est comme si je perdais un enfant. Mais toi... tu

96

es différent de tous les jeunes que j'ai formés. Ta présence ici pourrait s'avérer catastrophique.

– Merci, dit Jason. Vous devez être un professeur très stimulant.

– Je suis désolé, mon garçon, mais c'est la vérité. J'avais espéré, après le succès de Percy...

– Vous parlez de Percy Jackson, le petit ami d'Annabeth, celui qui a disparu ?

Chiron hocha la tête.

– Quand il a remporté la guerre des Titans et sauvé le mont Olympe, je me suis pris à espérer que nous connaîtrions une période de paix. Je m'imaginais savourant le triomphe final et, sur ce dénouement heureux, prenant peut-être tranquillement ma retraite. J'étais naïf. Le dernier chapitre approche, une fois de plus. Le pire est encore à venir.

Dans le coin du salon, le jeu vidéo émit un *piou-piou-piou* mélancolique, comme si un Pac-Man venait de mourir.

– D'accord, fit Jason. Donc le dernier chapitre, c'est déjà arrivé avant, et le pire est encore à venir. Ça a l'air intéressant, mais pourrait-on revenir à la partie où je suis censé être mort ? Ça ne me plaît pas trop.

– Je crains de ne pas pouvoir t'expliquer, mon garçon. J'ai juré sur le Styx et sur tout ce qui est sacré... (Chiron fronça les sourcils.) Mais tu es ici, et ta présence est une violation de ce même serment. Ça non plus, ça ne devrait pas être possible. Je ne comprends pas. Qui aurait pu faire une chose pareille ? Qui...

Seymour gronda et sa gueule se figea, à moitié ouverte. Le jeu vidéo se tut. Le feu cessa de crépiter et ses flammes se durcirent comme du verre rouge. Les masques regardaient silencieusement Jason, grotesques avec leurs yeux de raisin et leurs langues de feuilles.

– Chiron ? demanda Jason, qu'est-ce qui...

Le vieux centaure s'était immobilisé, lui aussi. Jason sauta du canapé, mais Chiron garda les yeux rivés sur le même point, la bouche ouverte au milieu de sa phrase. Il ne battait pas des paupières. Sa poitrine ne se soulevait pas.

Jason, appela une voix.

Un horrible instant, il crut que le léopard avait parlé. Puis une brume sombre sortit en bouillonnant de la gueule de Seymour et une idée encore pire vint à l'esprit de Jason : *un esprit de la tempête.*

Il sortit la pièce d'or de sa poche. Une chiquenaude, et elle se changea en épée.

La brume prit la forme d'une femme en robe noire. Une capuche couvrait son visage, mais ses yeux luisaient dans l'obscurité. Elle portait une cape en peau de chèvre drapée sur les épaules. Jason ignorait comment il savait que c'était de la peau de chèvre, mais il l'avait reconnue et il savait également que c'était important.

– *Attaquerais-tu ta protectrice ?* gronda la femme d'une voix qui résonna dans la tête de Jason. *Baisse ton épée.*

– Qui êtes-vous ? demanda-t-il. Comment avez-vous...

– *Le temps nous est compté, Jason. Ma prison est plus forte d'heure en heure. Il m'a fallu un mois entier pour rassembler assez d'énergie afin d'accomplir un sortilège mineur à travers mes liens. Je suis parvenue à t'amener ici, mais il me reste peu de temps maintenant, et encore moins de pouvoir. C'est peut-être la dernière fois que je peux te parler.*

– Vous êtes en prison ? (Jason se dit qu'il n'allait peut-être pas baisser la garde.) Écoutez, je ne vous connais pas et vous n'êtes pas ma protectrice.

– *Tu me connais,* insista-t-elle. *Je te connais depuis ta naissance.*

– Je ne m'en souviens pas. Je ne me souviens de rien.

– *Je sais. Cela aussi, c'était nécessaire. Il y a longtemps, ton père m'a offert ta vie en cadeau pour apaiser ma colère. Il t'a appelé Jason, du nom de mon mortel préféré. Tu m'appartiens.*

98

– Eh, j'appartiens à personne ! protesta Jason.

– *Le moment est venu de payer ta dette*, rétorqua-t-elle. *Trouve ma prison et libère-moi, sinon leur roi se lèvera de terre et je serai détruite. Tu ne récupéreras jamais tes souvenirs.*

– Est-ce une menace ? Vous m'avez dérobé mes souvenirs ?

– *Tu as jusqu'au coucher du soleil du solstice, Jason. Quatre courtes journées. Ne me fais pas défaut.*

Sur ces mots, la femme d'ombre se dissipa et la brume s'enroula en marche arrière dans la gueule du léopard.

Le temps reprit son cours. Le feulement de Seymour se changea en toux, comme s'il avait avalé une boule de poils. Le feu se remit à crépiter, le jeu vidéo à tinter, et Chiron dit :

– ... oserait t'amener ici ?

– Sans doute la femme de brume, suggéra Jason.

Chiron le regarda avec surprise.

– Tu étais assis tranquillement, non ? Pourquoi as-tu dégainé ton épée ?

– Je suis désolé de devoir vous annoncer cela, mais je crois que votre léopard vient de dévorer une déesse.

Là-dessus Jason raconta à Chiron la visite qu'il avait reçue pendant que le temps s'était suspendu, et comment la silhouette sombre et vaporeuse avait disparu dans la gueule de Seymour.

– Par les dieux, murmura Chiron. Cela explique beaucoup de choses.

– Alors pourquoi ne pas me l'expliquer à moi aussi ? dit Jason. S'il vous plaît.

Avant que Chiron puisse répondre, des bruits de pas résonnèrent sur la terrasse. La porte d'entrée s'ouvrit brutalement et Annabeth et une autre fille, une grande rousse, déboulèrent en traînant Piper entre elles deux. Cette dernière avait la tête qui pendait, l'air inconsciente.

Jason se précipita vers le trio.

– Qu'est-ce qui s'est passé ? Qu'est-ce qu'elle a ?

– Le bungalow d'Héra, hoqueta Annabeth, essoufflée comme si elles avaient couru sur tout le trajet. Une vision...

La camarade d'Annabeth leva la tête et Jason vit qu'elle avait pleuré.

-- Je crois..., dit-elle avec des sanglots dans la voix, je crois que je l'ai tuée.

8   JASON

Jason et la fille rousse, une certaine Rachel, allongèrent Piper sur le canapé pendant qu'Annabeth courait chercher une trousse de secours. Piper respirait, mais demeurait inconsciente. Elle avait l'air dans le coma.

– Il faut qu'on la guérisse, dit Jason. Il doit bien y avoir un moyen !

À la voir si pâle et respirant à peine, Jason se sentit l'âme d'un saint-bernard. Il ne la connaissait peut-être pas véritablement, ce n'était peut-être pas vraiment sa petite amie, il n'empêche qu'ils avaient survécu ensemble au Grand Canyon. Ils avaient fait tout ce trajet ensemble. Il avait suffi qu'il la laisse quelques instants... et voilà !

Chiron posa la main sur le front de Piper et grimaça.

– Son esprit est fragilisé. Rachel, que s'est-il passé ?

– Si seulement je savais ! Dès que j'ai mis le pied à la colonie, j'ai eu un pressentiment qui portait sur le bungalow d'Héra. J'y suis allée. Annabeth et Piper sont entrées quelques instants plus tard. On a un peu discuté, puis j'ai eu un passage à vide. Annabeth dit que je parlais d'une voix différente.

– Une prophétie ? demanda Chiron.

– Non. L'esprit de Delphes vient de l'intérieur ; c'est une sensation que je connais bien. Là, c'était comme un appel à distance, comme si une puissance essayait de parler à travers moi.

Annabeth revint en courant, un sac en cuir à la main, et s'agenouilla au chevet de Piper.

– Chiron, dit-elle, ce qui s'est passé là-bas... Je n'avais jamais rien vu de pareil. J'ai déjà entendu la voix de prophétie de Rachel. Là, c'était différent. Elle parlait d'une voix de femme mûre. Elle a attrapé Piper par les épaules et lui a dit...

– ... de la libérer d'une prison ? intervint Jason.

– Comment le sais-tu ? demanda Annabeth, qui dévisagea Jason avec stupeur.

Chiron porta trois doigts sur son cœur, comme pour chasser le mauvais œil.

– Jason, dit-il, raconte-leur. Annabeth, la trousse, s'il te plaît.

Chiron versa une potion entre les lèvres de Piper à l'aide d'un compte-gouttes, pendant que Jason racontait sa rencontre avec la femme de brume sombre qui s'était presentée comme sa protectrice.

Quand il eut fini, personne ne fit le moindre commentaire, ce qui accentua encore davantage son inquiétude.

– Ça vous arrive souvent, demanda-t-il pour briser le silence, des coups de fil surnaturels de prisonniers qui vous ordonnent de les délivrer ?

– Ta protectrice, répéta Annabeth. Pas ton parent divin ?

– Non. Elle a bien dit « protectrice ». Et aussi que mon père lui avait offert ma vie en cadeau.

– C'est la première fois que j'entends des choses pareilles, déclara Annabeth, les sourcils froncés. Tu as dit que l'esprit de la tempête, sur la passerelle, s'était réclamé d'une maîtresse qui lui donnait des ordres, n'est-ce pas ? Pourrait-il s'agir de la femme que tu as vue, qui joue avec tes nerfs ?

– Je ne crois pas, fit Jason. Si c'était mon ennemie, pourquoi me demanderait-elle de l'aider ? Elle est prisonnière. Elle a peur d'un ennemi qui menace de devenir plus puissant. Elle a parlé d'un roi se levant de terre au solstice...

Annabeth se tourna vers Chiron.

– Pas Cronos ! Dis-moi que ce n'est pas ça.

Le centaure avait l'air malheureux. Il tenait le poignet de Piper afin de prendre son pouls. Après quelques secondes de silence, il finit par répondre :

– Ce n'est pas Cronos. Ce danger-là n'existe plus. Mais...

– Mais quoi ? demanda Annabeth.

– Piper a besoin de repos, dit Chiron en refermant la trousse de secours. On parlera de tout cela plus tard.

– Parlons-en maintenant, si vous le voulez bien, dit Jason. Monsieur Chiron, vous m'avez dit que le plus grand danger se préparait. Le dernier chapitre. Vous ne pouvez tout de même pas penser à quelque chose de pire qu'une armée de Titans, dites-moi ?

– Oh, fit Rachel d'une petite voix. Par les dieux. La femme, c'est Héra. Bien sûr. Son bungalow, sa voix. Elle s'est montrée à Jason au même moment.

– Héra ? grogna Annabeth, plus féroce encore que Seymour le léopard. C'est elle qui t'a utilisée ? Et qui a fait ça à Piper ?

– Je crois que Rachel a raison, dit Jason. La femme que j'ai vue avait l'allure d'une déesse. Et elle portait une cape en peau de chèvre. C'est le symbole de Junon, si je ne me trompe ?

– Ah bon ? fit Annabeth avec une moue méfiante. Première nouvelle.

Chiron hocha la tête à contrecœur.

– Si, dit-il, de Junon, l'aspect romain d'Héra, dans son état le plus guerrier. La cape en peau de chèvre était un symbole du soldat romain.

– Héra serait prisonnière ? demanda Rachel. Qui aurait bien pu capturer la reine des dieux ?

Annabeth croisa les bras.

– Je sais pas qui c'est, mais on devrait peut-être le remercier. S'il peut réduire Héra au silence...

– Annabeth, elle fait toujours partie des Olympiens, prévint Chiron. À plusieurs égards, c'est elle, le ciment qui unit la famille. Si elle est effectivement prisonnière et en danger, les bases de notre monde risquent d'être ébranlées. La stabilité de l'Olympe, jamais très grande au meilleur des cas, pourrait s'effriter. Et si Héra a demandé à Jason de l'aider...

– Compris, grommela Annabeth. Ben, nous savons que les Titans sont capables de capturer un dieu, n'est-ce pas ? Atlas avait enlevé Artémis, il y a quelques années. Et dans les vieux récits, les dieux passaient leur temps à se tendre des pièges et à s'enlever les uns les autres. Mais qu'y a-t-il de pire qu'un Titan... ?

Jason jeta un coup d'œil à la tête de léopard empaillé. Seymour se léchait les babines comme s'il avait trouvé la déesse bien meilleure que les saucisses.

– Héra a dit que ça faisait un mois qu'elle essayait de s'évader.

– Et ça fait un mois que l'Olympe est fermée, enchaîna Annabeth. Les dieux doivent savoir qu'il se passe quelque chose de grave.

– Mais pourquoi gaspiller son énergie à m'envoyer ici ? demanda Jason. Elle a effacé ma mémoire, m'a parachuté en pleine excursion de l'École du Monde Sauvage et vous a envoyé une vision onirique vous disant de venir me chercher. Pourquoi suis-je si important ? Pourquoi n'a-t-elle pas lancé une fusée de détresse pour signaler aux autres dieux où elle se trouvait et les appeler à sa rescousse ?

– Les dieux ont besoin des héros pour accomplir leur volonté sur Terre, avança Rachel. C'est exact, n'est-ce pas ? Leur sort est intimement lié à celui des demi-dieux.

– Oui, c'est vrai, concéda Annabeth, mais Jason n'a pas tort : pourquoi lui ? Et pourquoi le priver de sa mémoire ?

– Piper est impliquée, elle aussi, reprit Rachel. Héra lui a envoyé le même message : *Libère-moi*. Et tu sais quoi, Annabeth ? C'est sûrement lié à la disparition de Percy.

Annabeth regarda Chiron droit dans les yeux.

– Pourquoi tu ne dis rien ? lui demanda-t-elle. Qu'est-ce qui nous attend ?

Le centaure semblait avoir pris dix ans en quelques minutes.

– Ma chérie, là, je ne peux pas vous aider. Je suis vraiment désolé.

Annabeth accusa le coup.

– Tu ne m'as jamais... jamais caché aucune information. Même la dernière Grande Prophétie...

– Je vais me retirer dans mon bureau, interrompit Chiron d'une voix pesante. J'ai besoin de temps pour réfléchir avant le dîner. Rachel, tu veux bien veiller sur la jeune fille ? Demande à Argos de l'emmener à l'infirmerie, si tu veux. Annabeth, tu devrais parler à Jason. Lui expliquer qui sont les dieux grecs et romains.

– Mais...

Chiron fit pivoter son fauteuil, s'engagea dans le couloir et s'éloigna. Les yeux d'Annabeth prirent des teintes d'orage. Elle grommela quelque chose en grec et Jason eut l'impression que ce n'était pas flatteur pour les centaures.

– Excusez-moi, dit Jason. Je crois que ma présence ici... Je ne sais pas comment, mais j'ai l'impression qu'en arrivant à votre colonie, j'ai semé la pagaille. Chiron m'a dit qu'il avait prêté serment et qu'il ne pouvait pas en parler.

– Quel serment ? demanda Annabeth. Je ne l'ai jamais vu se comporter comme ça. Et pourquoi veut-il que je te parle des dieux...

La jeune fille laissa sa phrase en suspens. Apparemment, elle venait juste de remarquer l'épée de Jason, posée sur la table basse. Elle effleura la lame prudemment, comme par peur de s'y brûler les doigts.

– C'est de l'or ? demanda-t-elle. Est-ce que tu te souviens comment tu l'as eue ?

– Non, répondit Jason. Je te l'ai déjà dit, je ne me souviens de rien.

Annabeth hocha la tête, comme si elle venait de concevoir un plan désespéré.

– Puisque Chiron refuse de nous aider, dit-elle, on va devoir comprendre tout seuls ce qui se passe. Ce qui veut dire... direction le bungalow quinze. Rachel, tu t'occupes de Piper ?

– Pas de problème. Bonne chance à tous les deux !

– Une seconde, intervint Jason. Qu'est-ce qu'il y a au bungalow quinze ?

– Peut-être un moyen de réveiller ta mémoire, répondit Annabeth en se levant.

Ils se dirigèrent vers une rangée de bungalows plus récents, au coin sud-ouest de la pelouse centrale. Il y en avait de très sophistiqués, avec des façades lumineuses ou des torches flamboyantes, mais le bungalow quinze était modeste. Avec ses murs en pisé et son toit de roseaux, il avait une allure de chaumière traditionnelle. La porte d'entrée s'ornait d'une couronne de fleurs orange vif – *des pavots*, songea Jason, mais il n'en aurait pas mis sa main au feu.

– Tu penses que c'est le bungalow de mon parent divin ? demanda-t-il.

– Non, dit Annabeth. C'est celui d'Hypnos, le dieu du Sommeil.

– Alors pourquoi...

– Tu as tout oublié. S'il y a un dieu qui peut nous aider à comprendre l'amnésie, c'est Hypnos.

À l'intérieur, bien qu'il soit bientôt l'heure du dîner, trois

106

jeunes dormaient à poings fermés sous des piles de couvertures. Un feu crépitait dans l'âtre. Au-dessus du manteau de la cheminée était accrochée une branche d'arbre, et au bout de chaque rameau perlait un liquide blanc qui s'écoulait goutte à goutte dans une série de bols en étain. Jason fut tenté d'en recueillir une sur son doigt, mais il s'abstint.

Une douce musique de violon emplissait l'espace. Une odeur de linge frais lavé flottait dans l'air. Le bungalow était si paisible et douillet que Jason sentit ses paupières s'alourdir. Il eut très envie de faire la sieste. Il était épuisé. Il y avait plein de lits disponibles, garnis d'oreillers en plumes, de draps propres et de couettes moelleuses... Annabeth lui donna un coup de coude.

– Reprends-toi ! lui lança-t-elle.

Jason battit des paupières. Il se rendit compte que ses jambes flageolaient.

– Le bungalow quinze fait cet effet à tout le monde, l'avertit Annabeth. Si tu veux mon avis, il est plus dangereux que le bungalow d'Arès. Au moins chez les Arès, tu finis par savoir où sont placées les mines anti-personnel.

– Des mines antipersonnel ?

Elle s'approcha d'un des ronfleurs et le secoua par l'épaule.

– Clovis, réveille-toi !

Le garçon ressemblait à un bébé veau. Il avait un toupet de cheveux blonds sur une tête carrée aux traits épais, soutenue par un gros cou. Il était trapu mais avait les bras grêles, comme s'il n'avait jamais rien porté de plus lourd qu'un oreiller.

– Clovis !

Annabeth le secoua plus fort et finit par lui donner une demi-douzaine de petits coups sur le front.

– Quoi quoi quoi ? râla Clovis en se redressant.

Il battit des paupières et poussa un bâillement gigantesque. Annabeth et Jason l'imitèrent aussitôt.

107

– Arrête ! dit Annabeth. On a besoin de ton aide.

– Je dormais.

– Tu dors tout le temps.

– Bonne nuit.

Sans lui laisser le temps de sombrer de nouveau dans le sommeil, Annabeth lui arracha son oreiller.

– C'est pas juste, se plaignit Clovis d'une petite voix. Rends-le moi.

– Aide-nous d'abord. Tu dormiras après.

Clovis soupira. Son haleine sentait le lait tiède.

– Bon, d'accord. Qu'est-ce que tu veux ?

Annabeth lui expliqua le problème de Jason. De temps en temps, elle claquait les doigts sous le nez du garçon pour l'empêcher de somnoler.

Clovis devait être vraiment captivé par l'histoire car, quand Annabeth se tut, il ne s'écroula pas. Il alla même jusqu'à se lever et s'étirer, puis il toisa Jason en battant des paupières.

– Alors comme ça, tu ne te souviens plus de rien ?

– Il me reste juste quelques impressions, dit Jason. Par exemple...

– Oui ?

– Je sais que je ne devrais pas être ici. Dans cette colonie. Que je suis en danger.

– Hum. Ferme les yeux.

Jason jeta un coup d'œil à Annabeth, qui l'encouragea du regard.

Malgré sa peur de ronfler pour toujours sur un de ces lits moelleux, Jason obtempéra. Ses pensées devinrent vite confuses, comme s'il sombrait dans un lac noir.

L'instant d'après, il rouvrit brusquement les paupières. Il était assis dans un fauteuil au coin du feu. Clovis et Annabeth étaient agenouillés près de lui.

– ... grave, effectivement, disait Clovis.

– Qu'est-ce qui s'est passé ? demanda Jason. Combien de temps... ?

– Quelques minutes seulement, dit Annabeth. Mais c'était très fort. Tu as failli te dissoudre.

Jason supposa que c'était une façon de parler, mais l'expression d'Annabeth était sérieuse.

– En général, expliqua Clovis, quand on perd ses souvenirs, il y a une raison. Ils sombrent sous la surface comme des rêves et, avec un bon sommeil, je peux les ramener. Mais là...

– Le Léthé ? demanda Annabeth.

– Non, fit Clovis. Même pas le Léthé.

– Le Léthé ? interrogea Jason.

Clovis montra la branche d'arbre qui dégouttait dans les bols, au-dessus de la cheminée.

– Le Léthé est un fleuve situé aux Enfers. Il dissout les souvenirs, gomme définitivement les esprits. Cette branche vient d'un peuplier des Enfers et y a été trempée dans les eaux du Léthé. C'est le symbole de mon père, Hypnos. Le Léthé n'est pas un lieu de baignade recommandé.

Annabeth acquiesça d'un hochement de tête.

– Percy y est allé une fois. Il m'a dit que le fleuve était assez puissant pour effacer intégralement l'esprit d'un Titan.

Jason se félicita de ne pas avoir touché aux rameaux.

– Mais... ce n'est pas mon problème, si ?

– Non, reconnut Clovis. Ton esprit n'a pas été effacé, et tes souvenirs n'ont pas été enfouis non plus. Ils ont été volés.

Le feu crépitait. Des gouttes d'eau du Léthé tombaient en tintant dans les bols d'étain disposés sur le manteau de la cheminée. Un autre pensionnaire d'Hypnos marmonna dans son sommeil – une histoire de canards.

– Volés, répéta Jason. Mais comment ?

– Par un dieu, dit Clovis. Seul un dieu en a le pouvoir.

– Ça, on le sait déjà, dit Jason. C'est Junon. Mais comment s'y est-elle prise, et pourquoi ?

– Junon ? demanda Clovis en se grattant le cou.

– Il veut dire Héra, expliqua Annabeth. Va savoir pourquoi, Jason affectionne les noms romains.

– Hum..., fit Clovis.

– Quoi ? Ça signifie quelque chose ? demanda Jason.

– Hum..., répéta Clovis, et Jason se rendit compte que cette fois-ci il ronflait.

– Clovis !!! hurla-t-il.

– Quoi, qu'est-ce qu'il y a ? (Il battit des paupières.) On parlait d'oreillers, c'est ça ? Ah non, des dieux. Je me souviens. Grecs et romains. Bien sûr, ça pourrait être important.

– Mais ce sont les mêmes dieux, objecta Annabeth. Il n'y a que les noms qui changent.

– Pas que ça, non.

Jason se pencha en avant. Envolée, son envie de faire un somme.

– Comment ça, « pas que ça » ?

– Eh bien, commença Clovis avec un bâillement. Il y a des dieux qui ne sont que romains. Janus ou Pomone, par exemple. Et même les grands dieux grecs... Ils n'ont pas simplement changé de noms quand ils sont partis à Rome. Ils ont aussi changé d'apparence, d'attributs. Et leurs personnalités se sont légèrement modifiées.

– Je suis d'accord avec le fait que les gens les ont perçus différemment au fil des siècles, avança Annabeth d'une voix hésitante. Mais ça ne change pas qui ils sont.

– Bien sûr que si.

Clovis piquait déjà du nez, et Jason s'empressa de claquer des doigts.

– J'arrive, M'man ! glapit Clovis. Euh... Je veux dire, ouais les gars, je suis réveillé. Les personnalités. Les dieux changent pour refléter les cultures qui les accueillent. Tu le sais bien, Annabeth. À l'heure actuelle, Zeus aime les costumes sur mesure, la télé-réalité et le chinois de la 28ᵉ Rue, pas vrai ? Eh bien ça s'est passé de la même façon à Rome, et les dieux ont été romains presque aussi longtemps qu'ils avaient été grecs. Rome était un grand empire, qui a duré plusieurs siècles. Alors, bien sûr, les traits de caractère romains des dieux constituent toujours une part importante de leur personnalité.

– Ça se tient, commenta Jason.

Annabeth secoua la tête, épatée.

– D'où tu sais tout ça, Clovis ?

– Oh, je passe beaucoup de temps à rêver. Dans les rêves, je vois les dieux tout le temps, et ils changent de forme sans arrêt. Les rêves sont fluides, tu sais. Tu peux être dans différents lieux en même temps, tout en changeant constamment d'identité. Il y a beaucoup de points communs entre un rêveur et un dieu, finalement. Récemment, par exemple, j'ai rêvé que j'assistais à un concert de Michael Jackson, et puis que j'étais sur scène avec lui, on chantait un duo et j'arrivais plus à me rappeler les paroles de *The Girl Is Mine*. C'était trop la honte ! Je...

– Clovis, l'interrompit Annabeth, on revient à Rome ?

– D'accord, Rome, OK. On appelle les dieux par leurs noms grecs car c'est leur forme originale. Mais dire qu'ils sont exactement les mêmes sous leur identité romaine, c'est inexact. À Rome, ils étaient beaucoup plus guerriers. Ils frayaient moins avec les humains. Ils étaient plus durs, plus puissants. C'étaient les dieux d'un empire.

– La face sombre des dieux, en somme ? suggéra Annabeth.

– Pas exactement, répondit Clovis. Ils défendaient la discipline, l'honneur, la force...

– De bonnes valeurs, donc, dit Jason, qui se sentait porté, sans savoir pourquoi, à défendre les dieux romains. Je veux dire, ça compte, la discipline, non ? C'est ce qui a permis à l'Empire romain de durer si longtemps.

Clovis lui jeta un regard intrigué.

– C'est vrai. Mais les dieux romains n'étaient pas très amènes. Prends mon père, par exemple, Hypnos. À la période grecque, il passait le plus clair de son temps à roupiller. Pendant l'ère romaine, on l'appelait Somnus. Il aimait bien tuer les gens qui somnolaient au boulot. S'ils piquaient du nez au mauvais moment, *boum !* ils ne se réveillaient plus. Mon père a tué le timonier d'Énée, quand ils ont pris la mer pour quitter Troie.

– Sympathique, dit Annabeth. Mais je ne vois toujours pas le rapport avec Jason.

– Moi non plus, avoua Clovis. Mais si c'est Héra qui a volé tes souvenirs, elle seule pourra te les rendre. Et si je devais rencontrer la reine des dieux, je prierais le ciel qu'elle soit plus d'humeur Héra que d'humeur Junon. Je peux me rendormir, maintenant ?

Annabeth avait le regard rivé sur la branche, au-dessus de la cheminée, qui laissait s'égrener les gouttes d'eau du Léthé. Elle paraissait tellement inquiète que Jason se demanda si elle envisageait d'en boire pour oublier ses soucis. Puis elle se leva et lança son oreiller à Clovis.

– Merci, Clovis. À tout à l'heure, au dîner !

– Je pourrais pas être servi dans ma chambre ? (Le garçon bâilla et gagna son lit en titubant.) J'ai envie de...

Il s'écroula, le visage enfoui dans l'oreiller et le derrière en l'air.

– Il ne risque pas de s'étouffer ? demanda Jason.

– T'inquiète pas pour lui, dit Annabeth. Toi, par contre, je commence à me dire que tu es dans une vraie galère.

9   PIPER

Piper rêva de la dernière journée qu'elle avait passée avec son père.

Ils étaient à la plage en Californie, du côté de Big Sur, et se reposaient un peu entre deux parties de surf. La matinée avait été si délicieuse que Piper savait qu'un mauvais plan était imminent – une horde de paparazzi excités, voire l'attaque d'un requin blanc. Sa chance ne pouvait pas durer.

Jusqu'à présent, ils avaient eu d'excellentes vagues, un ciel plombé et deux kilomètres de plage pour eux tout seuls. Son père avait trouvé cet endroit à l'écart et loué une villa pieds dans l'eau, plus les propriétés de gauche et de droite, et il était parvenu à préserver le secret. Piper savait que s'ils restaient trop longtemps, les photographes le trouveraient. Ils le trouvaient toujours.

– Tu t'es bien débrouillée sur ces rouleaux, Pip's ! (Il lui décocha le sourire qui l'avait rendu célèbre : des dents parfaites, une fossette au creux du menton et cette étincelle qui poussait des femmes à le supplier de signer son autographe à l'encre indélébile sur leur corps. *Pitoyable*, pensait Piper. *Achetez-vous un cerveau, les filles.* L'eau de mer faisait étinceler ses cheveux coupés en brosse.) Tu tiens bien plus longtemps, maintenant.

Piper rougit de fierté, même si elle soupçonnait son père de dire ça pour lui faire plaisir. Il fallait un talent particulier pour rouler sur soi-même avec une planche de surf. Son père, *lui*, était un surfeur-né, qui n'avait pas son pareil sur les rouleaux – incroyable, pour un type qui avait vécu une enfance pauvre en Oklahoma, à des centaines de kilomètres de l'océan. Piper aurait laissé tomber le surf depuis longtemps, si ça ne lui permettait pas de passer du temps avec son père. Elle avait si peu d'occasions de le voir.

– Un sandwich ? (Son père plongea la main dans le panier pique-nique préparé par son cuisinier, Arno.) Voyons voir... blanc de dinde au pesto, crabe au wasabi... ah, et un spécial Piper. Beurre de cacahouètes et gelée de raisin.

Elle avait l'estomac retourné, mais prit le sandwich. Elle demandait toujours un beurre de cacahouètes-gelée de raisin. D'abord, Piper était végétarienne. Et ça, depuis le jour où ils étaient passés en voiture devant un abattoir : l'odeur l'avait rendue malade. Mais il y avait autre chose. Le sandwich beurre de cacahouètes-gelée de raisin, c'était un truc simple, un sandwich ordinaire comme n'importe quel jeune Américain pouvait en manger à déjeuner. Parfois, elle aimait se raconter que c'était son père qui l'avait préparé pour elle, et non un cuisinier privé venu de France qui emballait les sandwichs dans du papier doré à l'or, et les piquait d'un mini-cierge magique à la place d'un cure-dents.

Pourquoi fallait-il que tout soit toujours hyper-sophistiqué ? Piper, qui rêvait de simplicité, refusait les vêtements et chaussures de marque que son père lui offrait toujours, ainsi que les soins de beauté en institut. Elle se coupait elle-même les cheveux avec une paire de ciseaux en plastique, en faisant délibérément des mèches irrégulières. Elle préférait porter des tennis usées, un jean, un tee-shirt et sa vieille polaire, qu'elle avait depuis la fois où ils étaient allés faire du snowboard.

114

Et elle détestait les écoles privées où l'envoyait son père. Tellement snobs, tous ces instituts ! Piper se faisait systématiquement renvoyer, et son père trouvait systématiquement une autre école du même tonneau.

La veille, elle avait fait le plus grand « casse » de sa jeune carrière : elle était partie de chez un concessionnaire au volant d'une BMW « empruntée ». Elle devait frapper plus fort chaque fois, parce qu'il en fallait toujours davantage pour attirer l'attention de son père.

Elle le regrettait, à présent. Son père n'était pas encore au courant.

Elle avait prévu de le lui dire le matin. Là-dessus il lui avait fait la surprise de ce voyage à la mer et elle n'avait pas eu le cœur de tout gâcher. C'était la première fois qu'ils passaient une journée entière ensemble depuis... quoi, trois mois ?

– Qu'est-ce qui ne va pas ? lui demanda son père en lui tendant une cannette de soda.

– Papa, il y a quelque chose...

– Une seconde, Pip's. Voilà un visage bien grave. Tu es prête pour le Jeu des Trois Questions ?

Ils y jouaient depuis des années. C'était la façon qu'avait trouvée son père pour maintenir le lien en un minimum de temps. Ils avaient le droit de se poser l'un à l'autre trois questions, n'importe lesquelles. Dans la limite du raisonnable, bien sûr. Et il fallait répondre honnêtement. Le reste du temps, son père s'engageait à ne pas se mêler de ses affaires, ce qui n'était pas difficile vu qu'il n'était jamais là.

Piper savait que la plupart des jeunes de son âge détesteraient se livrer à ce jeu de questions et réponses avec leurs parents. Mais pour elle, c'était toujours un moment privilégié. Tout comme le surf : pas facile, mais ça lui donnait l'impression d'avoir vraiment un père.

– Première question, dit-elle. Maman.

Pas de surprise. C'était un sujet qu'elle abordait toujours. Son père haussa les épaules, l'air résigné.

– Que veux-tu que je te dise, Piper ? Je te l'ai déjà raconté, elle a disparu. Je ne sais pas pourquoi, je ne sais pas non plus où elle est allée. Après ta naissance, elle est partie du jour au lendemain et elle ne m'a plus jamais fait signe.

– Tu penses qu'elle est encore en vie ?

C'était injuste, comme question. Son père avait le droit de dire qu'il ne savait pas, mais Piper voulait voir comment il s'en dépatouillerait.

Il porta le regard sur les vagues.

– Ton Papy Tom, finit-il par dire, me racontait toujours que si on marchait assez longtemps vers le coucher du soleil, on arrivait à la Terre des Fantômes, où l'on pouvait parler aux morts. Il me disait qu'autrefois, on pouvait ramener les morts, mais que les hommes avaient fini par commettre trop d'erreurs. Enfin, c'est une histoire compliquée.

– Comme le Pays des Morts chez les Grecs, se souvint Piper. C'était vers l'ouest, aussi. Et Orphée avait essayé de ramener sa femme.

Son père hocha la tête. L'année précédente, il avait eu le plus grand rôle de sa carrière : celui d'un roi de l'antiquité grecque. Piper l'avait aidé à étudier la mythologie – toutes ces vieilles histoires de gens qui se faisaient changer en statues de pierre ou bouillir dans des lacs de lave. Ils avaient passé de bons moments à lire ensemble, et la vie de Piper lui avait paru somme toute pas si horrible que ça. Elle s'était sentie plus proche de son père, mais comme tout le reste, ça n'avait pas duré.

– Il y a beaucoup de points communs entre les Grecs et les Cherokees, acquiesça son père. Je me demande ce que penserait ton grand-père, s'il nous voyait maintenant, assis au bord de la terre occidentale. Il nous prendrait sans doute pour des fantômes.

— Tu veux dire que tu crois à ces histoires ? Tu penses que maman est morte ?

Les yeux de son père brillèrent, mais Piper y lut aussi de la tristesse. Elle se dit que c'était ça qui attirait tant les femmes. D'apparence, c'était un homme rude et sûr de lui, mais ses yeux recelaient une telle tristesse... Les femmes voulaient comprendre pourquoi. Elles voulaient le consoler mais n'y parvenaient jamais. Son père disait à Piper que c'était son héritage cherokee : ils portaient tous cette part d'ombre en eux, créée par des générations de souffrance. Mais Piper pensait qu'il y avait autre chose.

— Je ne crois pas à ces histoires, répondit-il alors. Elles sont sympa à raconter, mais si je croyais vraiment à la Terre des Fantômes, aux esprits-animaux ou aux dieux grecs... ça m'empêcherait de dormir, tu sais. Je passerais mes nuits à chercher un coupable.

Un coupable pour la mort de Papy Tom, qui était décédé d'un cancer des poumons avant que le père de Piper soit célèbre et assez riche pour pouvoir l'aider. Pour maman – la seule femme qu'il ait jamais aimée – qui l'avait abandonné sans même un mot d'adieu, lui laissant un bébé qu'il n'était pas prêt à élever tout seul. Pour son succès qui ne lui apportait pas le bonheur.

— J'ignore si elle est en vie, mais elle pourrait aussi bien être à la Terre des Fantômes, Piper. On ne nous la ramènera pas. Si j'avais le moindre doute là-dessus... je crois que je ne le supporterais pas non plus.

Derrière eux, la portière d'une voiture claqua. Piper se retourna et son cœur se serra. Jane se dirigeait vers eux au pas de charge, en tailleur et le PDA à la main, enfonçant gauchement les talons de ses escarpins dans le sable. Elle arborait une expression mi-contrariée, mi-triomphante, et Piper sut que la police l'avait contactée.

S'il te plaît, casse-toi la figure, pria Piper. *S'il y a un esprit animal ou un dieu grec qui peut m'aider, faites tomber Jane. Je ne demande pas de préjudice permanent, juste qu'elle soit hors-service pour la journée. S'il vous plaît !*

Mais Jane continuait d'avancer.

– Papa, s'empressa de dire Piper. Il s'est passé quelque chose hier...

Mais il avait vu Jane, lui aussi. Il se recomposait déjà un visage professionnel. Jane ne serait pas venue s'il n'y avait pas quelque chose de grave. Un patron de studio avait appelé – un projet qui tombait à l'eau – ou Piper avait encore fait des siennes.

– On en reparlera, Pip's, promit-il. Il faut que j'aille voir ce que veut Jane. Tu sais comment elle est.

Oui, Piper savait.

Son père partit à la rencontre de son assistante. Piper n'entendait pas ce qu'ils se disaient, mais elle n'en avait pas besoin. Elle savait lire les visages. Jane l'informait du vol de la voiture, en pointant de temps à autre du doigt vers Piper comme si elle était un petit toutou mal élevé qui s'était oublié sur la moquette.

L'énergie et l'enthousiasme de son père le quittèrent. Il fit signe à Jane d'attendre, puis rebroussa chemin vers Piper. Elle eut du mal à supporter l'expression de son regard, qui l'accusait d'avoir trahi sa confiance.

– Tu m'avais dit que tu ferais un effort, Piper, dit-il.

– Je déteste cette école, papa. Je peux pas. Je voulais te le dire, pour la BMW, mais...

– Tu es renvoyée. Une voiture, Piper ? Tu vas avoir seize ans l'année prochaine. Je t'achèterai la voiture que tu veux. Comment as-tu pu...

– Tu veux dire que Jane m'achètera une voiture ? explosa Piper, qui sentit la colère monter en elle et déborder. Papa, écoute-moi, pour une fois. Ne m'oblige pas à attendre ton pauvre Jeu des Trois Questions. Je veux aller dans une école normale. Je veux que ce soit toi qui assistes aux réunions de parents, pas Jane ! Ou alors, fais-moi suivre des cours à domicile. J'ai appris plein de choses quand on a travaillé ensemble sur la mythologie grecque. On pourrait faire ça tout le temps ! On pourrait...

– Ne le prends pas comme ça, dit son père. Je fais de mon mieux, Piper. On en a déjà parlé.

Non, pensa-t-elle. *Tu as refusé d'en parler. Il y a des années de ça.*

Son père soupira.

– Jane a négocié un accord avec la police. Le concessionnaire ne va pas porter plainte, mais il faut que tu acceptes d'aller dans une pension au Nevada. Ils sont spécialisés dans les problèmes... les enfants qui vivent des situations difficiles.

– C'est ce que je suis pour toi, dit Piper d'une voix qui tremblait. Un problème.

– Piper... Tu avais dit que tu ferais un effort. Tu n'as pas tenu parole. Je n'ai pas d'autre solution.

– Fais n'importe quoi ! Mais fais-le toi-même. Ne demande pas à Jane de s'en occuper. Tu ne peux pas juste te débarrasser de moi comme ça.

Son père regarda le panier de pique-nique. Son sandwich attendait, intact, sur une feuille de papier doré. Ils avaient prévu de passer la journée au bord la mer. C'était foutu, maintenant.

Piper avait du mal à croire qu'il allait céder aux desiderata de Jane. Pas cette fois-ci. Pas pour une décision aussi importante que de l'envoyer en pension.

– Va la voir, dit-il. Elle te donnera les détails.

119

Il tourna la tête et se mit à contempler l'océan comme si son regard portait jusqu'à la Terre des Fantômes. La jeune fille se jura de ne pas pleurer. Abandonnant la plage, elle rejoignit Jane, qui lui tendit un billet d'avion avec un sourire froid. Comme d'habitude, elle avait tout organisé. Piper n'était qu'un problème de plus, que Jane pouvait maintenant rayer de sa liste du jour.

Le rêve de Piper changea.

Elle était maintenant au sommet d'une montagne, dominant les lumières d'une ville en contrebas. C'était la nuit. Devant elle, un grand feu crépitait. Les flammes violacées semblaient projeter plus d'ombre que de lumière, mais la chaleur était si forte que les vêtements de Piper fumaient.

– C'est ton deuxième avertissement, gronda une voix puissante qui fit trembler le sol.

Piper avait déjà entendu cette voix dans ses rêves. Elle essaya de se convaincre qu'elle était moins effrayante que dans ses souvenirs, mais en réalité elle était pire.

Derrière le feu, un visage énorme surgit de l'obscurité. Il donnait l'impression de flotter au-dessus des flammes, mais Piper savait qu'il devait être rattaché à un corps immense. Les traits grossiers semblaient taillés au burin dans la pierre. Le visage était à peine animé, hormis ses yeux blancs perçants, pareils à des diamants bruts, et les horribles dreadlocks entremêlées d'os humains qui l'encadraient. Il sourit et Piper frissonna.

– Tu feras ce qu'on t'ordonne, dit le géant. Tu te joindras à la quête. Obéis-nous et peut-être t'en sortiras-tu vivante. Sinon...

Il désigna d'un geste les abords du feu. Le père de Piper pendait, inconscient, à un poteau.

Elle essaya de crier. Elle voulait appeler son père et dire au géant de le relâcher, mais sa voix refusait de sortir de sa gorge.

– Je t'ai à l'œil, reprit le géant. Sers-moi, et vous vivrez tous les deux. Tu as la parole d'Encélade. Si tu me fais défaut... eh bien voilà des millénaires que je dors, jeune demi-dieu. J'ai très faim. Fais-moi défaut et je te croquerai avec appétit.

Là-dessus, le géant partit d'un rire tonitruant. La terre trembla : un gouffre s'ouvrit aux pieds de Piper et elle dégringola dans le noir.

Elle se réveilla avec la sensation qu'une troupe de danseurs folkloriques irlandais lui était passée sur le corps. Sa poitrine lui faisait mal et elle respirait difficilement. Elle tendit la main et la referma sur la poignée de la dague que lui avait donnée Annabeth : Katoptris, l'arme d'Hélène de Troie.

La Colonie des Sang-Mêlé n'était donc pas un rêve.

– Comment tu te sens ? demanda une voix.

Piper regarda autour d'elle. Elle était couchée dans un lit, un rideau blanc tiré sur un côté, comme dans une infirmerie. Rachel Dare, la grande rousse, était assise à son chevet. Sur le mur était affiché un poster montrant un satyre qui ressemblait de façon troublante à M. Hedge, un thermomètre dans la bouche. La légende disait : « Ne te laisse pas abattre par la maladie ! »

– Où...

Piper aperçut le type posté devant la porte et s'étrangla.

Il avait une dégaine de surfeur californien : bronzé et musclé, les cheveux blonds, vêtu d'un short et d'un tee-shirt. Sauf que des centaines d'yeux bleus lui couvraient le corps, les bras, les jambes, le visage. Il en avait même sur les pieds, qui la zyeutaient d'entre les lanières de ses sandales.

– C'est Argos, notre chef de la sécurité, dit Rachel. Il garde un œil sur ce qui se passe, si on peut dire.

121

Argos hocha la tête. L'œil de son menton cligna.

– Où... ? tenta de nouveau Piper, mais elle eut l'impression d'avoir la bouche pleine de coton.

– Tu es à la Grande Maison, dit Rachel. Les bureaux de la colonie. On t'a amenée ici quand tu as perdu connaissance.

– Tu m'as attrapée, se souvint Piper. La voix d'Héra...

– Je suis désolée. Crois-moi, c'était pas mon idée de me faire posséder. Chiron t'a guérie avec un peu de nectar.

– Du nectar ?

– La boisson des dieux. En petites quantités, il guérit les demi-dieux, s'il ne les, euh, réduit pas en cendres.

– Ah. Sympa.

Rachel se pencha en avant.

– Tu te souviens de ta vision ?

Piper eut un moment d'effroi, pensant que Rachel faisait allusion au rêve sur le géant. Puis elle comprit qu'elle voulait parler de ce qui s'était passé dans le bungalow d'Héra.

– La déesse a un problème, dit Piper. Elle m'a dit de la libérer, comme si elle était tombée dans un piège. Elle a parlé de la terre qui nous engloutirait, d'un personnage flamboyant et elle a dit quelque chose sur le solstice.

Argos, dans le coin de la pièce, émit une sorte de grondement. Toutes ses paupières battirent en même temps.

– C'est Héra qui a créé Argos, expliqua Rachel. Il est très sensible à la sécurité de la déesse. On essaie de l'empêcher de pleurer parce que la dernière fois, il a provoqué une inondation...

Argos renifla. Il attrapa une poignée de mouchoirs en papier sur la table de chevet et entreprit de tamponner tous les yeux de son corps.

– Alors... (Piper fit un effort pour ne pas regarder Argos essuyer les larmes de ses coudes.) Qu'est-il arrivé à Héra ?

– Nous ne savons pas vraiment. Annabeth et Jason sont passés te voir, à propos. Jason ne voulait pas te quitter, mais Annabeth a eu une idée. Quelque chose qui pourrait ramener ses souvenirs.

– C'est... c'est super.

Jason était passé la voir ? Elle regretta d'avoir été inconsciente à ce moment-là. Mais que se passerait-il, s'il recouvrait la mémoire ? Piper se raccrochait toujours à l'espoir qu'ils se connaissaient vraiment. Elle ne pouvait pas accepter que leur relation soit juste un tour joué par la Brume.

Reprends-toi, se dit-elle. Si elle comptait sauver son père, peu importaient les sentiments actuels de Jason à son égard : il finirait de toute façon par la détester. Comme tout le monde à la colonie.

Elle baissa les yeux sur le poignard de cérémonie passé à sa taille. Annabeth lui avait dit que c'était un symbole de pouvoir et de statut, mais qu'il ne servait pas au combat, d'ordinaire. Tout dans l'apparence, rien dans le contenu. Une coquille vide, comme Piper. Et il s'appelait Katoptris, en plus : « miroir ». Elle n'osait pas le dégainer à nouveau parce qu'elle n'aurait pas supporté de voir son reflet.

– T'inquiète pas, dit Rachel en lui serrant le bras. Jason a l'air d'être un type bien. Il a eu une vision, lui aussi, qui ressemble beaucoup à la tienne. Nous ne savons pas au juste ce qui arrive à Héra, mais je crois que vous allez devoir travailler ensemble, vous deux.

Rachel sourit comme si c'était une bonne nouvelle, mais le moral de Piper plongea encore davantage. Jusqu'alors, elle avait cru que cette quête impliquerait des anonymes. Or Rachel lui disait, en gros : *Bonnes nouvelles ! Non seulement ton père est retenu en otage par un géant cannibale, mais tu vas aussi devoir trahir le garçon qui te plaît ! C'est trop cool, non ?*

– Hé, dit Rachel. Ne pleure pas. Tu vas trouver une solution.

Piper essuya ses larmes en essayant de se maîtriser. Ce n'était pas son genre, de craquer comme ça. Elle était censée être endurcie – une voleuse de voiture, le fléau des écoles privées de Los Angeles. Et la voilà qui pleurait comme un bébé.

– Comment peux-tu savoir dans quelle situation je suis ? protesta-t-elle.

Rachel haussa les épaules.

– Je sais que tu dois prendre une décision difficile et que ta marge de manœuvre est mince. Je vous le disais, j'ai des intuitions parfois. Mais tu seras revendiquée au feu de camp. J'en suis presque certaine. Lorsque tu connaîtras ton parent divin, les choses seront peut-être plus claires.

Plus claires, pensa Piper. *Pas nécessairement mieux.*

Elle se redressa dans le lit. Son front lui faisait mal comme si on lui avait planté un pieu entre les deux yeux. « On ne ramènera pas ta mère », avait dit son père. Mais apparemment, ce soir, sa mère allait peut-être la revendiquer. Pour la première fois de sa vie, Piper n'était pas sûre de le souhaiter.

– J'espère que c'est Athéna, dit-elle.

Elle leva la tête, craignant que Rachel ne se moque d'elle mais l'Oracle se contenta de sourire.

– Piper, je te comprends. Tu sais quoi ? Je crois qu'Annabeth l'espère aussi. Vous avez beaucoup en commun, toutes les deux.

La comparaison renforça le sentiment de culpabilité de Piper.

– Une autre intuition ? Tu ne sais rien de moi.

– Tu serais étonnée...

– Tu dis ça juste parce que tu es Oracle, non ? Tu es censée paraître hyper-mystérieuse.

Rachel éclata de rire.

– Ne dévoile pas tous mes secrets, Piper. Et t'inquiète pas. Ça va s'arranger, mais peut-être pas de la façon que tu prévoies.

– Ça ne me rassure pas.

Au loin, le son d'une conque retentit. Avec un grognement, Argos ouvrit la porte.

– C'est l'heure du dîner ? devina Piper.

– Tu dormais, pendant le dîner, dit Rachel. C'est l'heure du feu de camp. Allons découvrir qui tu es.

10 PIPER

L a pensée du feu de camp de la colonie terrifiait Piper. Ça lui faisait penser à l'immense brasier violet de ses rêves, et à son père attaché à un poteau.

Ce qui l'attendait s'avéra presque aussi terrible : une partie de chant. Les marches de l'amphithéâtre étaient taillées à flanc de colline, entourant une fosse à feu tapissée de pierres. Une cinquantaine ou une soixantaine de jeunes gens avaient pris place dans les rangées, regroupés sous différentes bannières.

Piper repéra Jason, au premier rang, assis avec Annabeth. Léo n'était pas loin, dans un groupe de pensionnaires tous solidement charpentés, sous une bannière grise marquée d'un marteau. Debout devant le feu, une demi-douzaine de pensionnaires équipés de guitares et de drôles de harpes à l'ancienne – des lyres, peut-être ? – sautillaient de-ci, de-là, en dirigeant une chanson où il était question de pièces d'armure et de comment leur grand-mère s'habillait pour la guerre. Tous les autres demi-dieux chantaient en riant avec eux, mimant par gestes les différentes parties de l'armure. C'était sans doute un des moments les plus étranges que Piper ait connus dans sa vie : une de ces chansons de feu de camp qui leur aurait fait honte le jour mais qui, dans le noir, avec tout le monde qui participait, était juste un poil ringarde et marrante. À mesure que grimpait l'énergie du groupe, les flammes augmentaient d'intensité et leur couleur passait du rouge, à l'orange, au doré.

La chanson s'acheva sur un tonnerre d'applaudissements. Un type à cheval arriva alors en trottinant. Du moins, dans la lumière vacillante Piper crut-elle que c'était un type à cheval... avant de se rendre compte que c'était un centaure ! La moitié inférieure de son corps était un étalon blanc, et la moitié supérieure un homme d'âge mûr aux cheveux bouclés et à la barbe taillée. Il brandissait un javelot sur lequel étaient embrochés des marshmallows.

– Bravo ! s'exclama-t-il. Et bienvenue à nos nouveaux membres ! Je suis Chiron, directeur d'activités de la colonie, et je suis très heureux que vous soyez tous arrivés vivants, avec quasiment tous vos bras et vos jambes. Dans un instant, c'est promis, nous ferons griller les marshmallows, mais d'abord...

– Et Capture-l'Étendard ? cria une voix.

Des grognements parcoururent les rangs d'un groupe d'ados en armure, assis sous une bannière rouge estampillée d'une tête de sanglier.

– Oui, dit le centaure. Je sais que les Arès sont impatients de retourner aux bois pour pratiquer nos jeux habituels.

– Et tuer des gens ! renchérit l'un d'eux.

– Cependant, poursuivit Chiron, tant que le dragon ne sera pas maîtrisé, c'est impossible. Bungalow neuf, du nouveau de ce côté-là ?

Il se tourna vers le groupe de Léo. Lequel décocha un clin d'œil à Piper en tirant un coup de feu imaginaire avec son doigt. La fille qui était assise à côté de lui se leva, visiblement mal à l'aise. Elle portait une veste de l'armée très ressemblante au blouson de Léo et un bandana rouge noué sur les cheveux.

– On y travaille, dit-elle.

Nouvelle vague de grognements.

– Vraiment, Nyssa ? demanda un Arès.

127

– Ouais, dit la fille, vraiment.

Nyssa se rassit dans un concert de plaintes et de cris, qui fit crépiter le feu de façon chaotique. Chiron tapa du sabot contre les pierres de la fosse – *bang, bang, bang, bang* – et les pensionnaires se turent.

– Nous devons être patients, dit-il. Entretemps, nous avons des affaires plus urgentes à discuter.

– Percy ? demanda quelqu'un.

Le feu baissa encore, mais Piper n'avait pas besoin de se reporter aux flammes pour percevoir l'inquiétude de l'assemblée.

Chiron fit un geste en direction d'Annabeth, qui prit une grande inspiration et se leva.

– Je n'ai pas trouvé Percy, annonça-t-elle. (Sa voix s'étrangla légèrement quand elle prononça son nom.) Il n'était pas au Grand Canyon comme je l'avais cru. Mais nous ne renonçons pas. Nous avons des équipes déployées partout. Grover, Tyson, Nico, les Chasseresses d'Artémis – tout le monde le cherche. Nous le trouverons. Chiron veut nous parler d'autre chose. Une nouvelle quête.

– Il s'agit de la Grande Prophétie, n'est-ce pas ? demanda une fille d'une voix forte.

Toutes les têtes se tournèrent. La voix provenait d'un groupe, au fond de l'amphithéâtre, assis sous une bannière rose ornée d'une colombe. Ces pensionnaires avaient bavardé entre eux sans prêter attention au reste jusqu'au moment où s'était levée leur chef : Drew.

Tout le monde eut l'air surpris. Apparemment, ce n'était pas dans les habitudes de cette dernière de s'adresser à l'assemblée du feu de camp.

– Drew ? fit Annabeth. Que veux-tu dire ?

– Ben *écoute* ! (Drew écarta les mains comme si la vérité sautait aux yeux.) L'Olympe est fermée. Percy a disparu. Héra

128

t'envoie une vision et tu reviens avec trois nouveaux demi-dieux en une seule journée. Je veux dire, il se passe des trucs bizarres. La Grande Prophétie a commencé, non ?

– C'est quoi, cette Grande Prophétie dont elle parle ? glissa Piper à l'oreille de Rachel – avant de se rendre compte que tous les yeux étaient tournés vers cette dernière.

– Alors ? insista Drew. Tu es l'Oracle. Elle a commencé, oui ou non ?

Les yeux de Rachel étaient effrayants, à la lueur des flammes. Piper eut peur qu'elle l'agrippe et devienne de nou-veau le vecteur de la déesse au paon, mais Rachel s'avança d'un pas ferme et s'adressa à toute l'assemblée.

– Oui, dit-elle. La Grande Prophétie a commencé.

Aussitôt, un brouhaha monstre s'empara des gradins.

Piper croisa le regard de Jason. *Ça va ?* lui dit-il silen-cieusement. Elle hocha la tête et se força à sourire, mais détourna vite le regard. C'était trop douloureux de le voir sans être avec lui.

Quand les voix se calmèrent enfin, Rachel fit un pas supplé-mentaire et plus de cinquante demi-dieux s'écartèrent comme si une mortelle rousse était plus impressionnante qu'eux tous réunis.

– Pour ceux d'entre vous qui ne l'ont pas entendue, expli-qua Rachel, la Grande Prophétie fut ma première prédiction. Elle m'est venue en août. La voici :

Sept sang-mêlé obéiront à leur sort,
Sous les flammes ou la tempête le monde doit tomber.

Jason se leva d'un bond. Il avait le regard fou, comme s'il venait de recevoir une décharge de Taser.

Même Rachel parut surprise.

– J-Jason ? Qu'est-ce que... ?

– *Ut cum spiritu postrema sacramentum dejuremus*, incanta-t-il. *Et hostes ornamenta addent ad ianuam necem.*

Un lourd silence tomba sur l'assemblée. Piper vit à leurs visages que plusieurs pensionnaires s'efforçaient de traduire les paroles. Elle savait que c'était du latin, mais elle ne comprenait pas pourquoi celui qu'elle espérait voir devenir son petit copain se mettait à psalmodier comme un prêtre catholique d'antan.

– Tu viens de... finir la prophétie, balbutia Rachel.

« Serment sera tenu en un souffle dernier,

Des ennemis viendront en armes devant les Portes de la Mort. » Comment as-tu... ?

– Je connais ces vers. (Jason porta les mains aux tempes en grimaçant.) Je ne sais pas comment, mais je connais cette prophétie.

– Et en latin, rien que ça, lança Drew. Beau *et* intelligent.

Quelques gloussements fusèrent des rangs des Aphrodite. *Bon sang, quelle bande de loseuses*, se dit Piper. L'atmosphère restait tendue, comme le reflétaient les tressaillements des flammes, vertes et nerveuses.

Jason s'assit, l'air embarrassé, et Annabeth lui posa la main sur l'épaule en murmurant des paroles rassurantes. Piper ressentit un pincement de jalousie. *C'est moi qui devrais être là-bas et le réconforter*, songea-t-elle.

Rachel Dare avait l'air encore sous le choc. Elle consulta Chiron du regard, mais le centaure gardait le silence, le visage grave comme s'il assistait à une pièce de théâtre qu'il ne pouvait interrompre : une tragédie qui se terminerait par la mort de nombreux protagonistes sur scène.

– Bien, dit Rachel en s'efforçant de reprendre son sang-froid. C'est donc ça, la Grande Prophétie. Nous espérions qu'elle ne se réalise pas avant quelques années, mais j'ai peur qu'elle n'ait déjà commencé. Et comme l'a dit Drew, il se passe des choses bizarres. Les sept demi-dieux, quels qu'ils soient, ne sont pas encore réunis. J'ai l'impression que certains d'entre eux sont ici ce soir. Et d'autres non.

Les pensionnaires s'agitèrent et se mirent à se dévisager nerveusement les uns les autres, jusqu'au moment où une voix ensommeillée lança :

– Je suis là ! Euh... vous faisiez l'appel ?

– Rendors-toi, Clovis ! cria quelqu'un, et ils furent plusieurs à rire.

– En tout cas, reprit Rachel, nous ignorons ce que signifie la Grande Prophétie. Nous ne savons pas quel défi les demi-dieux devront relever, mais dans la mesure où la première Grande Prophétie avait annoncé la guerre des Titans, on peut présumer que la seconde prédit quelque chose d'au moins aussi terrible.

– Voire pire, murmura Chiron.

S'il pensait faire son commentaire à part soi, c'était raté : tout le monde l'entendit, et les flammes du feu de camp virèrent aussitôt au violet, comme dans le rêve de Piper.

– Nous avons la certitude d'une chose, reprit Rachel, c'est que la première phase a débuté. Nous sommes confrontés à une situation d'urgence, et il nous faut une quête pour la résoudre. Héra, la reine des dieux, a été enlevée.

Silence de stupeur. Puis tous les demi-dieux se mirent à parler en même temps.

Chiron tapa du sabot, mais Rachel dut attendre quelques minutes pour regagner leur attention.

Elle leur raconta alors l'incident de la passerelle du Grand Canyon, et le sacrifice de Gleeson lors de l'attaque des esprits de la tempête. Ce n'était qu'un début, avaient averti les esprits, qui semblaient servir une maîtresse puissante et bien décidée à exterminer les demi-dieux.

Rachel parla ensuite de ce qui s'était passé dans le bungalow d'Héra. Piper s'efforça de garder son calme, même lorsqu'elle remarqua que Drew, au dernier rang, faisait semblant de s'évanouir avec des mimiques qui déclenchaient les rires de ses amis. Rachel termina en relatant la vision de Jason dans le salon de la Grande Maison. Le message d'Héra était tellement similaire à celui qu'avait reçu Piper qu'elle en eut froid dans le dos. La seule différence, c'était que la déesse avait averti Piper de ne pas la trahir. *Si tu te soumets à sa volonté, leur roi ressurgira et nous serons tous condamnés.* Héra était donc au courant de la menace du géant ! Mais alors, pourquoi n'avait-elle pas informé Jason du danger et démasqué Piper, qui allait jouer l'agent infiltré ?

– Jason, dit Rachel. Euh... te souviens-tu de ton nom de famille ?

Le garçon prit l'air embarrassé, puis secoua la tête.

– On t'appellera Jason tout court, alors. Il est clair qu'Héra en personne t'a confié une quête.

Rachel marqua une pause, comme pour donner le temps à Jason de se rebeller contre son destin. Tous les yeux étaient rivés sur lui ; la tension était telle que Piper se dit qu'elle aurait flanché, à sa place. Pourtant, il semblait courageux et déterminé. Il serra les mâchoires, hocha la tête et déclara :

– J'accepte.

– Tu dois sauver Héra pour empêcher une terrible catastrophe, poursuivit Rachel, qui serait le retour d'un certain roi. Pour des raisons qui nous échappent encore, cela doit être accompli avant le solstice d'hiver, qui n'est que dans quatre jours.

– C'est le jour du Conseil des dieux, expliqua Annabeth. Si les dieux ne sont pas déjà au courant de la disparition d'Héra, ils ne pourront pas ne pas remarquer son absence ce jour-là. Ils se disputeront sans doute, s'accusant les uns les autres de l'avoir enlevée. En général, c'est comme ça qu'ils réagissent.

– Le solstice d'hiver, intervint Chiron, marque également l'apogée de la noirceur. Les dieux se réunissent ce jour-là, comme le font les mortels depuis tout temps, car l'union fait la force. Le jour du solstice, la magie noire est puissante. Une magie très ancienne, qui existait avant même les dieux. C'est un jour où les choses... s'agitent.

À la façon dont il prononça le mot, s'agiter semblait être un crime des plus abominables, et non ce qu'on pourrait reprocher à un bambin trop remuant.

– D'accord, fit Annabeth en fusillant le centaure du regard. Merci pour cet instant de pur optimisme. Quoi qu'il en soit, je suis d'accord avec Rachel. Jason a été désigné pour diriger cette quête, alors...

– Pourquoi n'a-t-il pas été revendiqué ? cria un des Arès. S'il est tellement important...

– Il a été revendiqué, annonça Chiron. De longue date. Jason, fais-leur une démonstration.

Jason ne parut pas comprendre tout de suite. Il s'avança, l'air inquiet, mais Piper ne put s'empêcher de le trouver incroyablement craquant, avec ses cheveux blonds qui brillaient à la lueur des flammes et ses traits régaliens de statue romaine. Il adressa un coup d'œil à la jeune fille, qui l'encouragea d'un signe de tête et mima le geste de jeter une pièce de monnaie en l'air.

Jason plongea la main dans sa poche. Sa pièce d'or fusa dans l'air et quand il la rattrapa, il tenait un javelot : une hampe d'or longue de deux bons mètres, terminée par une pointe de lance.

Les autres demi-dieux hoquetèrent de stupeur. Rachel et Annabeth reculèrent pour se mettre à distance de la pointe, acérée comme un pic à glace.

– C'était pas... (Annabeth hésita.) Je croyais que tu avais une épée.

– Euh, je crois qu'elle est tombée du côté pile, dit Jason. C'est la même pièce, mais sous sa forme d'arme de longue portée.

– J'veux la même, mec ! hurla un des Arès.

– C'est autre chose que Mutileuse, la lance électrique de Clarisse ! ajouta un de ses frères.

– Électrique..., murmura Jason comme si ça lui donnait des idées. Reculez.

Annabeth et Rachel ne se le firent pas dire deux fois. Jason brandit son javelot et le tonnerre déchira le ciel. Piper eut la chair de poule. La foudre traça un arc jusqu'à la pointe du javelot d'or et ricocha pour aller se planter dans le feu de camp avec la force d'un obus d'artillerie.

Lorsque la fumée se dissipa et que les oreilles de Piper cessèrent de tinter, les pensionnaires étaient tous figés par le choc, éblouis et couverts de cendres. Ils fixaient l'emplacement du feu. Des flammèches retombaient en pluie. Une bûche enflammée s'était fichée dans le sol, à quelques centimètres de Clovis, lequel n'avait même pas remué dans son sommeil.

Jason rabaissa son javelot.

– Euh... excusez-moi.

Chiron épousseta quelques braises prises dans sa barbe. Il grimaça comme si ses pires craintes avaient été confirmées.

– Un peu démesuré, peut-être, dit-il, mais tu t'es fait comprendre. Et je crois que nous savons qui est ton père.

– Jupiter, dit Jason. Je veux dire Zeus, le seigneur du Ciel.

Piper ne put s'empêcher de sourire. Bien sûr... Le dieu le plus puissant, père des héros les plus illustres de la mythologie : qui d'autre Jason pouvait-il avoir pour père ?

Visiblement, les pensionnaires n'étaient pas tous aussi convaincus. Des dizaines d'entre eux se mirent à poser des questions en même temps, créant un tel brouhaha qu'Annabeth finit par jeter les bras au ciel.

134

– Silence ! cria-t-elle. Comment Jason peut-il être le fils de Zeus ? Et le Pacte des Trois Grands ? Leur engagement à ne pas avoir d'enfants ? Comment son existence aurait-elle pu rester inconnue de nous ?

Chiron ne répondit pas mais Piper eut l'intuition qu'il le savait, et que la vérité n'était pas rose.

– L'important, dit Rachel, c'est que Jason est là, maintenant. Il a une quête à accomplir, ce qui signifie qu'il doit recevoir sa propre prophétie.

Elle ferma les yeux et défaillit. Deux pensionnaires surgirent à ses côtés et la rattrapèrent, tandis qu'une troisième courait chercher un trépied de bronze, au bord de l'amphithéâtre. Elles semblaient avoir été formées à ces tâches. Elles assirent Rachel sur le tabouret, devant l'âtre en ruines. La nuit était sombre, maintenant que le feu était éteint. Lorsque Rachel rouvrit les yeux, ils luisaient. Une fumée vert émeraude s'échappait de sa bouche. La voix qui sortit de ses lèvres était râpeuse et antique – une voix de serpent, si les serpents pouvaient parler :

> *Enfant de la foudre, méfie-toi de la terre,*
> *De la vengeance des géants les sept seront les pères,*
> *La forge et la colombe briseront la cage,*
> *Et sèmeront la mort en libérant d'Héra la rage.*

Le dernier mot prononcé, Rachel s'effondra mais ses aides se tenaient prêtes pour la rattraper. Elles l'éloignèrent de l'âtre et l'allongèrent dans le coin.

– Est-ce normal ? demanda Piper, qui se rendit soudain compte qu'elle avait rompu le silence et que tout le monde la regardait. Je veux dire... Ça lui arrive souvent de cracher de la fumée verte ?

135

– Par les dieux, t'es reloue ! ricana Drew. Elle vient de prononcer une prophétie ! La prophétie de Jason pour sauver Héra ! Va donc...

– Drew, lança sèchement Annabeth. Piper a posé une question légitime. Il y a quelque chose, dans cette prophétie, qui n'est pas normal du tout. Si briser la cage d'Héra libère sa rage et ce faisant, sème la mort, pourquoi devrions-nous la délivrer ? C'est peut-être un piège, ou alors ça signifie qu'Héra se retournera contre ses sauveurs. Elle n'a jamais été bonne envers les héros.

Jason se leva.

– Je n'ai pas le choix. Héra a volé mes souvenirs. J'ai besoin de les récupérer. En plus, nous ne pouvons pas ne pas aider la reine du Ciel si elle est en danger.

Une fille du bungalow d'Héphaïstos se leva – Nyssa, celle qui avait le bandana rouge.

– Peut-être. Mais tu devrais écouter Annabeth. Héra peut être vengeresse. Elle a jeté son propre fils – notre père – du haut d'une montagne rien que parce qu'il était laid.

– *Très* laid, ricana quelqu'un dans les rangs des Aphrodite.

– La ferme ! gronda Nyssa. De toute façon, il y a plein de choses qui donnent à réfléchir. Pourquoi se méfier de la terre ? Et qu'est-ce que c'est, cette vengeance des géants ? À quelle créature sommes-nous confrontés, qui serait assez puissante pour kidnapper la reine du Ciel ?

Personne ne répondit, mais Piper surprit un échange silencieux entre Annabeth et Chiron. Elle eut l'impression qu'ils se disaient en substance ceci :

Annabeth : *La vengeance du géant... impossible !*

Chiron : *N'en parle pas ici. Ne leur fais pas peur.*

Annabeth : *Tu me fais marcher ! On ne peut avoir une telle malchance !*

Chiron : *Plus tard, mon enfant. Si tu leur racontais tout, ils seraient trop terrifiés pour continuer.*

Piper savait que c'était fou de s'imaginer qu'elle pouvait déchiffrer leurs expressions aussi précisément, alors qu'elle ne les connaissait pour ainsi dire pas. Elle avait pourtant l'absolue certitude de les comprendre, et ça lui faisait carrément peur.

Annabeth poussa un gros soupir, avant de prendre la parole.

– C'est la quête de Jason, déclara-t-elle, c'est à lui que revient la décision. Il est évident qu'il est l'enfant de la foudre. La tradition l'autorise à choisir deux compagnons, n'importe lesquels.

Un membre du bungalow d'Hermès cria :

– Toi, déjà, Annabeth, ça paraît évident. C'est toi qui as le plus d'expérience.

– Non, Travis, répondit celle-ci. D'abord, pas question que j'aide Héra. Chaque fois que j'ai essayé, elle m'a trompée ou ça m'est retombé dessus après. Donc laisse tomber. Ensuite je pars à la recherche de Percy demain matin à la première heure.

– C'est lié, laissa échapper Piper, sans savoir où elle en trouvait l'audace. Tu le sais, n'est-ce pas ? Toute cette histoire, la disparition de ton copain, tout ça est lié.

– Comment ? s'écria Drew. Dis-le nous, si tu es si maligne !

Piper tenta de formuler une réponse, mais en fut incapable. Annabeth vint à sa rescousse.

– Tu as peut-être raison, Piper. Si c'est effectivement lié, je le découvrirai par l'autre bout de l'affaire, en cherchant Percy. Comme je le disais, je ne suis pas prête à voler au secours d'Héra, même si sa disparition peut déclencher des combats entre les Olympiens. Mais il y a une autre raison qui m'interdit d'y aller. La prophétie s'y oppose.

137

– Elle indique qui je dois choisir, acquiesça Jason. « La forge et la colombe briseront la cage. » La forge est le symbole de Vul... d'Héphaïstos.

Nyssa, sous la bannière du bungalow neuf, se tassa comme si on venait de lui remettre une lourde enclume entre les bras.

– Si tu dois te méfier de la terre, dit-elle, il faudra que tu évites les voies terrestres. Tu auras besoin d'un transport aérien.

Piper faillit dire que Jason savait voler, mais elle s'abstint. C'était à lui de faire cette révélation, et il ne semblait pas y être prêt. Peut-être trouvait-il qu'il les avait assez traumatisés comme ça pour la soirée.

– Le char volant est cassé, poursuivit Nyssa, et nous nous servons des pégases pour chercher Percy. Mais le bungalow d'Héphaïstos pourrait inventer une solution de secours. Jake étant temporairement handicapé, c'est moi l'aînée du bungalow. Je peux me porter volontaire pour la quête.

Elle ne débordait pas d'enthousiasme.

À ce moment-là, Léo se leva. Il s'était tenu tellement silencieux jusqu'à présent que Piper l'avait presque oublié, ce qui tenait de l'impossible, avec Léo.

– C'est moi qui dois venir, dit-il.

Ses compagnons de bungalow s'agitèrent. Certains l'agrippèrent par le bras pour le faire rasseoir, mais Léo tint bon.

– Non, insista-t-il, c'est moi. Je le sais. J'ai une idée pour la question du transport. Laisse-moi essayer. Je peux arranger le coup !

Jason l'examina quelques instants. Piper était sûre qu'il allait dire non. Puis il sourit.

– On a commencé ensemble dans cette galère, Léo. Ça me paraît juste que tu viennes. Trouve-nous un transport, et tu es de l'expédition.

– Ouais ! s'écria Léo en tapant son poing dans sa paume.

138

– Ça va être dangereux, l'avertit Nyssa. Des épreuves, des monstres, toutes sortes de souffrances. Si ça se trouve, aucun de vous ne rentrera vivant.

– Oh ! (Léo sembla perdre son enthousiasme d'un coup. Puis il se rappela que tout le monde le regardait.) Je veux dire... c'est cool ! Des souffrances ? Je kiffe trop. Vas-y, on le fait !

Annabeth hocha la tête.

– Alors, Jason, il ne te reste plus qu'à choisir le troisième équipier. La colombe...

– Tout à fait ! (Drew, qui s'était levée, décocha un sourire à Jason.) La colombe, c'est Aphrodite, comme chacun sait. Je suis *toute à toi*.

Piper serra les poings. Et s'avança.

– Non, dit-elle.

Drew leva les yeux au ciel.

– C'est bon, la reine des thons. Dégage !

– C'est moi qui ai eu la vision d'Héra, pas toi. C'est à moi d'y aller.

– Tout le monde peut avoir une vision. Tu t'es juste trouvée au bon endroit au bon moment. (Drew se tourna vers Jason.) Écoute, c'est bien beau de se battre, certes. Quant aux gens qui construisent des engins... (Elle toisa dédaigneusement Léo.) Ben, il faut bien que quelqu'un mette les mains dans le cambouis. Mais tu auras besoin de charme à tes côtés. Je peux être très persuasive. Je pourrais t'aider beaucoup.

Les pensionnaires se mirent à murmurer que Drew était sacrément persuasive. Même Chiron se grattait la barbe, l'air de se dire qu'en fait, la participation de la fille d'Aphrodite à la quête de Jason était fondée.

– Eh bien, dit Annabeth. D'après les paroles de la prophétie...

– Non ! (Piper trouva sa propre voix bizarre : plus riche dans son intonation, plus insistante.) C'est moi qui suis appelée à y aller.

139

Il se passa alors la plus étrange des choses. Tout le monde se mit à hocher la tête en murmurant qu'effectivement le point de vue de Piper se tenait aussi. Drew regarda autour d'elle avec incrédulité. Même parmi ses pensionnaires, certains opinaient du bonnet.

– Hé ! Réveillez-vous ! cria-t-elle à l'assemblée. Qu'est-ce qu'elle sait faire, Piper ?

Celle-ci tenta de répondre, mais sa belle assurance fondait comme neige au soleil. Oui, qu'avait-elle à offrir ? Elle ne savait ni se battre, ni organiser, ni combiner. Les seuls talents qu'elle avait, c'était s'attirer des ennuis et, de temps à autre, convaincre les gens de faire des trucs idiots.

En plus, c'était une menteuse. Elle avait besoin de participer à cette quête pour des raisons qui n'avaient rien à voir avec Jason et si elle y allait, elle finirait par trahir toutes les personnes présentes ce soir. Elle entendit à nouveau la voix de son rêve : *Obéis-nous et peut-être t'en sortiras-tu vivante.* Comment pouvait-elle faire un tel choix – entre aider son père et aider Jason ?

– Bon, fit Drew d'un petit ton suffisant, je crois que c'est réglé.

Brusquement, un murmure collectif monta des gradins. Ils regardaient tous Piper comme si elle venait d'exploser. Elle se demanda pourquoi. Puis elle se rendit compte qu'elle était entourée d'un halo rouge.

– Qu'est-ce qu'il y a ? demanda-t-elle.

Elle leva la tête, mais n'aperçut aucun symbole incandescent, comme celui qui s'était matérialisé au-dessus de Léo. Alors elle baissa les yeux et poussa un petit cri.

Ses vêtements... mais que portait-elle donc ? Piper méprisait les robes. Elle n'en avait pas une seule et ce n'était pas un hasard. Or elle était maintenant parée d'un magnifique fourreau blanc qui lui arrivait aux chevilles, doté d'un profond décolleté en V

– plus gênant, tu meurs. De fins bracelets en or ornaient le haut de ses bras. Un collier qui mêlait l'ambre, le corail et les fleurs d'or scintillait sur sa poitrine, quant à ses cheveux...

– Oh, mon Dieu, qu'est-ce qui m'arrive ? s'exclama-t-elle.

Annabeth, visiblement stupéfaite, pointa du doigt vers le poignard de Piper, à présent huilé et scintillant, qui pendait à sa taille sur un cordon d'or tressé. Piper n'avait pas envie de le dégainer. Elle avait peur de ce qu'elle verrait. Mais la curiosité l'emporta. Elle tira Katoptris de son fourreau et contempla son reflet dans la lame de métal poli. Ses cheveux étaient parfaits : brun chocolat, longs, opulents, retenus sur un côté par des fils d'or de façon à tomber en cascade sur son épaule. Elle était même maquillée, mieux qu'elle n'aurait jamais su le faire elle-même : une palette subtile qui lui faisait une bouche rouge cerise et mettait en valeur les différentes couleurs de ses iris.

Elle était... elle était...

– Sublime, s'exclama Jason. Piper, tu es... tu es canon.

En d'autres circonstances, ça aurait été le plus beau moment de sa vie. Mais tous la regardaient à présent comme si elle était un monstre. Le visage de Drew exprimait l'horreur et la répulsion.

– Non ! s'écria-t-elle. C'est impossible !

– Ce n'est pas moi, protesta Piper, je... je ne comprends pas.

Chiron le centaure plia les pattes avant et s'inclina devant elle, imité par tous les pensionnaires.

– Salut à toi, Piper McLean, déclara-t-il d'une voix d'outre-tombe. Fille d'Aphrodite, reine des colombes, déesse de l'Amour.

11 LÉO

L éo ne s'attarda pas après la transformation de Piper. Bien sûr, elle était superbe, tout ça – *elle est maquillée, c'est un miracle !* – mais il avait ses propres problèmes à régler. Il s'esquiva discrètement de l'amphithéâtre et s'enfonça dans le noir, en se demandant dans quoi il s'était fourré.

Il avait pris la parole devant un groupe de demi-dieux plus forts et plus courageux que lui et s'était porté volontaire – *volontaire !* – pour une mission qui risquait de lui coûter la vie.

Il n'avait dit à personne qu'il avait vu Tìa Callida, son ancienne baby-sitter, mais dès qu'il avait entendu raconter la vision de Jason – la dame en robe et châle noirs – il avait compris qu'il s'agissait de la même femme. Tìa Callida était Héra. Sa redoutable baby-sitter était la reine des dieux. Ce genre de révélations, ça pouvait vraiment vous faire péter une durite.

Léo marchait d'un bon pas vers les bois en s'efforçant de ne pas repenser à son enfance, à cette série d'événements sombres et louches qui avaient mené à la mort de sa mère. Mais il ne pouvait pas s'en empêcher.

La première fois que Tìa Callida avait tenté de le tuer, il devait avoir deux ans. Elle le gardait pendant que sa mère était à l'atelier. Ce n'était pas sa vraie tante, bien sûr – juste une des dames âgées de la communauté, une *Tìa* générique qui donnait un coup de main pour les enfants. Elle dégageait une odeur de jambon rôti au miel et portait toujours une robe de deuil et un châle noir.

– On va t'installer pour la sieste, lui dit-elle. On va voir si tu es mon bon petit héros, hein ?

Léo avait sommeil. Tìa l'enveloppa dans ses couvertures, sur un monticule de carrés rouges et jaunes – des coussins ? Le lit formait une niche dans le mur, tapissé de briques noircies ; il y avait une fente métallique au-dessus de sa tête et, très loin tout en haut, un trou carré où il voyait des étoiles. Il se souvenait qu'il s'était reposé tranquillement, jouant avec les étincelles comme avec des lucioles. À côté de lui, Tìa Callida se balançait dans son rocking-chair – *crac, crac, crac* – et lui chantait une berceuse. À deux ans, Léo savait déjà reconnaître l'anglais et l'espagnol et il se souvenait d'avoir été intrigué car Tìa Callida chantait dans une langue qui n'était ni l'un ni l'autre.

Tout se passa bien jusqu'au retour de sa mère. Elle accourut en hurlant et l'extirpa du lit, criant à Tìa Callida : « Comment as-tu pu faire ça ? » Mais la vieille dame avait disparu.

Léo se souvenait d'avoir regardé par-dessus l'épaule de sa mère et vu les flammes qui dévoraient ses couvertures. Mais il avait fallu des années pour comprendre qu'il avait fait cette sieste dans une cheminée où flambait un grand feu.

Et le plus bizarre de l'affaire, c'est que Tìa Callida n'avait pas été arrêtée, ni même chassée de leur maison. Au fil des années suivantes, elle leur rendit plusieurs visites. Une fois, Léo avait trois ans, elle le fit jouer avec des couteaux. « Tu dois apprendre tes lames de bonne heure, avait-elle dit, si tu veux devenir mon héros un jour. » Léo s'était débrouillé pour ne pas se blesser, mais il avait eu l'impression que ça n'aurait pas embêté la vieille femme outre mesure.

143

Quand Léo avait quatre ans, Tìa Callida dénicha un serpent à sonnettes dans un champ, pas loin de la maison. Elle donna un bâton à l'enfant et l'encouragea à taper l'animal. « Où est ton courage, petit héros ? Montre-moi que les Parques ont eu raison de te choisir. » Léo regarda les yeux ambrés du reptile, entendit son chuintement de crécelle – *cheu-cheu-cheu*. Il ne put se résoudre à le frapper. Ça lui semblait injuste. Visiblement, le serpent éprouvait la même réticence à mordre un petit garçon. Léo aurait juré qu'il regardait Tìa Callida l'air de dire : *Ça va pas la tête, ma petite dame ?* Et puis l'animal avait disparu entre les hautes herbes.

La dernière fois qu'elle l'avait gardé, Léo avait cinq ans. Elle lui avait apporté un bloc de papier et des crayons de couleur. Ils s'étaient assis à une des tables à pique-nique de la cité, sous un grand pacanier. Tandis que Tìa Callida chantait ses drôles de mélodies, Léo dessina le bateau qu'il avait vu dans les flammes, un navire aux voiles colorées, avec plusieurs rangées de rames, une poupe incurvée et une figure de proue impressionnante. Au moment de finir, alors qu'il s'apprêtait à signer le dessin en traçant son nom comme on le lui avait appris au jardin d'enfants, un coup de vent emporta la feuille, qui disparut dans le ciel.

Léo avait eu envie de pleurer. Il avait passé tellement de temps sur ce dessin ! Toutefois, Tìa Callida s'était contentée d'émettre un claquement de langue dépité, puis de lui dire : « Ton heure n'est pas encore venue, petit héros. Un jour, tu auras ta quête. Tu rencontreras ton destin, et ton dur voyage prendra enfin son sens. Mais tu devras d'abord affronter bien des peines. J'ai beau le regretter de tout cœur, c'est la seule façon de former les héros. Fais-moi un feu, maintenant, tu veux bien ? Pour réchauffer mes vieux os. »

Quelques minutes plus tard, la maman de Léo rentra et hurla. Tìa Callida avait disparu, mais Léo était assis au milieu des flammes. Le bloc de papier était réduit en cendres. Les crayons gras avaient fondu, formant une mare multicolore et bouillonnante, et les mains de Léo, embrasées, s'enfonçaient dans la table en consumant lentement le bois. Pendant des années, les habitants de la résidence se demanderaient comment on avait bien pu pyrograver les mains d'un petit garçon sur trois centimètres de profondeur dans une table de bois massif.

Léo avait maintenant la certitude que Tìa Callida, sa babysitter psychotique, était Héra depuis le début. Ce qui faisait d'elle... sa marraine divine ? Il avait une famille encore plus compliquée qu'il ne l'avait pensé jusqu'alors.

Il se demanda si sa mère savait la vérité. Léo se souvint qu'après cette dernière visite, elle l'avait fait entrer dans l'appartement et lui avait longuement parlé, mais il n'avait pas tout compris.

« Il est hors de question qu'elle revienne, » avait-elle dit. La mère de Léo avait un très beau visage, des yeux pleins de gentillesse, les cheveux bouclés, mais elle faisait plus que son âge parce qu'elle travaillait très dur. Elle avait des cernes profonds sous les yeux et les mains calleuses. C'était la première de sa famille à faire des études supérieures. Elle avait un diplôme en génie mécanique et pouvait concevoir, construire et réparer n'importe quoi.

Personne ne voulait l'embaucher, pourtant. Aucune entreprise ne la prenait au sérieux. Elle travaillait donc à l'atelier d'usinage, où elle gagnait tout juste de quoi les faire vivre tous les deux. Elle sentait toujours la graisse de moteur et quand elle parlait à Léo, elle passait constamment de l'anglais à l'espagnol, comme si c'étaient deux outils complémentaires. Léo avait mis des années avant de comprendre que tout le monde ne s'exprimait pas de cette façon. Elle lui avait même appris le morse ; c'était un jeu entre eux. Ils pouvaient s'envoyer des messages en tapant des petits coups, d'une pièce à l'autre : *Je t'aime. Tu vas bien ?* Des trucs tout bêtes, comme ça.

« Je me moque de ce que raconte Callida, dit sa mère. Je me moque du destin et des Parques. Tu es trop petit pour ça. Tu es encore mon bébé. »

Elle lui prit les mains et les examina soigneusement. Il n'avait aucune marque de brûlure, bien sûr. « Léo, écoute-moi. Le feu est un outil, comme tout le reste, mais il est plus dangereux que la plupart. Tu ne connais pas tes limites. S'il te plaît, promets-moi de ne plus jouer avec le feu tant que tu n'auras pas rencontré ton père. Un jour, *mijo*, tu le rencontreras. Il t'expliquera tout. »

Aussi loin que remontaient ses souvenirs, Léo avait entendu ça. Un jour, il rencontrerait son père. Sa mère refusait de répondre aux questions qu'il lui posait à son sujet. Léo ne l'avait jamais rencontré, il n'avait vu aucune photo de lui, mais elle en parlait comme s'il était juste parti acheter du lait et qu'il allait revenir dans une minute. Léo essayait de la croire. Un jour, il comprendrait tout.

Les années suivantes furent des années heureuses. Léo en oublia presque Tìa Callida. Il rêvait toujours du bateau volant, mais les autres événements étranges semblaient relégués au monde des rêves, eux aussi.

Tout s'écroula à ses huit ans. À cet âge-là, il passait ses moments de liberté à l'atelier avec sa mère. Il savait se servir des machines. Il était meilleur en maths que la plupart des adultes et avait le compas dans l'œil. Il avait appris à penser en trois dimensions et savait résoudre des problèmes mécaniques mentalement, comme sa mère.

Un soir, ils avaient veillé tard car celle-ci terminait le dessin d'une mèche pour perceuse qu'elle espérait faire breveter. Si elle parvenait ensuite à vendre le prototype, ça changerait radicalement leur vie. Elle pourrait enfin souffler.

Pendant qu'elle travaillait, Léo lui passait les pièces dont elle avait besoin et lui racontait des blagues ringardes. Il adorait la faire rire. Elle souriait et disait : « Ton père serait fier de toi, *mijo*. Tu le rencontreras bientôt, j'en suis sûre. »

L'établi de sa mère se trouvait tout au fond de l'atelier. C'était un peu lugubre tard le soir, parce qu'il n'y avait personne à part eux. Les bruits résonnaient dans l'obscurité de l'entrepôt, mais du moment que Léo était avec sa mère, ça lui était égal. Si jamais il avait besoin de s'aventurer dans le reste de l'atelier, ils gardaient le contact par signaux de morse. Pour partir, ils devaient traverser tout l'atelier puis la salle de repos et fermer la porte à clé derrière eux, avant d'arriver au parking.

Ce soir-là, après avoir terminé, ils étaient arrivés à la salle de repos quand la mère de Léo se rendit compte qu'elle n'avait pas ses clés.

– C'est drôle, dit-elle. J'étais sûre de les avoir. Attends-moi là, *mijo*. J'en ai pour une minute.

Elle lui sourit – le dernier sourire que lui adresserait sa mère – et retourna dans l'entrepôt. Quelques fractions de seconde plus tard, la porte intérieure claqua. Puis la porte extérieure se verrouilla.

– Maman ?

Léo sentit son cœur battre à se rompre. Il y eut un bruit de chute lourde dans l'entrepôt. Léo courut à la porte, mais il eut beau tirer ou pousser de toutes ses forces, elle refusait de s'ouvrir.

– Maman !

Il frappa désespérément sur le mur, en morse : *T'as rien ?*

– Elle ne peut pas t'entendre, dit une voix.

147

Léo se retourna et se trouva face à une femme étrange. Au début, il la prit pour Tìa Callida. Elle portait des robes noires, ainsi qu'un voile qui couvrait son visage.

– Tìa ?

La femme gloussa. C'était un son doux et bas, comme si elle était à moitié endormie.

– Je ne suis pas ta gardienne. C'est juste un air de famille.

– Qu'est-ce que vous voulez ? Où est ma mère ?

– Ah, fidèle à sa maman. C'est bien. Mais tu vois, moi aussi j'ai des enfants... et à ce que je comprends, tu te battras contre eux un jour. Quand ils essaieront de me réveiller, tu les en empêcheras. Je ne peux pas permettre cela.

– Je ne vous connais pas. Je ne veux me battre contre personne.

Elle murmura comme une somnambule en transe :

– Sage décision.

Avec un frisson d'effroi, Léo s'était alors rendu compte que la femme dormait. Derrière le voile, ses yeux étaient fermés. Mais il y avait autre chose, d'encore plus bizarre : ses vêtements n'étaient pas en tissu. Ils étaient en *terre* – une terre noire et sèche, qui tournoyait en volutes autour d'elle. Il distinguait à peine son visage pâle et endormi, derrière un nuage de poussière, et il eut alors l'horrible intuition qu'elle venait de sortir de sa tombe. Si la femme était endormie, Léo souhaitait qu'elle le reste. Il savait qu'éveillée, elle serait encore plus effrayante.

– Je ne peux pas encore te tuer, murmura la femme. Les Parques s'y opposent. Mais elles ne protègent pas ta mère et ne peuvent pas m'interdire de te briser le mental. Souviens-toi de cette nuit, petit héros, lorsqu'ils te demanderont de t'opposer à moi.

– Laissez ma mère tranquille !

148

La femme avança à pas traînants et Léo sentit la peur serrer sa gorge. Elle se déplaçait comme une avalanche, plutôt que comme une personne ; un mur sombre de terre qui se mouvait vers lui.

– Comment vas-tu m'arrêter ? murmura-t-elle.

Elle traversa une table et les particules de son corps se réassemblèrent de l'autre côté.

Elle dominait Léo de sa haute taille, et il comprit qu'elle pourrait le traverser tout aussi aisément. Il était l'unique rempart entre elle et sa mère.

Les mains du garçon prirent feu.

Un sourire assoupi s'étira sur le visage de la femme, comme si elle avait déjà gagné. Léo hurla de désespoir. Il vit rouge. Les flammes couvrirent la femme de terre, les murs, les portes verrouillées. Et Léo perdit connaissance.

Lorsqu'il se réveilla, il était dans une ambulance.

L'infirmière essaya d'être gentille. Elle lui annonça que l'entrepôt avait entièrement brûlé. Sa mère n'avait pas survécu. Elle lui dit qu'elle était désolée, mais Léo était atterré. Il avait perdu le contrôle, exactement comme le craignait sa mère. Il était responsable de sa mort.

Peu après, des policiers vinrent le chercher. Ils se montrèrent beaucoup moins compréhensifs que l'ambulancière. Le feu était parti de la salle de repos, expliquèrent-ils, de l'endroit même où se trouvait Léo. Il avait survécu par miracle, mais quel genre d'enfant fallait-il être pour fermer à clé le lieu de travail de sa mère, sachant qu'elle était encore à l'intérieur, et mettre le feu ?

Plus tard, les voisins de la résidence racontèrent à la police qu'il avait toujours été bizarre. Ils parlèrent des empreintes de main sur la table de pique-nique. Ils avaient toujours su que le fils d'Esperanza Valdez avait quelque chose qui clochait.

Personne, dans sa famille, ne voulut le recueillir. Sa tante Rosa le traita de *diablo* et cria aux assistantes sociales de le remmener. Et Léo partit dans sa première famille d'accueil. Quelques jours plus tard, il fugua. Certains foyers duraient plus que d'autres. Il plaisantait beaucoup, se faisait quelques amis, jouait à celui que rien n'embête, mais tôt ou tard, il se sauvait. C'était l'unique façon pour lui de soulager la peine : sentir qu'il était en mouvement, qu'il s'éloignait toujours plus des cendres de l'atelier.

Il s'était promis de ne plus jamais jouer avec le feu. Il n'avait plus repensé à Tìa Callida ni à la somnambule drapée de terre depuis longtemps.

Il approchait de la lisière des bois quand il imagina la voix de Tìa Callida : *Ce n'était pas ta faute, petit héros. L'ennemi s'éveille. Il est temps que tu cesses de fuir.*

– Héra, marmonna Léo, vous n'êtes même pas là, si ? Vous êtes dans une cage quelque part.

Il ne reçut pas de réponse.

Mais à présent, au moins, Léo avait compris une chose : Héra l'avait surveillé toute sa vie. Elle avait toujours su, d'une façon ou d'une autre, qu'elle aurait besoin de lui un jour. Peut-être que ces Parques qu'elle avait mentionnées prédisaient l'avenir. Léo ne savait pas trop. Mais il avait la certitude qu'il *devait* participer à cette quête. La prophétie de Jason leur disait de se méfier de la terre et Léo savait que c'était lié à la dormeuse de l'entrepôt, avec ses robes de poussière mouvante.

Tu rencontreras ton destin, avait promis Tìa Callida. *Ton dur voyage prendra enfin son sens.*

Peut-être que Léo découvrirait ce que signifiait le bateau volant de ses rêves. Peut-être qu'il rencontrerait son père, ou même qu'il pourrait venger sa mère.

Mais chaque chose en son temps. Il avait promis à Jason un transport aérien.

Pas le bateau de ses rêves – pas encore. Ce n'était pas le moment de construire quelque chose d'aussi compliqué. Il lui fallait une solution plus rapide. Il lui fallait un dragon.

Il s'arrêta à l'orée des bois et hésita. L'obscurité y était totale. Des hiboux hululaient et quelque chose, au loin, sifflait comme une chorale de serpents.

Léo se rappela les paroles de Will Solace : personne ne devait aller dans les bois seul, et surtout pas sans arme. Léo n'avait rien : pas d'épée, pas de torche, personne pour l'aider.

Il jeta un coup d'oeil en arrière, vers les bungalows éclairés. Qu'est-ce qui l'empêchait de faire demi-tour et de dire à tout le monde qu'il avait voulu faire le malin, tout à l'heure ? Nyssa partirait à sa place, voilà tout. Il resterait à la colonie et apprendrait à s'intégrer au bungalow d'Héphaïstos. Mais combien de temps lui faudrait-il, se demanda-t-il alors, pour ressembler à ses compagnons de bungalow : l'air triste, découragé, convaincu d'avoir la poisse.

– *Elles ne peuvent pas m'interdire de te briser le mental*, avait dit la dormeuse. *Souviens-toi de cette nuit, petit héros, lorsqu'ils te demanderont de t'opposer à moi.*

– Je m'en souviens, ma petite dame, bougonna Léo. Et qui que vous soyez, je vais vous faire voir de quel bois je me chauffe.

Là-dessus il prit une grande inspiration et pénétra dans la forêt.

12   Léo

Léo n'avait jamais rien vu qui ressemble à ces bois. Il faut dire qu'il avait grandi dans une barre d'immeubles à Houston, au Texas, et ce qu'il connaissait de plus sauvage se limitait au serpent à sonnettes dans le champ et à Tante Rosa en chemise de nuit, avant d'être envoyé en pension à l'École du Monde Sauvage. Même là, l'école se trouvait en plein désert : pas d'arbres aux racines noueuses pour vous faire trébucher, pas de ruisseaux où on risquait de tomber, pas de branches projetant des ombres inquiétantes, ni de hiboux qui vous toisaient de leurs grands yeux réfléchissants. Ici, dans la forêt de la colonie, c'était la Quatrième Dimension.

Il avança en titubant plusieurs minutes puis, une fois certain qu'on ne pouvait plus le voir depuis les bungalows, il invoqua le feu. Des flammes se mirent à danser au bout de ses doigts, en quantité juste suffisante pour l'éclairer. Il n'avait plus essayé de maintenir un feu sur la durée depuis le jour de la table à pique-nique, quand il avait cinq ans. Et depuis la mort de sa mère, il avait eu trop peur pour tenter quoi que ce soit. Même ce tout petit feu qu'il venait d'allumer lui donnait mauvaise conscience.

Il s'enfonça plus avant dans les bois, cherchant du regard des indices du passage d'un dragon : des empreintes gigantesques, des arbres écrasés, des pans de forêt en flammes. Une créature aussi grande pouvait difficilement se faufiler sans faire de dégâts, si ? Pourtant, Léo ne voyait aucune trace. À un moment donné, il aperçut une bête massive et couverte de poils, un loup ou un ours, peut-être, mais elle se tint à distance, ce qui était aussi bien.

Et puis, en arrivant en bordure d'une clairière, il vit le premier piège : un cratère profond de trente mètres, entouré de rochers.

Léo dut reconnaître qu'il était ingénieux. Au centre du trou, une cuve en métal de la taille d'un Jacuzzi avait été remplie d'un liquide sombre et bouillonnant – un mélange d'huile de moteur et de sauce Tabasco. Sur un piédestal suspendu au-dessus de la cuve, un ventilateur électrique décrivait un cercle pour répandre les effluves dans la forêt. Les dragons de métal avaient-ils un odorat ?

Apparemment, la cuve n'était pas sous surveillance. Toutefois, en y regardant de plus près, dans les lueurs combinées des étoiles et des flammèches de ses doigts, il crut voir un éclat métallique sous la terre et les feuilles : un filet de bronze tapissait entièrement le fond du cratère. « Voir » n'était peut-être pas le mot juste ; Léo *perçut* le mécanisme, comme si ce dernier dégageait une chaleur qui lui signalait sa présence. Six larges bandes de bronze partaient de la cuve comme les rayons d'une roue. Elles étaient sensibles à la pression, devina Léo. Dès que le dragon poserait une patte sur l'une d'elles, le filet se refermerait et... hop ! Un monstre emballé-ficelé !

Léo se rapprocha. Il mit le pied sur la bande la plus proche. Comme il s'y était attendu, rien ne se passa. Ils avaient dû régler le filet pour un poids très grand, histoire de ne pas capturer d'animal, d'humain ou de monstre de petite taille. *Il n'y a sans doute aucune créature assi lourde qu'un dragon de métal dans ces bois*, pensa Léo. Du moins, il l'espérait.

Il descendit prudemment dans le cratère et s'approcha de la cuve. Les effluves étaient étourdissants et les yeux de Léo se mirent à larmoyer. Il se souvint d'une fois où Tìa Callida (alias Héra) lui avait fait hacher des piments rouges à la cuisine et où il s'était mis du jus dans les yeux. Une brûlure horrible. Bien sûr, elle lui avait dit un truc du style : « Encaisse, petit héros. Les Aztèques du pays de ta mère punissaient les enfants qui faisaient des bêtises en les suspendant au-dessus d'un feu rempli de piments. Ils ont élevé beaucoup de héros de cette façon. »

Folle à lier, cette bonne femme. Léo était super-content de se lancer dans une quête pour la sauver...

Tìa Callida aurait adoré cette cuve, car son contenu était infiniment plus fort que du jus de piment rouge. Léo chercha une manette ou un interrupteur qui permette de désactiver le filet. En vain.

Il fut pris d'une bouffée de panique. Nyssa avait dit qu'il y avait déjà plusieurs pièges répartis dans les bois et qu'ils comptaient en poser d'autres. Et si le dragon était déjà captif ? Comment Léo pouvait-il les trouver tous ?

Il continua de chercher, mais ne vit pas de mécanisme. Pas de gros bouton « Marche/Arrêt ». Il lui vint à l'esprit qu'il n'y en avait peut-être pas. Le découragement menaçait... quand il entendit un bruit.

C'était un tremblement. Le genre de grondement sourd qu'on entend vibrer dans ses tripes, plutôt qu'à ses oreilles. De quoi avoir la frousse, mais Léo continua d'examiner le piège sans s'interrompre pour chercher la source du bruit du regard, parce qu'il pensait : *Il doit être encore loin. Il approche en traversant les bois. Il faut que je me dépêche.*

Il entendit alors un grognement rauque, comme un jet de vapeur jaillissant d'un canon de métal.

Les petits cheveux de sa nuque se hérissèrent. Il tourna lentement la tête. Au bord de la fosse, à une quinzaine de mètres, deux yeux rouges phosphorescents le fixaient. La bête luisait au clair de lune et Léo fut estomaqué qu'une créature aussi énorme – car elle était gigantesque ! – ait pu approcher si vite et si furtivement. Il se rendit compte un peu tard qu'elle avait le regard rivé sur les flammes de sa main, et s'empressa alors de les éteindre.

Il voyait toujours le dragon distinctement. La créature faisait vingt mètres de long de la queue au bout du museau, et son corps était composé de plaques de bronze disposées en quinconce. Chacune de ses griffes avait le gabarit d'un couteau de boucher et sa gueule était hérissée de centaines de crocs de métal pointus et acérés. Il crachait de la vapeur par les naseaux en émettant un ronflement de tronçonneuse en action. Il aurait pu écraser Léo comme un moustique, ou le croquer d'une seule bouchée. Le jeune garçon n'avait jamais rien vu d'aussi beau – à un détail près, qui fichait son plan en l'air.

– T'as pas d'ailes, dit Léo.

Le grondement du dragon se tut. Il pencha la tête de côté, l'air de dire : *Qu'est-ce que t'attends pour t'enfuir ? Comment ça se fait que tu ne sois pas terrifié ?*

– Sans vouloir te vexer, enchaîna Léo. Tu es magnifique ! Bon sang, qui a pu te fabriquer ? Tu es hydraulique ou tu marches au nucléaire, ou quoi ? Mais moi, je t'aurais mis des ailes. C'est trop dommage, un dragon sans ailes ! Tu es trop lourd pour voler, c'est ça ? J'aurais dû y penser, bien sûr.

Le dragon renifla, l'air vraiment déconcerté. Il était censé piétiner Léo. Cette conversation n'était pas au programme. Il avança d'un pas et le garçon hurla :

– Non !

Le dragon se remit à gronder.

– C'est un piège, cervelle de bronze ! dit Léo. Ils essaient de te capturer.

155

Le dragon ouvrit la gueule et cracha du feu. Un tourbillon de flammes enveloppa Léo, bien plus fort que tout ce qu'il avait essayé de supporter jusqu'à présent. Il eut l'impression d'être sous le jet d'un Karcher brûlant. Ça piquait un peu, mais il tint bon. Quand les flammes s'éteignirent, il était indemne. Même ses vêtements avaient résisté ; Léo ne comprenait pas comment, mais il était bien content. Il tenait à sa veste de l'armée, et rentrer sans pantalon aurait été plutôt gênant.

Le dragon fixa le garçon du regard. Son visage ne changea pas réellement, vu qu'il était en métal, mais Léo crut lire son expression : *Pourquoi t'es pas grillé et croustillant ?* Une étincelle jaillit de son cou comme s'il était à deux doigts de faire un court-circuit.

– Tu ne peux pas me brûler, dit Léo d'une voix qui se voulait calme et posée. (Il n'avait jamais eu de chien, mais il s'adressa au dragon de la façon dont il pensait qu'on parle aux chiens.) Assis, mon grand. Ne t'approche pas. Je ne veux pas que tu tombes dans le piège. Ils pensent que tu es cassé et bon pour la ferraille, tu comprends. Mais moi je suis pas d'accord. Je peux te réparer, si tu me laisses faire.

Le dragon grinça, rugit et chargea. Le piège se déclencha. Le fond du cratère explosa dans un vacarme digne d'un concert de casseroles géantes. Des gerbes de terre et feuilles mortes fusèrent, et le filet de métal étincela. Léo tomba à la renverse ; une giclée d'huile de moteur au Tabasco l'aspergea. Il se retrouva coincé entre la cuve et le dragon, lequel se débattait pour essayer de se libérer du filet qui s'était abattu sur eux deux.

Le dragon crachait des flammes dans tous les sens, ce qui illuminait le ciel et ravageait les arbres voisins. Ils étaient couverts d'huile de moteur et de sauce enflammée. Ça ne faisait pas mal à Léo, mais ça lui laissait un goût désagréable dans la bouche.

– Arrête ton cirque ! cria-t-il.

Le dragon gigota de plus belle. Léo se rendit compte qu'il allait finir écrasé, s'il restait là. À grand-peine, il se faufila entre la bête et la cuve, puis s'extirpa du filet. Les mailles, heureusement, étaient plus qu'assez larges pour un jeune garçon aussi maigre que Léo.

Il contourna le dragon et se positionna devant sa tête. L'automate essaya de le mordre, mais il s'était emmêlé les crocs dans le filet. Il cracha du feu ; son énergie était en chute libre. Les flammes presque blanches tout à l'heure étaient seulement orange, maintenant, et s'éteignirent avant de toucher Léo.

– Écoute, vieux, dit celui-ci, tu vas leur montrer où tu es, c'est tout ce que tu vas arriver à faire. Et ils vont débarquer avec de l'acide et des pinces à métaux. C'est ça que tu veux ?

Les mâchoires du dragon grincèrent comme s'il essayait de parler.

– D'accord, fit Léo. Mais tu vas devoir me faire confiance.

Sur ces mots, il se mit au boulot.

Il lui fallut presque une heure pour trouver la console des commandes. Elle si situait juste derrière la tête du dragon, ce qui était assez logique. Léo avait décidé de laisser le dragon dans le filet parce que c'était plus facile pour lui de travailler si ce dernier était entravé, mais ça n'était pas du tout au goût de l'automate.

– Arrête de gigoter ! gronda Léo.

Le dragon émit un autre crissement, plus proche du gémissement, cette fois-ci.

Léo entreprit d'examiner les câbles de sa tête. À un moment donné, il fut distrait par un bruit en provenance des bois, mais quand il leva les yeux, il vit que c'était juste un esprit des arbres – une dryade, si ses souvenirs étaient exacts – qui éteignait ses branches enflammées. Heureusement, le dragon n'avait pas déclenché de véritable incendie de forêt, toutefois la dryade était mécontente. Sa robe fumait. Elle étouffa les flammes sous une couverture soyeuse et lorsqu'elle s'aperçut que Léo la regardait, elle fit un geste qui était sans doute très grossier en dryade. Puis elle s'évanouit dans une bouffée de vapeur verte.

Le garçon reporta son attention sur le cerveau de l'automate. C'était vraiment ingénieux, et ça lui parlait. Là, le relais de contrôle moteur. Ici, le traitement des apports visuels. Ce disque...

– Ha ha ! s'exclama-t-il. Ben c'est pas étonnant !

– *Cric, schdong-schdong* ? demanda le dragon d'un grincement de mâchoires.

– Tu as un disque de contrôle corrodé. C'est sans doute celui qui règle tes circuits de raisonnement supérieur, tu vois. Cervelle rouillée, pas étonnant que tu sois un peu... perturbé. (Il s'était retenu de justesse de dire « fou ».) Dommage que j'aie pas de disque de remplacement, mais... c'est un circuit très complexe. Je vais devoir retirer le disque et le nettoyer. J'en ai pour une minute, pas plus.

Léo retira le disque et le dragon se tut d'un coup. La lueur de ses yeux s'éteignit. Le garçon se laissa glisser du dos du dragon puis, une fois au sol, entreprit de nettoyer le disque. Il imbiba sa manche d'huile de moteur au Tabasco et se mit à frotter, mais plus il décapait, plus il s'inquiétait. Certains circuits étaient irréparables. Il pourrait améliorer l'état du disque, mais non lui rendre sa performance initiale. Il en aurait fallu un nouveau, or ce n'était pas quelque chose qu'il savait fabriquer.

Il s'efforçait de travailler vite. Il ignorait combien de temps le dragon pouvait tenir sans son disque de contrôle avant de subir des dégâts irréversibles, et il ne voulait pas prendre de risque. Il fit donc de son mieux, puis regrimpa sur la tête du dragon et se mit à nettoyer les câbles et les boîtes de vitesse, en se couvrant de crasse dans le processus.

– Mains propres, matos sale, murmura-t-il, comme il avait entendu sa mère le dire si souvent. Le temps qu'il finisse, il avait les mains noires de graisse et les vêtements crottés comme s'il venait de perdre une partie de catch dans la boue. Il réinséra le disque, brancha le dernier câble, et des étincelles jaillirent. La bête frissonna. Ses yeux se rallumèrent.

– Ça va mieux ? demanda Léo.

Le dragon émit un stridulement de perceuse à grande vitesse. Il ouvrit la gueule et tous ses crocs pivotèrent.

– Je crois que c'est oui, dit Léo. Bouge pas, je vais te libérer.

Il lui fallut encore une demi-heure pour trouver toutes les attaches qui retenaient le filet et en dépêtrer le dragon, mais ce dernier put enfin se redresser et s'ébrouer. Avec un rugissement triomphant, il cracha une salve de flammes vers le ciel.

– Franchement, dit Léo, tu pourrais t'abstenir de frimer ?

– *Cric ?* répliqua le dragon.

– Il te faut un nom, déclara le garçon. Je te baptise Festus.

Le dragon fit pivoter ses crocs et sourit. Léo espéra, en tout cas, que c'était un sourire.

– Cool. N'empêche qu'on a toujours un problème, qui est que tu n'as pas d'ailes.

Festus inclina la tête et cracha de la vapeur par les naseaux. Puis il baissa le dos en un geste sans équivoque : il voulait que Léo monte.

– Où est-ce qu'on va ? demanda Léo.

Mais il était trop excité pour attendre la réponse. Il grimpa sur le dos du dragon, et Festus s'élança en bondissant vers le cœur de la forêt.

Léo perdit rapidement toute notion du temps et de l'espace. Il lui semblait impossible que les bois soient aussi profonds et sauvages, pourtant, à force de galoper, le dragon pénétra dans une zone où les arbres étaient hauts comme des gratte-ciel et occultaient complètement les étoiles de leur feuillage. Même les flammes des doigts de Léo n'auraient pas pu éclairer leur chemin, mais les yeux rouges et brillants du dragon faisaient office de phares.

Finalement, ils traversèrent un ruisseau et se trouvèrent bloqués : une falaise de calcaire se dressait devant eux, un pan de pierre massif et lisse, haut de trente mètres, impossible à escalader pour un dragon.

Festus s'immobilisa au pied de la falaise et leva une patte comme un chien à l'arrêt.

– Qu'est-ce que c'est ? demanda Léo, qui glissa à terre.

Il s'approcha de la falaise : une surface sans faille. Le dragon gardait sa posture.

– Elle ne va pas se déplacer, tu sais, ajouta Léo.

Le câble lâche de son cou crépita, mais le dragon ne bougea toujours pas. Léo posa la main sur la pierre. Brusquement, ses doigts s'embrasèrent. Des lignes de feu partirent du bout de ses ongles et s'étirèrent en crépitant sur le calcaire, comme des traînées de poudre enflammées. Elles tracèrent une porte d'un rouge ardent, haute cinq fois comme Léo. Il recula et la porte s'ouvrit sans un bruit, ce qui faisait un drôle d'effet pour une dalle de pierre aussi énorme.

– Parfaitement équilibrée, marmonna Léo. Une conception de premier ordre.

Le dragon se ranima et entra d'un pas ferme, l'air de qui rentre à la maison.

Léo le suivit et la porte se rabattit derrière lui. Il fut pris de panique en repensant à cette nuit, des années plus tôt, où il s'était retrouvé enfermé dans l'atelier. Et si cela se reproduisait ? À ce moment-là, des lumières s'allumèrent, un mélange de néons et d'appliques murales. Lorsque Léo vit l'intérieur de la caverne, il perdit toute envie de partir.

– Festus, murmura-t-il, où sommes-nous ?

Le dragon se dirigea à pas lourds vers le centre de la pièce en laissant ses empreintes dans la poussière épaisse, puis se roula en boule sur une grande estrade ronde.

La caverne faisait facilement la taille d'un hangar à avions et comportait un nombre incalculable d'établis et de compartiments de rangement. Des portes de garage s'alignaient sur les deux murs, tandis que plusieurs escaliers menaient à un réseau de passerelles très en hauteur. Il y avait du matériel partout : des ponts hydrauliques, des chalumeaux, des tenues de protection, des aérabêches, des chariots élévateurs, sans oublier quelque chose qui ressemblait fort à une chambre de réaction. Les panneaux d'affichage étaient couverts de plans décolorés et déchirés. Un peu partout traînaient des armes, des boucliers, des plastrons et autres instruments de guerre, dont beaucoup étaient inachevés.

Au-dessus de l'estrade du dragon flottait une vieille bannière en lambeaux, pendue à des chaînes, dont l'inscription était à peine lisible. Elle était en lettres grecques, mais Léo comprit ce qu'elle disait : « Bunker 9 ».

Neuf comme le bungalow d'Héphaïstos, ou numéro 9 comme s'il y avait huit autres hangars ? Léo regarda Festus, toujours pelotonné sur l'estrade, et il lui vint à l'esprit que si le dragon avait l'air aussi content, ce devait être parce qu'il était effectivement à la maison. Il avait dû être construit ici-même.

– Les autres connaissent-ils...

La question mourut sur les lèvres de Léo. Les lieux étaient à l'abandon depuis des décennies, cela sautait aux yeux. Il y avait de la poussière et des toiles d'araignée partout. Le sol ne présentait aucune autre empreinte que les siennes et celles des pattes énormes du dragon. Il était le premier à pénétrer dans ce bunker depuis... depuis un bail. Le Bunker 9 avait été abandonné avec de nombreux projets encore inachevés sur les établis. Fermé à clé et oublié, mais pourquoi ?

Léo regarda une carte sur le mur – un plan de bataille de la colonie ; le papier était craquelé et jauni comme une pelure d'oignon. Une date était inscrite en bas : 1864.

– J'hallucine, marmonna-t-il.

Puis il repéra un croquis punaisé à un panneau d'affichage non loin de lui et eut un coup au cœur. Il courut devant la table et leva les yeux sur le dessin tracé à lignes blanches, décoloré au point d'être difficilement reconnaissable. C'était un navire grec vu sous plusieurs angles. Des mots s'étiraient en lettres pâles en-dessous : PROPHÉTIE ? OBSCURE. VOL ?

C'était le bateau qu'il avait vu dans ses rêves – le vaisseau volant. Quelqu'un avait essayé de le construire ici, ou du moins avait jeté l'idée sur le papier. Et le croquis avait été abandonné, oublié... une prophétie appelée à se réaliser plus tard. Et le plus bizarre de tout, c'était que la figure de proue était exactement semblable à celle que Léo avait dessinée à cinq ans : une tête de dragon.

– Il te ressemble, Festus, murmura Léo. Ça craint.

Cette esquisse de figure de proue troublait Léo, mais trop de questions tournaient dans sa tête pour qu'il s'y attarde. Il toucha le croquis, espérant pouvoir le décrocher pour l'examiner, mais le papier commença à s'effriter entre ses doigts et il n'insista pas. Il chercha d'autres indices du regard. Pas de bateaux. Pas de pièces détachées susceptibles d'être destinées à ce projet, mais il y avait tant de portes à ouvrir et de resserres à explorer.

Festus renifla comme s'il cherchait à attirer l'attention de Léo, à lui rappeler qu'ils n'avaient pas toute la nuit. C'était vrai. Le garçon songea qu'il ferait jour dans quelques heures et qu'il s'était laissé complètement distraire de son objectif. Il avait sauvé le dragon, mais ça ne l'aiderait pas dans sa quête. Il avait besoin de quelque chose qui vole.

Festus poussa un objet vers lui : une ceinture à outils en cuir qui était restée à côté de l'estrade où il avait été construit. Puis le dragon alluma ses yeux aux faisceaux rouge vif et les braqua sur le plafond. Léo porta le regard là où pointaient les phares et hoqueta en reconnaissant les formes accrochées dans la pénombre au-dessus de leurs têtes.

– On a du pain sur la planche, Festus, dit-il d'une petite voix.

13 JASON

J ason rêva de loups.
Il était dans une clairière, au milieu d'une forêt de séquoias. Devant lui se dressaient les ruines d'une maison en pierre. Des nuages bas et gris se fondaient dans la brume qui montait du sol, et une pluie froide striait l'air. Une meute de grandes bêtes au pelage gris tournoyait autour de lui ; elles se frottaient contre ses jambes en grondant et montrant les crocs. Elles le poussèrent doucement vers les ruines.

N'ayant aucune envie de jouer le rôle du plus grand biscuit pour chiens au monde, Jason décida de faire ce qu'elles voulaient.

La terre était spongieuse sous ses bottes. Des conduits de cheminée qui n'étaient plus rattachés à rien se dressaient comme des totems. La maison avait dû être immense, autrefois, comportant plusieurs étages, d'épais murs de rondins et un toit à pignons, mais il n'en restait aujourd'hui qu'un squelette de pierre. Jason franchit une arcade et déboucha dans une cour.

Devant lui se trouvait un ancien miroir d'eau, long et rectangulaire, aujourd'hui à sec. Il ne pouvait se faire une idée de sa profondeur car le bassin était empli de brume. Un sentier en faisait tout le tour et les murs irréguliers de la maison se

164

dressaient des deux côtés. Des loups allaient et venaient sous les arcades de pierre volcanique rouge.

À l'extrémité la plus lointaine du bassin, une louve géante était assise sur son arrière-train ; elle dépassait Jason de plusieurs têtes. Ses yeux brillaient d'un éclat argenté dans le brouillard et son pelage avait la même teinte brun chocolat, presque roux, que les pierres.

– Je connais ce lieu, dit Jason.

La louve le regarda. Elle ne parla pas, mais Jason la comprit. Les mouvements de ses oreilles et moustaches, les lueurs qui passaient dans ses yeux, sa façon de retrousser les babines... tout cela faisait partie de son langage.

Bien sûr, dit-elle. *C'est ici que tu as commencé ton voyage quand tu étais louveteau. À présent tu dois trouver le chemin du retour. Une nouvelle quête, un nouveau début.*

– Ce n'est pas juste, dit Jason, qui sut aussitôt qu'il ne servait à rien de se plaindre à la louve.

Les loups ignorent la compassion.

Conquérir ou mourir. Telle est notre loi, dit la louve.

Jason aurait voulu protester qu'il ne pouvait pas conquérir sans savoir qui il était, ni où il était censé aller. Mais il connaissait cette louve. Elle s'appelait simplement Lupa, la Mère Louve, la plus grande de son espèce. Il y a longtemps, elle l'avait trouvé en ce lieu, l'avait protégé, nourri, l'avait *choisi*, mais si Jason avait fait preuve de faiblesse, elle l'aurait taillé en pièces. Au lieu d'être son louveteau, il lui aurait servi de dîner. Dans la meute, la faiblesse était interdite.

– Peux-tu me guider ? demanda Jason.

Lupa émit un grondement qui venait du fond de sa gorge, et la brume qui occultait le bassin se dissipa.

Au début, Jason ne comprit pas bien ce que ses yeux lui montraient. À chaque extrémité du bassin, un flèche sombre avait jailli du sol de ciment comme la mèche d'une grosse

165

foreuse de tunnel perçant la surface. Jason ne savait pas si ces flèches étaient en pierre ou végétales, mais elles étaient composées d'épaisses vrilles entremêlées qui se rejoignaient en pointe au sommet. Elles faisaient toutes les deux un mètre cinquante, environ, mais à part ça, elles différaient. La plus proche de Jason était plus foncée et formait une masse solide, car ses vrilles étaient serrées les unes contre les autres. Sous ses yeux, elle se hissa davantage hors de terre et s'étala en largeur.

Du côté de Lupa, la flèche avait des vrilles plus écartées, comme les barreaux d'une cage. À l'intérieur, Jason distingua vaguement une silhouette brumeuse qui se débattait et remuait.

– Héra, souffla-t-il.

La louve grogna pour confirmer ses dires. Les autres loups tournèrent autour du bassin en grondant, le poil hérissé le long de l'échine.

L'ennemi a choisi ce lieu pour réveiller son fils le plus puissant, le roi géant, dit Lupa. *Notre lieu sacré, où les demi-dieux sont revendiqués – le lieu de la mort ou de la vie. La maison incendiée. La Maison du Loup. C'est abominable. Tu dois la contrecarrer.*

– Qui ça ? (Jason n'y comprenait rien.) Tu veux dire Héra ?

La louve montra les crocs avec un grognement impatient.

Réfléchis, petit. Je me moque bien de Junon, mais si elle tombe, notre ennemi s'éveillera. Et ce sera la fin pour nous tous. Tu connais ce lieu. Tu peux le retrouver. Nettoie notre maison. Mets fin à cela avant qu'il ne soit trop tard.

La flèche la plus sombre enfla lentement, comme le bulbe d'une fleur hideuse. Jason sentit que si jamais elle s'ouvrait, elle libérerait une créature qu'il ne souhaitait vraiment pas rencontrer.

– Qui suis-je ? demanda-t-il à la louve. Dis-moi ça, au moins.

Les loups n'ont pas un sens de l'humour très prononcé, mais il vit que la question amusait Lupa, comme si Jason était un jeune louveteau qui faisait ses griffes et s'entraînait à devenir un mâle dominant.

Tu es notre Grâce du ciel, bien sûr. (La louve retroussa les babines comme si elle venait de faire une plaisanterie particulièrement maligne.) *Tu n'as pas droit à l'échec, fils de Jupiter.*

14 JASON

J ason fut réveillé par un coup de tonnerre. Puis il se rappela
où il était. Les roulements de tonnerre, c'était la bande-son
du bungalow un.

Au-dessus de son lit de camp, le plafond en coupole était
décoré d'une mosaïque bleu et blanc qui dessinait un ciel nuageux. Les petits cubes des nuages se déplaçaient en travers du
plafond, passant du blanc au noir d'orage. Le ciel grondait et
les dés de mosaïque dorés étincelaient comme des éclairs.

À part le lit de camp que lui avaient apporté les autres pensionnaires, le bungalow n'était pas meublé : pas de sièges, pas
de table, pas de commode. À ce qu'en avait vu Jason, il n'y avait
pas de salle de bains. Des niches étaient aménagées dans les
murs et logeaient l'une un brasero de bronze, l'autre une statue représentant un aigle doré sur un socle de marbre. Au
centre de la pièce se dressait une statue de six mètres de haut :
Zeus en tenue grecque classique, le bouclier à portée de main,
brandissait un éclair, prêt à asséner ses foudres.

Jason examina la statue en cherchant ce qu'il pouvait avoir
comme ressemblance avec le seigneur du Ciel. Les cheveux
noirs ? Pas vraiment. L'expression ronchon ? Mouais, peut-être.
La barbe ? Non merci. Entre ses robes et ses sandales, Zeus avait
une dégaine de hippie baraqué très en colère.

Ah oui, le bungalow un. Quel honneur, lui avaient dit les autres pensionnaires. Bien sûr, si on aime dormir seul dans un temple sans chauffage, avec Zeus le Hippie qui vous toise de haut toute la nuit.

Jason se leva et se frotta la nuque. Il était raide de partout, après avoir si mal dormi et, surtout, après avoir invoqué la foudre. Le petit numéro de la veille n'avait pas été aussi facile à accomplir qu'il l'avait laissé croire. Il avait bien failli s'évanouir.

Des vêtements neufs étaient disposés au pied du lit de camp : un jean, des tennis et un tee-shirt orange de la Colonie des Sang-Mêlé. Il avait sacrément besoin de se changer, pourtant il était réticent à enlever son vieux tee-shirt violet tout déchiré. Son instinct lui criait de ne pas mettre celui de la colonie. Malgré tout ce que lui avaient dit les autres, il gardait le sentiment de ne pas être à sa place ici.

Il repensa à son rêve en espérant que d'autres souvenirs lui reviendraient, tant sur Lupa que sur la maison en ruine dans la forêt de séquoias. Il savait qu'il y était déjà allé. La louve était réelle. Mais ses efforts pour se souvenir ne firent que lui donner un violent mal de tête. Les marques qu'il avait sur l'avant-bras étaient brûlantes.

S'il parvenait à retrouver ces ruines, il retrouverait son passé. Quant à la chose qui poussait à l'intérieur de cette flèche de pierre, Jason devait l'arrêter, quelle qu'elle soit.

Il regarda Zeus le Hippie.

– Ton aide serait la bienvenue, dit-il.

La statue demeura de marbre.

– Merci p'pa ! grommela Jason.

Il se changea et regarda son reflet dans le bouclier de Zeus. Le métal donnait un aspect bizarre et flou à son visage, comme s'il se dissolvait dans une flaque d'or. Sûr qu'il n'avait pas la splendeur de Piper, après sa transformation !

Jason ne savait trop que penser de ce qui s'était passé la veille au soir. Il s'était comporté comme un imbécile en annonçant devant tout le monde que Piper était canon. Comme si elle n'était pas déjà ravissante avant ! Bien sûr, le coup de baguette d'Aphrodite l'avait rendue carrément resplendissante, mais ce n'était pas vraiment son style et elle avait l'air très mal à l'aise d'être brusquement le centre d'intérêt.

Jason avait eu de la peine pour elle. C'était peut-être dingue, vu qu'elle venait d'être reconnue par une déesse, qui avait fait d'elle la fille la plus belle de toute la colonie. Tout le monde s'était mis à lui lécher les bottes en lui disant qu'elle était magnifique et que c'était elle, bien sûr, qui devait se joindre à sa quête, mais cette attention n'avait rien à voir avec la personne qu'elle était véritablement. Une nouvelle robe, du maquillage, une aura rouge lumineuse et bingo : soudain les gens l'adoraient. Jason avait l'impression de comprendre ce qu'elle pouvait ressentir.

La veille, quand il avait invoqué la foudre, les réactions des pensionnaires lui avaient paru familières. Il était sûr de se confronter à ce genre d'attitudes depuis longtemps : des gens qui le regardaient avec crainte et respect parce qu'il était le fils de Zeus, pas du tout pour ce qu'il était. Tout le monde s'en fichait, de lui ; seul comptait son grand épouvantail de père qui se dressait derrière son dos en brandissant l'éclair de la fin du monde, l'air de dire : *Respecte mon môme ou je balance le jus !*

Après le feu de camp, lorsque les uns et les autres avaient pris le chemin de leurs bungalows, Jason était allé trouver Piper et lui avait demandé officiellement de l'accompagner dans la quête.

Elle était encore en état de choc mais avait fait oui de la tête, tout en se frottant les bras – elle devait avoir froid, dans cette robe sans manches.

– Aphrodite m'a taxé mon blouson de snowboard, avait-elle dit. Dépouillée par ma propre mère, tu y crois ?

Jason avait trouvé une couverture dans la première rangée de gradins et l'avait drapée sur ses épaules.

– On te trouvera un nouveau blouson, avait-il promis.

Elle s'était forcée à sourire, et il avait fait un effort pour se retenir de la prendre dans ses bras. Il ne voulait pas qu'elle pense qu'il était aussi superficiel que tous les autres : qu'il essayait de la draguer maintenant qu'elle était devenue superbe.

Il était heureux qu'elle parte en mission avec lui. Jason avait fait le courageux au feu de camp, mais c'était un air qu'il se donnait. En réalité, la perspective de s'attaquer à une force maléfique assez puissante pour enlever Héra le terrifiait, et ce, d'autant plus qu'il ignorait tout de son propre passé. Il allait avoir besoin d'aide, et la présence de Piper à ses côtés le rassurait. Pour le reste, les choses étaient déjà bien assez compliquées pour qu'il ne cherche pas à analyser à quel point elle lui plaisait, ni pourquoi. Il lui prenait assez la tête comme ça, inutile d'en rajouter.

Il enfila ses tennis neuves, prêt à sortir de ce bungalow froid et vide. Son regard tomba alors sur quelque chose qu'il n'avait pas remarqué la veille. On avait déplacé un brasero pour aménager un coin où dormir dans une alcôve : il y avait un petit matelas, un sac à dos et même des photos scotchées au mur.

Jason s'approcha. Quelqu'un avait dormi là mais ça remontait à longtemps. Le matelas sentait un peu le moisi et le sac à dos était couvert d'une fine couche de poussière. Certaines photos s'étaient décollées et traînaient par terre.

Sur l'une d'elles, on voyait Annabeth – beaucoup plus jeune, dans les huit ans, mais Jason la reconnut sans peine : les cheveux blonds et les yeux gris, la même expression distraite comme si elle pensait à un million de choses à la fois.

Elle était debout à côté d'un garçon de quatorze ou quinze ans aux cheveux cendrés et au sourire malicieux, qui portait une armure en cuir déchirée sur un tee-shirt. Il pointait du doigt vers une ruelle, derrière eux, comme pour dire au photographe : *Si on allait casser des monstres dans une ruelle sombre ?* Sur une autre photo, Annabeth et le même garçon étaient assis devant un feu de camp et riaient comme des baleines.

Jason ramassa ensuite une des photos qui était tombée par terre. C'était une bande de Photomaton, avec plusieurs poses : Annabeth et le garçon aux cheveux blonds cendrés, plus une autre fille entre eux deux. Celle-ci avait une quinzaine d'années, des cheveux noirs et hérissés comme ceux de Piper, un blouson de cuir noir et des bijoux en argent. Tout cela lui donnait un look un peu gothique, mais l'appareil l'avait saisie en plein éclat de rire et on voyait bien qu'elle était avec ses deux meilleurs amis.

– C'est Thalia, dit une voix.

Jason se retourna.

Annabeth se penchait par-dessus son épaule. Elle avait l'air triste, comme si les photos lui rappelaient des souvenirs difficiles.

– C'est l'autre enfant de Zeus qui a vécu ici, mais pas longtemps, dit-elle. Excuse-moi, j'aurais dû frapper.

– Pas de problème. Je me sens pas chez moi, dans ce bungalow, de toute façon.

Annabeth était en tenue de voyage. Elle portait un manteau d'hiver par-dessus ses vêtements de la colonie, son poignard à la ceinture et un sac à dos jeté sur l'épaule.

– Tu n'as pas changé d'avis, je suppose, tu ne viens pas avec nous ? demanda Jason.

Annabeth secoua la tête.

– Tu as une bonne équipe, déjà. Moi je pars à la recherche de Percy.

Jason fut un peu déçu. Il aurait bien aimé avoir avec lui quelqu'un qui sache ce qu'ils faisaient, pour ne pas avoir l'impression de mener Léo et Piper au casse-pipe.

– T'inquiète, tu t'en sortiras très bien, affirma Annabeth. Quelque chose me dit que ce n'est pas ta première quête.

Jason avait la vague impression qu'elle avait raison, mais ça ne le rassurait pas. Tout le monde semblait le trouver courageux et sûr de lui, sans se rendre compte qu'il se sentait en réalité complètement perdu. Comment pouvaient-ils lui faire confiance alors qu'il ignorait lui-même qui il était ?

Il regarda les photos d'Annabeth souriante et se demanda depuis combien de temps elle n'avait plus souri. Elle devait vraiment tenir à ce Percy pour le chercher avec une telle opiniâtreté. Jason se sentit un peu envieux. Y avait-il quelqu'un, quelque part, qui le cherchait en ce moment ? Et s'il y avait une fille qui tenait aussi fort à lui, Jason, et se rongeait d'inquiétude à son sujet, alors qu'il avait tout oublié de son ancienne vie ?

– Tu sais qui je suis, devina-t-il. N'est-ce pas ?

Annabeth saisit le manche de son poignard et chercha du regard une chaise où s'asseoir, mais il n'y en avait pas, bien sûr.

– Honnêtement, Jason... je ne sais pas trop. À vue de nez, je dirais que tu es un solitaire. Ça arrive. Pour une raison ou pour une autre, la colonie ne t'a jamais trouvé mais tu as survécu contre toute attente, en te déplaçant sans arrêt. Tu as appris tout seul à combattre. Tu as affronté les monstres tout seul. Tu es atypique.

– La première chose que Chiron m'a dite, se souvint Jason, c'est : « Tu devrais être mort. »

– C'est peut-être pour ça. La plupart des demi-dieux ne pourraient jamais survivre seuls. Et un enfant de Zeus, on peut pas faire plus dangereux que ça. Tes chances d'atteindre l'âge de quinze ans sans trouver la Colonie des Sang-Mêlé ni mourir, c'est du une sur un million. Mais comme je te disais, ça arrive. Thalia s'est sauvée de chez elle toute petite. Elle a survécu toute seule des années. Elle s'est même occupée de moi, à une époque. Alors tu es peut-être un solitaire, toi aussi.

– Et ces marques ? demanda Jason en tendant le bras.

Annabeth jeta un coup d'œil aux tatouages. Visiblement, ils la mettaient mal à l'aise.

– Eh bien l'aigle est le symbole de Zeus, donc ça, ça se tient. Les douze traits... ils représentent peut-être des années, si tu t'es mis à les faire à l'âge de trois ans. Quant à SPQR, c'est la devise de l'Empire romain : *Senatus Populusque Romanus,* le Sénat et le peuple de Rome. Maintenant, pourquoi l'inscrire au fer rouge sur ton bras, je ne vois pas trop.

Jason avait du mal à croire qu'il aurait pu vivre si longtemps en solitaire. Par ailleurs, Annabeth l'avait expliqué clairement : la Colonie des Sang-Mêlé était le seul endroit au monde où les demi-dieux ne risquaient rien.

– J'ai, euh, fait un rêve bizarre cette nuit, dit-il.

Il se sentait un peu bête à faire une pareille confidence, mais Annabeth n'en eut pas l'air étonnée.

– Ça arrive tout le temps aux demi-dieux. Qu'est-ce que tu as vu ?

Il lui parla des loups, de la maison en ruine et des deux flèches de pierre. Tandis qu'il racontait, Annabeth se mit à faire les cent pas, l'air de plus en plus inquiète.

– Tu ne te rappelles pas où est cette maison ? demanda-t-elle.

Jason fit non de la tête.

– Pourtant, dit-il, je suis sûr d'y être déjà allé.

– Des séquoias... Ça pourrait être en Californie du Nord. Et la louve... j'ai étudié les divinités, les esprits et les monstres toute ma vie, mais je n'ai jamais entendu le nom de Lupa.

174

– Elle a parlé de l'ennemi au féminin. J'ai pensé qu'il s'agissait peut-être d'Héra, mais...

– Je ne ferais pas confiance à Héra, mais je ne crois pas que ce soit notre ennemie. Et cette chose qui veut sortir de terre... (Le visage d'Annabeth s'assombrit.) Il faut que tu l'en empêches.

– Tu sais ce que c'est, hein ? En tout cas tu as une idée. J'ai vu ton expression, hier soir au feu de camp. Tu as regardé Chiron comme si tu venais de comprendre, mais que tu ne voulais pas nous faire peur.

Annabeth hésita.

– Jason, le problème, avec les prophéties, c'est que plus tu en sais, plus tu essaies de les changer, et ça peut avoir des conséquences catastrophiques. Chiron est convaincu qu'il vaut mieux que chacun trouve sa propre voie et découvre les choses à son heure. S'il m'avait dit tout ce qu'il savait avant que je me lance dans ma première quête avec Percy, je dois l'avouer, je ne suis pas certaine que j'aurais pu aller jusqu'au bout. Pour ta quête, c'est encore plus vrai.

– Ça craint tant que ça, hein ?

– Pas si tu réussis. En tout cas... j'espère que non.

– Mais je ne sais même pas par où commencer. Où suis-je censé aller ?

– Suis les monstres, suggéra Annabeth.

Jason réfléchit. L'esprit de la tempête qui l'avait attaqué au Grand Canyon avait dit que sa patronne le rappelait. Si Jason retrouvait la trace des esprits de la tempête, il pourrait remonter jusqu'à la créature qui les contrôlait. Peut-être que ça le mènerait à la prison d'Héra.

– D'accord, dit-il. Comment je fais pour trouver des vents d'orage ?

– Personnellement, je m'adresserais à un dieu du Vent, répondit Annabeth. Éole est le maître de tous les vents mais il

175

est un peu... imprévisible. C'est impossible de le trouver s'il ne le veut pas. J'essaierais un des quatre dieux des Vents saisonniers qui travaillent pour lui. Le plus proche, celui qui a eu le plus souvent affaire à des héros, c'est Borée, le Vent du Nord.

– Alors si je le cherche sur Google Maps...

– Oh, il est pas si dur à trouver ! Il s'est établi en Amérique du Nord, comme tous les autres dieux. Alors bien sûr, il a choisi l'implantation humaine à la fois la plus ancienne et la plus au nord possible.

– Le Maine ? demanda Jason.

– Plus loin.

Jason essaya de se représenter mentalement la carte. Qu'est-ce qu'il y avait, au nord du Maine ? La plus ancienne implantation humaine d'Amérique du Nord...

– Le Canada, trouva-t-il. Le Québec.

Annabeth sourit.

– J'espère que tu parles français.

Jason ressentit une bouffée d'excitation. Le Québec. Il avait un but, maintenant. Trouver le Vent du Nord, traquer les esprits de la tempête, découvrir pour qui ils travaillent et où se trouve cette maison en ruine. Libérer Héra. Le tout en quatre jours. Les doigts dans le nez.

– Merci, Annabeth, dit-il. (Il regarda les Photomaton, qu'il avait encore à la main.) Alors, euh... tu as dit que c'était dangereux d'être un enfant de Zeus. Qu'est-ce qu'elle est devenue, Thalia ?

– Oh, elle va bien. Elle a rejoint les Chasseresses d'Artémis. Ce sont les servantes de la déesse. Elles parcourent le pays en tuant des monstres. On ne les voit pas très souvent à la colonie.

Jason jeta un coup d'œil à l'immense statue de Zeus. Il comprenait pourquoi Thalia s'était installée dans cette alcôve : c'était le seul endroit du bungalow où on n'était pas dans le champ de vision de Zeus le Hippie. Mais ça n'avait pas suffi.

Elle avait préféré suivre Artémis et faire partie d'un groupe, plutôt que de rester dans ce temple froid et plein de courants d'air, seule avec son père – *le père de Jason* – qui la toisait du haut de ses six mètres. *Attention, j'envoie le jus !* Jason n'avait aucun mal à comprendre les sentiments de Thalia. Il se demanda s'il existait un groupe de Chasseurs, pour les garçons.

– C'est qui, l'autre gars sur la photo ? s'enquit-il. Le blond ?

Le visage d'Annabeth se crispa légèrement. Sujet délicat.

– C'est Luke, répondit-elle. Il est mort, maintenant.

Jason préféra ne pas poser davantage de questions, mais à cause de la façon dont Annabeth avait prononcé le nom de Luke, il songea que Percy Jackson n'était peut-être pas le seul garçon qu'Annabeth avait aimé dans sa vie.

Il reporta son attention sur le visage de Thalia. Il ne pouvait s'empêcher de penser que cette photo était importante. Quelque chose lui échappait.

Jason se sentait étrangement proche de cet autre enfant de Zeus – c'était quelqu'un qui pourrait comprendre la confusion dans laquelle il se trouvait, peut-être même répondre à certaines de ses questions. Mais une autre voix à l'intérieur de lui-même, un murmure insistant, lui répétait : *C'est dangereux. Pas touche.*

– Elle a quel âge, maintenant ? demanda-t-il.

– C'est dur à dire. Elle a été changée en arbre à un moment donné, et maintenant elle est immortelle.

– Quoi ? s'exclama Jason.

Son expression devait valoir son pesant de cacahouètes, car Annabeth éclata de rire.

– T'inquiète pas, ça n'arrive pas à tous les enfants de Zeus. C'est une longue histoire, mais... tout ça pour dire qu'elle est restée hors-service longtemps. Si elle avait grandi normalement, elle aurait dans les vingt ans, maintenant, alors qu'en fait elle a gardé le même aspect que sur cette photo. Elle fait dans les... ben à peu près ton âge. Quinze ou seize ans ?

Sans qu'il sache quoi au juste, quelque chose dans les paroles de Lupa, la louve du rêve, tracassait Jason. Il se surprit à demander :

– C'est quoi, son nom de famille ?

Annabeth parut mal à l'aise.

– Elle n'aimait pas se servir d'un nom de famille. Si elle était obligée, elle prenait celui de sa mère, mais elles ne s'entendaient pas, toutes les deux. Thalia a fugué assez petite de chez elle.

Jason attendit.

– Grace, dit Annabeth. Thalia Grace.

Les doigts de Jason s'engourdirent et la photo lui échappa.

– Ça va ? demanda Annabeth.

Un fragment de mémoire s'était ravivé – un élément minuscule qu'Héra avait oublié de voler, peut-être. Ou, pire, qu'elle lui avait laissé à dessein : pour qu'il se souvienne juste de ce nom et comprenne qu'exhumer son passé serait terriblement dangereux.

« Tu devrais être mort », avait déclaré Chiron. Ce n'était pas une façon de dire que Jason était un solitaire atypique. Chiron savait quelque chose de spécifique sur la famille de Jason.

Les paroles que la louve avait prononcées dans son rêve, sa petite blague, surtout, prenaient enfin un sens. Jason imagina Lupa se fendre d'un rire tout en crocs.

– Qu'est-ce qu'il y a ? insista Annabeth.

Il ne pouvait pas garder le secret, ça le tuerait. Il avait besoin de l'aide d'Annabeth ; si elle connaissait Thalia, elle saurait peut-être le conseiller.

– Il faut que tu me jures de ne le dire à personne, dit-il.

– Jason...

178

– Jure-le. Jusqu'à ce que j'aie compris ce qui se passe, ce que signifie tout ça. (Il frotta les tatouages gravés au fer rouge sur son bras.) Il faut que tu gardes le secret.

Annabeth hésita, mais la curiosité l'emporta.

– D'accord, tant que tu ne m'en auras pas donné la permission, je n'en parlerai à personne. Je le jure sur le Styx.

Le tonnerre gronda, encore plus fort que d'habitude dans ce bungalow.

Tu es notre Grâce du ciel, avait ricané la louve.

Jason ramassa la photo.

– Mon nom de famille est Grace, dit-il. Thalia est ma sœur.

Annabeth blêmit. Jason lut sur son visage qu'elle luttait contre le désarroi, l'incrédulité et la colère. Elle pensait qu'il mentait. Comment pouvait-il prétendre une chose pareille ? Il n'était pas loin d'être d'accord avec elle, pourtant à peine avait-il prononcé cette phrase qu'il sut avec certitude que c'était la vérité.

À ce moment-là, les portes du bungalow s'ouvrirent brutalement. Une demi-douzaine de pensionnaires déferlèrent, menés par Butch, le fils chauve d'Iris. Jason ne sut pas déchiffrer son expression : était-ce de l'excitation – ou de la peur ?

– Dépêchez-vous ! s'écria Butch. Le dragon est revenu.

15   PIPER

L a première chose que fit Piper en se réveillant consista à attraper un miroir. Ce n'était pas ce qui manquait dans le bungalow d'Aphrodite. Elle se redressa sur son lit, regarda son reflet et grogna.

Elle était toujours sublime.

La veille, après le feu de camp, elle avait tout essayé : emmêlé ses cheveux, retiré le maquillage, pleuré pour faire rougir ses yeux. Rien n'avait marché. Ses cheveux s'étaient remis gracieusement en place. Le maquillage magique était revenu. Ses yeux refusaient de rougir ou de gonfler.

Elle aurait bien aimé se changer, mais elle n'avait pas d'autres vêtements. Les pensionnaires d'Aphrodite avaient proposé de lui prêter des affaires (en riant dans son dos, elle en était sûre) mais leurs tenues étaient encore plus ridiculement à la mode que ce qu'elle portait.

Et maintenant, après une nuit abominable, toujours pas le moindre changement. En temps normal, Piper avait l'air d'un zombie au réveil, mais là sa peau était impeccable et ses cheveux coiffés comme ceux d'une top model. Même cet horrible bouton à la base de son nez, qu'elle avait depuis plusieurs jours et qu'elle avait fini par surnommer Bob, avait disparu.

180

Elle poussa un grognement exaspéré et se passa les doigts dans les cheveux. Rien à faire, les mèches retombèrent parfaitement autour de son visage. Elle avait l'air de la Barbie cherokee.

Drew lui lança, de l'autre bout du bungalow :

– Oh ça va pas partir, ma chérie ! (Sa voix dégoulinait de fausse compassion.) La bénédiction de maman va durer encore une journée, au moins. Peut-être même une semaine, si tu as de la chance.

– Une *semaine* ?

Piper grimaça. Les autres enfants d'Aphrodite, une douzaine de filles et cinq garçons, rirent en douce. Piper savait qu'elle devait rester zen pour ne pas donner prise à leurs railleries. Elle avait eu affaire à ce genre d'ados superficiels plein de fois. Mais là, c'était différent. C'étaient ses frères et sœurs, même si elle n'avait absolument rien en commun avec eux – soit dit en passant, comment Aphrodite avait-elle fait pour avoir tant d'enfants d'âge si rapproché, mieux valait ne pas le savoir.

T'inquiète pas, ma puce. (Drew tamponna son rouge à lèvres fluo.) Tu as l'impression de ne rien avoir à faire ici ? On est tout à fait d'accord avec toi. Pas vrai, Mitchell ?

Un des garçons tressaillit.

– Euh, ouais, bien sûr.

– Hmm, hmm. (Drew sortit son mascara et fit une retouche à ses cils. Les autres la regardaient sans oser dire un mot.) Bon, les gars, plus qu'un quart d'heure avant le petit déj'. Le ménage va pas se faire tout seul ! Mitchell, je crois que t'as bien compris, maintenant, hein, mon chou ? Donc tu es de corvée de poubelles aujourd'hui seulement. Montre à Piper ce qu'il faut faire, parce que j'ai l'impression qu'elle devra s'y coller souvent – si elle survit à sa fameuse quête. Maintenant au travail, tout le monde ! C'est mon tour de salle de bains.

Les Aphrodite se mirent aussitôt à ranger, faire les lits et plier les vêtements, tandis que Drew, armée de sa trousse de toilette et de son sèche-cheveux, s'engouffrait dans la salle de bains.

On entendit un cri étouffé, puis une fille d'environ onze ans déboula, les cheveux encore pleins de shampoing, drapée à la hâte dans une serviette.

La porte claqua derrière elle et la gamine éclata en sanglots. Deux pensionnaires plus âgés la consolèrent et lui essuyèrent les cheveux.

– Sérieux ? fit Piper sans s'adresser à personne en particulier. Vous laissez Drew vous traiter comme ça ?

Quelques jeunes lui jetèrent des regards inquiets qui laissaient supposer qu'ils étaient plutôt de son avis, mais ils ne dirent rien.

Les pensionnaires s'activaient toujours, même si Piper ne voyait pas ce qu'ils pouvaient bien trouver à nettoyer. Leur bungalow était une maison de poupée grandeur nature, avec ses murs roses et ses fenêtres bordées d'un liseré blanc. Les rideaux de dentelles étaient dans des tons de bleu et vert pastel, assortis bien sûr aux draps et aux couettes.

Les garçons avaient leur rangée de lits de camp séparée par un rideau, mais leur partie du bungalow était aussi propre et bien rangée que celle des filles. Ça faisait vraiment un drôle d'effet. Au pied de chaque lit, il y avait un coffre en bois qui portait le nom de son propriétaire en lettres peintes et, de ce que Piper put apercevoir, les vêtements y étaient soigneusement pliés et agencés par couleur.

La seule note personnelle résidait dans la décoration du coin de chacun. Ils avaient épinglé des photos des vedettes qui les faisaient rêver, selon leurs goûts. Certains avaient aussi affiché des photos de leurs proches, mais il y avait une grande majorité de chanteurs et d'acteurs.

Piper redouta soudain de voir *L'Affiche*. Pourvu que non ! Le film était sorti depuis un an, tout le monde devait avoir retiré les vieux posters pour les remplacer par d'autres plus récents. Eh non, pas de chance... Elle en repéra un sur le mur qui bordait le grand placard, au milieu d'un collage d'acteurs et de chanteurs célèbres.

Le titre s'étalait en lettres rouge vif : *LE ROI DE SPARTE*. En dessous, on voyait l'acteur principal pris de trois quarts, torse nu, des pectoraux sculpturaux, des abdos choco, la peau cuivrée. Il ne portait qu'une jupette grecque de combat et une cape rouge, et brandissait une épée. Il avait l'air de s'être frictionné le corps d'huile, ses cheveux noirs luisaient et des filets de sueur coulaient sur son visage rude aux yeux tristes et sombres qui semblaient dire : *Je vais tuer vos hommes et vous piquer vos femmes ! Na !*

C'était l'affiche la plus ridicule de tous les temps. Piper et son père avaient bien ri quand ils l'avaient vue pour la première fois. Et puis le film avait explosé le box-office. L'affiche avait fleuri partout. Piper ne pouvait pas y échapper : à l'école, dans la rue, et même sur Internet. C'était devenu *L'Affiche*, le truc le plus embarrassant de sa vie. Et, oui, c'était une photo de son père.

Elle détourna la tête pour que personne ne croie qu'elle la regardait. Peut-être que quand tout le monde serait parti prendre le petit déjeuner, elle pourrait la déchirer sans qu'ils s'en aperçoivent.

Elle essaya de paraître occupée, mais elle n'avait pas de vêtements de rechange à plier. Elle fit son lit et s'aperçut que sa couverture du dessus était celle que Jason lui avait mise sur les épaules la veille. Elle la prit entre ses mains et la porta à son visage. Elle n'y sentit pas l'odeur du garçon, malheureusement, seulement celle du feu de bois. Jason était l'unique personne à avoir fait preuve de gentillesse sincère à son égard après qu'elle eut été reconnue, comme s'il s'intéressait à ce qu'elle ressentait, pas juste à son accoutrement pitoyable. Elle avait eu très envie de l'embrasser, mais elle lui avait trouvé l'air terriblement gêné, comme s'il avait peur d'elle, ou presque. Elle ne pouvait pas le lui reprocher, vu le halo rouge dont elle était nimbée.

– Excuse-moi, fit une petite voix à ses pieds.

Mitchell, le garçon qui était de corvée de poubelle, rampait à quatre pattes pour ramasser des emballages de chocolat et des petits mots roulés en boule qui traînaient sous les lits. Visiblement, les enfants d'Aphrodite n'étaient pas tous des maniaques de l'ordre.

Elle s'écarta de son passage en lui demandant :

– Qu'est-ce que tu as fait pour mettre Drew en colère ?

Il jeta un coup d'œil à la porte de la salle de bains pour vérifier qu'elle était toujours fermée.

– Hier, quand tu as été revendiquée, j'ai dit que t'étais peut-être pas si reloue que ça.

Ce n'était pas le compliment du siècle, mais Piper en fut sidérée. Un Aphrodite avait pris sa défense ?

– Merci, dit-elle.

Mitchell haussa les épaules.

– Ouais, ben tu vois ce que ça m'a valu. Enfin, bienvenue au bungalow dix...

Une fille qui avait des couettes blondes et un appareil dentaire s'approcha à petits pas pressés, une pile de vêtements entre les bras. Elle jetait des regards furtifs de-ci, de-là comme si elle livrait du matériel nucléaire.

– Je t'ai apporté ça, murmura-t-elle.

– Piper, dit Mitchell, qui crapahutait toujours au sol, je te présente Lacy.

– Salut, dit Lacy en haletant. Tu peux te changer, tu sais. La bénédiction ne va pas t'en empêcher. C'est juste un sac à dos, quelques rations, de l'ambroisie et du nectar en cas d'urgence, des jeans, quelques tee-shirts de rechange et une veste chaude. Les chaussures seront peut-être un peu serrées. Mais... on a racheté une collection. Bonne chance pour ta quête !

Lacy jeta le tout sur le lit et tournait déjà les talons quand Piper l'attrapa par le bras.

– Attends ! Laisse-moi au moins te remercier ! Pourquoi tu te sauves ?

Lacy semblait à deux doigts de craquer.

– Ben c'est-à-dire..., fit-elle d'une voix tendue.

– Elle a peur que Drew sache qu'elle t'a aidée, expliqua Mitchell.

– Elle pourrait me faire porter les grolles de la honte ! glapit Lacy.

– Les quoi ? demanda Piper.

Lacy et Mitchell pointèrent tous les deux du doigt vers une étagère noire montée dans le coin de la pièce, tel un autel. Y trônait une paire de chaussures d'infirmière blanches à la semelle épaisse. Absolument hideuses.

– J'ai dû les porter une semaine entière, une fois, gémit Lacy. Elles ne vont avec rien !

– Et il y a pire que ça, comme punition, ajouta Mitchell. Drew sait enjôler, tu sais ? Il n'y a pas beaucoup d'enfants d'Aphrodite qui ont ce pouvoir. Drew, si elle s'applique, peut te faire faire des choses vraiment gênantes. Jusqu'à hier, Piper, quand tu lui as tenu tête, ça faisait longtemps que je n'avais pas vu quelqu'un capable de lui résister.

– Enjôler... (Piper repensa à la façon dont l'assemblée des pensionnaires, la veille autour du feu de camp, avait penché tantôt en sa faveur, tantôt en celle de Drew, sans arriver à trancher.) Tu veux dire, la capacité à convaincre quelqu'un de faire quelque chose. Ou de t'offrir quelque chose. Une voiture, par exemple ?

185

– Ne donne pas d'idées à Drew ! s'écria Lacy.

– Mais ouais, confirma Mitchell, elle en serait capable.

– Alors c'est pour ça qu'elle est votre conseillère en chef, dit Piper. Elle vous a tous convaincus.

Le garçon ramassa une grosse boulette de chewing-gum qui traînait sous le lit de Piper.

– Nan, elle a hérité de cette fonction à la mort de Silena Beauregard. Drew était la plus âgée après Silena. Le poste de conseiller en chef revient automatiquement à l'aîné du bungalow, sauf si quelqu'un qui a plus d'années d'ancienneté et plus de missions à son actif veut lui lancer un défi. Dans ce cas-là, ils doivent se battre en duel. Mais ça n'arrive quasiment jamais. Enfin, bref, on se coltine Drew depuis le mois d'août. Et elle a décidé d'apporter des changements, comme elle dit, à la façon dont ça se passe chez nous.

– Exactement !

Drew, qui avait surgi sans bruit, s'appuya contre le montant du lit. Lacy poussa un couinement de cochon d'Inde et voulut s'enfuir, mais Drew tendit le bras pour lui barrer le chemin. Elle baissa les yeux vers Mitchell.

– Je crois que tu as laissé des saletés, mon chéri. Tu devrais repasser un petit coup.

Piper jeta un coup d'œil vers la salle de bains et vit que Drew avait renversé la poubelle par terre – et il y avait des trucs pas très ragoûtants...

Mitchell s'accroupit. Il fusilla Drew du regard, l'air prêt à l'attaquer – Piper aurait payé cher pour voir ça –, mais il se contenta de répondre sèchement :

– D'accord.

Drew sourit.

– Tu vois, Piper, ma choute, on est un bungalow sympa, ici. Une famille unie ! Mais Silena Beauregard... son exemple devrait te servir de leçon. Elle livrait des renseignements à

Cronos en cachette, pendant la guerre des Titans, elle aidait l'ennemi.

Drew avait l'air toute gentille et innocente, avec son maquillage rose à paillettes, son joli sourire, son brushing aérien et son délicat parfum de muscade. Une ado jolie et sympa, comme il y en a dans tous les lycées. Mais ses yeux étaient froids et durs. Piper eut l'impression qu'elle plongeait droit dans son âme et lui extirpait ses secrets.

Elle aidait l'ennemi.

– Oh, poursuivit Drew, personne n'en parle dans les autres bungalows. Ils prétendent tous que Silena était une héroïne.

– Elle a sacrifié sa vie pour réparer, grommela Mitchell. C'était une héroïne.

– Ouais, ouais. Une journée de corvée de poubelles de plus, Mitchell, asséna Drew. Tourne-le comme tu veux, Silena avait perdu de vue l'optique qui est la nôtre dans ce bungalow. Ce qu'on fait, nous, c'est qu'on branche des pensionnaires qui sont bien assortis. Et après, une fois qu'ils sont ensemble, on brise les couples et on recommence ! Il y a rien de plus marrant. Les guerres et les quêtes, c'est pas pour nous. Moi, c'est sûr que je ne suis jamais partie en mission. C'est une vraie perte de temps !

Lacy leva timidement la main.

– Mais hier soir tu as dit que tu voulais partir...

Drew la gratifia d'un regard noir et la voix de Lacy s'étrangla dans sa gorge.

– Et surtout, continua Drew, pas question de laisser des espions salir notre image. T'es pas d'accord, Piper ?

Cette dernière voulut répondre, mais s'en trouva incapable. Drew ne pouvait franchement pas être au courant de ses rêves ou de l'enlèvement de son père, si ?

– Tu t'en vas, c'est dommage, reprit Drew. Mais si tu survis à ta petite quête, t'inquiète pas, je te trouverai quelqu'un.

Peut-être un de ces immondes fils d'Héphaïstos. Ou alors Clovis ? Il est assez répugnant. (Elle toisa Piper avec un mélange de pitié et de dégoût.) Honnêtement, je croyais qu'Aphrodite ne pouvait pas avoir de laideron, mais là... c'est qui, ton père ? C'était un mutant ou quoi ?

– Tristan McLean, lâcha Piper d'un ton sec. (Elle s'en voulut aussitôt. Piper ne frimait jamais, jamais, sous prétexte qu'elle était la fille d'un acteur célèbre. Mais Drew l'avait trop cherchée.) Mon père, c'est Tristan McLean.

Le silence impressionné qui suivit fut agréable pendant quelques secondes, puis Piper se sentit gênée. Toutes les têtes se tournèrent vers *L'Affiche* où son père exhibait ses muscles au monde entier.

– Pu-rée ! s'exclamèrent la moitié des filles en même temps.

– Sympa ! dit un des garçons. C'est le mec à l'épée qui tue l'autre type dans le film ?

– Il est trop sexy pour un vieux ! dit une fille, qui rougit aussitôt. Excuse-moi, je sais que c'est ton père, mais ça fait tellement bizarre !

– Ouais, ça fait bizarre, acquiesça Piper.

– Tu crois que tu pourrais m'avoir son autographe ? demanda une autre fille.

Piper se força à sourire. Elle ne pouvait pas répondre : *Si mon père survit...*

– Ouais, pas de problème, dit-elle avec un effort.

La fille couina, toute contente, et d'autres pensionnaires se pressèrent autour de Piper et la bombardèrent de questions.

– T'as déjà été sur un tournage ?

– T'habites dans un hôtel particulier ?

– Tu as déjà accompli ton rite de passage ?

– Mon rite de quoi ? demanda Piper, désarçonnée.

Les Aphrodite se donnèrent des coups de coude en poussant des petits gloussements comme si c'était un sujet embarrassant.

– Le rite de passage pour un enfant d'Aphrodite, expliqua l'un d'eux. Tu t'arranges pour que quelqu'un tombe amoureux de toi et puis tu lui brises le cœur. Tu le plaques. Une fois que tu as fait ça, tu as prouvé que tu étais digne d'Aphrodite.

Piper regarda ses frères et sœurs en se demandant s'ils plaisantaient.

– Briser le cœur de quelqu'un délibérément ? C'est horrible !

Ils eurent tous l'air décontenancés.

– Pourquoi ? demanda un garçon.

– Oh mon Dieu ! s'exclama une fille. Je parie qu'Aphrodite a brisé le cœur de ton père ! Il n'a jamais aimé personne d'autre, hein ? Ce que c'est romantique ! Quand tu auras accompli ton rite de passage, tu pourras faire comme maman !

– Laisse tomber ! cria Piper, un peu plus fort qu'elle ne l'aurait voulu. (Les autres s'écartèrent un peu.) Je n'ai pas l'intention de briser le cœur de qui que ce soit rien que pour un stupide rite de passage !

Ce qui bien sûr donna à Drew une ouverture pour tenter de reprendre la main.

– Eh bien voilà ! interrompit-elle. Silena disait la même chose. Elle a rompu avec la tradition, elle est tombée amoureuse de ce Beckendorf et est *restée* amoureuse. Si tu veux mon avis, c'est pour ça qu'elle a mal fini.

– C'est pas vrai ! protesta Lacy d'une voix stridente, mais une fois de plus, Drew la réduisit au silence d'un seul regard.

– C'est pas grave, Piper, continua Drew, parce que tu aurais du mal à briser le cœur de qui que ce soit, mon chou, de toute façon. Et ton délire que tu es la fille de Tristan McLean... C'est tellement évident que tu cherches juste à te faire remarquer.

Certains Aphrodite froncèrent les sourcils, l'air perplexe.

– Tu veux dire que c'est pas son père ? fit l'un d'eux.

Drew roula des yeux.

– Franchement, les gars... ! Bon, c'est l'heure du petit déj'
et Piper doit partir pour sa petite quête. Alors on va l'aider à
faire son sac et la mettre dehors !

Drew dispersa le groupe et assigna des tâches à chacun. Elle
les appelait « ma puce » et « mon chou », mais son ton disait
clairement qu'il fallait lui obéir au doigt et à l'œil. Mitchell et
Lacy aidèrent Piper à faire ses bagages. Ils gardèrent même la
porte de la salle de bains pendant qu'elle se changeait. Les vêtements qu'on lui avait donnés n'avaient rien d'extraordinaire,
heureusement : un jean usé, un tee-shirt, une veste d'hiver
confortable et des chaussures de randonnée qui lui allaient
parfaitement. Piper attacha Katoptris, son poignard, à sa
ceinture.

Lorsqu'elle ressortit, elle avait l'impression d'être redevenue normale, ou presque. Les autres pensionnaires se tenaient
chacun devant son lit pendant que Drew allait de l'un à l'autre
pour sa tournée d'inspection. Piper chercha du regard Mitchell
et Lacy et articula silencieusement le mot *Merci*. Mitchell hocha
gravement la tête tandis que Lacy souriait de toutes ses dents
baguées. Piper songea que Drew ne les avait sans doute jamais
remerciés pour quoi que ce soit. Elle remarqua que l'affiche du
Roi de Sparte avait été chiffonnée et jetée à la corbeille. Ça la
mit en rage, alors qu'elle avait eu l'intention de la retirer du
mur elle-même.

À ce moment-là, Drew l'aperçut et se mit à applaudir.

– Très jolie ! railla-t-elle. Notre aventurière s'est trouvé une
nouvelle tenue de derrière la benne à ordures ! Pas la peine de
déjeuner avec nous, hein, t'as qu'à partir tout de suite. Bonne
chance, surtout !

Piper passa la bandoulière de son sac sur l'épaule. Elle se
dirigea vers la porte, consciente que tous les regards la suivaient. Le plus facile, ça aurait été de laisser tomber, de les
ignorer et de s'en aller. Qu'est-ce qu'elle en avait à faire, de ce

bungalow et de ces ados plus superficiels les uns que les autres ?

Sauf que certains d'entre eux avaient essayé de l'aider. Certains avaient même tenu tête à Drew pour la défendre.

Arrivée sur le seuil, Piper se retourna.

– Vous savez, dit-elle, vous n'êtes pas tous obligés d'obéir aux ordres de Drew.

Les Aphrodite piétinèrent sur place nerveusement. Certains jetèrent un regard oblique à Drew, qui était trop stupéfaite pour réagir.

– Euh..., fit l'un d'eux, c'est notre conseillère en chef.

– C'est un tyran, rectifia Piper. Vous êtes capables de penser par vous-mêmes. Être enfant d'Aphrodite, ça doit signifier autre chose que *juste ça*.

– Autre chose que juste ça, répéta un des jeunes.

– Penser par nous-mêmes, murmura un autre.

– Soyez pas idiots, les gars ! cria Drew. Vous voyez bien qu'elle vous enjôle.

– Non, dit Piper, je dis juste la vérité.

En tout cas, c'est ce qu'elle croyait. Elle ne comprenait pas vraiment comment marchait ce fameux don d'enjôlement mais elle n'avait pas l'impression d'insuffler un pouvoir particulier dans ses paroles. Elle n'aimait pas l'idée de l'emporter dans une discussion juste parce qu'elle savait embobiner. Elle ne valait pas mieux que Drew, si c'était ça. En plus, même si elle essayait d'enjôler, elle avait l'impression que ça ne marcherait pas avec une autre enjôleuse comme Drew.

Laquelle la toisa dédaigneusement.

– Tu as peut-être un peu de pouvoir, miss Cinéma, lança-t-elle. N'empêche que tu ne sais rien de rien sur Aphrodite. Si tu as de si bonnes idées, tu peux leur dire un peu ce que ce bungalow est censé représenter ? Dis-leur donc ! Et moi je leur apprendrai peut-être deux ou trois choses à ton sujet, hein ?

Piper aurait aimé faire une repartie cinglante, mais sa colère se mua en peur panique. Elle était espionne à la botte de l'ennemi, tout comme Silena Beauregard. Traître à Aphrodite. Drew le savait, ou elle bluffait ? Sous le regard méprisant de la tyrannique conseillère en chef des Aphrodite, Piper sentit son assurance s'effriter.

– Autre chose que ça, balbutia-t-elle. Aphrodite représente autre chose que ça.

Elle tourna les talons et sortit en trombe, avant que les autres puissent voir qu'elle avait viré rouge tomate.

Drew éclata de rire dans son dos.

– *Autre chose que ça* ? Vous entendez, les gars ? Elle sait pas de quoi elle parle, la pauvre fille !

Piper, refoulant ses larmes d'un battement de paupières, se jura de ne jamais remettre les pieds dans ce bungalow. Elle déboula sur la pelouse centrale en se demandant ce qu'elle allait faire – et c'est alors que le dragon piqua du ciel.

16 PIPER

– Léo ? cria Piper.

Et oui, c'était bien lui, perché sur un gigantesque engin de mort en bronze, qui souriait comme un dément. Avant même qu'il atterrisse, l'alarme de la colonie se déclencha. Le son d'une conque retentit. Les satyres se mirent tous à hurler : « Ne me tue pas ! » La moitié des pensionnaires sortirent de leurs bungalows, une armure passée à la hâte sur leurs pyjamas. Le dragon se posa au beau milieu de la pelouse et Léo cria :

– C'est bon ! Tirez pas !

Les archers abaissèrent leurs arcs à contrecœur. Les guerriers reculèrent de quelques pas, mais gardèrent leurs lances et leurs épées à la main. Ils formèrent un large cercle autour du monstre de métal. D'autres demi-dieux restaient cachés derrière les portes de leurs bungalows ou regardaient furtivement par les fenêtres. Personne n'avait l'air pressé de s'approcher.

Piper comprenait cette méfiance. Le dragon était absolument énorme. Il rutilait sous les premiers rayons du soleil comme une sculpture vivante en bronze et cuivre. Vingt mètres de long, des griffes d'acier, des crocs puissants, des yeux rouge rubis. Il avait des ailes de chauve-souris deux fois plus longues que son corps, déployées comme des voiles de métal, qui tintaient à chaque battement comme une machine à sous crachant un flot de pièces.

– Quelle merveille, murmura Piper, et les autres demi-dieux la regardèrent comme si elle avait perdu la raison.

Le dragon bascula la tête en arrière et projeta une colonne de flammes dans le ciel. Les pensionnaires s'écartèrent précipitamment et levèrent leurs armes, mais Léo se laissa tranquillement glisser à terre. Il mit les mains en l'air comme s'il se rendait, sauf qu'il arborait toujours son sourire extatique.

– Habitants de la planète Terre, je viens en paix ! cria-t-il.

Il avait l'air de s'être roulé dans le feu de camp. Son blouson de l'armée et son visage étaient noirs de suie, ses mains couvertes de taches de graisse. Il portait une nouvelle ceinture à outils autour de la taille. Il avait les yeux rouges, les cheveux si gras qu'ils se dressaient sur sa tête comme des piquants de porc-épic, et il dégageait une surprenante odeur de Tabasco. Malgré tout ça, il rayonnait.

– Festus voulait juste dire bonjour ! dit-il joyeusement.

– Cet engin est dangereux ! rétorqua une Arès en brandissant sa lance. Tuons-le tout de suite !

– Arrière ! ordonna une voix.

À la grande surprise de Piper, c'était Jason. Il fendit la foule, flanqué d'Annabeth et de Nyssa, la fille du bungalow d'Héphaïstos.

Jason leva les yeux sur le dragon et secoua la tête avec stupéfaction.

– Léo, demanda-t-il, qu'est-ce que tu as fait ?

– J'ai trouvé un moyen de transport ! Tu as dit que je pourrais participer à la quête si je trouvais un transport. Eh ben je t'ai dégoté une méchante bestiole volante en métal de première bourre ! Festus peut nous emmener n'importe où !

– Il... il... a des ailes, bafouilla Nyssa, dont la mâchoire menaçait de se décrocher.

194

– Ouais ! Je les ai trouvées et les ai rattachées, expliqua Léo.

– Mais il n'a jamais eu d'ailes ! Où tu les as trouvées ?

Léo hésita et Piper comprit qu'il cachait quelque chose.

– Dans... les bois. J'ai réparé ses circuits aussi, les principaux, disons, donc il ne risque plus de s'emballer.

– Les principaux ?

Le dragon donna un petit coup de tête sur le côté et un liquide noir – de l'huile de moteur, sans doute, ou du moins fallait-il espérer que ce ne soit rien de plus grave – s'échappa de son oreille et aspergea Léo, qui répondit :

– Il reste juste quelques petits réglages à faire.

– Mais comment as-tu survécu... (Nyssa regardait toujours la créature de métal avec crainte.) Je veux dire... il crache du feu...

– Je suis un rapide, dit Léo. Et j'ai de la chance. Bon, alors, j'y participe, à cette quête, ou quoi ?

Jason se gratta la tête.

– Tu l'as appelé Festus ? Tu sais qu'en latin, *festus* veut dire « joyeux » ? Tu veux qu'on parte sauver le monde sur le dos de Joyeux Dragon ?

L'intéressé gigota et battit des ailes.

– Voilà ta réponse, mec, dit Léo, c'est oui ! Maintenant, les gars, je serais d'avis qu'on se mette en route. J'ai déjà pris du matos dans le... euh, dans le bois. Tous ces gens armés, ça énerve Festus.

Jason fronça les sourcils.

– Mais nous n'avons encore rien planifié. On peut pas...

– Allez-y, intervint Annabeth. (C'était la seule qui ne paraissait pas inquiète du tout. Elle avait une expression triste et mélancolique, comme si cet instant lui ramenait une période plus heureuse en mémoire.) Il ne te reste plus que trois jours d'ici au solstice, Jason, et il ne faut jamais faire attendre un dragon qui s'énerve. Sa présence ne peut être que de bon augure. Pars !

Jason hocha la tête. Puis il se tourna vers Piper et lui sourit.

– Tu es prête, camarade ?

Piper regarda les ailes de bronze du dragon, étincelantes contre le bleu du ciel, et ses griffes qui pouvaient la réduire en charpie.

– Un peu, que je suis prête !

Voler à dos de dragon, c'était une sensation d'une intensité extraordinaire.

L'air, en altitude, était glacial, mais la carapace du dragon produisait une telle chaleur qu'ils avaient l'impression de voyager dans une bulle protectrice. Le top du siège chauffant. En plus, le dos du dragon était strié de rainures qui prenaient la forme de selles ultra-modernes et très confortables. Léo leur montra comment planter les pieds entre les écailles comme dans des étriers et se servir des harnais de sécurité en cuir, habilement dissimulés sous la carapace. Ils étaient assis en file indienne, Léo en tête, Piper au milieu, Jason en dernier, et Piper sentait très vivement la proximité de Jason, juste dans son dos. Elle aurait bien aimé qu'il se tienne à elle, qu'il lui passe les bras autour de la taille, peut-être, mais hélas il s'en abstenait.

Léo guidait le dragon dans le ciel en maniant les rênes avec aisance, comme s'il avait fait ça toute sa vie. Les ailes de métal marchaient à merveille, et la côte de Long Island se réduisit vite à une ligne brumeuse derrière eux. Ils survolèrent le Connecticut et grimpèrent en flèche dans les nuages gris.

Léo se retourna vers eux en souriant :

– C'est cool, non ?

– Et si on se fait repérer ? demanda Piper.

196

– La Brume nous camoufle, dit Jason. Elle empêche les mortels de voir les créatures ou les engins magiques. S'ils nous repèrent, ils nous prendront sans doute pour un petit avion.

Piper lui jeta un coup d'œil par-dessus l'épaule :

– Tu es sûr ?

– En fait non, avoua Jason.

Piper remarqua alors qu'il serrait une photo dans sa main : la photo d'une brune aux cheveux hérissés. Elle lui adressa un regard interrogateur, mais pour toute réponse, il rougit et remit la photo dans sa poche.

– On tient une bonne moyenne, dit-il. On devrait arriver avant la nuit.

Piper se demandait qui était la fille de la photo, mais elle ne voulait pas poser la question, et si Jason ne le lui disait pas de lui-même, ce n'était pas bon signe. S'était-il souvenu de quelque chose de sa vie d'avant ? Était-ce la photo de sa véritable petite amie ?

Arrête, se dit-elle. *Tu vas te faire du mal et c'est tout.*

Elle opta pour une question moins risquée :

– Où est-ce qu'on va ?

– Trouver le dieu du Vent du Nord, dit Jason. Et traquer quelques esprits de la tempête.

17   LÉO

L éo était sur un petit nuage.

L'expression de tous les pensionnaires quand il avait ramené le dragon à la colonie ? Un grand moment ! Il avait bien cru que ses camarades du bungalow d'Héphaïstos allaient péter un câble.

Festus avait assuré comme une bête, lui aussi. Il n'avait pas carbonisé un seul bungalow, pas croqué un seul satyre – même s'il avait, il est vrai, perdu un peu d'huile par l'oreille. Bon, d'accord... perdu *beaucoup* d'huile. Léo allait devoir arranger ça plus tard.

Certes, le jeune garçon n'avait pas eu l'occasion de parler aux pensionnaires de la colonie ni du Bunker 9, ni du croquis du navire volant. Il avait besoin d'y réfléchir d'abord. Il pourrait les informer de ses découvertes à son retour.

Si je reviens, dit une petite voix dans sa tête.

Nan, il reviendrait. Il avait trouvé une très chouette ceinture d'outils magiques dans le bunker, plus un tas de fournitures et provisions assez sympa qui étaient maintenant dans son sac à dos. Sans compter qu'il avait à son service un dragon cracheur de feu – qui ne fuyait qu'un tout petit peu. Alors pourquoi s'inquiéter ?

198

Eh ben, le disque de contrôle pourrait péter, dit la petite voix défaitiste. *Festus pourrait te bouffer.*

Soit, le dragon n'était pas aussi bien réparé que Léo avait voulu donner à croire. Il avait passé toute la nuit à attacher les ailes, mais il n'avait pas trouvé de cerveau de dragon de rechange dans le bunker. Hé, c'est qu'ils étaient pressés par le temps ! Plus que trois jours d'ici au solstice. Ils ne pouvaient pas se permettre de traîner. Par ailleurs, Léo avait bien nettoyé le disque. La plupart des circuits étaient encore en bon état. Il fallait que ça tienne, c'était tout.

Oui, mais si…, commença la petite voix.

– Tais-toi, Léo ! lâcha-t-il tout haut.

– Comment ? demanda Piper.

– C'est rien, dit-il. La nuit a été longue. Je crois que j'hallucine un peu. Y a pas de problème.

Léo, assis en tête, ne voyait pas les visages de ses camarades, mais à en juger par leur silence, ils n'étaient pas ravis d'avoir un conducteur de dragon insomniaque et sujet aux hallucinations.

– Je plaisantais, ajouta-t-il, avant de changer délibérément de sujet. Alors c'est quoi le plan, Jaz' ? T'as parlé d'attraper un vent, de lâcher un vent, c'est ça ?

Pendant qu'ils survolaient la Nouvelle-Angleterre, Jason exposa sa stratégie : tout d'abord, retrouver un type du nom de Borée et lui soutirer des infos…

– Borée comme boréador ? ne put s'empêcher de blaguer Léo.

Ensuite, poursuivit Jason, il leur faudrait traquer les *venti* qui les avaient attaqués sur la passerelle du Grand Canyon…

– On pourrait pas les appeler des esprits de la tempête ? interrompit à nouveau Léo. *Venti*, ça fait pub pour expressos de l'enfer.

Et en dernier lieu, termina Jason, ils allaient devoir découvrir pour qui travaillaient les esprits de la tempête, ce qui leur permettrait de retrouver Héra et de la délivrer.

– Si j'ai bien compris, résuma Léo, tu veux qu'on se mette à la recherche de Dylan, l'affreux esprit de la tempête. Celui-là même qui m'a poussé dans le vide et qui a emporté M. Hedge dans les nuages.

– En gros, c'est ça. Il se peut qu'on ait affaire à une louve, aussi. Mais je crois qu'elle nous veut du bien. Elle ne nous dévorera sans doute pas, sauf si on fait preuve de faiblesse.

Jason leur raconta son rêve – la grande et cruelle louve-mère et la maison brûlée avec ses flèches de pierre jaillissant du bassin.

– Hum…, fit Léo. Mais tu ne sais pas où est ce lieu.

– Non, reconnut Jason.

– Il y a aussi les géants, dit alors Piper. La prophétie parlait de la « vengeance des géants ».

– Une seconde ! fit Léo. Tu es sûre que c'est des géants, au pluriel ? Pas du géant, juste un seul géant qui veut se venger ?

– Je ne crois pas. Je me souviens que dans certains vieux mythes grecs, il est question d'une armée de géants.

– Super, bougonna Léo. Bien sûr, avec notre chance, il fallait que ce soit une armée. Est-ce que tu sais autre chose sur ces géants ? T'avais pas fait plein de recherches sur la mythologie grecque pour le film de ton père ?

– Ton père est acteur ? demanda Jason.

Léo se mit à rire.

– J'oublie toujours ton amnésie, dit-il. Tiens, oublier une amnésie… c'est marrant. Mais, oui, son père, c'est Tristan McLean.

– Euh… désolé, il a joué dans quoi ?

– Peu importe, s'empressa de dire Piper. Les géants… en fait il y avait plein de géants dans la mythologie grecque. Mais s'il s'agit de ceux auxquels je pense, ça craint. Ils étaient immenses et presque impossibles à tuer. Ils pouvaient arracher et jeter des montagnes. Je crois qu'ils avaient un lien de parenté avec les Titans. Ils sont sortis de terre quand Cronos a perdu la guerre – là, je parle de la première guerre des Titans, il y a plusieurs milliers d'années – et ils ont essayé de détruire l'Olympe. Si c'est bien de ces géants qu'il s'agit...

– Chiron a dit que l'histoire se répétait, se souvint Jason. Le dernier chapitre. C'est ça qu'il voulait dire. Pas étonnant qu'il ne voulait pas qu'on connaisse tous les détails.

Léo siffla.

– Alors... des géants capables d'arracher des montagnes du sol. De charmantes louves qui nous dévoreront au premier signe de faiblesse. Des expressos infernaux... je vois le topo. C'est peut-être pas le moment de vous briefer sur ma baby-sitter psychopathe.

– C'est encore une blague ? demanda Piper.

Léo leur parla de Tìa Callida, qui était en réalité Héra et qui lui était apparue à la colonie. Il passa sous silence ses pouvoirs sur le feu. Le sujet demeurait sensible pour lui, surtout depuis que Nyssa lui avait dit que les demi-dieux faiseurs de feu avaient une propension à détruire des villes. En plus, ça l'aurait contraint à expliquer comment il avait provoqué la mort de sa mère et... non, Léo n'était pas prêt à partager ces souvenirs-là. Il leur raconta la nuit de sa mort sans parler du feu, en disant juste que l'atelier s'était écroulé. C'était plus facile de déformer la réalité sans avoir à regarder ses amis ; il gardait les yeux rivés sur l'horizon.

Il leur parla aussi de l'étrange femme aux voiles de terre qui avait l'air endormie et semblait connaître l'avenir.

Silence. D'après Léo, ils survolèrent facilement l'État du Massachusetts entier avant que ses amis réagissent.

– C'est... troublant, dit Piper.

201

– On peut dire ça comme ça, en convint Léo. Ce qu'il y a, c'est que tout le monde nous dit de nous méfier d'Héra. Elle déteste les demi-dieux. Et la prophétie annonce qu'en libérant la rage d'Héra, nous sèmerons la mort. Alors je me demande... pourquoi on se lance là-dedans ?

– Elle nous a choisis, dit Jason. Tous les trois. Nous sommes les premiers des sept héros qui doivent se rassembler pour la Grande Prophétie. Cette quête est le début de quelque chose de beaucoup plus grand.

Cette pensée ne réconfortait pas Léo, loin de là, mais il sentait bien que Jason avait raison. Ils étaient de toute évidence à l'orée d'une aventure d'une ampleur exceptionnelle. *Ce qui serait bien*, pensa-t-il, *s'il y a quelque part quatre autres demi-dieux destinés à les aider, ce serait qu'ils se manifestent vite.* Léo ne tenait pas du tout à avoir le monopole des rebondissements périlleux et terrifiants.

– En plus, continua Jason, aider Héra est le seul moyen que j'aie de retrouver mes souvenirs. Et cette flèche noire dans mon rêve donnait l'impression de se nourrir de la force vitale d'Héra. Si cette créature délivre un roi des géants en détruisant Héra...

– ... On gagne pas au change, intervint Piper. Héra, au moins, est de notre côté – dans l'ensemble. Si elle disparaît, ce sera le chaos chez les dieux. C'est elle qui maintient la paix dans leur famille. Et une guerre contre les géants pourrait faire encore plus de ravages que la guerre des Titans.

Jason hocha la tête.

– Chiron a évoqué des forces encore plus maléfiques susceptibles de se réveiller au solstice, qui est un moment propice à la magie noire et à la sorcellerie – des forces qui pourraient se lever de l'oubli si Héra était sacrifiée ce jour-là. Et la maîtresse des esprits de la tempête, celle qui veut tuer tous les demi-dieux...

202

– Pourrait bien être cette drôle de somnambule, termina Léo. Est-ce qu'on a envie de voir Femme de Terre réveillée ? Je crois pas, nan.

– Mais qui est-elle ? demanda Jason. Et qu'est-ce qui la relie aux géants ?

Autant de bonnes questions, mais aucun d'eux n'avait de réponses. Ils poursuivirent leur vol en silence. Léo se demandait s'il avait bien fait d'en dire si long à ses amis. Il n'avait jamais parlé à quiconque de la nuit à l'entrepôt. Même s'il leur avait caché des pans de l'histoire, il avait maintenant la troublante impression de s'être mis à nu, comme s'il s'était ouvert la poitrine et leur avait montré tous ses rouages. Il tremblait, mais ce n'était pas à cause du froid. Il espérait que Piper, assise derrière lui, ne s'en apercevait pas.

« La forge et la colombe briseront la cage. » C'était bien ça, dans la prophétie ? Ça voulait dire que Piper et lui allaient devoir trouver un moyen de s'introduire dans cette prison de pierre magique, en supposant – déjà ! – qu'ils la trouvent. Ensuite ils libéreraient la rage d'Héra et causeraient de nombreuses morts. Super, le programme ! Léo avait vu Tìa Callida à l'œuvre. Elle aimait les couteaux, les serpents et mettre les bébés au feu. Ouais, bien sûr, on va libérer sa rage. C'est le truc à faire.

Festus gardait le cap. Le vent était de plus en plus froid et les forêts enneigées qui s'étendaient sous eux semblaient sans fin. Léo ne savait pas exactement où se trouvait le Québec. Il avait ordonné à Festus de les mener au palais de Borée, et Festus avait pris la direction du nord. Avec un peu de chance, le dragon connaissait la route et s'arrêterait avant le pôle Nord.

– Si tu dormais un peu ? glissa Piper à l'oreille de Léo. Tu as fait une nuit blanche.

Le garçon voulut protester, mais le mot « dormir » était délicieux à ses oreilles.

– Tu m'empêcheras de tomber ?

– T'inquiète pas, Valdez, répondit Piper en lui tapotant l'épaule. On peut faire confiance aux jolies filles.

– C'est ça, ouais, marmonna Léo.

Et il piqua du nez sur la nuque de bronze tiède du dragon et ferma les yeux.

18   Léo

Il eut l'impression de n'avoir dormi que quelques secondes, mais quand Piper le secoua, le jour tombait.

– On est arrivés, lui dit-elle.

Léo frotta ses yeux pleins de sommeil. Ils étaient au-dessus d'une ville perchée sur une falaise, qui surplombait un fleuve. Les plaines alentour étaient parsemées de neige mais la ville brillait dans le coucher de soleil hivernal et dégageait une atmosphère chaleureuse. Les bâtiments se serraient derrière de hauts remparts, comme dans une ville médiévale. Léo n'avait jamais vu de lieu aussi ancien. Et il y avait même un véritable château au centre-ville – Léo, en tout cas, supposa que c'était un château – avec des murs de briques rouges et une tour carrée surmontée d'un toit pointu à pignon vert.

– Dis-moi qu'on est à Québec et pas dans l'atelier du Père Noël, dit Léo.

– On est bien à Québec, confirma Piper. Une des villes les plus anciennes de l'Amérique du Nord. Fondée vers 1600, c'est ça ?

Léo dressa le sourcil.

– Ton père a fait un film là-dessus aussi ?

Piper lui fit une grimace, ce dont il avait l'habitude, mais avec son nouveau maquillage hyper-sophistiqué, l'effet n'était pas le même.

205

– Il m'arrive de lire, des fois, tu vois ? dit-elle. C'est pas parce qu'Aphrodite m'a reconnue que j'ai plus rien dans le crâne.

– Holà, ne nous fâchons pas ! Alors, si tu sais tant de choses, c'est quoi, ce château ?

– Un hôtel, je crois.

– Non ? fit Léo en riant, c'est pas possible !

Mais quand ils se rapprochèrent, il vit qu'elle avait raison. La grande entrée était pleine de portiers, de voituriers et de chasseurs qui portaient des bagages. De luxueuses voitures noires s'enfilaient dans l'allée. Des personnes vêtues d'élégants costumes et de manteaux d'hiver se pressaient vers le bâtiment pour échapper au froid.

– Le Vent du Nord habite à l'hôtel ? demanda Léo. C'est pas...

– Regardez, les gars, interrompit Jason. On a de la compagnie !

Léo baissa les yeux et vit ce que Jason voulait dire. Deux créatures ailées s'envolaient du haut de la tour – des anges en colère, armés de méchantes épées.

Visiblement, les nouveaux venus ne plaisaient pas à Festus. Il s'immobilisa en plein vol en battant des ailes, darda les serres et poussa un grognement de gorge que Léo reconnut aussitôt. Il s'apprêtait à cracher du feu.

– Calme-toi, mon grand, murmura le garçon, qui avait l'impression que les anges n'apprécieraient pas de se faire rôtir.

– J'aime pas ça, dit Jason. On dirait des esprits de la tempête.

Au début, Léo crut la même chose, mais quand les anges se rapprochèrent, il vit qu'ils avaient bien plus de corps que les *venti*. À part leurs cheveux blancs de glace et leurs ailes de plumes violettes, ils avaient l'air d'ados ordinaires. Ils brandis-

206

saient des épées aux bords irréguliers comme des stalactites et se ressemblaient suffisamment pour être frères, mais certainement pas jumeaux.

L'un était bâti comme un bœuf et affublé d'un maillot de hockey rouge, d'un pantalon de jogging large et de chaussures à crampons en cuir noir. Il était clair que ce gars s'était bagarré un peu trop souvent : il avait les deux yeux au beurre noir et quand il ouvrait la bouche, plusieurs dents manquaient à l'appel.

L'autre avait l'air tout droit sorti de la couverture d'un des vieux vinyles de rock de la maman de Léo : Journey, peut-être, ou Hall & Oates, voire un groupe encore plus ringard. Ses cheveux blanc neige étaient coupés style footballeur des années 80 : courts et bouffants sur le dessus et les côtés, longs derrière. Il portait des souliers de cuir pointus, un pantalon de styliste beaucoup trop moulant et une abominable chemise en soie largement ouverte sur le torse. Il s'imaginait peut-être qu'il avait une dégaine de dieu de l'amour, mais vu qu'il devait peser quarante-cinq kilos tout mouillé et qu'il était couvert d'acné, l'effet était raté.

Les anges s'immobilisèrent en planant devant le dragon, l'épée dégainée.

– Interdit de passer, grogna Tête de Bœuf.

– Pardon ? fit Léo.

– Vous n'avez pas soumis de plan de vol, expliqua le dieu de l'amour (lequel, en plus de tous ses problèmes, avait un accent français à couper au couteau – Léo se demanda s'il ne le faisait pas exprès). Vous êtes dans un espace aérien réservé.

– On les tue ? fit Tête de Bœuf avec un sourire édenté.

Le dragon cracha un jet de vapeur, prêt à les défendre. Jason activa son épée en or, mais Léo s'écria :

– Une seconde ! Un peu de bonnes manières, les garçons. Pourrais-je au moins savoir qui a l'honneur de me tuer ?

207

– Je suis Cal ! grogna Tête de Bœuf, l'air très content de lui, comme s'il avait passé beaucoup de temps à mémoriser cette phrase.

– C'est le diminutif de Calaïs, expliqua le dieu de l'amour. Malheureusement, mon frère ne peut pas dire des mots de plus de deux syllabes...

– Pizza ! Hockey ! Tuer ! renchérit Cal.

– ... ce qui comprend son propre nom.

– Je suis Cal, répéta Cal. Et lui, c'est Zétès. Mon frère !

– La vache ! dit Léo. Ça faisait presque trois phrases, là, mon pote ! Accroche-toi !

Cal grogna, visiblement très fier.

– Pauvre bouffon, marmonna son frère. Ils se moquent de toi. Mais c'est pas grave. Je m'appelle Zétès, qui est le diminutif de Zétès. Et la petite dame, là (il gratifia Piper d'un clin d'œil qui ressemblait à un tic nerveux) elle peut m'appeler comme elle veut. Peut-être souhaiterait-elle dîner avec un demi-dieu célèbre avant que nous vous tuions ?

Piper hoqueta comme si elle venait d'avaler une pastille Valda de travers.

– C'est... c'est une proposition atroce, dit-elle.

– Pas de souci, rétorqua Zétès en jouant des sourcils. On est très romantiques, nous autres les Boréades.

– Boréades ? intervint Jason. Comme les fils de Borée, vous voulez dire ?

– Ah ! s'écria Zétès, visiblement flatté. Vous avez entendu parler de nous ! On est les gardiens du domaine de mon père. Vous comprendrez qu'on ne peut pas laisser des gens pénétrer sans autorisation dans son espace aérien sur le dos d'un dragon qui grince, et terroriser les stupides mortels.

Il pointa du doigt vers la terre et Léo vit que les mortels commençaient à les remarquer. Plusieurs levaient la tête vers le ciel, le bras tendu. Ils n'avaient pas l'air inquiets, pour le moment, juste perplexes et agacés, comme si le dragon était un hélico de surveillance qui volait trop bas.

– Voilà pourquoi, malheureusement, si ce n'est pas un atterrissage d'urgence, poursuivit Zétès en chassant une mèche de son visage couvert d'acné, nous allons devoir vous faire mourir dans d'horribles souffrances.

– Tuer ! renchérit Cal avec un enthousiasme que Léo trouva excessif.

– Attendez ! dit Piper. C'est un atterrissage d'urgence !

– Oh !!! (Cal prit l'air tellement déçu que Léo faillit avoir de la peine pour lui.)

Zétès scruta Piper, ce qu'il faisait déjà depuis un moment de toute façon.

– Et comment la jolie fille détermine-t-elle qu'il s'agit d'un atterrissage d'urgence, hmm ?

– Nous devons voir Borée. C'est extrêmement urgent ! S'il vous plaît !

Piper se força à sourire – au prix d'un violent effort, devina Léo – mais elle était encore entourée de la bénédiction d'Aphrodite et resplendissait. En plus, il y avait quelque chose, dans sa voix... Léo se surprit à croire tout ce qu'elle disait. Il vit que Jason, lui aussi, hochait la tête, l'air convaincu.

Zétès agrippa sa chemise de soie, sans doute pour vérifier qu'elle était assez ouverte.

– Ben... je n'ai pas envie de décevoir une jolie fille, mais tu vois, ma sœur pourrait faire une avalanche si je vous laissais...

– Et notre dragon fonctionne mal ! ajouta Piper. Il risque de s'écraser d'une minute à l'autre !

Festus frissonna comme un malheureux, puis il tourna la tête et un filet visqueux s'échappa de son oreille et alla s'écraser sur une Mercedes noire, dans le parking.

– Pas tuer ? gémit Cal.

209

Zétès réfléchit à la question. Puis il lança un autre clin d'œil crispé à Piper et dit :

– Le fait est que tu es jolie. Euh, que tu as raison, je veux dire. Un dragon qui fonctionne mal, on peut considérer que c'est une urgence.

– Tuer plus tard ? suggéra Cal, ce qui devait être le maximum de gentillesse dont il était capable.

– Ça va être difficile à expliquer, dit Zétès, qui avait pris sa décision. Père est dur envers les visiteurs, depuis quelque temps. Venez, voyageurs au dragon défectueux. Suivez-nous.

Les Boréades rengainèrent leurs épées et sortirent des armes plus petites de leurs ceintures – Léo, du moins, crut que c'étaient des armes. Mais lorsqu'ils les allumèrent, il vit que c'étaient des torches électriques équipées de cônes orange, comme sur les pistes d'atterrissage. Cal et Zétès firent volte-face et piquèrent vers la tour de l'hôtel.

Léo se tourna vers ses amis.

– Ils sont trop, ces mecs, dit-il. J'adore. On les suit ?

Jason et Piper n'avaient pas l'air inquiets.

– Maintenant qu'on est là, autant y aller, trancha Jason. Mais je me demande pourquoi Borée est dur avec ses visiteurs.

– Pff ! C'est juste parce qu'il ne nous connaît pas ! dit Léo. Festus, suis ces petites torches !

Ils se mirent en route et Léo eut vite peur qu'ils s'écrasent contre la tour, car les Boréades fonçaient à toute allure sur le toit vert à pignon. Et puis, d'un coup, un panneau coulissa sur la pente du toit, dégageant une entrée largement assez grande pour Festus. Le haut et le bas étaient hérissés de stalactites et stalagmites pointues.

– Ça sent mauvais, marmonna Jason, mais Léo éperonna Festus et ils s'engouffrèrent à la suite des Boréades.

Ils se posèrent dans ce qui avait dû être la suite de luxe avec terrasse – avant le coup de gel qui l'avait transformée en chambre froide. Le vestibule avait un plafond voûté de près de quinze mètres de haut, d'immenses fenêtres garnies de rideaux et un parquet couvert de tapis persans. Au fond, un escalier menait à une autre antichambre tout aussi imposante, qui desservait plusieurs couloirs, sur la droite et sur la gauche. La glace donnait un caractère un peu effrayant à la somptuosité des lieux. Quand Léo sauta à bas du dragon, il entendit le tapis craqueler sous ses pieds. Une fine couche de givre recouvrait tous les meubles. Les rideaux, pris en glace, ne bougeaient pas d'un souffle, et la lumière du coucher du soleil qui pénétrait par les vitres gelées était trouble et tamisée. Même le plafond n'était pas épargné par les stalactites. Quant à l'escalier, Léo était certain qu'il glisserait et se briserait le cou, s'il essayait d'y monter.

– Les gars, dit-il, réglez le thermostat et j'emménage tout de suite, pas de problème.

– Pas moi. (Jason lança un regard méfiant vers l'escalier.) Je sens quelque chose de malsain. Là-haut...

Festus frissonna et cracha des flammes par les naseaux. Ses écailles commençaient déjà à se givrer.

– Non, non, non, s'écria Zétès en approchant à grands pas – ce qui était une prouesse, avec ses petits souliers pointus. Il faut désactiver le dragon. Le feu est interdit ici, la chaleur me bousille les cheveux.

Festus gronda et fit pivoter ses crocs.

– Tout doux, mon grand, lui dit Léo, qui se tourna vers Zétès. Le dragon réagit négativement au concept de désactivation, mais j'ai une autre solution.

– Tuer ? suggéra Cal.

– Non, mon pote. Faut te calmer, là-dessus. Attends un peu, tu vas voir.

211

– Léo, demanda Piper d'une voix inquiète. Qu'est-ce que tu...

– Regarde et instruis-toi, Reine de Beauté. La nuit dernière, en réparant Festus, j'ai trouvé tout un tas de boutons. Y en a certains, vaut mieux pas savoir à quoi ils servent. Mais d'autres... Ah, voilà.

Léo passa les doigts derrière la patte avant gauche du dragon. Il poussa un interrupteur et un grand frisson parcourut Festus, de la tête au bout de la queue. Tous reculèrent. Sous leurs yeux, il se plia comme un origami. Ses écailles de bronze s'empilèrent. Son cou et sa queue rentrèrent dans son corps. Ses ailes se replièrent, son tronc se contracta, et pour finir il ne resta plus de lui qu'un rectangle métallique de la taille d'une valise.

Léo essaya de le soulever, mais le truc devait peser une tonne.

– Hum... ouais. Une seconde. Je crois que... ha ha.

Il appuya sur un autre bouton. Une poignée surgit sur le dessus et des roulettes se déployèrent à la base.

– Et voilà ! Le bagage à main le plus lourd du monde !

– C'est impossible, dit Jason. Un dragon de cette taille...

– Arrête, ordonna Zétès, qui fusilla Léo du regard et dégaina son épée, aussitôt imité par son frère.

Léo leva les mains en l'air.

– C'est bon, c'est bon... qu'est-ce que j'ai fait ? Calmez-vous, les gars. Si ça vous ennuie tellement, je suis pas obligé de prendre le dragon en bagage à main...

– Qui es-tu ? (Zétès appuya la pointe de son épée sur la poitrine de Léo.) Un enfant du Vent du Sud, venu nous espionner ?

– Quoi ? Non ! protesta Léo. Je suis un fils d'Héphaïstos. Un aimable forgeron qui ne fait de mal à personne !

Cal grogna. Il approcha son visage de celui de Léo, et une chose était sûre, il n'était pas plus joli à voir de près, avec ses yeux pochés et sa gueule défoncée.

– Je sens une odeur de feu, dit-il. Le feu, c'est mal.

– Oh. (Léo sentit son cœur s'emballer.) Ouais... ben j'ai les vêtements un peu roussis et j'ai travaillé avec de l'huile de moteur et...

– Non ! (Zétès le repoussa à longueur d'épée.) Nous reconnaissons l'odeur du feu, demi-dieu. On pensait qu'elle venait du dragon, mais maintenant c'est une valise et je sens toujours l'odeur. Elle vient de *toi*.

S'il ne faisait pas un froid glacial dans la suite, Léo se serait mis à suer à grosses gouttes.

– Euh, écoute... je sais pas... (Il jeta un regard désespéré à ses amis.) Vous pouvez m'aider sur ce coup, les gars ?

Jason avait déjà sa pièce d'or au creux de la main. Il s'avança sans quitter Zétès du regard.

– Écoute, il y a erreur. Léo n'est pas un faiseur de feu. Dis-leur, Léo. Dis-leur que tu n'es pas un faiseur de feu.

– Euh...

– Zétès ? (Piper tenta de nouveau son sourire époustouflant, même si elle avait l'air un peu trop nerveuse et frigorifiée pour jouer le jeu à fond.) Nous sommes entre amis, tu sais. Rengainez vos épées, on va parler.

– La fille est jolie, admit Zétès. Et elle ne peut pas résister à mon charme, bien évidemment. Quel dommage qu'il me soit interdit de la draguer, là !

Il appuya la pointe de son épée sur la poitrine de Léo, qui sentit le froid se propager sous sa chemise et engourdir sa peau.

Il aurait bien aimé réactiver Festus. Il avait besoin de soutien. Mais même s'il pouvait atteindre le bouton malgré les deux dingues aux ailes violettes qui lui barraient le chemin, ça aurait pris plusieurs minutes.

– On le tue, alors ? demanda Cal à son frère.

Zétès fit oui de la tête.

– Malheureusement, dit-il, je crois bien que...

213

– Non. Léo est juste un fils d'Héphaïstos. Il n'est pas dangereux. (Jason parlait d'une voix calme, mais Léo devinait qu'il était à deux doigts de lancer sa pièce en l'air et de prendre son look de gladiateur.) Piper ici présente est une fille d'Aphrodite. Je suis le fils de Zeus. Nous venons en paix pour...

La voix de Jason flancha car les deux Boréades s'étaient brusquement retournés contre lui.

– Qu'as-tu dit ? demanda Zétès. Tu es le fils de Zeus ?

– Euh... ouais. C'est plutôt bien, non ? Je m'appelle Jason.

Cal fut si surpris qu'il faillit lâcher son épée.

– Peut pas être Jason, dit-il. Il a pas la même tête.

Zétès se planta devant le garçon et scruta son visage en plissant les yeux.

– Non, fit-il. Ce n'est pas notre Jason. Notre Jason avait plus de classe. Pas autant que moi, mais de la classe. En plus il est mort il y a des millénaires.

– Attendez, lança l'intéressé. Votre Jason... vous voulez dire le premier Jason ? Celui de la Toison d'Or ?

– Bien sûr, dit Zétès. Nous étions navigateurs sur son bateau, l'*Argo*, quand nous étions des demi-dieux mortels. Après, nous avons accepté d'être immortels pour servir notre père, ce qui nous permet à moi d'être beau pour l'éternité et à mon imbécile de frère de se délecter de pizzas et de parties de hockey sur glace.

– Le hockey ! glapit Cal.

– Mais Jason, notre Jason, est mort en mortel, conclut Zétès. Ça ne peut pas être toi.

– Ce n'est pas moi, confirma Jason.

– Alors on le tue ? demanda Cal, visiblement épuisé par les efforts que la conversation imposait à ses deux cellules grises.

– Non, dit Zétès à regret. Si c'est un fils de Zeus, il peut être celui que nous guettons.

214

– Que vous guettez ? demanda Léo. C'est dans un sens positif ou négatif ? Vous allez le couvrir de cadeaux fabuleux ou il va avoir des ennuis ?

– Ça dépendra du bon vouloir de mon père, dit une voix féminine.

Léo tourna la tête vers l'escalier. Son cœur faillit cesser de battre. En haut des marches se tenait une fille vêtue d'une robe en soie blanche. Elle avait le teint anormalement pâle, blanc comme neige, mais une luxuriante chevelure brune et des yeux couleur café. Elle tourna vers Léo un visage dénué d'expression ou de chaleur, sans l'ombre d'un sourire. Peu importe, Léo était mordu. C'était la fille la plus éblouissante qu'il ait jamais vue.

Puis elle regarda Jason et Piper et sembla comprendre immédiatement la situation.

– Père voudra voir celui qui se prénomme Jason, déclara-t-elle.

– Alors c'est lui ? demanda Zétès d'un ton fiévreux.

– Nous verrons, dit la fille. Zétès, amène-nous nos hôtes.

Léo agrippa la poignée de son dragon-valise en bronze. Il ne savait pas comment il allait la trimbaler dans l'escalier, mais il fallait à tout prix qu'il s'approche de cette fille et qu'il lui pose des questions essentielles – lui demander son adresse e-mail et son numéro de portable, par exemple.

Il n'avait pas encore fait un pas qu'elle l'arrêta d'un regard glacial.

– Pas toi, Léo Valdez, dit-elle.

Dans un coin de sa tête, Léo se demanda d'où elle connaissait son nom, mais ce qui dominait, pour le moment, c'était le sentiment de rejet qui le submergeait.

– Pourquoi pas moi ? (Il se dit qu'il se comportait comme un gamin pleurnicheur, mais c'était plus fort que lui.)

– Tu ne peux pas te trouver en présence de mon père, répondit la fille. Le feu et la glace... ce ne serait pas sage.

215

– On y va ensemble, intervint Jason, qui posa la main sur l'épaule de Léo, ou pas du tout.

La fille inclina la tête, comme si elle n'avait pas l'habitude qu'on conteste ses ordres.

– Il ne lui sera fait aucun mal, Jason Grace, sauf si tu cherches des ennuis. Calaïs, je te confie Léo Valdez. Surveille-le, mais ne le tue pas.

Cal fit la moue.

– Même pas un peu ?

– Non, insista la fille. Et garde l'œil sur son intéressante valise, en attendant que Père se soit prononcé.

Jason et Piper regardèrent Léo avec une expression qui lui demandait muettement : *Comment veux-tu qu'on la joue ?*

Ce qui alla droit au cœur du jeune garçon. Ses camarades étaient prêts à se battre pour lui. Ils n'allaient pas le laisser seul avec Tête de Bœuf. Il eut envie de jouer son va-tout, de sortir sa ceinture à outils toute neuve pour voir ce qu'il pouvait faire avec, peut-être même de créer une boule de feu ou deux, histoire de réchauffer l'ambiance. Mais les Boréades lui faisaient peur. Et cette fille si jolie l'effrayait encore plus, même s'il voulait toujours son numéro de téléphone.

– C'est bon, les gars, dit-il. On ne va pas faire d'histoires s'il n'y a pas lieu d'en faire. Allez-y tous les deux.

– Écoutez votre ami, insista la fille au teint de neige. Léo Valdez ne risque absolument rien. J'aimerais pouvoir en dire autant pour toi, fils de Zeus. Maintenant, venez, le roi Borée attend.

19 JASON

Jason n'aimait pas l'idée de laisser Léo ; en même temps il commençait à se dire que Cal le mordu de hockey était peut-être le moins dangereux de la bande.

Quand ils montèrent l'escalier aux marches de glace, Zétès resta derrière eux, l'épée à la main. Il avait peut-être l'air d'un survivant de l'ère disco, mais son arme, elle, ne prêtait pas du tout à rire. Jason se dit qu'un seul petit coup de cette lame le transformerait sans doute en Kim Cône.

Sans compter la princesse de glace. De temps en temps, elle se retournait et lui lançait un sourire, mais sans aucune chaleur. Elle regardait Jason comme s'il était un spécimen scientifique particulièrement intéressant qu'elle avait hâte de disséquer.

Si c'étaient là les enfants de Borée, Jason n'était pas sûr d'avoir très envie de rencontrer le papa. Annabeth lui avait dit que Borée était le plus gentil des dieux du Vent. Apparemment, ça voulait dire qu'il attendait un petit plus que les autres avant de tuer les héros.

Jason craignait d'avoir mené ses amis dans un piège. Si les choses tournaient mal, il ne savait pas s'il pourrait les tirer de là vivants ou non. Sans réfléchir, il prit la main de Piper dans la sienne pour se rassurer.

217

Elle leva les sourcils, mais ne se dégagea pas.

– Ça va aller, affirma-t-elle. Juste une conversation, rappelle-toi.

En haut des marches, la princesse de glace se retourna et remarqua qu'ils se tenaient par la main. Son sourire se figea. Brusquement, Jason sentit sa main devenir glaciale dans celle de Piper – d'un froid *brûlant*. Lorsqu'il la retira, ses doigts étaient fumants de givre, et ceux de Piper aussi.

– Exprimer de la chaleur n'est pas une bonne idée ici, commenta la princesse. Surtout quand c'est moi qui suis votre meilleure chance de survie. Par ici, s'il vous plaît.

Piper lança un regard inquiet à Jason : *C'était quoi, ce délire ?*

Il n'avait pas de réponse. Zétès le poussa dans le dos de la pointe de son épée de glace et ils suivirent la princesse le long d'un immense vestibule tendu de tapisseries constellées de givre.

Des vents glaciaux s'engouffraient en sifflant dans le hall, et les pensées de Jason sillonnaient son cerveau presque aussi vite. Il avait eu tout le temps de réfléchir pendant le voyage vers le nord à dos de dragon, pourtant il se sentait plus paumé que jamais.

La photo de Thalia était toujours dans sa poche, même s'il n'avait plus besoin de la regarder. Son image s'était gravée dans son esprit. C'était terrible de ne pas se souvenir de son passé, mais savoir qu'il avait une sœur, quelque part, qui connaissait peut-être les réponses à ses questions sans avoir aucun moyen de la trouver, ça le rendait absolument dingue.

Sur la photo, Thalia ne lui ressemblait pas du tout. Ils avaient tous les deux les yeux bleus, mais ça s'arrêtait là. Elle avait les cheveux noirs et un teint de Méditerranéenne. Les traits de son visage étaient plus marqués, comme dessinés au couteau.

Son visage lui semblait tellement familier, pourtant ! Héra lui avait laissé juste assez de mémoire pour qu'il sache avec certitude que c'était bien sa sœur. Mais Annabeth avait paru très surprise quand il le lui avait appris, comme si elle n'avait jamais entendu dire que Thalia avait un frère. Et Thalia, était-elle au courant de son existence ? Comment avaient-ils été séparés ?

Héra lui avait dérobé ces souvenirs-là. Elle avait volé tout le passé de Jason, l'avait jeté dans une nouvelle vie, et maintenant elle s'imaginait qu'il allait la délivrer de son obscure prison rien que pour pouvoir récupérer ce qu'elle avait pris. Ça mettait Jason dans une telle colère qu'il avait envie de lâcher l'affaire et de laisser Héra pourrir dans sa cage, mais il ne pouvait pas. Il était coincé. Il fallait qu'il en sache davantage, et cela ne faisait qu'accroître sa rancœur.

– Hé ! (Piper lui effleura le bras.) Reviens sur terre !

– Ouais... excuse-moi.

Heureusement qu'il y a Piper, songea Jason. Il avait besoin d'amis, et il était content que la bénédiction d'Aphrodite soit en train de se dissiper. Le maquillage s'estompait. Les cheveux de Piper reprenaient lentement leur coupe destroy, avec les petites tresses sur un côté. Elle était plus réelle, comme ça, trouvait Jason, et plus belle aussi.

Il avait la certitude, à présent, qu'ils ne s'étaient jamais rencontrés avant le Grand Canyon. Leur relation passée n'était qu'un tour que la Brume jouait dans l'esprit de Piper. Mais plus Jason la connaissait, plus il aurait aimé que ce soit la réalité.

Arrête, s'ordonna-t-il. Ce n'était pas juste envers Piper, d'entretenir ce genre de pensées. Jason n'avait aucune idée de ce qui l'attendait dans son passé, ni de *qui*. Mais il était quasiment sûr que dans ce passé, il n'y avait pas de place pour la Colonie des Sang-Mêlé. Après cette quête, si tant est qu'ils survivent, qui sait ce qui leur arriverait à tous.

Au bout du vestibule, ils se trouvèrent devant une porte en chêne à deux battants, gravée d'une carte du monde. À chaque coin de la carte, il y avait le visage barbu d'un homme aux joues gonflées, qui soufflait du vent. Jason eut le sentiment qu'il avait déjà vu ce type de planisphères. Mais sur celui-ci, tous les souffleurs de vent étaient hivernaux, et envoyaient glace et neige aux quatre coins du monde.

La princesse se retourna. Ses yeux marron pétillèrent et Jason se fit l'effet d'un cadeau de Noël qu'elle espérait ouvrir très prochainement.

– Nous arrivons à la salle du trône, dit-elle. Surveille tes manières, Jason Grace. Mon père peut se montrer... glacial. Je te servirai d'interprète et j'essaierai de le convaincre de t'écouter jusqu'au bout. J'espère qu'il t'épargnera. On pourrait tellement s'amuser, tous les deux.

Jason songea en son for intérieur que cette fille ne devait pas se faire la même idée que lui d'une bonne partie de plaisir.

– Euh, d'accord, se força-t-il à répondre. Mais vraiment, on vient juste pour discuter un peu. On s'en ira tout de suite après.

– J'adore les héros, commenta la fille en souriant. Ils sont d'une telle ignorance !

Piper porta la main au manche de son poignard.

– Eh bien, dit-elle, si tu nous éclairais un peu ? Tu dis que tu vas nous servir d'interprète et nous ne savons même pas qui tu es. Comment t'appelles-tu ?

La fille renifla, l'air désabusée.

– Je ne devrais sans doute pas m'étonner que vous ne m'ayez pas reconnue. Même autrefois, les Grecs ne me connaissaient pas bien. Leurs foyers dans les îles étaient trop doux et trop éloignés de mon domaine. Je suis Chioné, fille de Borée, déesse de la Neige.

Elle agita un doigt en l'air et un blizzard miniature se leva et tourbillonna autour d'elle en gros flocons cotonneux.

– Venez, maintenant, ajouta Chioné. (Les battants de la porte s'ouvrirent brutalement, laissant s'échapper une lumière froide et bleutée.) Espérons que vous survivrez à votre petite conversation.

20   JASON

S 'il ne faisait pas chaud dans le vestibule, la salle du trône
pouvait se targuer d'une température de chambre froide
de boucherie.

L'air était envahi de brume. Jason frissonna et vit son
souffle former un nuage de vapeur. Les murs étaient tendus de
tapisseries violettes dépeignant des paysages de forêts enneigées, de montagnes austères et de glaciers. Tout en hauteur,
des rubans colorés – l'aurore boréale – s'étiraient contre le plafond. Le sol était couvert de neige, aussi Jason devait-il marcher
avec précaution. Ça et là dans la pièce se dressaient des statues
de glace grandeur nature qui représentaient toutes des guerriers. Les uns étaient en armure grecque, les autres en cotte de
maille médiévale, d'autres encore en treillis moderne, et tous
étaient figés dans diverses postures d'assaut, l'épée levée ou le
fusil chargé et armé.

Disons que Jason supposait que c'étaient des statues. Mais
il voulut alors se faufiler entre deux soldats grecs et ces derniers passèrent à l'action à une vitesse étonnante : faisant craquer leurs articulations dans une pluie de cristaux de glace, ils
croisèrent leurs javelots pour barrer le passage au garçon.

Du fond de la salle retentit une voix d'homme qui parlait
dans une langue ressemblant à du français. La salle était si

vaste et embrumée que Jason n'en voyait pas le fond, pas plus qu'il ne distinguait celui qui avait parlé, toujours est-il que les soldats de glace abaissèrent leurs lances.

– Tout va bien, dit Chioné, mon père leur a ordonné de ne pas vous tuer pour le moment.

– Formidable, murmura Jason.

Zétès lui donna un petit coup dans le dos de la pointe de son épée.

– Avance, Jason junior.

– S'il te plaît, ne m'appelle pas comme ça.

– Mon père n'est pas quelqu'un de patient, avertit Zétès. Et la ravissante Piper est malheureusement en train de perdre sa coiffure magique à vitesse grand V. Tout à l'heure, je pourrai peut-être lui prêter certains de mes nombreux produits capillaires.

– Merci, grommela Piper.

Ils continuèrent d'avancer et la brume s'écarta, révélant un homme assis sur un trône de glace. Il était solidement charpenté, portait un élégant costume blanc qui semblait tissé en fils de neige et arborait deux grandes ailes violet foncé. Sa longue tignasse et sa barbe broussailleuse étaient pleines de glaçons, de sorte que Jason se demanda s'il avait les cheveux grisonnants ou simplement givrés. Ses sourcils en accent circonflexe lui donnaient l'air irrité, pourtant ses yeux brillaient d'une lueur plus chaleureuse que ceux de sa fille – comme s'il avait un sens de l'humour enfoui sous le pergélisol. Jason espéra que c'était bien le cas.

– *Bienvenue,* déclara l'homme en français. *Je suis le roy Borée. Et vous ?*

Chioné la princesse de glace allait prendre la parole, mais Piper s'avança d'un pas et fit la révérence.

– *Majesté,* dit-elle, *je m'appelle Piper McLean. Et je vous présente Jason, fils de Zeus.*

223

Le roi sourit, agréablement surpris.

– Tu parles français ? Très bien !

– Piper, demanda Jason, estomaqué. Tu parles français ?

– Non, pourquoi ?

– Tu viens de le faire. Tu as répondu en français au roi.

– Ah bon ? s'étonna la jeune fille en écarquillant les yeux.

Le roi dit autre chose et Piper répondit, toujours en français :

– *Oui, Majesté.*

Le roi rit et battit des mains, visiblement ravi. Il prononça quelques phrases de plus puis adressa un geste de la main à sa fille, comme pour la congédier.

Chioné prit l'air vexé.

– Le roi dit que...

Piper lui coupa la parole :

– Il dit que comme je suis une fille d'Aphrodite, je peux parler le français naturellement, puisque c'est la langue de l'amour. Je l'ignorais complètement. Sa Majesté dit que Chioné n'aura plus besoin de faire l'interprète.

Zétès, derrière eux, renifla bruyamment et Chioné lui décocha un regard assassin. Puis elle s'inclina avec raideur devant son père et recula d'un pas.

Le roi toisa Jason, qui jugea plus sage de se fendre lui aussi d'une révérence.

– Votre Majesté, dit-il en anglais, car il n'avait pas la chance de maîtriser la langue de Molière, je suis Jason Grace. Merci de, euh, ne pas nous avoir tués. Puis-je me permettre de vous demander pourquoi un dieu grec s'exprime en français ?

Piper eut un autre échange avec le roi.

– Il parle la langue du pays qui le reçoit, traduisit-elle. Il dit que les dieux en font tous autant. La plupart des dieux grecs parlent anglais car ils résident aujourd'hui aux États-Unis, mais Borée n'a jamais été le bienvenu dans leur royaume. Son domaine a toujours été beaucoup plus septentrional. En ce moment, il apprécie le Québec, c'est pourquoi il parle français.

Le roi ajouta quelques mots et Piper blêmit.

– Le roi dit... (Sa voix se brisa.) Il dit...

– Oh, permets-moi de reprendre, intervint Chioné. Mon père dit qu'il a ordre de vous tuer. Ne vous l'ai-je pas signalé tout à l'heure ?

Jason se crispa. Le roi affichait toujours un sourire affable, comme s'il venait de leur communiquer une excellente nouvelle.

– Nous tuer ? demanda Jason. Mais pourquoi ?

– Parce que, répondit le roi dans un anglais à l'accent québecquois prononcé, mon seigneur Éole me l'a ordonné.

Borée se leva. Il descendit de son trône et replia ses ailes dans son dos. Lorsqu'il s'approcha, Chioné et Zétès s'inclinèrent. Jason et Piper s'empressèrent de les imiter.

– Je vais daigner parler ta langue, dit Borée, parce que Piper McLean m'a rendu hommage dans la mienne. J'ai toujours eu un faible pour les enfants d'Aphrodite. Quant à toi, Jason Grace, mon maître Éole ne voudrait pas que je tue un fils de Zeus sans entendre d'abord ce qu'il a à me dire.

Jason eut l'impression que la pièce en or s'alourdissait dans sa poche. S'il était amené à se battre, il n'avait guère d'avantages. Au moins deux secondes pour faire surgir son épée. Ensuite il lui faudrait affronter un dieu, deux de ses enfants et une armée de guerriers congelés.

– Éole est le maître des Vents, n'est-ce pas ? demanda-t-il. Pourquoi souhaiterait-il notre mort ?

– Vous êtes des demi-dieux, rétorqua Borée, comme si cela expliquait tout. Le rôle d'Éole consiste à maîtriser les vents, et les demi-dieux passent leur temps à lui compliquer la tâche. Ils lui demandent des faveurs. Ils libèrent des vents et

225

engendrent le chaos. Mais l'insulte finale fut le combat contre Typhon l'été dernier...

Borée agita la main et une plaque de glace de la forme d'un écran plasma se matérialisa dans l'air. Des images de combat se formèrent à sa surface : un géant enveloppé de nuages d'orage, qui traversait un fleuve en se dirigeant vers les gratte-ciel de Manhattan. De minuscules silhouettes brillantes – *les dieux*, devina Jason – s'agitaient autour de lui comme des guêpes en colère, criblant le monstre d'éclairs de foudre et de feu. Ensuite le fleuve se transforma en un gigantesque tourbillon qui happa le géant de brume et l'engloutit.

– Typhon, le géant des tempêtes, expliqua Borée. La première fois que les dieux l'ont terrassé, il y a des éternités de cela, il n'était pas mort paisiblement. Son trépas avait libéré une foule d'esprits de la tempête – des vents déchaînés qui n'obéissaient à personnne. Ce fut Éole qui dut les traquer tous et les enfermer dans sa forteresse. Les autres dieux ne l'aidèrent pas. Ils ne s'excusèrent même pas du dérangement qu'ils avaient causé. Éole mit des siècles à capturer tous les esprits de la tempête, ce qui l'agaça passablement. Et puis, l'été dernier, Typhon fut terrassé une deuxième fois...

– Et sa mort a libéré une nouvelle vague de *venti*, devina Jason. Ce qui a mis Éole encore plus en colère.

– Exact, acquiesça Borée.

– Mais, Majesté, intervint Piper, les dieux étaient bien obligés de combattre Typhon. Il allait détruire l'Olympe ! En plus, pourquoi punir les demi-dieux ?

Le roi haussa les épaules.

– Éole ne peut pas passer sa colère sur les dieux. Non seulement ce sont ses patrons, mais en plus ils sont très puissants. Alors il se rattrape sur les demi-dieux qui les ont aidés pendant la guerre. Il nous a donné des ordres stricts : ne plus tolérer les demi-dieux qui viendraient solliciter notre aide. Nous devons éclater vos petites têtes de mortels.

Un malaise se fit dans la pièce.

– Ça me paraît... excessif, avança Jason. Mais vous n'allez pas nous éclater la tête, n'est-ce pas ? Vous allez nous écouter d'abord, et quand vous saurez en quoi consiste notre quête...

– Oui, oui, fit le roi. Voyez-vous, Éole a aussi dit qu'un fils de Zeus pourrait solliciter mon secours et que si cela se produisait, je devais t'écouter avant de te tuer car tu serais susceptible de... qu'a-t-il dit au juste... de nous rendre la vie très intéressante à tous. Note bien que je suis seulement obligé de t'écouter. Après, libre à moi de prononcer le jugement qui me siéra. Mais, oui, je commencerai par t'écouter. C'est également ce que souhaite Chioné. Il est possible que je ne vous tue pas.

Jason se sentit respirer à nouveau.

– Formidable, dit-il. Merci.

– Ne me remercie pas, rétorqua Borée en souriant. Les façons dont vous pouvez nous rendre la vie intéressante sont multiples. Parfois nous gardons des demi-dieux en vie pour nous distraire, comme tu peux voir.

D'un geste circulaire, il montra les nombreuses statues de glace.

Piper émit un couinement étranglé.

– Vous voulez dire... que ce sont tous des demi-dieux ? demanda-t-elle. Des demi-dieux congelés. Sont-ils encore vivants ?

– C'est une bonne question, concéda Borée, comme s'il ne se l'était jamais posée. Ils ne bougent que quand je leur donne un ordre. Le reste du temps, ils sont gelés. On pourrait peut-être les décongeler, mais ça ferait beaucoup de saletés.

Chioné se planta derrière Jason et appuya ses doigts froids contre sa nuque.

– Mon père me fait de si jolis cadeaux, lui murmura-t-elle à l'oreille. Reste à la cour avec nous, et peut-être que je laisserai tes amis partir.

– Quoi ? intervint Zétès. Si Chioné a le garçon, moi je mérite la fille. Chioné a toujours plus de cadeaux !

– Voyons, les enfants, dit Borée d'un ton sévère. Nos hôtes vont croire que vous êtes trop gâtés ! De toute façon, vous allez plus vite que la musique. Nous n'avons pas encore entendu l'histoire du demi-dieu. Écoutons-la et nous déciderons ensuite du sort que nous leur réserverons. Maintenant, s'il te plaît, Jason Grace, amuse-nous.

Jason sentit son cerveau se bloquer. Il n'osa pas regarder Piper de peur de perdre complètement les pédales. C'était lui qui avait entraîné ses camarades dans cette aventure, et maintenant ils allaient mourir – ou pire : servir de joujoux aux enfants de Borée, finir congelés pour toujours dans cette salle du trône.

Chioné roucoula et lui caressa la nuque. Jason ne le fit pas exprès, mais une décharge d'électricité parcourut sa peau. Avec un bruit de bouchon de champagne qui saute, Chioné fut propulsée en arrière et dérapa sur le sol gelé.

Zétès éclata de rire.

– Ha ! Ha ! Elle est bien bonne ! Je suis content que tu aies fait ça, même si je vais devoir te tuer maintenant.

Dans un premier temps, Chioné fut trop abasourdie pour réagir. Puis l'air qui l'entourait se mit à tourbillonner comme si une tempête de neige miniature se levait.

– Comment oses-tu...

– Assez, ordonna Jason avec toute l'autorité qu'il put puiser en lui. Vous n'allez pas nous tuer et vous n'allez pas nous garder non plus. Nous menons une quête au service de la reine des dieux en personne, alors si vous ne voulez pas qu'Héra vienne défoncer vos portes, vous allez nous laisser repartir.

Jason s'exprimait avec beaucoup plus d'assurance qu'il n'en

avait réellement, et cela fit son effet. Le mini-blizzard de Chioné retomba, Zétès abaissa son épée. Ils tournèrent tous deux un visage déconcerté vers leur père.

– Hum, fit Borée. (Ses yeux pétillaient, mais Jason était incapable d'en déduire s'il était en colère ou amusé.) Un fils de dieu qui a les faveurs d'Héra ? C'est une grande première ! Raconte-nous ton histoire.

Et là, Jason manqua tout faire capoter. Il ne s'était pas attendu à avoir droit à la parole, et maintenant qu'il l'avait, sa voix le lâchait.

Piper sauva la mise.

– Majesté, commença-t-elle avec une révérence incroyablement maîtrisée, pour quelqu'un dont la vie allait se jouer.

Et elle raconta toute l'histoire à Borée, depuis le Grand Canyon jusqu'à la prophétie, de façon bien plus claire et concise qu'aurait pu le faire Jason.

– Tout ce que nous vous demandons, conclut-elle, ce sont vos conseils. Les esprits de la tempête qui nous ont attaqués sont au service d'une maîtresse maléfique. Si nous les trouvons, peut-être pourrons-nous ensuite trouver Héra.

Le roi caressa les glaçons de sa moustache. Dehors, la nuit était tombée et la seule lumière qui éclairait à présent la salle était l'aurore boréale du plafond, qui tintait tout de rouge et de bleu.

– Je connais l'existence de ces esprits de la tempête, dit Borée. Je suis au courant du lieu où ils sont gardés et du prisonnier qu'ils ont fait.

– Vous voulez parler de M. Hedge ? demanda Jason. Il est vivant ?

Borée balaya la question d'un geste de la main.

– Pour le moment. Mais celle qui contrôle ces esprits de la tempête... ce serait de la folie pure de s'opposer à elle. Vous seriez bien mieux ici, en statues de glace.

– Héra est en danger, dit Jason. Dans trois jours, elle sera – je ne sais pas – annihilée, détruite d'une façon ou d'une autre. Et un géant s'éveillera.

– Oui, confirma Borée. (Était-ce un effet de l'imagination de Jason, ou le roi lança-t-il un regard contrarié à Chioné ?) Beaucoup de créatures abominables s'éveillent. Même mes enfants me cachent certaines informations. Le Grand Éveil des monstres a commencé avec Cronos – et ton père Zeus a eu la bêtise de croire qu'il s'achèverait avec la défaite des Titans. Mais rien n'a changé, aujourd'hui est pareil qu'hier. La bataille ultime n'a pas eu lieu et la créature qui est appelée à s'éveiller est bien plus terrible que n'importe quel Titan. Les esprits de la tempête ne sont qu'un début. La terre a encore de nombreuses horreurs à livrer. Lorsque les monstres ne sont plus confinés au Tartare et que les âmes ne sont plus enfermées chez Hadès, l'Olympe a de bonnes raisons de trembler.

Jason n'était pas sûr de tout comprendre, mais il n'aimait pas la façon dont Chioné souriait. Comme si tout ça, c'était sa définition d'une partie de plaisir.

– Alors, allez-vous nous aider ? demanda Jason au roi.

– Je n'ai pas dit ça, répondit Borée avec une grimace.

– S'il vous plaît, Majesté, plaida Piper.

Tous les yeux se tournèrent vers elle. Malgré la peur qui ne pouvait que la tenailler, elle était radieuse et sûre d'elle – et cela ne devait rien à la bénédiction d'Aphrodite. Piper avait retrouvé son aspect normal, le visage pas maquillé, les cheveux en épis désordonnés, et les vêtements défraîchis par une journée de voyage. Mais elle dégageait une chaleur presque lumineuse, dans cette salle du trône glaciale.

– Si vous nous dites où sont les esprits de la tempête, poursuivit-elle, nous pourrons les capturer et les livrer à Éole. Cela vous donnera le beau rôle aux yeux de votre patron. Éole décidera peut-être de nous gracier, nous et les autres demi-dieux. Nous pourrions même sauver Gleeson Hedge. Ce serait du gagnant-gagnant.

– Elle est jolie, marmonna Zétès. Je veux dire qu'elle a raison.

– Ne l'écoute pas, père, dit Chioné. C'est une enfant d'Aphrodite. Elle ose enjôler un dieu ? Il faut la geler tout de suite !

Borée prit le temps de réfléchir. Jason glissa la main dans sa poche et la referma sur la pièce d'or. Si la situation tournait à l'aigre, il lui faudrait agir vite.

Son geste attira l'attention de Borée.

– Qu'as-tu sur l'avant-bras, demi-dieu ?

Jason ne s'était pas rendu compte que sa manche était remontée, découvrant le bord de son tatouage. À contrecœur, il montra ses marques à Borée.

Le dieu écarquilla les yeux. Quant à Chioné, elle siffla entre les dents, carrément, et recula.

Borée eut alors une réaction des plus inattendues. Il éclata d'un rire si tonitruant qu'un stalactite se détacha du plafond et s'écrasa au pied de son trône. La silhouette du dieu se mit à vaciller, telle une flamme. Sa barbe disparut. Son corps grandit, s'amincit, et ses vêtements se transformèrent en toge romaine bordée d'une bande de pourpre. Il était à présent coiffé d'une couronne de lauriers givrés et portait un glaive, une épée romaine semblable à celle de Jason, pendu à la taille.

– Aquilon, dit Jason – sans avoir la moindre idée d'où il tenait le nom romain du dieu.

Celui-ci inclina la tête.

– Tu me reconnais mieux sous cette forme, n'est-ce pas ? Et pourtant, tu dis que tu viens de la Colonie des Sang-Mêlé ?

Jason piétina sur place, mal à l'aise.

– Euh, oui, Majesté.

– Et c'est Héra qui t'a envoyé là-bas... (La joie se lisait dans les yeux du dieu de l'Hiver.) Je comprends, maintenant. Oh, elle joue un jeu dangereux. Téméraire et dangereux ! Pas étonnant que l'Olympe soit fermée. Le risque qu'elle prend doit faire trembler les dieux.

– Jason, demanda Piper d'une voix tendue, pourquoi Borée a-t-il changé d'apparence ? La toge, la couronne de lauriers... qu'est-ce qui se passe ?

– C'est sa forme romaine, expliqua Jason. Quant à ce qui se passe, je n'en sais rien.

Le dieu rit.

– Non, bien sûr que non. Elle va être intéressante à suivre, cette affaire.

– Cela signifie-t-il que vous allez nous laisser partir ? demanda Piper.

– Je n'ai aucune raison de vous tuer, ma chère, dit Borée. Si le plan d'Héra échoue, et je suis prêt à parier qu'il échouera, vous vous entretuerez. Éole ne se fera plus jamais de mauvais sang à cause des demi-dieux.

Jason eut l'impression que les doigts glacés de Chioné se posaient à nouveau sur sa nuque, mais ce n'était pas elle : c'était juste le sentiment que Borée disait vrai. Ce sentiment d'une faute grave qui le taraudait depuis son arrivée à la Colonie des Sang-Mêlé, depuis que Chiron lui avait dit que sa venue était une catastrophe – Borée savait de quoi il retournait.

– Je suppose que vous ne pouvez pas nous en dire plus ? demanda-t-il.

– Par les dieux, non ! Je me garderais bien de m'immiscer dans les plans d'Héra. Pas étonnant qu'elle t'ait privé de tes souvenirs. (Borée gloussa, visiblement encore réjoui par la perspective des demi-dieux s'entretuant.) Vous savez, j'ai la réputation d'être un dieu du Vent bienveillant. À la différence de mes frères, il m'est arrivé de tomber amoureux de mortelles. D'ailleurs mes fils Calaïs et Zétès ont commencé comme demi-dieux...

232

– Ce qui explique qu'ils soient stupides, lança Chioné.

– Tais-toi ! répliqua sèchement Zétès. C'est pas parce que tu es née déesse que...

– Silence, vous deux ! ordonna Borée, et le frère et la sœur se figèrent immédiatement. Alors, comme je disais, j'ai bonne réputation, mais il est rare que Borée joue un grand rôle dans les affaires des dieux. Je reste ici, dans mon palais, à la lisière de la civilisation, ce qui m'offre bien peu de distractions. Même cet idiot de Notos, le Vent du Sud, a droit à des vacances de printemps à Cancún. Et moi ? Moi j'ai le carnaval de l'hiver, avec des Québecois qui se roulent tout nus dans la neige !

– J'aime bien le carnaval de l'hiver, marmonna Zétès.

– Ce que je veux dire, reprit Borée d'un ton sec, c'est que j'ai maintenant l'occasion d'être au cœur des événements. Alors je vais vous laisser poursuivre votre quête, oh que oui. Vous trouverez vos esprits de la tempête dans la ville des vents, bien sûr. Chicago...

– Père ! protesta Chioné.

Borée ignora sa fille.

– Si vous arrivez à capturer les vents, vous serez peut-être autorisés à vous présenter à la cour d'Éole. Si par miracle vous réussissez, n'oubliez pas de lui signaler que vous les avez capturés sur mon ordre.

– D'accord, pas de problème, dit Jason. Alors c'est à Chicago que nous trouverons la dame qui contrôle les vents ? Est-ce elle qui détient Héra ?

– Ah ! sourit Borée. Ce sont deux questions distinctes, fils de Jupiter.

Jupiter, remarqua Jason. *Avant, il m'appelait fils de Zeus.*

– Celle qui contrôle les vents, poursuivit Borée. Oui, vous la trouverez à Chicago. Mais elle n'est qu'une servante – une servante très susceptible de vous tuer. Si vous triomphez d'elle et capturez les vents, vous pourrez aller trouver Éole. Lui seul connaît tous les vents de la terre. Tôt ou tard, tous les secrets parviennent à sa forteresse. Si quelqu'un peut vous apprendre où Héra est emprisonnée, c'est bien Éole. Quant à la créature que vous rencontrerez quand vous aurez enfin trouvé la cage d'Héra, honnêtement, si je vous en disais plus à son sujet, vous me supplieriez de vous congeler.

– Père, protesta Chioné, tu ne peux pas les laisser...

– Je fais ce que bon me semble, dit-il d'une voix plus dure. Je suis encore le maître ici, que je sache ?

Au regard que Borée lança à sa fille, il était clair qu'un différend les opposait depuis un moment. Une étincelle de colère s'alluma dans les yeux de Chioné, mais elle serra les dents, puis répondit :

– Comme tu l'entendras, père.

– Maintenant partez, demi-dieux, dit Borée. Avant que je change d'avis. Zétès, raccompagne-les.

Tous s'inclinèrent et le dieu du Vent du Nord disparut dans une volute de brouillard givrant.

Cal et Léo les attendaient dans le vestibule. Léo paraissait frigorifié, mais sain et sauf. Il avait même fait sa toilette et ses vêtements semblaient fraîchement lavés, comme s'il avait recouru au service teinturerie express de l'hôtel. Festus le dragon avait repris sa forme normale et soufflait du feu sur ses écailles pour les empêcher de givrer.

Quand Chioné leur fit descendre l'escalier, Jason remarqua que Léo ne la quittait pas des yeux et qu'il se passait la main dans les cheveux pour les recoiffer. *Ttt-tt,* se dit Jason. Il ne fallait pas qu'il oublie de mettre Léo en garde contre la princesse des neiges. Ce n'était pas la bonne personne sur qui craquer.

Arrivée à la dernière marche, Chioné se tourna vers Piper.

– Tu as embobiné mon père, fille d'Aphrodite. Mais moi on me la fait pas. On n'en a pas fini, toutes les deux. Quant à toi, Jason Grace, au plaisir de te voir bientôt statufié dans la salle du trône.

– Borée a raison, dit Jason. Tu es une enfant gâtée. À un de ces jours, Princesse de Glace.

Les yeux de Chioné lancèrent des éclairs d'une blancheur absolue. Pour une fois, elle sembla manquer de repartie. Elle remonta l'escalier comme une trombe – littéralement : à mi-hauteur, elle se transforma en blizzard et disparut.

– Faites attention, prévint Zétès, ma sœur n'oublie jamais un affront.

Cal acquiesça d'un grognement et ajouta :

– Vilaine sœur.

– C'est la déesse des Neiges, répondit Jason. Qu'est-ce qu'elle va nous faire ? Nous envoyer des boules de neige ?

Mais, tout en disant ces mots, il se doutait bien que Chioné était capable de leur faire bien plus de mal.

Léo avait l'air désespéré.

– Qu'est-ce qui s'est passé là-haut ? demanda-t-il. Vous l'avez mise en colère ? Elle est fâchée contre moi, aussi ? Je voulais l'inviter au bowling, les gars !

– On t'expliquera plus tard, promit Piper – mais lorsqu'elle jeta un coup d'œil à Jason, ce dernier comprit qu'elle attendait des explications de *lui*.

Que s'était-il donc passé là-haut ? Jason ne savait pas vraiment. Borée s'était changé en Aquilon, sa forme romaine, comme si la présence de Jason l'avait rendu schizophrène.

L'idée que Jason avait été envoyé à la Colonie des Sang-Mêlé semblait amuser le dieu, mais ce n'était pas par bonté que Borée/Aquilon les avait laissés repartir. Une lueur d'excitation cruelle brillait dans ses yeux, comme s'il venait de prendre un pari sur un combat de chiens. « Vous vous

235

entretuerez, avait-il dit avec délectation. Éole ne se fera plus jamais de mauvais sang à cause des demi-dieux. »

Jason détourna le regard, ne voulant pas montrer à Piper à quel point il était perturbé.

– Ouais, lâcha-t-il, on t'expliquera plus tard.

– Prends garde à toi, jolie fille, dit alors Zétès. Les vents sont coléreux, entre ici et Chicago. Il y a de nombreuses autres créatures maléfiques qui s'agitent. Je regrette que tu ne restes pas. Tu aurais fait une ravissante statue de glace dans laquelle j'aurais pu admirer mon reflet.

– Merci, répondit Piper, mais je préfère encore jouer au hockey avec Cal.

– Hockey ? répéta celui-ci, pris d'un enthousiasme soudain.

– C'était pour rire, dit Piper. Et les vents de tempête sont les cadets de nos soucis, c'est ça ?

– C'est bien ça, confirma Zétès. Il y a autre chose. Autre chose de pire.

– Bien pire, renchérit Cal.

– Vous pouvez me dire quoi ? demanda Piper en les gratifiant tous deux d'un sourire.

Cette fois-ci, le charme n'opéra pas. Les Boréades aux ailes violettes secouèrent la tête à l'unisson. Les portes de hangar s'ouvrirent sur la nuit glaciale et étoilée, et Festus le dragon tapa des pattes, impatient de prendre son envol.

– Demande à Éole ce qu'il y a de pire, dit Zétès d'un ton lugubre. Il le sait. Et bonne chance.

Il donnait presque l'impression de se soucier de leur sort, alors qu'à peine quelques minutes plus tôt, il avait parlé de transformer Piper en statue de glace.

Cal tapota Léo sur l'épaule.

– Te fais pas tuer, dit-il, ce qui devait être une des phrases les plus élaborées qu'il ait jamais prononcées. La prochaine fois, hockey. Pizza.

– Venez, les gars. (Jason plongea le regard dans l'obscurité nocturne. Il avait hâte de quitter cette suite d'hôtel glaciale, même s'il soupçonnait qu'ils ne verraient pas de lieu plus accueillant de sitôt.) En route pour Chicago, en évitant de nous faire tuer si possible.

21   PIPER

Piper ne se détendit qu'une fois les lumières de la ville de Québec avalées par la nuit.

– T'as été formidable, là-bas ! lui dit Jason.

Le compliment aurait dû la combler, mais Piper ne pouvait penser qu'aux ennuis qui les attendaient. « Des créatures maléfiques s'agitent, » avait averti Zétès. Elle était bien placée pour le savoir. Plus ils approchaient du solstice, moins il lui restait de temps pour prendre sa décision.

Elle dit à Jason en français : « Si tu connaissais la vérité sur moi, tu ne me trouverais plus si formidable. »

– Qu'est-ce que tu racontes ?

– J'ai dit que j'avais juste parlé à Borée. Ça n'a rien d'extraordinaire.

Elle ne se retourna pas pour voir, mais elle imagina qu'il souriait.

– Hé, tu m'as épargné de finir dans la collection de garçons glacés de Chioné, c'est pas rien !

Ça, songea Piper, *c'était vraiment pas difficile.* Il était hors de question qu'elle laisse Jason tomber dans les griffes de cette sorcière des glaces. Ce qui la préoccupait davantage, c'était la raison qui avait poussé Borée à changer de forme, puis à les laisser partir. C'était lié au passé de Jason et à ces tatouages

238

qu'il avait sur le bras. Borée avait estimé que Jason était romain, or les Romains et les Grecs n'étaient pas censés s'entendre. Elle attendait que Jason fournisse une explication mais lui, visiblement, ne tenait pas à aborder le sujet.

Jusqu'à présent, Piper avait trouvé des arguments pour contredire l'impression qu'avait Jason d'être un intrus à la Colonie des Sang-Mêlé. De toute évidence, c'était un demi-dieu ; en tant que tel, il avait sa place à la colonie. Mais maintenant elle se demandait... et s'il était autre ? S'il était effectivement un ennemi ? Cette idée lui était tout aussi odieuse que Chioné.

Léo leur tendit des sandwiches qu'il sortit de son sac à dos. Il gardait le silence depuis qu'ils lui avaient raconté ce qui s'était passé dans la salle du trône.

– J'en reviens toujours pas, dit-il. Chioné avait l'air tellement sympa.

– Crois-moi, mon pote, lui assura Jason. La neige c'est peut-être joli, mais de près, c'est froid et désagréable. On te trouvera une autre fiancée.

Piper sourit, mais Léo n'avait pas l'air content. Il ne leur avait pas parlé de son attente au palais avec Cal, ou de la raison pour laquelle les Boréades lui avaient dit qu'il sentait le feu. Piper avait l'impression qu'il cachait quelque chose. Quoi que ce soit, l'humeur de Léo semblait affecter Festus, qui grommelait et crachait de la vapeur pour essayer de se réchauffer dans la froidure canadienne. Joyeux Dragon n'était plus si joyeux.

Ils mangèrent leurs sandwiches en vol. Piper se demandait comment Léo s'était débrouillé pour emporter toutes ces provisions, en plus il s'était même souvenu qu'elle était végétarienne. Le sandwich avocat-fromage était à tomber.

Ils se taisaient tous. Ils ignoraient ce qu'ils allaient trouver à Chicago, mais ils savaient pertinemment que Borée les avait

239

laissés repartir parce qu'il estimait qu'ils s'étaient lancés dans une mission suicide.

La lune se leva. Piper sentit ses paupières s'alourdir. La rencontre avec Borée et ses enfants lui avait fait plus peur qu'elle ne voulait bien se l'admettre. Maintenant qu'elle avait le ventre plein, l'adrénaline retombait.

Encaisse, cocotte ! lui aurait crié M. Hedge. *Fais pas ta mauviette !*

Depuis que Borée avait révélé que l'entraîneur était toujours en vie, Piper pensait à lui. Elle ne l'avait jamais aimé, il n'empêche qu'il avait sauté d'une falaise pour sauver Léo et qu'il s'était sacrifié pour les protéger sur la passerelle du Grand Canyon. Elle se rendait compte à présent que toutes les fois où l'entraîneur l'avait poussée à en faire plus, à l'école, où il lui avait crié de courir plus vite, de faire davantage de pompes, et même les fois où il l'avait laissée se défendre toute seule quand les pestes de sa classe lui cherchaient des poux, le vieil homme-bouc s'efforçait à sa manière, certes agaçante, de l'aider, de la préparer à sa vie de demi-dieu.

Sur la passerelle, Dylan, l'esprit de la tempête, avait dit quelque chose au sujet de l'entraîneur : qu'on l'avait envoyé à l'École du Monde Sauvage parce qu'il se faisait vieux, que c'était une sorte de mise au placard. Piper se demanda de quoi il retournait et si c'était pour cela que l'entraîneur était aussi grognon. Quoi qu'il en soit, maintenant qu'elle savait que Gleeson Hedge était en vie, Piper se sentait le besoin compulsif de le sauver.

T'emballe pas, se reprit-elle. *Tu as des problèmes autrement plus graves. Ce voyage ne va pas bien finir.*

Car elle était une traîtresse, tout comme Silena Beauregard, et tôt ou tard, ses amis le découvriraient.

Elle leva les yeux vers les étoiles et repensa à une nuit, il y avait de ça longtemps, où son père et elle avaient campé devant la maison de Papy Tom. Papy Tom était mort depuis des années, mais le père de Piper avait gardé sa maison dans l'Oklahoma car c'était là qu'il avait passé toute son enfance.

Ils y étaient retournés pour quelques jours. L'idée, c'était de retaper un peu la maison pour la vendre, même si Piper se demandait qui aurait envie d'acheter une bicoque délabrée qui avait des volets en guise de fenêtres et deux minuscules pièces qui empestaient le cigare. La première nuit, la chaleur était tellement étouffante – en plein mois d'août, et sans clim' – que le père de Piper avait proposé de dormir à la belle étoile.

Ils avaient déroulé leurs sacs de couchage et écouté les cigales striduler dans les arbres. Piper avait montré du doigt les constellations qu'elle reconnaissait d'après ses livres – Hercule, la Lyre, le Sagittaire.

Son père avait croisé les bras derrière la tête. Avec son vieux tee-shirt et son vieux jean, il avait l'air de n'importe quel gars de Tahlequah, dans l'Oklahoma, de n'importe quel Cherokee qui n'aurait jamais quitté les terres tribales.

– Ton grand-père te dirait que toutes ces constellations grecques, c'est du pipeau. Il me racontait que les étoiles étaient des créatures à la fourrure brillante, des espèces de hérissons magiques. Un jour, il y a longtemps, des chasseurs en avaient même capturé quelques-uns dans la forêt. Ils ne savaient pas ce qu'ils avaient fait jusqu'au moment où, la nuit tombée, les créatures-étoiles s'étaient mises à briller. Des étincelles dorées fusaient de leur fourrure, alors les Cherokees les ont relâchées dans le ciel.

– Tu crois aux hérissons magiques ? avait demandé Piper.

Son père avait ri.

– Je crois que Papy Tom pipeautait un max, lui aussi, comme les Grecs. Mais le ciel est vaste. Il doit y avoir assez de place pour Hercule et les hérissons.

Ils étaient restés assis un moment, et Piper avait finalement trouvé le courage de poser une question qui lui trottait dans la tête depuis longtemps.

– Papa, pourquoi tu ne joues jamais de rôle d'Amérindiens ?

Pas plus tard que la semaine précédente, il avait refusé un rôle de justicier indien dans un western, pour plusieurs millions de dollars. Piper essayait encore de comprendre pourquoi. Il avait joué toutes sortes de personnages, dans sa carrière : un professeur hispanique dans une école d'un quartier dur de Los Angeles, un sémillant espion israélien dans un film d'aventures à gros budget et même un terroriste syrien dans un *James Bond*. Sans compter, bien sûr, qu'il resterait *Le Roi de Sparte* dans les mémoires. Mais si le personnage proposé était amérindien, peu importait le rôle, le père de Piper refusait.

Il lui avait lancé un clin d'œil.

– C'est trop proche de mes racines, Pip's. C'est plus facile de faire semblant d'être quelque chose que je ne suis pas.

– C'est pas lassant, au bout d'un moment ? Tu es jamais tenté ? Par exemple si tu trouvais le rôle parfait, capable de faire bouger les opinions ?

– Si ce rôle-là existe, Pip's, avait-il dit d'un ton triste, je ne l'ai jamais trouvé.

Elle avait regardé les étoiles en essayant d'y voir des hérissons lumineux. Mais elle ne reconnaissait que les dessins en pointillés qui lui étaient déjà familiers : Hercule traversant le ciel en courant pour aller pourfendre des monstres. Son père avait sans doute raison. Les Grecs et les Cherokees étaient les uns plus cinglés que les autres. Les étoiles étaient juste des boules de feu.

– Papa, avait-elle dit, si tu n'aimes pas être près de tes racines, pourquoi on dort dans le jardin de Papy Tom ?

Le rire de son père avait résonné dans le silence de la nuit à la campagne.

– Je crois que tu me connais trop bien, Pip's.

– Tu ne vas pas vendre la maison, en fait ?

– Nan, avait-il soupiré. Sans doute pas.

Piper cligna des yeux pour s'arracher à son souvenir. Elle se rendit compte qu'elle s'était endormie sur le dos du dragon. Comment son père pouvait-il faire semblant d'être tant de choses qu'il n'était pas ? Elle s'y efforçait en ce moment et c'était un véritable déchirement.

Peut-être pouvait-elle jouer la comédie encore un peu. Se raconter qu'elle trouverait un moyen de sauver son père sans trahir ses amis – même si à l'heure actuelle, un dénouement heureux semblait à peu près aussi probable que l'existence des hérissons magiques.

Elle se laissa aller contre la poitrine de Jason, qui ne s'en plaignit pas. Elle ferma les yeux, pour sombrer aussitôt dans le sommeil.

Dans son rêve, elle était de nouveau au sommet de la montagne. Le feu aux flammes violettes projetait des ombres fantomatiques sur les arbres. La fumée piquait les yeux de Piper et le sol était si chaud que les semelles de ses bottes collaient.

Une voix gronda dans l'obscurité :

– Tu oublies ton devoir.

Piper ne le voyait pas, mais elle savait que c'était le géant qu'elle détestait entre tous : celui qui se faisait appeler Encélade. Elle chercha son père des yeux, mais le poteau auquel il était enchaîné la dernière fois avait disparu.

– Où est-il ? demanda-t-elle. Qu'as-tu fait de lui ?

Le rire du géant crissa comme une coulée de lave qui crépite sur le flanc d'un volcan.

– Son corps n'est pas en danger, mais je crains que l'esprit du pauvre homme ne puisse supporter plus longtemps ma compagnie. Pour une raison qui m'échappe, il me trouve... perturbant. Dépêche-toi, fillette, ou tu risques de ne sauver qu'une coquille vide.

– Relâche-le ! hurla Piper. Prends-moi à la place ! Ce n'est qu'un simple mortel !

– Mais, ma chérie, gronda le géant, nous devons prouver notre amour pour nos parents. C'est ce que je fais, moi. Montre-moi que tu tiens à ton père en faisant ce que je te demande. Qui compte plus : ton père, ou une déesse fourbe qui s'est servie de toi, a joué avec tes émotions et manipulé tes souvenirs ? Hum ? Que représente Héra pour toi ?

Piper se mit à trembler. La colère et la peur qui bouillonnaient en elle l'empêchaient presque de parler.

– Tu me demandes de trahir mes amis, dit-elle avec effort.

– Malheureusement, ma chérie, le destin de tes amis les voue à la mort. Leur quête est irréalisable. Même si vous réussissiez contre toute attente, tu as entendu la prophétie : libérer la rage d'Héra signerait votre arrêt de mort. La question est simple. Veux-tu mourir avec tes amis ou vivre avec ton père ?

Le feu redoubla d'ardeur. Piper voulut reculer, mais ses pieds étaient lourds. Elle se rendit compte que le sol l'aspirait, collait à ses bottes comme du sable mouillé. Lorsqu'elle releva la tête, une pluie d'étincelles violettes striait le ciel et le soleil se levait à l'est. Un patchwork de villes brillait dans la vallée qu'ils dominaient et, tout à fait à l'ouest, au-dessus d'une chaîne de collines, elle reconnut un site familier émergeant d'une nappe de brouillard.

– Pourquoi me montres-tu ça ? demanda Piper. Tu me révèles ton emplacement.

– Oui, tu connais ce lieu. Détourne tes amis de leur véritable destination, amène-les-moi et je leur réglerai leur compte. Ou

244

bien, mieux encore, charge-toi de leur mort avant de venir. Ça m'est égal. L'essentiel, c'est que tu te présentes à ce sommet avant le jour du solstice à midi, et tu pourras récupérer ton père et partir en paix.

– Je ne peux pas, dit Piper. Tu ne peux pas me demander...

– De trahir cet imbécile de Léo Valdez, qui t'a toujours agacée et qui en plus te cache des choses ? De renoncer à un petit ami que tu n'as jamais eu pour de vrai ? Ton propre père ne compte-t-il pas davantage ?

– Je trouverai le moyen de te battre, dit Piper. Je sauverai mon père et mes amis.

Le géant gronda dans la pénombre.

– Moi aussi, je faisais le fier, autrefois. Je pensais que les dieux ne pourraient jamais me battre. Puis ils m'ont lancé une montagne sur la tête et m'ont enfoncé dans le sol, et là je me suis débattu pendant des éternités, rendu à demi inconscient par la douleur. Ça m'a enseigné la patience, fillette. Ça m'a appris à ne pas agir sans réfléchir. À présent, avec l'aide de la terre qui s'éveille, je suis parvenu à refaire surface. Je ne suis que le premier. Mes frères vont suivre. Nul ne nous volera notre vengeance, cette fois-ci. Et toi, Piper McLean, tu as besoin d'une leçon d'humilité. Je vais te montrer comme il est facile de ramener ton esprit rebelle à la réalité.

Le rêve se dissipa. Et Piper se réveilla en hurlant : elle dégringolait dans le vide.

22   PIPER

Piper tombait en chute libre dans le ciel. Très loin, tout en bas, les lumières de la ville brillaient dans les premières lueurs de l'aube. À quelques centaines de mètres, le corps du dragon de bronze piquait en vrille, les ailes inertes, la gueule crépitant d'étincelles comme une ampoule qui a de faux contacts.

Une forme passa en flèche tout près d'elle : Léo, qui hurlait et agrippait l'air frénétiquement.

– Pas cooooooool !

Elle essaya de l'appeler, mais il était déjà trop loin.

Quelque part au-dessus d'elle, Jason hurla :

– Piper, déploie-toi ! Écarte les bras et les jambes !

C'était dur de maîtriser sa peur, mais Piper appliqua les conseils de Jason et regagna un peu d'équilibre. Elle tombait maintenant comme une parachutiste en chute libre, en étoile, et l'air sous elle formait comme un bloc de glace. D'un coup Jason fut là, derrière elle, et referma les bras sur sa taille.

Dieu merci, pensa Piper, qui ne put s'empêcher de se dire aussi : *Super. Ça fait deux fois qu'il me prend dans ses bras en une semaine, et chaque fois c'est parce que je suis en train de tomber dans le vide.*

– Faut qu'on rattrape Léo ! cria-t-elle.

Leur chute avait beau être bien plus lente maintenant que Jason exerçait son contrôle, ils faisaient toujours de violentes embardées verticales, comme si les vents ne coopéraient qu'à contrecœur.

– Ça va secouer ! annonça Jason. Accroche-toi !

Piper le serra dans ses bras et Jason piqua vers le sol. La jeune fille hurla sans doute, mais le son était dévoré par la chute. Sa vision se troubla.

Et puis... *schdoung !* Ils heurtèrent un corps tiède – Léo, qui gigotait et jurait de plus belle.

– Arrête de te débattre ! C'est moi ! dit Jason.

– Mon dragon ! cria Léo. Faut que tu sauves Festus !

Jason avait du mal à les maintenir tous les trois en suspension et Piper savait qu'il lui était impossible de secourir un dragon de cinquante tonnes. Elle allait tenter de raisonner Léo quand elle entendit une explosion en provenance du sol. Une boule de feu roula de derrière un groupe d'entrepôts et fusa vers le ciel.

– Festus ! sanglota Léo.

Jason se démenait pour créer un coussin d'air sous eux et rougissait sous l'effort, mais il ne parvenait qu'à provoquer des ralentissements épisodiques. Au lieu de tomber en chute libre, ils avaient l'impression de rebondir sur un escalier géant, par marches d'une trentaine de mètres, ce qui ne faisait aucun bien à l'estomac de Piper.

Dans leurs zigzags, elle parvint à repérer certains détails du complexe industriel qui s'étendait à leurs pieds : des entrepôts, des cheminées, des clôtures en barbelés, des parkings où s'alignaient des voitures couvertes de neige. Ils étaient encore très haut, assez pour que l'impact les écrase comme des crêpes, quand Jason dit d'une voix chancelante :

– J'y... arrive... pl...

Et ils tombèrent comme des pierres.

Ils heurtèrent le toit du plus grand entrepôt, passèrent au travers et s'enfoncèrent dans le noir.

Piper tenta d'atterrir par les pieds – mal lui en prit. Elle s'effondra sur une surface de métal froid, la cheville gauche transpercée par une douleur aiguë.

Pendant quelques secondes, elle ne fut consciente de rien d'autre que la douleur : si vive que ses oreilles tintaient, qu'un voile rouge l'aveuglait.

Puis elle entendit la voix de Jason qui résonnait dans le bâtiment, quelque part en dessous d'elle.

– Piper ! Où est Piper ?

– Hé, mec ! grogna Léo. C'est mon dos ! Je suis pas un matelas ! Piper, t'es passée où ?

– Ici, répondit-elle dans un murmure.

Elle entendit des bruits de pas et des grognements, puis des pieds qui grimpaient les marches d'un escalier métallique.

Sa vision s'éclaircit. Elle était sur une passerelle intérieure en métal qui faisait tout le tour de l'entrepôt. Jason et Léo avaient atterri au rez-de-chaussée, et ils étaient en train de monter. Elle regarda son pied et son estomac se souleva. Ses orteils n'étaient pas censés pointer dans cette direction, si ?

Oh, mon Dieu. Elle se força à détourner le regard pour ne pas vomir. Fixer l'attention sur autre chose. N'importe quoi.

Le trou qu'ils avaient ouvert dans le toit dessinait une étoile à sept ou huit mètres au-dessus de leurs têtes. Comment ils avaient survécu à une chute pareille, c'était un mystère. Quelques ampoules électriques pendues au plafond donnaient une lumière tremblotante, largement insuffisante pour éclairer un aussi vaste espace. À côté de Piper, le mur tapissé de tôle ondulée portait le logo d'une entreprise, mais ce dernier disparaissait sous les graffitis. En bas, dans la pénombre de l'entrepôt, elle distingua les formes d'énormes machines, de bras articulés, de camions abandonnés en cours de montage sur une chaîne. Les lieux semblaient désaffectés depuis des années.

Jason et Léo la rejoignirent.

– Ça va, tu..., commença Léo, qui aperçut alors son pied. Ah non, ça va pas.

– Merci pour le réconfort, grommela Piper.

– On va t'arranger ça, dit Jason d'une voix qui masquait mal son inquiétude. Léo, tu as du matériel de premier secours ?

– Ouais, ouais.

Il fourragea dans sa ceinture et en ressortit des compresses et un rouleau d'adhésif – tous deux bien trop gros pour tenir dans les pochettes de la ceinture. Piper avait remarqué la trousse à outils de Léo la veille, mais elle n'avait pas pensé à lui demander à quoi elle lui servait. Elle n'avait rien de particulier, d'ailleurs, c'était juste un de ces tabliers en cuir plein de poches que portent souvent les forgerons et les menuisiers. Et elle avait l'air vide.

– Comment tu as fait pour... (Piper tenta de se redresser et grimaça.) Pour sortir ces trucs d'une ceinture vide ?

– Elle est magique, dit Léo. Je n'ai pas encore tout compris, mais je peux en faire sortir n'importe quel outil, pratiquement, plus quelques petits trucs qui peuvent servir. (Il plongea la main dans une autre poche et en sortit une petite boîte en plastique.) Un Tic Tac ?

Jason lui arracha la boîte de Tic Tac.

– Super, Léo. Maintenant tu peux lui soigner son pied ?

– Je suis mécanicien, mon pote. Si c'était une voiture, je dis pas... (Il claqua des doigts.) Dites donc, c'était quoi cette panacée divine qu'ils t'ont fait manger à la colonie – des barres énergétiques spécial Rambo ?

– De l'ambroisie, idiot, dit Piper, le visage contracté par la douleur. Il devrait y en avoir dans mon sac, s'il n'est pas écrasé.

Jason retira délicatement le sac de ses épaules. Il chercha dans les affaires que lui avaient données les Aphrodite et tomba sur une pochette plastique à Zip pleine de carrés de gâteau écrabouillés qui ressemblaient un peu à des tranches de quatre-quarts. Il en détacha un morceau et le donna à Piper.

Elle fut très surprise par le goût. L'ambroisie lui rappela la soupe de haricots noirs que lui faisait son père quand elle était petite. Il la lui donnait surtout quand elle était malade. Le souvenir la détendit, tout en l'attristant. La douleur de sa cheville se calma.

– Encore, réclama-t-elle.

Jason fronça les sourcils.

– Piper, ne prenons pas de risque. Ils ont dit qu'en surdose, l'ambroisie pouvait te consumer, tu te rappelles ? Je crois que je devrais essayer de te remettre le pied en place.

Piper sentit son ventre se nouer.

– Tu as déjà fait ça ?

– Ouais... je crois.

Léo trouva un vieux bout de bois, le fendit en deux pour en faire une attelle et posa les compresses et l'adhésif à portée de main.

– Tiens-lui la jambe, dit Jason. Piper, ça va faire mal.

Quand Jason réaligna son pied, Piper tressaillit si violemment qu'elle envoya un coup de poing dans le bras de Léo, lequel hurla aussi fort qu'elle. Lorsqu'elle reprit ses esprits et son souffle, elle vit que son pied pointait à nouveau dans la bonne direction et que sa cheville était encastrée dans une attelle improvisée avec du contreplaqué, des compresses et de l'adhésif.

– Aïe, commenta-t-elle.

– Bon sang, Reine de Beauté ! (Léo se frotta le bras.) Heureusement que c'était pas ma figure !

– Excuse-moi. Mais si tu m'appelles encore une fois Reine de Beauté, je t'en colle un autre.

– Vous avez assuré, tous les deux, dit Jason.

Il sortit une gourde du sac à dos de Piper et lui donna à boire. Au bout de quelques minutes, le tumulte de son ventre s'apaisa.

Maintenant qu'elle ne poussait plus des cris de douleur, elle entendait le vent hurler dehors. Des flocons de neige entraient en voletant par le trou dans le toit, ce qui lui rappela désagréablement leur rencontre avec Chioné.

– Qu'est-ce qui est arrivé au dragon ? demanda-t-elle. Où sommes-nous ?

Léo se renfrogna.

– Je ne comprends pas ce qui est arrivé à Festus. Il est parti brusquement sur le côté comme s'il avait percuté un mur invisible, et puis il s'est mis à tomber.

Piper se souvint de l'avertissement d'Encélade : « Je vais te montrer comme il est facile de ramener ton esprit rebelle à la réalité. » Était-il parvenu à les frapper malgré la distance considérable qui les séparait ? Impossible. S'il était si puissant que ça, pourquoi avait-il besoin qu'elle trahisse ses amis ? Il n'avait qu'à les tuer lui-même... Et comment le géant pouvait-il suivre sa trace dans une tempête de neige à des milliers de kilomètres de son antre ?

Léo montra du doigt le logo peint au mur.

– Quant à là où on est...

À travers les graffitis, Piper discerna un gros œil rouge, barré des mots : MOTEURS DU MONOCLE, CHAÎNE DE MONTAGE 1.

– Une usine de voitures désaffectée, poursuivit Léo. Je crois qu'on a fait un atterrissage forcé à Detroit.

Piper avait entendu parler des fermetures d'usines automobiles à Detroit. C'était vraisemblable. Mais quel endroit lugubre où se poser !

– On est encore loin de Chicago ?

Jason lui tendit la gourde.

– On a dû faire les trois quarts du chemin depuis Québec. Le problème, c'est que sans le dragon, on va être obligés de voyager par voie de terre.

– Pas question, dit Léo. C'est dangereux.

Piper repensa à la façon dont le sol aspirait ses pieds dans le rêve, ainsi qu'aux paroles de Borée : « La terre a encore de nombreuses horreurs à livrer. »

– Il a raison, le soutint-elle. En plus je ne suis pas sûre de pouvoir marcher. Et à trois... Jason, tu ne peux pas faire voler autant de personnes sur une telle distance.

– Impossible, confirma Jason. À propos, Léo, tu es sûr que le dragon n'est pas tombé en panne ? Je veux dire, Festus est vieux et...

– Et peut-être que je l'ai pas réparé comme il fallait ?

– Nan, nan, j'ai pas dit ça. C'est juste que tu pourrais peut-être le réparer, qu'est-ce que tu en penses ?

– Je ne sais pas. (Léo avait l'air abattu. Il sortit quelques boulons de sa poche et se mit à jouer avec.) Il faudrait que je trouve l'endroit où il est tombé, s'il est encore en un seul morceau.

– C'était ma faute, dit Piper sans réfléchir.

Elle n'y tenait plus. Le secret concernant son père la consumait de l'intérieur comme une surdose d'ambroisie. Elle avait l'impression que si elle continuait à mentir à ses amis, elle serait bientôt réduite en cendres.

– Piper, murmura Jason. Tu dormais quand Festus est tombé en rideau. Ça ne peut pas être ta faute.

– Ouais, tu es secouée, c'est tout, renchérit Léo, qui n'en profita même pas pour la chambrer. Tu as mal. Repose-toi.

Elle voulut tout leur raconter, mais les mots lui restèrent dans la gorge. Ils étaient tellement gentils avec elle, tous les deux. Pourtant, si Encélade la surveillait en ce moment, il suffisait qu'elle prononce une parole de trop pour qu'il tue son père.

Léo se leva.

– Écoute, Jason, euh, si tu restais avec elle, mon pote ? Je vais faire un tour pour chercher Festus. Je crois qu'il est tombé pas loin de l'entrepôt. Si je le trouvais, je pourrais peut-être comprendre ce qu'il a eu et le réparer.

– C'est trop dangereux, dit Jason. Tu ne devrais pas y aller tout seul.

– Ça va aller, j'ai de l'adhésif et des Tic Tac. T'inquiète pas, répondit Léo un peu trop vite, et Piper se rendit compte qu'il était bien plus secoué qu'il ne le montrait. Le seul truc, les gars, partez pas sans moi.

Léo plongea la main dans sa ceinture à outils magique, en sortit une torche électrique et se dirigea vers l'escalier, laissant Jason et Piper seuls.

Jason sourit, et en même temps il avait l'air nerveux. C'était exactement la même expression que le jour où il avait embrassé Piper pour la première fois, sur le toit du dortoir de l'École du Monde Sauvage – avec sa petite cicatrice adorable qui dessinait un croissant sur sa lèvre. Le souvenir fit chaud au cœur de Piper. Puis elle se rappela que ce baiser n'avait jamais eu lieu.

– Je te trouve mieux, avança Jason.

Piper ne savait pas s'il voulait parler de son pied, ou du fait qu'elle n'était plus embellie par magie. Son jean s'était déchiré dans la chute à travers le toit. Ses chaussures étaient éclaboussées de neige fondue. Quant à son visage, elle ne savait pas quelle mine elle avait – épouvantable, sans doute.

Quelle importance ? Avant, elle ne se posait jamais ce genre de questions. Elle se demanda si c'était son idiote de mère, la déesse de l'Amour, qui jouait avec ses pensées. Si Piper se surprenait à avoir des envies subites de lire des magazines de mode, il faudrait qu'elle aille trouver cette Aphrodite et qu'elle lui dise deux mots.

Elle décida de reporter son attention sur sa cheville. Tant qu'elle ne la bougeait pas, la douleur était modérée.

– Tu as fait du bon boulot, dit-elle à Jason. Où est-ce que tu as appris le secourisme ?

– Même réponse que d'habitude, fit-il avec un haussement d'épaules. Je ne sais pas.

– Mais tu commences à retrouver certains souvenirs, non ? Comme la prophétie en latin, à la colonie, ou ton rêve avec la louve.

– C'est flou. Une impression de déjà-vu. Tu sais, quand tu oublies un mot ou un nom et que tu l'as sur le bout de la langue, et en même temps impossible de le retrouver ? C'est l'effet que ça me fait, sauf que c'est toute ma vie que j'ai sur le bout de la langue.

Piper comprenait un peu ce qu'il devait ressentir. Ces trois derniers mois – la vie qu'elle avait cru mener, une relation avec Jason – s'étaient avérés être un jeu de la Brume.

« Un petit ami que tu n'as jamais eu pour de vrai, avait dit Encélade. Ton propre père ne compte-t-il pas davantage ? »

Elle ne put se retenir de poser la question qui lui trottait dans la tête depuis la veille.

– Cette photo dans ta poche, c'est quelqu'un de ton passé ?

Jason eut un mouvement de recul.

– Excuse-moi, dit Piper. Ça ne me regarde pas. Laisse tomber.

– Non, c'est bon. (Le visage de Jason se détendit.) C'est juste que j'essaie d'y voir clair. Elle s'appelle Thalia. C'est ma sœur.

Je ne me souviens pas des détails. Je ne suis même pas sûr de la connaître, mais... euh, pourquoi tu souris ?

– C'est rien. (Piper essaya de ravaler son sourire. Une joie ridicule l'envahit : ce n'était pas la photo d'une petite amie.) C'est juste que... c'est super que tu te sois souvenu d'elle. Annabeth m'a dit qu'elle était entrée chez les Chasseresses d'Artémis, exact ?

Jason hocha la tête.

– J'ai l'impression que je suis censé la retrouver. Il doit bien y avoir une raison si Héra m'a laissé ce souvenir. Il doit y avoir un lien avec cette quête. Mais... j'ai aussi l'impression que c'est risqué. Je ne suis pas certain de vouloir découvrir la vérité. Tu trouves que je suis fou ?

– Non, dit Piper. Pas du tout.

Elle fixa le logo peint au mur. MOTEURS DU MONOCLE, l'unique œil rouge.

Quelque chose, dans ce logo, la dérangeait... mais quoi ?

Peut-être l'idée qu'Encélade la surveillait, tout en gardant son père captif pour faire pression sur elle. Elle devait sauver son père, mais comment trahir ses amis ?

– Jason, lança-t-elle, à propos de vérité, il faut que je te dise une chose – une chose qui concerne mon père...

Piper n'en eut pas la possibilité. En bas, un bruit de métal retentit, comme une porte qui claque. Le son résonna dans l'entrepôt désert.

Jason se leva. Il sortit sa pièce d'or, la lança en l'air et rattrapa son épée par le pommeau. Il pencha le nez au-dessus de la balustrade :

– Léo ?

Pas de réponse.

Il revint s'accroupir auprès de Piper.

– J'aime pas ça, dit-il.

– Il a peut-être des ennuis, s'inquiéta Piper. Va voir.

255

– Je peux pas te laisser seule.

– Si, ça va aller. (Elle était terrifiée, mais pas prête à l'admettre. Elle sortit son poignard, Katoptris, de son fourreau, et s'efforça de prendre l'air assuré.) Le premier qui approche, je l'embroche.

Jason hésita, puis il dit :

– Je te laisse le sac à dos. Si je ne suis pas de retour dans cinq minutes...

– Je panique ?

Il se força à sourire.

– Je suis content que tu sois redevenue toi-même, dit-il. Le maquillage et la robe, c'était bien plus impressionnant que le poignard.

– Vas-y, Flash Gordon, ou c'est toi que je t'embroche.

– Flash Gordon ?

Même vexé, Jason était super-mignon. C'était trop injuste. Il se dirigea vers l'escalier et disparut dans le noir.

Piper compta ses respirations pour essayer de mesurer le temps qui passait. Elle perdit le compte vers quarante-trois. Puis il y eut un grand *BOUM !* dans l'entrepôt.

L'écho retomba. Le cœur de Piper s'emballa, mais elle n'appela pas. Son instinct lui disait que ce n'était peut-être pas une bonne idée.

Elle regarda sa cheville bloquée dans l'attelle. *Je ne peux pas courir.* Puis elle releva la tête et aperçut à nouveau le sigle du monocle. Une petite voix dans sa tête n'arrêtait pas de la harceler, de crier au danger. Quelque chose dans la mythologie grecque...

Elle porta la main à son sac à dos et en sortit les carrés d'ambroisie. Si elle en mangeait trop, ça la dévorerait de l'intérieur, mais un peu ne pouvait-il pas guérir sa cheville ?

Boum-boum. Le son s'était rapproché, il résonnait maintenant pile en dessous d'elle. Piper prit un carré entier d'ambroisie et le fourra dans sa bouche. Son pouls s'accéléra, elle sentit sa peau chauffer.

Avec précaution, elle plia la cheville dans l'attelle. Pas la moindre douleur, aucune raideur. Elle trancha l'adhésif avec son poignard et entendit alors des pas lourds dans l'escalier – comme des pieds chaussés de bottes en métal.

Cinq minutes s'étaient-elles écoulées ? Ou plus ? Elle ne reconnaissait pas la démarche de Jason, mais c'était peut-être parce qu'il portait Léo. Finalement, elle n'y tint plus. La main serrée sur le manche de son poignard, elle appela :

– Jason ?

– Oui, dit-il dans le noir. J'arrive.

Aucun doute, c'était la voix de son ami. Alors pourquoi l'instinct de Piper lui disait-il : *Sauve-toi* ?

Elle se leva avec effort.

Les pas se rapprochèrent.

– Tout va bien, dit la voix de Jason.

En haut des marches, un visage surgit de l'obscurité – un sourire noir hideux, un nez écrasé et un œil unique et injecté de sang planté au beau milieu du front.

– C'est bon, dit le Cyclope en imitant parfaitement la voix de Jason. Tu es pile à l'heure pour le dîner.

23   LÉO

Léo aurait préféré que le dragon s'écrase ailleurs que sur les WC.

De tous les endroits possibles et imaginables où tomber, il n'aurait pas placé une rangée de WC de chantier en tête de liste. Douze de ces petites cabines bleues s'alignaient dans la cour de l'usine, et Festus les avait toutes aplaties. Heureusement, elles n'avaient pas servi depuis longtemps et la boule de feu qui s'était formée au moment du choc avait incinéré une grande partie de leur contenu, mais il restait encore des produits chimiques peu ragoûtants qui coulaient des débris. Léo dut s'y frayer un chemin en s'efforçant de ne pas respirer par le nez. Il neigeait à gros flocons, mais la carapace du dragon était encore fumante. Bien sûr, cela ne gênait pas Léo.

Après avoir passé quelques minutes à arpenter le corps inanimé de Festus, le garçon commença à s'énerver. Le dragon avait l'air en parfait état. Certes, il était tombé du ciel et s'était écrasé bruyamment au sol, il n'empêche que son corps n'était même pas cabossé. La boule de feu devait provenir de gaz accumulés dans les cabines de WC, et non du dragon. Les ailes de Festus étaient intactes. Rien ne semblait cassé. Rien qui puisse expliquer sa chute.

– C'est pas ma faute, marmonna Léo. Festus, tu me fais passer pour un branque.

Il ouvrit alors la console des commandes, sur la tête du dragon, et son cœur se serra.

– Oh, bon sang, Festus, qu'est-ce qui t'est arrivé ?

Le câblage avait gelé. Léo savait qu'il était en bon état la veille. Il s'était donné un mal de chien pour réparer les fils corrodés, mais quelque chose avait provoqué un coup de gel dans le crâne du dragon, où la chaleur devait pourtant être bien trop forte pour permettre à la glace de se former. Le gel avait causé une surcharge du câblage qui avait grillé le disque de contrôle. Léo ne voyait rien qui puisse expliquer ce coup de gel. Festus était vieux, bien sûr, mais ça ne voulait rien dire.

Il pouvait refaire le câblage ; ça, ce n'était pas un problème. Mais le disque de contrôle carbonisé ? Les lettres grecques et les dessins gravés sur tout le tour, sans doute la clé de nombreux pouvoirs magiques, étaient en partie effacés et noircis.

Il y avait une seule pièce que Léo ne pouvait pas remplacer et elle était abîmée. *Encore une fois.*

Il imagina la voix de sa mère : *La plupart des problèmes ont l'air plus graves qu'ils ne le sont vraiment,* mijo. *Rien n'est irréparable.*

Sa mère pouvait réparer n'importe quoi, mais Léo était quasiment certain qu'elle n'avait jamais travaillé sur un dragon de métal vieux de cinquante ans.

Il serra les dents et décida qu'il allait essayer. Il ne ferait pas le trajet de Detroit à Chicago à pied sous une tempête de neige, et il ne laisserait pas ses amis en rade.

– Bon, grommela-t-il en époussetant la neige accumulée sur ses épaules. Donne-moi un pinceau de nettoyage à soies de Nylon, des gants de nitrile et un solvant en aérosol.

La ceinture à outils s'exécuta. Léo ne put se retenir de sourire en retirant les articles. Les poches de la ceinture avaient leurs limites. Elles ne pouvaient rien lui donner de magique, comme l'épée de Jason, ni de très volumineux, comme une tronçonneuse – il avait fait le test. Et s'il réclamait trop d'objets à la fois, la ceinture avait besoin d'un temps de récupération. Plus la requête était compliquée, plus le temps de récupération était long. Mais pour les outils et autres objets simples et de petite taille qu'on peut trouver dans un atelier, pas de problème : il suffisait que Léo les demande et il les obtenait aussitôt.

Il commença par nettoyer minutieusement le disque. Pendant qu'il travaillait, la neige s'accumulait sur le dragon qui avait refroidi. Léo devait s'arrêter de temps à autre pour invoquer le feu et la faire fondre, mais pour le reste, il s'était mis en pilotage automatique, laissant ses mains œuvrer tandis que ses pensées vagabondaient.

Le jeune garçon était atterré par la bêtise de son comportement au palais de Borée. Il aurait bien dû se douter qu'une famille de dieux de l'Hiver le prendrait immédiatement en grippe. Un fils du dieu du Feu qui vient se poser avec un dragon cracheur de flammes dans un salon de glace, on avait trouvé plus judicieux. Il n'empêche qu'il détestait se sentir rejeté. Jason et Piper avaient eu droit à visiter la salle du trône. Lui, Léo, avait dû attendre dans le vestibule avec Cal, le demi-dieu du hockey et des pains en pleine poire.

« Le feu, c'est moche », avait dit Cal.

Ce qui résumait assez bien le point de vue général. Léo savait qu'il ne pouvait cacher plus longtemps la vérité à ses amis. Depuis la Colonie des Sang-Mêlé, un vers de cette Grande Prophétie le taraudait : *Sous les flammes ou la tempête le monde doit tomber.*

Et Léo était un faiseur de feu, le premier depuis 1666, année du grand incendie de Londres. S'il disait à ses camarades de quoi il était véritablement capable – *Vous savez quoi, les mecs ? Je vais peut-être détruire la Terre !* – qui lui ouvrirait les bras, à la colonie ? Il serait bon pour prendre la fuite une fois de plus. Il avait beau avoir l'habitude, cette pensée le déprimait.

Et puis il y avait Chioné. Bon sang ce que cette fille était belle. Léo savait qu'il s'était comporté comme un crétin fini, mais ça avait été plus fort que lui. Il avait donné ses vêtements à nettoyer au service de teinturerie express de l'hôtel − trop bien, ce service, soit dit en passant. Il s'était coiffé, ce qui n'était jamais simple avec sa tignasse, et il avait même découvert que la ceinture à outils pouvait fournir des Tic Tac à la menthe. Tout ça dans l'espoir de l'approcher. Il n'avait pas eu cette chance, naturellement.

Être tenu à l'écart, c'était le drame de sa vie. Dans sa famille, dans les foyers d'accueil, partout. Même à l'École du Monde Sauvage, les dernières semaines, Léo avait eu l'impression de tenir la chandelle depuis que Jason et Piper, ses seuls amis, s'étaient mis ensemble. Il était très heureux pour eux, bien sûr, mais il avait quand même l'impression qu'ils n'avaient plus besoin de lui.

Lorsqu'il avait appris que le séjour de Jason à la pension avait été une illusion du début à la fin − une sorte de hoquet de la mémoire − Léo s'en était réjoui secrètement. C'était l'occasion de remettre les compteurs à zéro. Et maintenant, Jason et Piper étaient partis pour former un couple de nouveau − c'était évident, rien qu'à la façon dont ils s'étaient comportés à l'entrepôt, par exemple, comme s'ils voulaient se parler en tête à tête, sans avoir Léo dans les pattes. Qu'est-ce qu'il s'était imaginé ? Une fois de plus, il serait le mouton noir. Chioné l'avait juste envoyé bouler un peu plus vite que la plupart des gens.

– Ça suffit, Valdez, se réprimanda-t-il. On va pas pleurer parce que t'es pas quelqu'un d'important. Répare le dragon et arrête de geindre.

Il fut tellement vite absorbé par sa tâche que, lorsque la voix se fit entendre, il n'aurait pas su dire combien de temps s'était écoulé.

Tu te trompes, Léo, dit-elle.

Il en lâcha son pinceau, qui tomba dans la tête du dragon. Il se leva, mais ne vit pas qui avait parlé. Alors il baissa les yeux. La neige du sol, les produits chimiques des toilettes et même l'asphalte étaient en train de fondre et de se mélanger. Une plaque large de trois mètres s'organisa pour dessiner des yeux, un nez et une bouche : le visage géant d'une femme endormie.

Elle ne parlait pas véritablement. Ses lèvres ne bougeaient pas. Mais Léo entendait sa voix dans sa tête comme si les vibrations émanaient du sol, montaient par ses pieds et résonnaient tout le long de son squelette.

Ils ont désespérément besoin de toi, dit-elle. *À plusieurs égards, tu es le plus important des sept — comme le disque de contrôle dans le cerveau du géant. Sans toi, les pouvoirs des autres ne sont rien. Ils ne me trouveront jamais, ne m'arrêteront jamais. Et je m'éveillerai pleinement.*

— Toi. (Léo tremblait si violemment qu'il ne savait pas s'il avait parlé à voix haute ou non. Il n'avait pas entendu cette voix depuis ses huit ans, mais c'était elle : la femme de terre de l'atelier d'usinage.) Tu as tué ma mère.

Le visage changea. La bouche dessina un sourire de somnambule, comme sous l'effet d'un rêve agréable.

Ah, Léo. Mais je suis ta mère, moi aussi. La Mère Originelle. Ne t'oppose pas à moi. Pars maintenant. Laisse mon fils Porphyrion ressurgir et devenir roi, et j'allégerai tes fardeaux. Tu marcheras plus légèrement sur cette terre.

Léo attrapa la première chose qu'il trouva – une cuvette de WC – et la lança vers le visage.

— Laisse-moi tranquille !

La cuvette de WC s'enfonça dans la terre liquide. La flaque de neige fondue et de liquides ondula, et le visage s'évanouit

Léo fixa le sol, s'attendant à voir le visage réapparaître. Mais il ne revint pas. Le garçon avait envie de croire qu'il l'avait imaginé.

Alors, en provenance de l'usine, retentit un grand bruit de tôle froissée – comme si deux tombereaux étaient entrés en collision. Le métal crissa et l'écho envahit la cour. Léo comprit immédiatement que Jason et Piper étaient en danger.

« Pars maintenant », avait dit la voix.

– Pas mon genre, grommela Léo. Donne-moi le plus gros marteau que tu aies.

Il plongea la main dans sa ceinture à outils et en sortit une masse avec une double tête qui devait faire un bon kilo et demi. Puis il sauta du dos du dragon et courut vers l'entrepôt.

24 Léo

L éo s'arrêta devant la porte de l'entrepôt et s'efforça de maîtriser sa respiration. La voix de la femme aux voiles de terre résonnait toujours à ses oreilles, lui rappelant la mort de sa mère. S'il y avait bien une chose qu'il redoutait, c'était de s'engouffrer dans un autre entrepôt sombre. D'un coup, il redevenait le petit garçon de huit ans, seul et impuissant, alors qu'une personne qu'il aimait était prisonnière et en danger.

Arrête, se dit-il, *c'est exactement l'état où elle veut te mettre.*

Mais savoir cela n'atténuait pas la peur. Il respira à fond et risqua un coup d'œil à l'intérieur. Rien ne semblait changé. La lumière grise du petit matin entrait par le trou du toit. Malgré les quelques ampoules allumées ici ou là, les ateliers étaient noyés dans la pénombre. Il distingua la passerelle supérieure, les formes sombres des grosses machines tout le long de la chaîne de montage, mais ne perçut aucun mouvement. Aucun signe de vie de ses amis.

Il faillit appeler, pourtant quelque chose le retint – un sens qu'il ne put identifier tout de suite. Son sens de l'*odorat*, comprit-il alors. Il y avait une odeur louche, qui lui faisait penser à un mélange d'huile de moteur en combustion et d'haleine pas fraîche.

Une créature non humaine se trouvait à l'intérieur de l'usine. Léo en eut la certitude. Son corps passa direct en cinquième vitesse, et tous ses nerfs vibrèrent.

Quelque part dans les ateliers, la voix de Piper cria :

– Au secours, Léo !

Le garçon tint sa langue. Comment Piper aurait-elle pu descendre de la passerelle avec sa cheville cassée ?

Il se glissa à l'intérieur et se cacha derrière un conteneur. Lentement, serrant son marteau dans sa main, il gagna le centre de la pièce en se cachant derrière des caisses et des châssis de camion vides. Il atteignit enfin la chaîne de montage et s'accroupit derrière la machine la plus proche : une grue à bras articulé.

La voix de Piper appela de nouveau :

– Léo ?

Moins assurée, cette fois-ci, mais plus proche.

Léo regarda discrètement par-dessus les machines. Juste au-dessus de la chaîne de montage, au bout d'un câble à maillons retenu par une grue placée de l'autre côté, pendait un énorme moteur de camion – il se balançait à une dizaine de mètres de hauteur, comme si personne n'avait pensé à le décrocher quand l'usine avait fermé. En dessous, sur le tapis roulant, il y avait un châssis de camion et, groupées tout autour, trois formes sombres de la taille d'un chariot élévateur chacune. À côté de tout ça, deux formes sombres plus petites pendaient à des chaînes rattachées à deux autres bras articulés ; c'étaient sans doute d'autres moteurs, sauf qu'une des deux gigotait comme si elle était vivante.

À ce moment-là, un des pseudo-chariots élévateurs se leva et Léo se rendit compte que c'était un humanoïde de gabarit énorme.

– J't'avais bien dit qu'y avait rien, grommela la créature d'une voix trop grave et trop sauvage pour être humaine.

265

Une deuxième silhouette massive bougea et dit, de la voix de Piper :

– Léo, au secours ! Au secours ! (Puis la voix se mua en grognement masculin.) Nan, y a personne. Aucun demi-dieu pourrait s'empêcher de faire du bruit, pas vrai ?

Le premier monstre gloussa.

– Il s'est sauvé, s'il a deux sous de jugeote. Ou alors la fille mentait en parlant d'un troisième demi-dieu. Bon, c'est pas le tout.

Clac. Une vive lumière orange éblouit Léo – une fusée éclairante. Il se cacha derrière la grue jusqu'à ce que les points lumineux qui l'aveuglaient se dissipent. Puis il risqua un nouveau coup d'œil et découvrit un tableau cauchemardesque que même Tìa Callida n'aurait pas su inventer.

Les deux formes plus petites qui se balançaient à des bras de grue n'étaient pas des moteurs. C'étaient Jason et Piper. Ils pendaient tous les deux la tête en bas, emmaillotés de chaînes jusqu'au cou. Piper gigotait désespérément pour se détacher. Elle était bâillonnée, mais vivante. Jason, lui, avait l'air en piètre état. Il était inerte et avait les yeux révulsés. Une bosse rouge et grosse comme une pomme écrasait son arcade sourcillière gauche.

Sur le tapis roulant, le plateau inachevé d'un pick-up avait été converti en fosse à feu. La fusée avait allumé un mélange de pneus et de bois, préalablement arrosé de pétrole à en juger par l'odeur. Une grande perche métallique était suspendue au-dessus des flammes – une broche, comprit Léo, ce qui signifiait que le feu servait à faire la cuisine.

Et le plus effrayant, de loin, c'étaient les cuisiniers.

Moteurs du Monocle : ce logo avec l'unique œil rouge. Comment Léo n'avait-il pas pigé ?

Trois énormes humanoïdes se pressaient autour du gigantesque barbecue. Deux étaient debout et alimentaient le feu.

Le plus grand, accroupi, tournait le dos à Léo. Les deux qui lui faisaient face mesuraient dans les trois mètres ; ils étaient poilus et musclés et leur peau luisait d'un éclat rougeoyant à la lumière des flammes. Un des monstres portait un pagne en cotte de mailles qui avait l'air des plus inconfortables. L'autre était affublé d'une sorte de toge en fibres de verre pelucheuse et trouée qui n'aurait pas figuré non plus dans la garde-robe idéale de Léo. À part ça, les deux monstres auraient pu être jumeaux. Tous les deux avaient le visage brutal, percé d'un œil unique au milieu du front. Les cuisiniers étaient des Cyclopes.

Léo sentit ses jambes chanceler. Il en avait vu, des créatures bizarres, jusqu'à présent : des esprits de la tempête, des dieux ailés et même un dragon métallique qui adorait le Tabasco. Mais là, c'était différent. Il avait devant lui de véritables monstres de chair et d'os, vivants et hauts de trois mètres, qui comptaient manger ses amis pour leur dîner.

La terreur lui brouilla l'esprit. Si seulement il avait Festus. L'aide d'un cracheur de feu long de vingt mètres n'aurait pas été de trop. Mais tout ce qu'il avait, c'était une ceinture à outils et un sac à dos. Sa masse d'un kilo cinq était ridiculement petite, comparée à ces Cyclopes.

Voilà à quoi la dormeuse aux voiles de terre avait fait allusion. Elle voulait que Léo fuie et abandonne ses amis à leur mort.

Il prit sa décision. Il ne laisserait pas cette femme le réduire à l'impuissance – pas une deuxième fois. Léo glissa son sac à dos de son épaule et ouvrit sans bruit la fermeture Éclair.

Le Cyclope au pagne de cotte de mailles s'approcha de Piper, qui se tortilla et tenta de lui donner un coup de boule dans l'œil.

– Je peux lui enlever son bâillon, maintenant ? J'aime bien quand ils hurlent.

La question s'adressait au troisième Cyclope, qui donnait l'impression d'être le chef du trio. La masse accroupie grogna et Pagne d'Acier arracha le bâillon de Piper.

La jeune fille ne hurla pas. Elle respira avec effort, comme si elle essayait de se calmer.

Entretemps, Léo avait trouvé ce qu'il cherchait dans son sac : un paquet de télécommandes miniatures qu'il avait trouvées au Bunker 9. Du moins espérait-il que c'étaient bien des télécommandes. Il trouva sans peine le panneau de maintenance de la grue articulée. Il sortit un tournevis de sa ceinture à outils et se mit au travail, mais il était obligé d'œuvrer lentement. Le Cyclope en chef n'était qu'à six ou sept mètres de lui et, manifestement, les monstres avaient les sens aiguisés. Réaliser son plan sans faire de bruit relevait de l'impossible, mais Léo n'avait pas le choix.

Le Cyclope en toge attisa le feu, qui flamboyait à présent, dégageant des volutes de fumée noire et toxique. Son pote Pagne d'Acier regardait Piper en attendant qu'elle fasse quelque chose de distrayant.

– Hurle, ma fille ! J'adore les bons hurlements !

Lorsque Piper prit enfin la parole, ce fut d'un ton calme et posé, comme si elle corrigeait un chiot turbulent.

– Oh, monsieur le Cyclope, vous n'allez pas nous tuer ! Ce serait bien mieux de nous relâcher.

Pagne d'Acier gratta sa vilaine tête. Il se tourna vers son compagnon à la toge en fibres de verre.

– Elle est plutôt jolie, Dynamo. Je devrais peut-être la relâcher.

Dynamo, le gars à la toge, gronda entre ses dents et rétorqua :

– J'l'ai vue le premier, Carter. C'est moi qui vais la relâcher !

Carter et Dynamo commencèrent à se disputer, mais le troisième Cyclope se leva et cria :

– Espèces d'idiots !

Léo faillit en lâcher son tournevis. Le troisième Cyclope était une femelle. Elle dépassait Carter et Dynamo de quelques têtes et était encore plus massive. Elle était affublée d'une tente en cotte de mailles qui ressemblait aux robes-sacs qu'affectionnait la méchante Tante Rosa. Léo en gardait un souvenir horrifié. Ses cheveux noirs et gras étaient tressés avec des fils de cuivre et des rondelles de joint en métal. Elle avait la bouche et le nez gros et épatés, comme si elle passait son temps libre à s'écraser le museau contre les murs, en revanche son unique œil rouge brillait d'une intelligence mauvaise.

La femme Cyclope s'approcha de Dynamo à grandes enjambées et l'envoya valser sur la chaîne de montage. Carter recula prudemment.

– Cette fille est un rejeton de Vénus, dit-elle. Elle essaie de vous enjôler.

– Madame, s'il vous plaît…, commença Piper.

– Grrr ! (La Cyclope secoua la jeune fille par la taille.) Essaie pas de m'embobiner, gamine ! J'suis Mo Joindculass ! J'ai mangé des héros plus coriaces que toi !

Léo eut peur que Piper soit étouffée, mais Mo Joindculass se contenta de la lâcher en la laissant pendre au bout de sa chaîne. Puis elle se mit à tancer Dynamo pour sa bêtise.

Les mains de Léo s'activaient à cent à l'heure. Il tordait des câbles et tournait des boutons en prenant à peine le temps de réfléchir à ce qu'il faisait. Une fois la première télécommande fixée, il gagna l'autre bras articulé sur la pointe des pieds, courbé en deux. Les Cyclopes discutaient toujours.

– On la mange en dernier, M'man ? disait Dynamo.

– Imbécile ! cria Mo Joindculass, et Léo en déduisit que Carter et Dynamo étaient ses fils. (Si c'était le cas, la laideur était héréditaire dans cette famille.) J'aurais dû vous jeter à la rue quand vous étiez bébés, comme on fait pour les bons petits

Cyclopes. Vous auriez pu apprendre des choses utiles. Mais non, je vous ai gardés, maudit soit mon cœur tendre !

– Ton cœur tendre ? balbutia Dynamo.

– T'as un problème, espèce d'ingrat ?

– Nan, M'man. J'ai dit que t'avais le cœur tendre. On peut travailler pour toi, te nourrir, te limer les ongles des orteils...

– Et vous devriez vous estimer heureux ! tonna Mo Joindculass. Maintenant attise-moi ce feu, Dynamo ! Et toi, Carter, va chercher ma caisse de sauce piquante dans l'autre entrepôt. Tu t'imagines pas que je vais manger ces demi-dieux sans sauce piquante !

– Oui, M'man ! fit Carter. Je veux dire, Non, M'man. Je veux dire...

– Va la chercher, neurone d'amibe !

Mo Joindculass attrapa un châssis de camion qui traînait et l'asséna sur la tête de Carter. Il tomba à genoux. Léo était certain qu'un coup pareil l'aurait tué, mais Carter devait avoir l'habitude de recevoir des camions sur le crâne. Il parvint à se défaire du châssis, se releva et partit en courant chercher la sauce piquante.

C'est maintenant ou jamais, pensa Léo. *Tant qu'ils sont séparés.*

Il termina de câbler la deuxième grue, puis se faufila vers une troisième. Les Cyclopes ne le virent pas foncer entre les bras articulés, mais Piper oui. Elle eut l'air d'abord terrifiée, puis incrédule, et laissa échapper une petite exclamation de surprise. Mo Joindculass se tourna vers elle.

– Qu'est-ce qui t'arrive, ma fille ? T'es tellement fragile que je t'ai cassée ?

Heureusement, Piper pouvait penser très vite. Elle détourna les yeux de Léo et dit :

– Je crois que ce sont mes côtes, madame. Si je suis bousillée de l'intérieur, je vais avoir très mauvais goût.

Mo Joindculass éclata de rire.

– Elle est bien bonne ! Le dernier héros qu'on a mangé... Tu te souviens, Dynamo ? C'était un fils de Mercure, hein ?

– Ouais, M'man. Il était un peu filandreux.

– Il a tenté un coup du même genre. Il a dit qu'il prenait des médicaments. Ben il était très bon quand même !

– Il avait un goût de mouton, se souvint Dynamo. Un tee-shirt violet. Il parlait en latin. Ouais, un peu filandreux, mais de la saveur.

Les mains de Léo se figèrent. Piper devait penser la même chose que lui, car elle demanda :

– Un tee-shirt violet ? Il parlait en latin ?

– On s'était régalés, dit Mo Joindculass d'un ton attendri. Ce que je t'explique, là, ma fille, c'est qu'on n'est pas aussi bêtes que les gens s'imaginent. Tous ces tours et ces devinettes stupides, ça marche pas avec nous, les Cyclopes du Nord.

Léo se força à reprendre sa tâche, mais son esprit carburait à cent à l'heure. Un jeune qui parlait latin s'était fait capturer ici – et il portait un tee-shirt violet comme Jason ? Il se demandait ce que ça signifiait, mais il devait laisser à Piper le soin de poser des questions. Sa seule chance de battre ces monstres, c'était de passer à l'action avant que Carter revienne avec la sauce.

Il regarda le bloc-moteur suspendu au-dessus du bivouac des Cyclopes. Il aurait bien aimé pouvoir s'en servir, ça aurait fait une arme redoutable. Seulement la grue qui le retenait était de l'autre côté de la chaîne de montage et Léo ne pouvait pas y accéder sans se faire repérer. En plus, le temps était compté.

La dernière étape de son plan était la plus délicate. Il fit sortir de sa ceinture à outils quelques câbles, un adaptateur radio et un tournevis plus petit, puis entreprit de construire une télécommande universelle. Pour la première fois, il remercia silencieusement son père, Héphaïstos, pour la ceinture à outils magique. *Si tu me sors de là*, pria-t-il, *t'es peut-être pas si nase.*

Piper parlait toujours, dévidant des compliments.

– Oh, j'ai entendu parler des Cyclopes du Nord ! (D'après Léo, c'était du pipeau, mais elle était très convaincante.) Mais je ne savais pas que vous étiez aussi grands et intelligents !

– La flatterie ne marchera pas non plus, annonça Mo Joind-culass, qui avait pourtant l'air contente. C'est vrai, tu vas servir de petit déjeuner à l'élite des Cyclopes.

– Mais les Cyclopes sont bons, non ? Je croyais que vous fabriquiez des armes pour les dieux.

– Oh, je suis bonne. Je suis très bonne pour dévorer des gens. Pour les écrabouiller. Et, oui, je fabrique un tas de choses, mais pas pour les dieux. Nos cousins, les premiers Cyclopes, eux, ils font ça, oui. Ils se croient tellement supérieurs parce qu'ils ont quelques millénaires de plus. Et puis il y a aussi nos cousins du Sud, qui vivent sur des îles et élèvent des moutons. Des demeurés ! Mais nous autres les Cyclopes hyperboréens, le clan du Nord, nous sommes les meilleurs ! On a fondé les Moteurs du Monocle dans cette usine désaffectée ; on fabri-quait les meilleurs armes, armures, chars et quatre-quatre ! Et pourtant, on a été obligés de fermer. De licencier presque toute notre tribu. La guerre a été trop rapide. Les Titans ont perdu. C'est pas bon ! Y avait plus besoin des armes des Cyclopes.

– Quel dommage, susurra Piper. Je suis sûre que vous fabri-quiez des armes exceptionnelles.

Dynamo se fendit d'un grand sourire.

– Voici la masse de guerre couin-couin ! dit-il.

Il attrapa un long manche terminé par un genre d'accor-déon métallique et l'asséna sur le sol. Le ciment se fissura avec un bruit de canard en plastique qu'on écrase sous le pied.

– Terrifiant ! commenta Piper.

Dynamo se rengorga.

– La hache explosive est encore mieux, mais elle peut servir qu'une seule fois.

– Je peux la voir ? demanda Piper. Si tu pouvais juste me détacher les mains...

Dynamo se précipita auprès de la prisonnière, mais Mo Joindculass l'arrêta.

– Ça suffit, imbécile ! Tu vois pas qu'elle t'embobine de nouveau ? Assez bavassé ! Tue-moi le garçon avant qu'il meure tout seul, j'aime bien la viande fraîche.

Non ! Les doigts de Léo œuvraient à toute vitesse pour assembler la télécommande. *Encore quelques minutes !*

– Hé, attendez ! s'écria Piper pour retenir l'attention des Cyclopes. Je pourrais juste vous demander...

Les câbles que Léo tenait dans sa main jetèrent des étincelles. Les Cyclopes se tournèrent immédiatement dans sa direction. Puis Dynamo attrapa un camion et le lui lança à la tête.

Léo roula sur lui-même. Le camion s'abattit sur des machines proches de lui et les aplatit. Une demi-seconde de moins, et il était écrasé comme une crêpe.

Il se leva et Mo Joindculass le repéra.

– Dynamo, hurla-t-elle, minable avorton de Cyclope, attrape-le !

Dynamo se rua vers lui. Léo poussa nerveusement l'interrupteur à bascule de sa télécommande maison.

Le Cyclope était à quinze mètres. Sept mètres.

Alors le premier bras articulé s'actionna avec un vrombissement. Une serre de métal jaune de trois tonnes percuta le Cyclope dans le dos, si violemment qu'il tomba à plat ventre. Dynamo n'eut pas le temps de se relever que le bras articulé le happait par une jambe et le projetait dans l'air.

– AAAHHHH ! hurla-t-il, catapulté dans le noir.

Le plafond était trop sombre et trop haut pour qu'on voit exactement ce qui se passait, mais à en juger par le tintement retentissant, Léo devina que Dynamo avait percuté une poutrelle d'acier.

Le Cyclope ne retomba pas. À sa place, une pluie de poussière jaune s'égrena vers le sol. Dynamo s'était désintégré.

Mo Joindculass, en état de choc, dévisagea Léo.

– Mon fils... Tu... Tu...

Juste à ce moment-là, Carter revint dans la lumière du feu, chargé d'une caisse.

– M'man, j'ai apporté la sauce ultra-...

Il ne put jamais finir sa phrase. Léo fit basculer la manette de la télécommande et le deuxième bras articulé chopa Carter en pleine poitrine. La boîte de sauce piquante explosa et Carter voltigea en arrière, pour aller s'écraser pile au pied de la troisième machine de Léo. Carter pouvait peut-être encaisser des châssis de camions, mais il n'était pas blindé contre des bras articulés capables d'asséner des coups d'une force de cinq tonnes. Le troisième bras de grue le plaqua au sol avec une telle violence qu'il vola en poussière comme un sac de farine qui éclate.

Et de deux Cyclopes. Léo commençait à se prendre pour Commandant Ceinture Magique quand Mo Joindculass riva son œil sur lui. Elle attrapa le bras de grue le plus proche et l'arracha avec un rugissement féroce.

– Tu as zigouillé mes garçons ! Je suis la seule qui ait le droit de les zigouiller !

Léo enfonça un bouton et les deux bras articulés restants s'actionnèrent. Mo Joindculass cueillit le premier et le cassa en deux. Le deuxième la frappa sur le crâne, mais cela ne fit qu'attiser sa colère. Elle l'arracha à son tour et le fit tournoyer comme une batte de base-ball. Il manqua Piper et Jason de quelques centimètres à peine. Puis Mo Joindculass le lâcha et

274

il fusa en tourbillonnant dans la direction de Léo. Ce dernier poussa un cri et roula sur le côté, évitant de justesse le bras articulé qui démolit la machine la plus proche de lui.

Léo commençait à se rendre compte qu'il ne suffisait peut-être pas d'une télécommande universelle et d'un tournevis pour affronter une mère Cyclope en colère. L'avenir du Commandant Ceinture Magique semblait compromis.

Elle était à sept ou huit mètres de lui, maintenant, à côté du feu. Elle serrait les poings et montrait les dents. Elle avait l'air ridicule, avec sa robe en mailles d'acier et ses nattes grasses, mais vu la lueur assassine de son gros œil rouge, Léo n'avait pas envie de rire.

– T'as d'autres tours dans ton sac, demi-dieu ? demanda Mo Joindculass.

Léo leva les yeux. Ce bloc-moteur suspendu à la chaîne... si seulement il avait eu le temps de le câbler. Et s'il pouvait convaincre Mo Joindculass d'avancer d'un pas. Quant à la chaîne... ce maillon, là... Léo n'aurait pas dû être capable de le voir, surtout à une telle distance, mais ses sens lui signalaient l'usure du métal à cet endroit-là.

– Un peu, que j'ai d'autres tours dans mon sac ! (Il leva sa télécommande.) Avance d'un pas et je te tuerai par les flammes !

Mo Joindculass éclata de rire.

– Vraiment ? Les Cyclopes craignent pas le feu, pauv'pomme. Mais si tu as envie de jouer avec le feu, permets-moi de t'aider !

Elle saisit une poignée de charbons ardents à mains nues et les lança vers Léo. Ils se posèrent autour de ses pieds.

– Tu m'as raté, fit-il, l'air étonné.

La Cyclope sourit et attrapa un bidon, à côté du camion. Léo eut tout juste le temps de lire le mot tracé dessus, KÉROSÈNE,

275

avant que Mo Joindculass le projette. Le bidon éclata par terre devant Léo, répandant de l'essence à briquet tout autour de lui.

Les charbons ardents s'enflammèrent. Léo ferma les yeux et Piper hurla : « Non ! »

Un incendie ravageur enveloppa Léo. Lorsqu'il rouvrit les yeux, il était noyé dans des flammes de dix mètres de haut.

Mo Joindculass poussait des cris de triomphe, mais le garçon n'offrait pas un bon combustible aux flammes. Le kérosène se consuma, le feu retomba en petites languettes qui crépitèrent au sol et s'éteignirent.

– Léo ? s'exclama Piper, estomaquée.

Mo Joindculass avait l'air sidérée, elle aussi.

– T'es vivant ? (Elle avança alors d'un pas, venant se placer pile là où Léo le voulait.) Qui es-tu ?

– Je suis le fils d'Héphaïstos, dit Léo. Et je t'ai prévenue que j'allais te tuer par le feu.

Il tendit un doigt dans l'air et fit appel à toute sa force de volonté. Il n'avait jamais fourni d'effort aussi soutenu et précis, mais il parvint à décocher un jet de flammes vers la chaîne qui retenait le bloc-moteur au-dessus de la tête de la Cyclope. Il visait le maillon faible.

Les flammes s'éteignirent et il ne se passa rien. Mo Joindculass éclata de rire.

– Impressionnant, fils d'Héphaïstos ! Je n'avais pas vu de faiseur de feu depuis de longs siècles. Tu feras un amuse-gueule relevé à souhait !

La chaîne se rompit – le maillon faible, chauffé à blanc, avait atteint les limites de sa résistance. Et le bloc-moteur tomba, mortel et silencieux.

– Peut-être pas, dit Léo.

Mo Joindculass n'eut même pas le loisir de lever la tête.

Plaf ! Plus de Cyclope. Rien qu'un tas de poussière sous un bloc-moteur de cinq tonnes.

– On supporte mal les moteurs, hein ? lança Léo. Dans l'os, ma grosse !

Là-dessus il tomba à genoux, pris d'un vertige. Au bout de quelques minutes, il se rendit compte que Piper l'appelait.

– Léo ! Ça va ? Tu peux bouger ?

Il se releva, les jambes en coton. C'était la première fois qu'il invoquait un feu d'une telle intensité, et ça l'avait vidé de ses forces.

Il mit longtemps à libérer Piper de ses chaînes. À eux deux, ils décrochèrent ensuite Jason, qui était toujours inconscient. Piper parvint à faire couler un peu de nectar entre ses lèvres et il émit un gémissement. Sa bosse sur le front commença à dégonfler. Son visage reprit des couleurs.

– Ouais, il a le crâne bien épais, dit Léo. Je crois qu'il va se remettre.

– Dieu merci, soupira Piper, qui se tourna vers Léo avec un regard mêlé de crainte. Comment as-tu fait ? Le feu... as-tu toujours...

Léo baissa les yeux.

– Toujours, dit-il. Je suis un danger ambulant. Désolé, j'aurais dû vous le dire avant, mais...

– Désolé ? (Piper lui cribla le bras de petits coups de poing. Quand il releva la tête, elle souriait.) C'est géant, ce que tu as fait, Valdez ! Tu nous as sauvé la vie. Tu peux me dire de quoi tu t'excuses ?

Léo battit des paupières. Il esquissa un sourire, mais son soulagement fut vite gâché par quelque chose qu'il remarqua soudain, aux pieds de Piper.

Une poussière jaune – les vestiges de l'un des Cyclopes, peut-être Dynamo – se déplaçait sur le sol, comme rassemblée par un vent invisible.

– Ils se reforment, dit Léo. Regarde.

Piper s'écarta de la poussière.

– C'est impossible. Annabeth m'a dit que les monstres se dissipaient quand on les tuait. Qu'ils retournaient au Tartare et ne pouvaient pas revenir avant longtemps.

– Eh ben personne ne l'a dit à la poussière.

Léo regarda le tas se constituer, puis, lentement, se déployer en une forme qui avait des bras et des jambes. Piper blêmit.

– Mon Dieu, gémit-elle. Borée avait parlé de ça. Des horreurs que la terre pouvait livrer. « Lorsque les monstres ne sont plus confinés au Tartare et que les âmes ne sont plus enfermées chez Hadès... » Il nous reste combien de temps, à ton avis ?

Léo pensa au visage qu'il avait vu se dessiner dans le sol, dehors – la femme endormie, incontestablement une horreur issue de la terre.

– Je ne sais pas, dit-il, mais faut qu'on se casse.

25 JASON

Jason rêva qu'il était emmaillotté dans des chaînes et pendu la tête en bas comme un quartier de viande. Il avait mal partout : aux bras, aux jambes, à la poitrine, à la tête. Surtout à la tête. Il avait l'impression qu'elle allait exploser.

– Si je suis mort, murmura-t-il, pourquoi ça me fait aussi mal ?

– Tu n'es pas mort, mon héros, dit une voix de femme. Ton heure n'est pas venue. Viens, parlons.

La pensée de Jason se détacha de son corps. Il entendait des monstres hurler, ses amis crier, des explosions, mais tout cela semblait se produire dans un autre champ d'existence – de plus en plus lointain.

Il était debout dans une cage de terre. Des vrilles végétales et minérales, un mélange de racines d'arbres et de tentacules de pierre, le retenaient prisonnier. Il aperçut, derrière les barreaux, le fond d'un miroir d'eau desséché, une seconde flèche de pierre qui se dressait à l'autre bout du bassin et, au-dessus d'eux, les ruines calcinées d'une maison de pierres rouges.

Dans la cage, une femme était assise en tailleur à côté de lui, vêtue d'une ample robe noire, la tête couverte d'un voile. Elle écarta ce dernier, montrant un visage fier et beau, mais marqué par la souffrance.

– Héra, laissa échapper Jason.

– Bienvenue dans ma prison, dit la déesse. Tu ne mourras pas aujourd'hui, Jason. Tes amis te tireront d'affaire – pour cette fois.

– Pour cette fois ?

Héra désigna les tentacules qui formaient les barreaux de sa cage.

– Des épreuves pires se préparent. C'est la terre elle-même qui s'agite et se lève contre nous.

– Vous êtes une déesse, dit Jason. Qu'est-ce qui vous empêche de vous enfuir ?

Héra sourit tristement. Sa silhouette se mit à luire, et l'éclat qu'elle dégageait emplit bientôt la cage. C'était une lumière douloureuse et puissante, qui faisait vibrer l'air et en disloquait les molécules, comme lors d'une explosion nucléaire. Jason pensa que s'il était présent en chair et en os, il aurait été pulvérisé.

La cage aurait dû être réduite en gravats. Le sol aurait dû s'ouvrir et la maison en ruine être définitivement rasée. Pourtant, quand la brillance s'éteignit, la cage n'avait pas bougé. Derrière les barreaux, rien n'avait changé. Seule Héra paraissait différente : un peu plus voûtée et fatiguée.

– Certains pouvoirs sont plus forts que les dieux, dit-elle. Il est très difficile de me maîtriser. Je peux être à plusieurs endroits en même temps. Mais si jamais la majeure partie de mon essence est capturée, c'est comme si j'avais le pied dans un piège à ours, si tu veux. Je ne peux pas m'enfuir et je suis cachée aux yeux des autres dieux. Tu es le seul à pouvoir me trouver, et je m'affaiblis de jour en jour.

– Alors pourquoi êtes-vous venue ? demanda Jason. Comment vous êtes-vous retrouvée prisonnière ?

La déesse soupira.

– Je ne supportais pas de rester sans rien faire. Ton père, Jupiter, s'imagine qu'il peut se retirer du monde, et que cela suffira à calmer nos ennemis et les renvoyer dans leur sommeil. Il estime que nous autres Olympiens, nous nous sommes trop impliqués dans les affaires des mortels et dans le sort de nos enfants demi-dieux, surtout depuis que nous avons accepté de les revendiquer, à l'issue de la guerre. Il croit que c'est cela qui a amené nos ennemis à s'agiter. C'est pour cette raison qu'il a fermé l'Olympe.

– Mais vous n'êtes pas d'accord.

– Non. Il m'arrive souvent de ne pas comprendre les décisions et les humeurs de mon mari, et celle-ci, même venant de Zeus, me semblait excessive. Je n'arrive pas à m'expliquer pourquoi il était aussi convaincu, aussi insistant. Ça ne lui ressemblait pas. En tant qu'Héra, j'aurais pu me contenter de m'incliner devant la volonté de mon seigneur. Mais je suis également Junon. (Son image vacilla et Jason aperçut, sous sa robe noire, une armure et une cape en peau de chèvre – symbole du guerrier romain – jetée sur un plastron de bronze.) Junon Moneta, m'appelait-on à une époque, Junon, Celle Qui Avertit. J'étais la gardienne de l'État, la protectrice de la Rome Éternelle. Je ne pouvais pas rester sans rien faire alors qu'on attaquait les descendants de mon peuple. J'ai senti un danger en ce lieu sacré. Une voix... (Elle hésita.)... une voix m'a incitée à venir ici. Les dieux ne sont pas dotés de ce que tu appellerais une conscience, et nous ne rêvons pas non plus, mais j'ai entendu cette voix, douce et insistante, qui me disait de venir ici. Alors, le jour-même où Zeus a fermé l'Olympe, je me suis éclipsée sans lui faire part de mes plans pour qu'il ne s'y oppose pas. Et je suis venue ici voir ce qui se tramait.

– C'était un piège, devina Jason.

La déesse hocha la tête.

– Je me suis rendu compte trop tard que la terre s'agitait très rapidement. J'avais été encore plus idiote que Jupiter, j'étais devenue le jouet de mes impulsions. Cela s'était passé exactement de la même façon la première fois. Les géants m'avaient capturée et mon emprisonnement avait déclenché la guerre. À présent, nos ennemis se lèvent une nouvelle fois. Les dieux ne parviendront à les vaincre qu'avec l'aide des plus grands héros vivants. Quant à celle que les géants servent... il est impossible de la vaincre. On ne peut que la maintenir dans son sommeil.

– Je ne comprends pas.

– Tu comprendras bientôt, dit Héra.

La cage se mit à rétrécir, les vrilles à resserrer leurs spirales. La forme d'Héra trembla comme la flamme d'une bougie dans le vent. À l'extérieur, Jason vit des formes qui se rassemblaient au bord du bassin – des humanoïdes bossus et chauves, qui marchaient à pas lourds. À moins que les yeux de Jason ne lui jouent un tour, ils avaient plus d'une paire de bras chacun. Il entendit des loups, également, mais ce n'étaient pas ceux qu'il avait vus avec Lupa. Il savait à leurs hurlements qu'ils apparte-naient à une autre meute – plus affamée, plus agressive, avide de tuer.

– Dépêche-toi, Jason, reprit Héra. Mes geôliers approchent et tu commences à te réveiller. Je ne serai pas assez forte pour t'apparaître à nouveau, même en rêve.

– Attendez. Borée nous a dit que vous aviez pris un risque terrible. De quoi parlait-il ?

Une lueur farouche s'alluma dans les yeux d'Héra et Jason se demanda si elle avait vraiment commis une folie.

– J'ai fait un échange, dit-elle. C'est le seul moyen de rame-ner la paix. L'ennemi compte sur nos divisions, et si nous sommes divisés, ce sera notre fin. Tu es mon offrande de paix,

Jason – un pont pour surmonter des siècles et des siècles de haine.

– Comment ? Je ne...

– Je ne peux t'en dire davantage. Si tu es encore vivant aujourd'hui, c'est seulement parce que je t'ai privé de tes souvenirs. Trouve cet endroit. Retourne à ton point de départ. Ta sœur t'aidera.

– Thalia ?

La scène devenait floue.

– Au revoir, Jason. Méfie-toi de Chicago. Ton ennemie la plus dangereuse t'attend là-bas. Si tu meurs, ce sera de sa main.

– Qui est-ce ? demanda le garçon d'une voix pressante.

Mais l'image d'Héra s'évanouit et Jason se réveilla.

Il ouvrit brutalement les paupières et cria :

– Un Cyclope !

– Doucement, le dormeur !

Piper était assise derrière lui sur le dragon de bronze et le retenait par la taille. Léo était en tête et pilotait. Ils naviguaient dans le ciel hivernal comme si de rien n'était.

– De... Detroit, bafouilla Jason. On n'a pas atterri en catastrophe ? Je croyais que...

– C'est bon, dit Léo. On s'en est tirés, mais tu as eu une commotion cérébrale. Comment tu te sens ?

Le sang battait aux tempes de Jason. Il se souvint de l'usine, d'être descendu de la passerelle, puis d'une créature gigantesque qui avait surgi devant lui – un seul œil au milieu du front, un poing énorme, et puis plus rien : le noir.

– Le Cyclope ! Comment avez-vous...

– Léo les a taillés en pièces, s'écria Piper. Il a été phénoménal ! Il peut invoquer le feu, tu te rends compte ?

– C'est rien, s'empressa de dire Léo.

– Tais-toi, Valdez ! rétorqua Piper en riant. Je vais tout lui raconter, fais-toi une raison.

Et c'est ce qu'elle fit. Elle apprit à Jason que Léo avait terrassé la famille de Cyclopes à lui tout seul, qu'ensuite à eux deux ils l'avaient détaché, mais s'étaient aperçus que les Cyclopes commençaient déjà à se reformer. Léo avait alors remplacé le câblage du dragon et donné le départ au moment même où les premiers cris de vengeance des Cyclopes leur parvenaient de l'intérieur de l'entrepôt.

Jason en fut impressionné. Supprimer trois Cyclopes avec une simple ceinture à outils ? Pas mal. Il ne fut pas terrifié d'apprendre qu'il était passé si près de la mort, mais il se sentit très mal. Il était tombé à pieds joints dans une embuscade et avait passé tout le combat dans les vapes, laissant ses camarades se défendre tout seuls. C'était vraiment nul, pour un soi-disant chef !

Lorsque Piper mentionna l'autre garçon que les Cyclopes se vantaient d'avoir mangé, le héros en tee-shirt violet qui parlait latin, Jason eut l'impression que sa tête allait exploser. Un fils de Mercure... quelque chose lui disait qu'il connaissait ce garçon, mais son nom lui échappait.

– Je ne suis pas seul, alors, murmura-t-il. Il y en a d'autres comme moi.

– Jason, dit Piper, tu n'as jamais été seul. Tu nous as, nous.

– Je... je sais, mais Héra m'a dit une chose. J'ai fait un rêve...

Il leur raconta ce qu'il avait vu dans son sommeil et ce que la déesse lui avait dit dans sa cage.

– Un échange ? demanda Piper. Qu'est-ce que ça signifie ?

Jason secoua la tête en signe d'ignorance.

– Mais le risque qu'Héra a pris, c'est moi. J'ai l'impression que rien qu'en m'envoyant à la Colonie des Sang-Mêlé, elle a enfreint une sorte de règle, et que ça pourrait avoir des réper cussions catastrophiques.

284

– Ou nous sauver, ajouta Piper avec espoir. Cette ennemie endormie qu'évoquait Héra, ça me fait penser à la dame dont Léo nous a parlé.

Léo s'éclaircit la gorge.

– En fait, dit-il, elle m'est plus ou moins apparue à Detroit, dans une flaque devant des WC de chantier.

Jason n'était pas sûr d'avoir bien entendu.

– Tu as bien dit WC de chantier ?

Léo leur raconta alors l'apparition du grand visage, dans la cour de l'usine.

– Je ne sais pas si elle est entièrement impossible à tuer, ajouta-t-il, mais les cuvettes de WC ne lui font rien. Je peux vous le garantir. Elle voulait que je vous trahisse, les gars. Et moi je l'ai joué du genre : « C'est ça, comme si j'allais écouter un visage dans une flaque d'eau de chiottes. »

– Elle essaie de nous diviser.

Piper retira ses bras de la taille de Jason, qui sentit qu'elle était tendue sans même la regarder.

– Qu'est-ce qu'il y a ? lui demanda-t-il.

– Je me demande juste... Pourquoi jouent-ils avec nous ? Qui est cette dame, et quel rapport a-t-elle avec Encélade ?

– Encélade ?

Jason n'avait, pensait-il, jamais entendu ce nom.

– Je veux dire... (La voix de Piper chancela.) C'est un des géants. Juste un nom dont je me souviens.

Jason eut l'impression que quelque chose d'autre tracassait Piper, mais il n'insista pas. La matinée avait été rude.

Léo se gratta la tête.

– Ben, je sais pas pour Anchoïade, dit-il, mais...

– Encélade, corrigea Piper.

– C'est pareil. Tête de Flaque a parlé de quelqu'un d'autre. Un nom qui ressemblait à Portillon.

– Porphyrion ? demanda Piper. Je crois que c'était le roi des géants.

Jason revit mentalement la flèche de pierre noire, dans le vieux bassin, qui grossissait à mesure qu'Héra s'affaiblissait.

– Je tente une hypothèse, à tout hasard, dit-il. Selon les vieux récits, Porphyrion aurait kidnappé Héra, ce qui aurait déclenché la guerre entre les géants et les dieux.

– Je crois bien que c'est ça, acquiesça Piper. Mais ces mythes sont confus et se contredisent entre eux. À croire que personne ne veut que l'histoire survive au temps. Tout ce dont je me souviens, c'est qu'il y a eu une guerre et que les géants étaient quasiment impossibles à tuer.

– Les héros et les dieux ont dû collaborer, dit Jason. C'est ce que m'a raconté Héra.

– Ça me paraît difficile, grommela Léo, si les dieux refusent de nous parler.

Ils mirent le cap sur l'ouest et Jason se perdit dans ses pensées – toutes sombres. Il n'aurait su dire combien de temps s'était écoulé quand le dragon piqua par une percée dans les nuages et qu'ils découvrirent, en dessous d'eux, une ville qui scintillait sous le soleil hivernal, au bord d'un lac immense. Une rangée de gratte-ciel dessinait une courbe sur le rivage. Derrière eux, des quartiers et des routes agencés en damiers et recouverts de neige s'étiraient vers l'ouest.

– Chicago, murmura Jason.

Il se souvint de ce que lui avait révélé Héra dans son rêve : sa pire ennemie l'attendait dans cette ville. S'il mourait, ce serait de sa main.

– On est arrivés vivants, annonça Léo. Ça fait un problème de moins. Maintenant, comment on trouve les esprits de la tempête ?

Jason perçut un mouvement, juste en dessous d'eux. Il crut d'abord que c'était un avion, mais la forme était trop petite,

286

trop foncée et trop rapide. Elle piqua en spirale en direction des gratte-ciel, ondula, se redessina – un court instant, elle se mua en cheval de fumée.

– Si on suivait celui-là, suggéra Jason, pour voir où il va ?

26   JASON

Jason craignait qu'ils ne perdent leur cible de vue. Le *ventus* se mouvait... eh bien, comme le vent.

– Accélère ! cria-t-il.

– Écoute, mec, objecta Léo, si je me rapproche, il va nous remarquer. Un dragon de bronze, c'est pas un avion furtif.

– Ralentis ! glapit Piper.

L'esprit de la tempête venait de piquer vers le quadrillage des rues du centre-ville. Festus tenta de le suivre, mais son envergure était trop grande. Il rasa le coin d'un building de l'aile gauche en fauchant une gargouille de pierre, et Léo se hâta de le faire regrimper en altitude.

– Passe au-dessus des gratte-ciel, suggéra Jason. On repartira de là.

– Tu veux prendre les commandes ? grommela Léo, qui obtempéra néanmoins.

Quelques minutes plus tard, Jason repéra l'esprit de la tempête. Il filait par les rues, sans but apparent : il renversait des piétons sur son passage, agitait les drapeaux, imprimait des embardées aux voitures.

– Super, dit Piper, ils sont deux.

Elle avait raison. Un second *ventus* déboula au coin de l'hôtel Renaissance et rejoignit le premier. Ils se lancèrent dans une danse désordonnée, grimpant au sommet d'un gratte-ciel et tordant une tour de radio avant de replonger vers la rue.

– Ces gars devraient arrêter le café, lança Léo.

– Chicago doit être un bon endroit pour eux, dit Piper. Personne ne va remarquer deux vents mauvais de plus ou de moins.

– Ils sont plus que deux, dit Jason. Regardez.

Le dragon survola une large avenue qui jouxtait un jardin public au bord du lac. Des esprits de la tempête y convergeaient – ils étaient au moins une dizaine et tourbillonnaient autour d'une grande installation d'art public

– Lequel est Dylan, à votre avis ? demanda Léo. J'aimerais bien lui lancer un truc à la tête.

Mais l'attention de Jason était happée par l'installation, et plus ils s'en rapprochaient, plus son cœur battait fort. Ce n'était qu'une fontaine publique, pourtant elle avait quelque chose de désagréablement familier. Deux monolithes hauts de cinq étages se dressaient de part et d'autre d'un long bassin de granit. Chacun était un assemblage d'écrans vidéo qui composaient l'image d'un visage géant crachant un jet d'eau dans le bassin.

C'était peut-être une coïncidence, mais on aurait dit une immense réplique high-tech du miroir d'eau en ruine que Jason avait vu dans ses rêves, avec les deux masses qui se dressaient à chaque extrémité. Sous ses yeux, le visage projeté sur les écrans fut remplacé par celui d'une femme aux yeux clos.

– Léo..., dit-il d'une voix tendue.

– Je la vois, répondit son ami. Je l'aime pas, mais je la vois.

Alors les écrans s'éteignirent. Les *venti* s'unirent pour former un entonnoir nuageux qui passa au ras du plan d'eau, levant un jet aussi haut que les monolithes. Arrivés au milieu, ils firent sauter une plaque d'égout et disparurent en sous-sol.

– Ils sont entrés dans les égouts ou je me trompe ? demanda Piper. Comment on va faire pour les suivre ?

– On devrait peut-être pas les suivre, dit Léo. Je la sens très mal, cette fontaine. En plus, on est pas censés se méfier de la terre ?

Jason partageait l'appréhension de Léo, mais ils étaient bien obligés de suivre les *venti* : c'était leur seule piste. Il fallait qu'ils trouvent Héra, et il ne leur restait que deux jours avant le solstice.

– Pose-toi dans le jardin public, suggéra-t-il, et on ira voir à pied.

Festus atterrit sur une vaste pelouse, entre le lac et la rangée d'immeubles. D'après les panneaux, ils se trouvaient dans Grant Park. Jason imagina que c'était certainement un lieu très agréable l'été, mais là, c'était une vaste étendue de glace et de neige, parcourue de voies d'eau gelée. Les pattes de métal brûlantes du dragon sifflèrent en touchant le sol. Festus battit des ailes, l'air malheureux, et cracha un jet de feu dans l'air, mais il n'y avait personne pour le remarquer. Le vent venant du lac était glacial et pénétrant. Aucune personne sensée n'aurait mis le nez dehors. Les yeux de Jason piquaient si fort qu'il en était presque aveuglé.

Ils sautèrent au sol et Festus tapa des pattes. Un de ses yeux de rubis lança des éclairs, comme si le dragon clignait de l'œil.

– C'est normal ? demanda Jason.

Léo sortit un maillet de caoutchouc de sa trousse. Il en donna un coup sur l'œil abîmé du dragon, et la lumière se rétablit.

– Oui, répondit Léo. Cela dit, Festus ne peut pas s'éterniser ici, au beau milieu du jardin. Il va se faire arrêter pour vagabondage. Peut-être que si j'avais un sifflet de dressage...

Il farfouilla dans sa ceinture à outils, sans succès.

– Trop spécialisé ? supposa-t-il. D'accord, donne-moi un sifflet d'alarme. Il y en a dans plein d'ateliers d'usinage.

Cette fois-ci, Léo repêcha un gros sifflet de plastique orange.

– Hedge serait jaloux ! dit-il. Bon, écoute, Festus. (Léo souffla dans le sifflet et le son strident dut se répercuter sur toute la surface du lac Michigan.) Dès que tu entends ce son, tu accours me chercher, d'accord ? En attendant, vole où bon te semble. Évite juste de carboniser des passants.

Le dragon renifla bruyamment – avec un peu de chance, pour dire qu'il avait compris. Puis il déploya les ailes et décolla.

Piper fit un pas et grimaça.

– Aïe !

– Ta cheville ? (Jason s'en voulut d'avoir oublié qu'elle s'était blessée, à l'usine des Cyclopes.) L'effet du nectar qu'on t'a donné se dissipe peut-être.

– Ça va aller.

Elle frissonna et Jason se rappela qu'il avait promis de lui trouver un nouveau blouson de snowboard. Il espéra qu'il vivrait assez longtemps pour tenir parole. Elle fit quelques pas de plus en boitant très discrètement, mais Jason vit bien qu'elle se retenait de grimacer.

– Allons nous mettre à l'abri du vent, suggéra-t-il.

– Dans les égouts ? dit Piper. Comme on sera bien !

Ils s'emmitouflèrent comme ils purent et se dirigèrent vers la fontaine.

CROWN FOUNTAIN, annonçait le panneau. Elle était presque entièrement à sec, à part quelques endroits qui commençaient à geler. Jason trouvait que ce n'était pas normal qu'il y ait encore de l'eau dans le bassin l'hiver, de toute façon. Cela étant, les écrans géants avaient projeté le visage de leur mystérieuse ennemie, Femme de Terre. Rien, ici, n'était normal.

291

Ils avancèrent jusqu'au centre du bassin sans qu'aucun esprit tente de les arrêter. Les écrans géants demeuraient éteints. La bouche d'égout était assez grande pour laisser passer une personne, et des échelons s'enfonçaient dans le noir.

Jason s'y engagea le premier. Il s'attendait à être assailli par des odeurs pestilentielles, mais ce n'était pas si horrible que ça. L'échelle menait à un tunnel orienté nord-sud, en maçonnerie de briques. L'air était sec et tiède ; seul un filet d'eau coulait au sol.

Piper et Léo descendirent à sa suite.

— Les égouts sont-ils tous aussi confortables ? demanda la jeune fille.

— Non, rétorqua Léo. Crois-moi.

Jason fronça les sourcils.

— Comment tu le sais ?

— Hé, j'ai fugué six fois, mon pote. M'est arrivé de dormir dans de drôles d'endroits, d'accord ? Maintenant par où on va ?

Jason inclina la tête, tendit l'oreille puis pointa du doigt vers le sud.

— Par là.

— Comment peux-tu être si sûr ? lui demanda Piper.

— Il y a un courant d'air qui souffle vers le sud, dit Jason. Peut-être que les *venti* l'ont suivi.

Ce n'était pas une piste formidable, mais personne ne trouva mieux.

Malheureusement, dès qu'ils se mirent à marcher, Piper tituba et Jason dut la rattraper.

— Maudite cheville ! pesta-t-elle.

— Reposons-nous, décida Jason. Ça nous fera du bien à tous, on s'est pas arrêtés depuis plus de vingt-quatre heures. Léo, tu peux sortir à manger de ta ceinture magique, à part des Tic Tac ?

– J'ai bien cru que tu demanderais jamais. Laissez faire le Chef !

Piper et Jason s'assirent sur un rebord de briques, tandis que Léo se mettait à farfouiller dans sa trousse.

Jason était content de faire une halte. Il était encore étourdi et fatigué, en plus il avait faim. Mais, surtout, il appréhendait ce qui les attendait. Il retourna la pièce d'or entre ses doigts.

« Si tu meurs, l'avait averti Héra, ce sera de sa main. »

Qui pouvait bien être cette mystérieuse ennemie ? Après Chioné, la mère Cyclope et l'étrange dormeuse, Jason se serait bien passé d'une autre psychopathe au service du mal.

– C'était pas ta faute, dit Piper.

Il la regarda sans comprendre.

– Comment ?

– Si on s'est fait attaquer par les Cyclopes. C'était pas ta faute.

Jason baissa les yeux sur la pièce d'or, au creux de sa paume.

– J'ai été stupide. Je t'ai laissée seule et je suis tombé dans un piège. J'aurais dû me douter que...

Il ne termina pas sa phrase. Il y avait trop de choses qu'il aurait dû savoir : qui il était, comment on combattait les monstres, la façon dont les Cyclopes attiraient leurs victimes en imitant les voix et se cachant dans l'ombre, pour n'en citer que quelques-unes. Toutes ces informations étaient censées se trouver dans un coin de son cerveau. Il avait l'impression de sentir leurs emplacements former des poches vides. Si Héra voulait qu'il mène à bien sa quête, pourquoi lui avait-elle volé les souvenirs qui pouvaient l'aider ? Elle prétendait que s'il était encore en vie, c'était grâce à son amnésie, mais cela semblait absurde. Jason commençait à comprendre pourquoi Annabeth avait eu envie de laisser la déesse dans sa cage.

– Hé, dit Piper en lui donnant un petit coup de coude dans

le bras. Ne sois pas si dur avec toi-même. C'est pas parce que tu es le fils de Zeus que tu es une armée à toi tout seul.

Un mètre ou deux plus loin, Léo avait allumé un petit feu. Il sortait des provisions de son sac à dos et de sa ceinture à outils en fredonnant.

À la lumière des flammes, les yeux de Piper dansaient. Jason les examinait depuis plusieurs jours, mais il était toujours incapable de dire de quelle couleur ils étaient.

– Je sais que ça doit craindre pour toi, tout ça, dit-il. Pas juste la quête, je veux dire. La façon dont je suis apparu dans le car, la Brume qui t'a embrouillé la tête et fait croire que j'étais... tu sais.

Elle détourna les yeux.

– Ouais, bon. Aucun de nous n'a rien demandé. C'est pas ta faute.

Elle tira sur ses petites tresses. Une fois de plus, Jason se réjouit que la bénédiction d'Aphrodite se soit dissipée. Avec le maquillage, la robe et la coiffure impeccable, Piper faisait vingt-cinq ans ; elle était totalement glamour et totalement hors de portée de Jason. Il n'avait jamais vu la beauté comme une forme de puissance, pourtant c'était bien cela que Piper dégageait alors : de la puissance.

Il préférait la Piper habituelle, c'était quelqu'un avec qui il était à l'aise et pouvait bavarder. Il n'empêche qu'il ne pouvait s'ôter complètement de la tête l'autre image, celle de la Piper puissante. Ce n'était pas une illusion. La jeune fille portait cette dimension en elle, même si elle faisait de son mieux pour le cacher.

– À l'usine, reprit Jason, tu voulais me dire quelque chose sur ton père.

Piper passa le doigt sur les briques, presque comme si elle y traçait le cri qu'elle se retenait de pousser.

– Ah bon ?

– Piper, il est en danger, c'est ça ?

Léo, devant son feu de camp, remua de la viande et des poivrons qui grésillaient dans une poêle.

– Mmm, ça va être trop bon ! murmura-t-il avec enthousiasme.

Piper avait l'air au bord des larmes.

– Jason... je ne peux pas t'en parler.

– On est tes amis. Laisse-nous t'aider.

Cela sembla l'accabler encore davantage. Elle respira avec effort.

– J'aimerais bien mais...

– Et voilà le travail ! annonça Léo.

Il les rejoignit avec trois assiettes en équilibre sur ses bras, comme un garçon de café expérimenté. Jason se demandait où il avait bien pu trouver toute cette nourriture et comment il avait fait pour cuisiner si vite, mais ça sentait délicieusement bon : des tacos au bœuf et aux poivrons avec des frites et de la salsa mexicaine.

– Léo, dit Piper avec admiration, comment as-tu...

– La Boîte à Tacos du Chef Léo, pour vous servir ! annonça-t-il fièrement. À propos, c'est du tofu, Reine de Beauté, pas du bœuf, tu peux y aller tranquille. Bon appétit, les gars !

Jason avait ses réserves pour le tofu, mais il fut surpris : les tacos étaient aussi bons qu'appétissants. Pendant qu'ils mangeaient, Léo essaya de détendre l'atmosphère en plaisantant. Jason était content qu'il soit là. Ça lui rendait la compagnie de Piper moins troublante et plus facile. En même temps, bien qu'il s'en veuille d'éprouver cette envie, il aurait aimé être seul avec elle.

Après le repas, il l'encouragea à se reposer un peu. Sans un mot, elle se roula en boule et posa la tête sur les genoux de Jason. Deux secondes plus tard, elle ronflait.

Jason tourna la tête vers Léo, qui faisait un effort visible pour ne pas rire.

Ils restèrent quelques minutes en silence, en buvant de la limonade que Léo avait fabriquée avec l'eau de sa gourde et une préparation en poudre.

– C'est bon, hein ? fit ce dernier.

– Tu devrais ouvrir un stand de vente, tu te ferais un max de thune, dit Jason.

Là-dessus, il plongea le regard dans les braises et une pensée vint le tracasser.

– Léo, dit-il. Ce truc que tu fais avec le feu... c'est pour de vrai ?

Le sourire de Léo s'estompa.

– Ben... ouais.

Il ouvrit la main. Une boule de flammes surgit au creux de sa paume et se mit à danser.

– C'est trop cool, s'exclama Jason. Pourquoi t'as rien dit ?

Léo referma la main et les flammes s'éteignirent.

– J'voulais pas avoir l'air d'un monstre.

– J'ai des pouvoirs sur la foudre et les vents, lui rappela Jason. Piper peut devenir d'une beauté sublime et convaincre les gens de lui donner des BMW d'un simple battement de cils. T'es pas plus monstrueux que nous. Hé, tu sais peut-être voler, aussi, non ? Genre, sauter du haut d'un building en criant « Chaud devant ! »

– Tu parles ! Si je tentais ça, tu verrais un gars en flammes qui va s'écraser au sol, et je crierais autre chose que « Chaud devant ! » Crois-moi, les gars du bungalow d'Héphaïstos ne voient pas les pouvoirs sur le feu d'un bon œil. Nyssa m'a dit que c'était extrêmement rare. Lorsqu'un demi-dieu comme moi s'amène, il se passe des trucs graves. Vraiment graves.

– C'est peut-être l'inverse, suggéra Jason. Peut-être que les gens qui ont des pouvoirs spéciaux arrivent quand il se passe

296

des choses graves parce que c'est là qu'on a le plus besoin d'eux.

Léo débarrassa les assiettes.

– Ça se pourrait, dit-il. Mais crois-moi... c'est pas toujours un don.

Jason se tut. Et demanda, quelques instants plus tard :

– Tu parles de ta mère, là ? De la nuit où elle est morte ?

Léo ne répondit pas. Ce n'était pas nécessaire. Le simple fait qu'il reste calme, sans blaguer, en disait assez long pour Jason.

– Léo, tu n'es pour rien dans sa mort. Je ne sais pas ce qui s'est passé cette nuit-là, mais je sais que ce n'est pas parce que tu as le don d'invoquer le feu. Cette mystérieuse femme de terre essaie de te mettre à plat depuis des années, de saper ta confiance en toi et de te priver de tout ce que tu aimes. Elle essaie de te faire croire que tu es un raté. C'est tout le contraire. Tu es quelqu'un d'important.

– C'est ce qu'elle m'a dit. (Léo leva des yeux pleins de souffrance.) Elle m'a dit que j'étais appelé à faire quelque chose d'important, dont dépendrait l'issue de la Grande Prophétie sur les sept demi-dieux. C'est ce qui me fait peur. Je ne sais pas si je serai à la hauteur.

Jason avait envie de lui promettre que tout se passerait bien, mais il savait que ça n'aurait pas sonné juste. Il ignorait ce qui se passerait. Ils étaient des demi-dieux, ce qui signifiait que parfois les choses tournaient mal. Parfois, on se faisait dévorer par les Cyclopes.

Demandez à des jeunes : « Tu veux apprendre à déclencher le feu et la foudre, ou créer un maquillage magique ? » La plupart trouveront ça très cool. Mais il y avait un envers de la médaille à ces pouvoirs : errer dans les égouts en plein hiver, par exemple, fuir des monstres, perdre la mémoire, voir ses amis à deux doigts de se faire rôtir, rêver de créatures annonçant sa propre mort.

Léo retourna les braises à mains nues pour attiser le feu.

– Tu ne te demandes pas qui sont les quatre autres demi-dieux ? Je veux dire, si nous sommes trois des sept héros de la Grande Prophétie, qui sont les autres ? Et où sont-ils ?

Jason s'était posé la question, bien sûr, mais il avait essayé de se l'ôter de l'esprit. Il avait l'horrible pressentiment qu'il serait appelé à diriger ces sept demi-dieux et il craignait de ne pas y arriver.

« Vous vous entretuerez », avait promis Borée.

Jason avait été entraîné à ne jamais exprimer la peur. Il avait compris cela en analysant son rêve avec les loups. Il était censé afficher de la confiance en lui, même s'il en manquait. Mais Léo et Piper dépendaient de lui et l'idée de leur faire défaut le terrifiait. S'il lui fallait diriger un groupe de sept héros – qui ne s'entendraient pas forcément tous entre eux – ce serait encore pire.

– Je ne sais pas, finit-il par répondre. J'imagine qu'on rencontrera les quatre autres en temps voulu. Qui sait ? Ils sont peut-être sur une autre quête, en ce moment.

Léo poussa un petit grognement et dit :

– Je te parie que leurs égouts sont mieux que les nôtres.

Le courant d'air forcit, soufflant vers le côté sud du tunnel.

– Repose-toi un peu, Léo, proposa Jason. Je vais assurer le premier tour de veille.

Il était difficile de mesurer le temps, mais Jason estima que ses amis dormirent quatre heures, environ. Ça ne le gênait pas. Maintenant qu'il se reposait, il n'éprouvait pas le besoin de davantage de sommeil. Il était resté assez longtemps dans les vapes sur le dos du dragon. En plus il voulait réfléchir tranquillement à la quête, à sa sœur Thalia et aux mises en garde d'Héra. Ça ne le gênait pas non plus que Piper se serve de lui comme oreiller. Elle avait une façon de respirer en dormant assez charmante : elle inspirait par le nez, puis expirait par la bouche avec un très léger chuintement. Il fut presque déçu qu'elle se réveille.

Ils levèrent alors le camp et s'enfoncèrent dans le boyau.

Ce dernier n'en finissait plus. Jason se demandait ce qu'ils trouveraient, au bout de tous ces coudes et tournants : un cachot, le labo d'un savant fou, ou peut-être un réservoir d'égout qui recueillait les eaux usées de tous les WC de chantier et formait un visage maléfique assez grand pour engloutir le monde entier.

Rien de tout ça. Ils débouchèrent devant des portes d'ascenseur en acier poli, gravées chacune d'un « M » calligraphié. Sur le côté, il y avait un guide, comme dans les grands magasins.

– M pour Macy's ? suggéra Piper. Je crois qu'il y en a un grand au centre de Chicago.

– Ou pour Moteurs du Monocle ? dit Léo. Regardez la liste des rayons, les gars, ça craint.

Parkings, Chenils, Entrée principale : Niveau égouts
Ameublement et Café « M » : Rez-de-chaussée
Mode Femmes et Articles de Magie : 1
Mode Hommes et Armement : 2
Beauté, Potions, Poisons et Articles divers : 3

– Des chenils pour quoi faire ? demanda Piper. Et vous ne trouvez pas ça louche, un grand magasin dans lequel on entre par les égouts ?

– Ou qui vend des poisons, renchérit Léo. Qu'est-ce que ça peut bien être, les articles divers ?

Jason prit une grande inspiration.

– En cas de doute, dit-il, toujours commencer par le haut.

Les portes s'ouvrirent au troisième étage et des effluves de parfum s'engouffrèrent dans l'ascenseur. Jason sortit le premier, l'épée à la main.

– Les gars, lança-t-il, il faut que vous voyiez ça.

Piper le rejoignit et eut le souffle coupé.

– Ah non, on n'est pas chez Macy's, murmura-t-elle.

Le grand magasin ressemblait à l'intérieur d'un kaléidoscope. Le plafond était constitué d'une immense mosaïque de vitrail représentant les douze signes du zodiaque autour d'un soleil géant. La lumière du jour qui pénétrait en traversant le verre teinté nimbait tout de mille couleurs différentes. Les étages supérieurs dessinaient un cercle de balcons au-dessus d'un vaste atrium central, offrant une vue plongeante sur le rez-de-chaussée. Les balustrades dorées brillaient d'un éclat éblouissant.

À part la coupole de vitrail et l'ascenseur, Jason ne vit aucune autre fenêtre ou porte, mais deux jeux d'ascenseurs en verre qui reliaient les niveaux. Les tapis présentaient une débauche de couleurs et de motifs d'Orient, et les rayonnages étaient tout aussi baroques. Il y avait trop de choses pour tout enregistrer d'un coup, mais Jason remarqua que des articles normaux, tels que des chemises et des chaussures, côtoyaient des mannequins en armure, des lits de clous et des fourrures qui semblaient encore vivantes.

Léo s'approcha de la balustrade et se pencha.

– Venez voir.

Une fontaine occupait le centre de l'atrium et il en jaillissait des jets d'eau de six mètres de haut, qui passaient du rouge, au jaune, au bleu. Le bassin était jonché de pièces d'or et, de part et d'autre, se dressait une cage dorée – on aurait dit deux cages à canaris géantes.

Dans l'une, un ouragan miniature faisait rage et des éclairs crépitaient. Quelqu'un y avait enfermé les esprits de la tempête, qui redoublaient d'efforts pour se libérer et faisaient trembler les barreaux. Dans l'autre, figé comme une statue, se tenait un satyre trapu et musclé, qui brandissait un gourdin.

– Monsieur Hedge ! s'exclama Piper. Il faut qu'on descende.

– Puis-je vous aider ? dit alors une voix.

Tous trois reculèrent en sursautant.

Une femme venait *d'apparaître* devant eux. Elle portait une élégante robe noire et des bijoux en diamants et avait une allure de top model à la retraite – une cinquantaine d'années, peut-être, c'était difficile à dire. Elle avait de longs cheveux bruns ramenés sur une épaule et un visage d'une beauté un peu irréelle, comme en ont les mannequins de haute couture : fin, hautain et froid, pas tout à fait humain. Ses doigts faisaient penser à des serres d'oiseau, surtout avec leurs ongles longs vernis de rouge.

Elle leur sourit.

– Je suis ravie de voir de nouveaux clients. En quoi puis-je vous aider ?

Léo jeta à Jason un coup d'œil qui disait : « À toi de jouer ».

– Euh, fit Jason, c'est votre magasin ?

La femme hocha la tête.

– Je l'ai trouvé abandonné, vous savez. Il y a tant de magasins qui ferment, aujourd'hui. J'ai décidé d'en faire un lieu de rêve. J'adore collectionner les objets de goût, aider les gens, offrir des marchandises de qualité à un prix raisonnable. Alors l'endroit m'a semblé... comment dit-on... idéal pour une première acquisition dans votre pays.

Elle avait un accent agréable, mais que Jason ne parvenait pas à situer. Elle n'était pas hostile, c'était clair. Le jeune garçon commença à se détendre. La voix de la femme avait des inflexions exotiques et chaleureuses, et il avait envie de l'entendre encore.

– Alors vous êtes arrivée depuis peu aux États-Unis ?

301

– Je suis une nouvelle venue, oui, acquiesça la femme. Je suis la princesse de Colchis. Mes amis m'appellent Votre Altesse. Maintenant dites-moi, que cherchez-vous ?

Jason avait déjà entendu parler de riches étrangers rachetant de grands magasins américains. Évidemment, en général ils ne vendaient pas de poisons, de fourrures vivantes, d'esprits de la tempête ni de satyres, mais, avec une si belle voix, la princesse de Colchis ne pouvait pas avoir mauvais fond.

Piper lui donna un coup de coude dans les côtes.

– Jason...

– Euh, oui. En fait, Votre Altesse... (Il montra du doigt une des cages dorées du rez-de-chaussée.) C'est notre ami qui est enfermé là, Gleeson Hedge. Le satyre. Est-ce qu'on pourrait... le récupérer, s'il vous plaît ?

– Bien sûr ! répondit aussitôt la princesse. J'ai très envie de vous montrer toutes mes merveilles. Pourrais-je connaître vos noms, d'abord ?

Jason hésita. Ce n'était pas une bonne idée de donner leurs noms. Un souvenir le taraudait, une chose que lui avait dite Héra, mais il n'arrivait pas à le retrouver, c'était trop flou.

D'un autre côté, Son Altesse semblait prête à coopérer. S'ils pouvaient obtenir ce qu'ils voulaient sans avoir à se battre, tant mieux. Surtout que cette dame n'avait pas l'air d'une ennemie.

– Jason, commença Piper, je ne crois pas que...

– Je vous présente Piper, interrompit-il. Voici Léo, et moi c'est Jason.

La princesse riva les yeux sur lui et, un bref instant, son visage irradia littéralement, enflammé par une colère si vive que Jason aperçut son crâne sous la peau. Et il avait beau avoir les idées de plus en plus confuses, cela lui parut louche. Mais l'instant passa et Son Altesse reprit son aspect de femme élégante au sourire chaleureux, à la voix apaisante.

– Quel nom intéressant, commenta-t-elle, le regard aussi glacial que le vent de Chicago. Je crois que nous devrons vous accorder une remise spéciale. Venez, les enfants, allons faire du shopping.

27   PIPER

Piper avait une folle envie de courir à l'ascenseur.

L'autre option consistait à attaquer tout de suite l'étrange princesse, car elle était sûre que ça finirait par un combat. La façon dont le visage de la femme s'était illuminé lorsque Jason avait dit son nom était bien assez alarmante. À présent, Son Altesse souriait comme si de rien n'était, et Jason et Léo n'avaient pas l'air d'y trouver à redire.

La princesse désigna d'un geste le rayon des cosmétiques.

– Si nous commencions par les potions ? proposa-t-elle.

– Super, répondit Jason.

– Les garçons, interrompit Piper, on est là pour récupérer les esprits de la tempête et M. Hedge. Si cette... *princesse* est véritablement notre amie...

– Oh, je suis plus qu'une amie, ma chérie, dit Son Altesse. Je suis une vendeuse. (Ses diamants étincelaient et ses yeux brillaient comme ceux d'un serpent : d'un éclat sombre et froid.) Ne t'inquiète pas. On passera au rez-de-chaussée en fin de parcours, d'accord ?

Léo hocha la tête avec enthousiasme.

– Ouais, d'accord ! Ça me paraît une bonne idée. Qu'est-ce que t'en dis, Piper ?

La jeune fille lui lança le regard le plus noir possible : *Non, c'est tout sauf une bonne idée !*

– Bien sûr que c'est une bonne idée, renchérit Son Altesse. qui posa les mains sur les épaules de Léo et Jason et les entraîna vers le rayon des cosmétiques. Venez, les garçons.

Piper se trouva bien obligée de les suivre.

Elle détestait les grands magasins – principalement parce qu'elle s'était fait prendre à voler dans plusieurs. Enfin, pas vraiment prendre, et pas vraiment voler. Elle avait convaincu des vendeurs de lui donner des ordinateurs, des chaussures, une bague en or et même une tondeuse à gazon, une fois, même si elle ne savait pas du tout ce qu'elle pourrait en faire. Elle ne gardait jamais les objets. C'était juste pour attirer l'attention de son père. En général, elle convainquait un coursier de son quartier de rapporter la marchandise. Mais bien sur, le vendeur qui s'était fait embobiner reprenait ses esprits et appelait la police, qui finissait par retrouver Piper.

Bref, elle n'était pas ravie d'être dans un grand magasin, surtout tenu par une princesse folle qui brillait dans la pénombre.

– Et là, dit cette dernière, vous trouverez le plus bel assortiment de mixtures magiques qui existe au monde.

Le comptoir était couvert de vases à bec bouillonnants et de fioles fumantes, posées sur des trépieds. Des flacons de verre s'alignaient sur les étagères, certains en forme de cygne ou d'ours. Les liquides contenus étaient de toutes les couleurs imaginables, du blanc au motif à pois. Quant aux odeurs... Berk ! Certaines étaient agréables, fleurant bon le biscuit frais sorti du four ou la rose, mais il s'y mêlait des effluves de pneus brulés, de secrétion de putois et de chaussettes sales.

La princesse montra du doigt une fiole rouge sang – une simple éprouvette fermée par un bouchon de liège.

– Cette potion guérit toutes les maladies.

– Même le cancer ? demanda Léo. La lèpre ? Les points noirs ?

– Tout, joli garçon. Et celle-ci (elle indiqua un récipient en forme de cygne, plein d'un liquide bleu) te fera mourir dans d'atroces souffrances.

– Formidable, dit Jason d'une voix traînante, l'air hébété.

– Jason, dit Piper, nous avons une mission, tu te rappelles ?

Elle s'était appliquée à insuffler de la force dans ses paroles pour l'arracher à la transe où le plongeait l'enjôlement de la princesse, mais sa voix tremblotait, même à ses oreilles. La peur que lui inspirait cette femme était trop forte ; Piper sentait son assurance s'effriter, exactement comme dans le bungalow d'Aphrodite, face à Drew.

– Une mission, bafouilla Jason. Bien sûr. Mais un peu de shopping d'abord, OK ?

La princesse le gratifia d'un grand sourire.

– Et nous avons aussi, embraya-t-elle, des potions pour résister au feu...

– Pour ça, on est déjà couverts, dit Léo.

– Vraiment ? (La princesse scruta le visage du garçon.) Tu ne m'as pas l'air de porter mon écran solaire, pourtant... mais ça ne fait rien. Nous avons également des potions qui provoquent la cécité, la démence, le sommeil ou encore...

– Une seconde. (Piper regardait toujours l'éprouvette au liquide rouge.) Cette potion pourrait-elle guérir l'amnésie ?

La princesse plissa les yeux.

– C'est probable. Oui, très probable. Pourquoi, ma chérie ? Aurais-tu oublié quelque chose d'important ?

Piper tenta de rester impassible, mais si le remède pouvait rendre sa mémoire à Jason...

Est-ce vraiment ce que je veux ? se demanda-t-elle.

Si Jason retrouvait son identité, ils ne seraient peut-être plus amis. Héra devait avoir une bonne raison pour l'avoir privé de ses souvenirs. Elle lui avait dit que c'était la seule façon dont il pouvait survivre à la colonie. Et si Jason découvrait qu'il était... leur ennemi, par exemple ? S'il s'éveillait de son amnésie et trouvait Piper antipathique. S'il avait une petite amie, dans sa vraie vie.

Ça n'a pas d'importance, se surprit-elle à penser.

Jason avait l'air en proie à une telle détresse quand il essayait de se souvenir de quelque chose. Ça faisait trop de peine à Piper de le voir dans cet état. Elle voulait l'aider parce qu'elle avait des sentiments pour lui, même si ça signifiait le perdre. Ils n'auraient pas fait cette excursion dans le grand magasin de Sa Dinguerie pour rien.

– Combien ?

Le regard de la princesse se fit absent.

– Eh bien... c'est toujours un peu délicat, cette question du prix. J'adore aider les gens. Vraiment. Et je tiens toujours mes engagements, mais il y a parfois des personnes qui essaient de me rouler. (Son regard alla se poser sur Jason.) Une fois, par exemple, j'ai rencontré un beau jeune homme qui voulait un trésor du royaume de mon père. On a passé un marché et je lui ai promis de l'aider à le voler.

– À votre propre père ? demanda Jason – il avait beau être visiblement encore hébété, l'idée semblait le déranger.

– Oh, ne t'inquiète pas, rétorqua la princesse. Je lui ai demandé le prix fort. Le jeune homme devait m'emmener avec lui. Il était beau, fort et fringant... (Elle se tourna vers Piper.) Tu comprends, ma chérie, qu'on puisse être attirée par un héros pareil et souhaiter l'aider.

Malgré ses efforts pour se maîtriser, Piper se sentit rougir. Elle avait l'horrible impression que la princesse lisait dans ses pensées.

Et ce qui la troublait aussi, c'était l'histoire de cette femme – elle lui rappelait vraiment quelque chose. Des passages de mythes anciens qu'elle avait lus avec son père commencèrent à s'assembler comme un puzzle, pourtant cette princesse ne pouvait pas être le personnage auquel elle pensait.

– De toute façon, poursuivit Son Altesse, mon héros devait accomplir de nombreuses tâches impossibles et, sans me vanter, il n'y serait jamais parvenu sans moi. J'ai trahi ma propre famille pour que mon héros puisse remporter son trophée. Et malgré tout ça, il m'a roulée.

– Roulée ? répéta Jason en fronçant les sourcils comme s'il essayait de se souvenir d'une chose importante.

– Ça craint, dit Léo.

Son Altesse lui tapota affectueusement la joue.

– Je ne m'inquiète pas pour toi, Léo, déclara-t-elle. Tu m'as l'air d'un garçon honnête. Tu ne refuserais jamais de payer le juste prix, si ?

Léo fit oui de la tête.

– On achetait quoi, déjà ? J'en prends deux.

– Alors pour la fiole, Votre Altesse ? interrompit Piper.

La princesse toisa la jeune fille de la tête aux pieds, passant en revue ses vêtements, son visage et sa posture comme si elle voulait estimer la valeur marchande d'un demi-dieu légèrement usé.

– Serais-tu prête à payer n'importe quel prix pour l'avoir, ma chérie ? demanda-t-elle. Oui, je sens que oui.

Les paroles submergèrent Piper avec la puissance d'une grande vague de surf. La force de suggestion de la princesse la happa. Elle était prête à payer n'importe quel prix. Elle voulait dire oui.

Puis son ventre se noua. Piper se rendit compte que la femme l'enjôlait. Elle avait déjà ressenti quelque chose de similaire : au feu de camp de la colonie, lorsque Drew avait pris la parole. Mais là, c'était mille fois plus fort. Pas étonnant que ses amis soient subjugués. Alors c'était ça que les gens ressentaient quand Piper recourait à l'enjôlement ? Elle se sentit brusquement coupable.

Elle fit appel à toute sa force de volonté, et déclara :

– Non, je ne suis pas prête à payer n'importe quel prix. Mais un bon prix, peut-être. Après, il faudra qu'on s'en aille. Hein, les gars ?

Un bref instant, ses paroles firent de l'effet. Les garçons parurent troublés.

– Qu'on s'en aille ? dit Jason.

– Tu veux dire... après le shopping ? demanda Léo.

Piper eut envie de hurler. La princesse inclina la tête et la regarda avec un respect tout nouveau.

– Impressionnant, dit-elle. Ce n'est pas souvent que je rencontre quelqu'un qui peut résister à mes suggestions. Es-tu fille d'Aphrodite, ma chérie ? Ah, oui... j'aurais dû le voir. Peu importe. Nous allons peut-être flâner encore un peu dans les rayons, avant que tu ne fasses ton choix.

– Mais la fiole...

– Bon, les garçons. (Elle se tourna vers Jason et Léo. Sa voix était tellement plus puissante que celle de Piper, tellement plus assurée, que cette dernière n'avait aucune chance.) Vous voulez que je vous montre d'autres choses ?

– Avec plaisir, répondit Jason.

– Ouais, ouais, dit Léo.

– Parfait, conclut la princesse. Si vous voulez arriver vivants dans la région de la baie de San Francisco, vous aurez besoin d'être le mieux équipés possible.

Piper porta la main à son poignard. Elle repensa à son rêve, au sommet de la montagne – la scène que lui avait montrée Encélade, un endroit qu'elle connaissait, où elle était censée trahir ses amis d'ici à deux jours.

– La région de la baie ? dit Piper. Pourquoi la région de la baie ?

La princesse sourit.

– Eh bien, c'est là qu'ils vont mourir, n'est-ce pas ?

Sur ces mots elle se dirigea vers les ascenseurs, et Jason et Léo, l'air encore enthousiasmés par la perspective du shopping, lui emboîtèrent le pas.

28   PIPER

Piper prit la princesse à part quand Jason et Léo allèrent regarder les manteaux de fourrure vivante.

– Vous voulez qu'ils fassent des achats pour préparer leur mort ? lui demanda-t-elle.

– Hmm, hmm. (La princesse souffla pour chasser la poussière qui couvrait une vitrine d'épées.) Je suis voyante, ma chère. Je connais ton petit secret. Mais nous n'allons pas nous appesantir là-dessus, hein ? Les garçons sont tellement contents.

Léo riait. Il avait mis un chapeau qui semblait en fourrure de raton laveur enchantée : la queue rayée et les petites pattes de l'animal s'agitaient frénétiquement à chacun de ses pas. Quant à Jason, il était absorbé par le rayon sportswear pour hommes. Des garçons en proie à une soudaine passion pour le shopping ? Aucun doute, ils étaient sous l'effet d'un sortilège.

Piper regarda la princesse d'un œil noir et lui demanda :

– Qui êtes-vous ?

– Je te l'ai déjà dit, ma chérie. Je suis la princesse de Colchis.

– Où est Colchis ?

Le regard de la femme se voila.

– Où *était* Colchis, tu veux dire. Mon père régnait sur les rives lointaines de la mer Noire, aussi loin à l'est qu'un navire grec pouvait naviguer à l'époque. Mais Colchis n'existe plus. Elle est perdue depuis des éternités.

– Des éternités ? demanda Piper. (La princesse ne faisait pas plus de cinquante ans, mais la jeune fille repensa à une chose qu'avait dite le roi Borée à Québec, et elle fut prise d'une crainte horrible.) Quel âge avez-vous ?

La princesse partit d'un rire cristallin.

– Une dame ne pose ni ne répond à cette question ! rétorqua-t-elle. Disons simplement que les démarches d'immigration que j'ai dû faire pour entrer dans votre pays ont été très longues. Ma protectrice a fini par me faire venir. C'est à elle que je dois tout cela.

Elle balaya le magasin d'un ample geste du bras.

Piper sentit comme un goût de métal dans sa bouche.

– Votre protectrice...

– Oui. Note bien qu'elle ne fait pas venir n'importe qui – seulement ceux qui ont des talents spécifiques, comme moi. Et elle m'en demande si peu : une entrée de magasin en sous-sol pour lui permettre, disons, un suivi de ma clientèle, un petit service de temps en temps. Cela, en échange d'une nouvelle vie. Vraiment, je n'avais pas fait d'aussi bonne affaire depuis des siècles !

Sauvons-nous, pensa Piper. *Sauvons-nous fissa.*

Avant qu'elle puisse traduire ses pensées en paroles, Jason la héla :

– Hé, viens voir !

Il avait décroché du portant MODE DESTROY un tee-shirt violet pareil à celui qu'il avait sur le dos le jour du Grand Canyon, à cette différence près que celui-ci semblait avoir été déchiqueté par des griffes de tigre.

Jason fronça les sourcils :

– Pourquoi ça me dit quelque chose, ce tee-shirt ?

– Parce que c'est le même que le tien, Jason ! Faut vraiment qu'on y aille, maintenant, lança Piper d'une voix pressante – tout en se demandant s'il pouvait encore l'entendre, sous l'emprise du sortilège de la princesse.

– Mais non ! s'exclama cette dernière. Les garçons n'ont pas fini. Et, oui, mon chou. Ces tee-shirts plaisent beaucoup. Je les ai échangés à d'anciens clients. Il te va bien.

Léo attrapa un tee-shirt orange de la Colonie des Sang-Mêlé, troué au milieu comme par un javelot. À côté, il y avait un plastron de bronze cabossé et criblé de marques de corrosion – par un acide ? – ainsi qu'une toge romaine tailladée et maculée de taches brunes qui ressemblaient de façon troublante à du sang séché.

– Votre Altesse, dit Piper en s'efforçant de maîtriser ses nerfs. Si vous racontiez aux garçons comment vous avez trahi votre famille ? Je suis sûre qu'ils aimeraient entendre cette histoire.

Ses paroles n'eurent aucun effet sur la princesse, mais les garçons tournèrent tous les deux la tête, intéressés.

– Encore une histoire ? demanda Léo.

– Oh oui, une autre histoire ! renchérit Jason.

La princesse lança un coup d'œil irrité à Piper, avant de répondre.

– Oh, l'amour vous fait faire de drôles de choses, Piper. Tu devrais le savoir. D'ailleurs, si je suis tombée amoureuse de ce jeune héros, c'est parce que ta mère Aphrodite m'avait jeté un sort. Sans elle... – mais je ne peux pas en vouloir à une déesse, n'est-ce pas ?

Le ton de la princesse ne laissait pas de doute sur ce qu'elle voulait dire : *Par contre, je peux me venger sur toi.*

– Ce héros vous a emmenée avec lui lorsqu'il a fui Colchis, se souvint Piper. C'est bien cela, Votre Altesse ? Il a tenu parole et vous a épousée.

La princesse prit l'air tellement offensé que Piper eut envie de s'excuser, mais elle ne flancha pas.

– Au début, reconnut Son Altesse, il a eu l'air de tenir sa promesse. Mais même après que je l'ai aidé à voler le trésor de mon père, il avait encore besoin de moi. Quand nous avons fui, mon frère s'est lancé à notre poursuite avec sa flotte. Ses navires de guerre nous ont rattrapés. Mon frère allait nous massacrer, mais je l'ai convaincu de venir à bord de notre bateau pour nous parler sous le drapeau blanc. Il me faisait confiance.

– Et vous avez tué votre propre frère, accusa Piper.

L'horrible histoire lui revint entièrement, accompagnée d'un nom de sinistre mémoire commençant par un M.

– Quoi ? fit Jason, qui parut un bref instant revenu à lui-même. Vous avez tué votre propre...

– Non, dit sèchement la princesse. Toutes ces histoires ne sont que des mensonges. C'est mon jeune époux et ses hommes qui ont tué mon frère, même s'ils n'auraient pas pu le faire sans ma ruse, effectivement. Ils ont jeté son corps à la mer et ses hommes ont dû s'arrêter pour le rechercher, sans quoi mon frère n'aurait pu avoir de sépulture. Cela nous a donné le temps de leur échapper. Tout ça, c'est pour mon mari que je l'ai fait. Mais lui a oublié ses engagements. Il a fini par me trahir.

Jason avait toujours l'air troublé.

– Qu'est-ce qu'il a fait ? demanda-t-il.

La princesse porta la toge lacérée contre la poitrine de Jason comme si elle jaugeait son gabarit avant de l'assassiner.

– Tu ne connais pas l'histoire, mon garçon ? S'il y a bien quelqu'un qui devrait la connaître, pourtant, c'est toi. Tu portes son nom.

– Jason, dit Piper. Le Jason d'origine. Mais vous devriez être morte !

La princesse sourit.

– Comme je disais, une nouvelle vie dans un nouveau pays. Bien sûr, j'ai commis des erreurs. J'ai renié les miens. On m'a qualifiée de traîtresse, de voleuse, de menteuse, de meurtrière. Mais j'ai agi par amour. (Elle se tourna vers les garçons et les gratifia d'un regard de cocker en battant des cils. Piper sentit la sorcellerie se déverser sur eux et les maintenir plus ferme- ment que jamais sous son emprise.) Vous n'en feriez pas autant pour quelqu'un que vous aimez, mes chéris ?

– Oui, bien sûr, acquiesça Jason.

– Ouais, d'accord, renchérit Léo.

Piper serra les dents avec rage et impuissance.

– Les garçons ! s'écria-t-elle. Vous ne voyez pas qui c'est ? Vous ne...

– Si on continuait ? suggéra la princesse d'un ton enjoué. Je crois que vous vouliez discuter d'un prix pour les esprits de la tempête – et pour votre satyre, bien sûr.

Au premier étage, Léo flasha sur les appareils.

– Attendez, s'écria-t-il, ne me dites pas que c'est une forge blindée ?

Piper n'eut pas le temps de le retenir. Il sauta de l'Escalator et courut voir un grand fourneau ovale qui avait des allures de barbecue dopé à l'OPE.

Lorsqu'ils le rejoignirent, la princesse dit :

– Tu as bon goût. C'est le H-2000, conçu par Héphaïstos en personne. Assez chaud pour fondre aussi bien le bronze céleste que l'or impérial.

Jason tressaillit comme s'il reconnaissait le terme.

– L'or impérial ?

La princesse hocha la tête.

– Oui, mon chou. Comme cette arme si habilement dissi- mulée dans ta poche. Pour être forgé correctement, l'or impé- rial doit avoir été consacré au temple de Jupiter, sur le mont

315

Capitolin, à Rome. C'est un métal puissant et rare, mais, comme les empereurs romains, assez instable. Fais attention à ne pas casser cette lame... (Elle sourit aimablement.) Rome est advenue après mon époque, bien sûr, mais les histoires ne manquent pas de parvenir à mes oreilles. Et là, regardez ce trône en or : c'est un de mes plus beaux articles de luxe. Héphaïstos l'a fabriqué pour punir sa mère, Héra. Assieds-toi dessus et tu seras immédiatement immobilisé.

Léo prit cela pour un ordre. Dans un état de transe, il se dirigea vers le trône.

– Léo, non ! cria Piper.

Il cligna des yeux.

– Combien, pour les deux ? demanda-t-il.

– Oh, le fauteuil, je te le laisserais contre cinq exploits, dit la princesse. Pour la forge, sept ans d'esclavage. Et juste un peu de tes forces...

Elle entraîna Léo dans le rayon des appareils en énumérant des prix.

Piper ne voulait pas le laisser seul avec elle, mais il fallait qu'elle essaie de raisonner Jason. Elle le prit à part et le gifla.

– Aïe ! marmonna-t-il d'une voix endormie. Qu'est-ce qui te prend ?

– Secoue-toi ! lui dit-elle d'une voix pressante.

– Qu'est-ce que tu veux dire ?

– Elle t'enjôle. Tu ne le sens pas ?

Jason fronça les sourcils.

– Non, elle a l'air sympa.

– Non, elle est PAS sympa ! Elle ne devrait même pas être en vie ! Elle a épousé Jason – *l'autre* Jason – il y a trois mille ans. Tu te souviens de ce que Borée a dit, une histoire d'âmes qui ne sont plus enfermées chez Hadès ? Il n'y a pas que des monstres qui refusent de rester morts. Elle est remontée des Enfers !

316

Jason secoua la tête, pas convaincu.

– Ce n'est pas un fantôme, dit-il.

– Non, c'est pire ! C'est...

– Les enfants. (La princesse revenait vers eux avec Léo.) Si vous êtes d'accord, nous allons voir maintenant ce que vous êtes venus chercher. C'est ce que vous voulez, n'est-ce pas ?

Piper se retint de hurler. Elle fut tentée de dégainer son poignard et d'attaquer l'enchanteresse à elle toute seule, mais ça lui parut vraiment trop risqué : au milieu du grand magasin de Son Altesse, alors que ses amis étaient sous l'emprise d'un sortilège. Elle n'était même pas sûre qu'ils se mettent de son côté, en cas de combat. Il fallait qu'elle trouve un meilleur plan.

Ils prirent l'ascenseur et descendirent au pied de la fontaine. Piper remarqua pour la première fois deux grands cadrans solaires en bronze – de la taille d'un trampoline chacun – incrustés dans le sol de marbre aux extrémités nord et sud de la fontaine. Les cages à canaris géantes occupaient les points est et ouest, et c'était dans la plus éloignée des deux que les esprits de la tempête étaient enfermés. Ils étaient tellement serrés et emmêlés les uns dans les autres, comme une tornade hyper-compactée, que Piper n'aurait su dire combien ils étaient – des dizaines, au moins.

– Hé ! s'écria Léo, Hedge a bonne mine !

Ils coururent à la cage la plus proche. Le vieux satyre semblait avoir été pétrifié à l'instant où il avait été happé dans le ciel, au-dessus du Grand Canyon. Il était figé la bouche ouverte et le gourdin au-dessus de la tête, comme s'il ordonnait à ses élèves de faire cinquante pompes. Si Piper se limitait à certains détails – le polo orange vif, la barbichette, le sifflet autour du cou – elle retrouvait ce vieux casse-pieds de Hedge. Mais il était difficile d'ignorer les petites cornes qui pointaient sur son

317

crâne et le fait qu'il avait des pattes de chèvre et des sabots à la place de son pantalon de survêtement et de ses Nike.

– Oui, dit la princesse. Je veille à ce que mes marchandises restent en bon état. Nous pourrons sûrement nous entendre pour les esprits de la tempête et le satyre. Un prix global. Si nous faisons affaire, je vous mettrai même la fiole de panacée dans le lot, et vous pourrez partir tranquilles. (Elle regarda Piper d'un œil sagace.) C'est mieux comme ça, tu ne crois pas, ma chérie, au lieu de se chercher chicane ?

Ne lui fais pas confiance, avertit une voix dans la tête de Piper. Si elle avait vu juste pour l'identité de la princesse, personne ne partirait tranquille. Pas question de faire affaire équitablement. Tout cela n'était qu'une ruse. Mais ses amis la regardaient en hochant la tête avec conviction pour la presser de dire oui. Piper avait besoin de gagner du temps pour réfléchir.

– On peut négocier, dit-elle.

– Complètement ! renchérit Léo. Fixez votre prix.

– Léo ! s'exclama Piper.

La princesse gloussa.

– Que je fixe mon prix ? Ce n'est peut-être pas la meilleure approche pour marchander, mon garçon, mais au moins tu connais la valeur des choses. La liberté est un bien très précieux. Vous voudriez me demander de libérer ce satyre qui a attaqué mes vents de tempête...

– Qui nous avaient attaqués, interrompit Piper.

Son Altesse haussa les épaules.

– Je vous l'ai dit, ma protectrice me demande de menus services de temps en temps. Envoyer les esprits de la tempête vous chercher, c'en était un. Je vous assure que je n'avais rien contre vous personnellement. Et il n'y a pas eu de mal, puisque vous avez fini par venir de votre plein gré ! Quoi qu'il en soit, vous voulez le satyre et vous voulez mes esprits de la tempête – qui sont de précieux serviteurs, soit dit en passant – pour les livrer à ce tyran d'Éole. Ça ne semble pas très juste, si ? Le prix sera élevé.

Piper voyait que ses amis étaient prêts à tout offrir et tout promettre. Elle joua son va-tout sans leur laisser le temps de parler.

– Vous êtes Médée, lança-t-elle. Vous avez aidé le premier Jason à voler la Toison d'Or. Vous êtes une des plus abominables teignes de la mythologie grecque. Jason, Léo, ne lui faites pas confiance.

Piper mit toute la force qu'elle put dans ces paroles. Elle était cent pour cent sincère et cela parut faire de l'effet. Jason s'écarta de l'enchanteresse en battant des paupières.

Léo se gratta la tête et regarda autour de lui comme s'il sortait d'un rêve.

– On fait quoi, déjà ? demanda-t-il.

– Les garçons ! (La princesse ouvrit grands les bras en un geste hospitalier. Ses diamants brillèrent et ses doigts peints se recourbèrent comme des griffes ensanglantées.) C'est vrai, je suis Médée. Mais je suis une incomprise. Oh, Piper, ma chérie, si tu savais comme c'était dur pour les femmes, autrefois. Nous n'avions aucun pouvoir, aucune influence. La plupart du temps, nous ne pouvions même pas choisir nos maris nous-mêmes. Mais moi, j'étais différente. J'ai choisi mon destin en devenant enchanteresse. Quel mal y a-t-il à ça ? J'ai conclu un pacte avec Jason : mon aide pour gagner la Toison, en échange de son amour. C'était équitable. Il est devenu un héros célèbre ! Sans moi, il serait mort en anonyme sur les rives de Colchis.

Jason – celui de Piper – grimaça.

– Alors... vous êtes vraiment morte il y a trois mille ans ? Vous êtes revenue des Enfers ?

– La mort ne me tient plus entre ses griffes, jeune héros, dit Médée. Grâce à ma protectrice, je suis de nouveau en chair et en os.

– Vous... vous êtes reformée ? Comme un monstre ? demanda Léo, les yeux écarquillés.

Médée écarta les doigts et des jets de vapeur fusèrent de ses ongles en sifflant comme de l'eau sur du fer chauffé à blanc.

– Vous n'avez aucune idée de ce qui est en train de se passer, hein, mes chéris ? C'est autrement plus grave qu'un réveil de monstres du Tartare. Ma protectrice sait que les géants et les monstres ne sont pas ses meilleurs serviteurs. Je suis mortelle. J'ai tiré la leçon de mes erreurs. Et maintenant que je suis revenue parmi les vivants, je ne me ferai pas berner de nouveau. Voici mon prix pour ce que vous demandez.

– Les gars, dit Piper. Le Jason d'origine a quitté Médée parce qu'elle était folle et sanguinaire.

– Mensonges ! s'écria la femme.

– Après avoir quitté Colchis, le bateau de Jason a accosté dans un autre royaume et Jason a accepté de quitter Médée et d'épouser la fille du roi.

– Alors que je lui avais donné deux enfants ! dit Médée. Ça ne l'a pas empêché de manquer à sa parole. Je vous le demande, est-ce juste ?

Jason et Léo hochèrent consciencieusement la tête, mais Piper n'avait pas fini.

– Ce n'était peut-être pas juste, dit-elle, mais la vengeance de Médée ne le fut pas non plus. Elle a assassiné ses propres enfants pour faire payer sa trahison à Jason, ensuite elle a empoisonné sa nouvelle femme et fui le royaume.

Médée grimaça.

– C'est une pure invention pour salir ma réputation ! Ce sont les Corinthiens, ce peuple incontrôlable, qui ont tué mes enfants et m'ont chassée. Jason n'a rien fait pour me protéger. Il m'a tout pris. Alors, oui, je suis revenue en cachette au palais et j'ai empoisonné sa jeune et charmante épouse. Ce n'était que justice, c'était le prix à payer.

– Vous êtes folle, dit Piper.

– C'est moi la victime ! gémit Médée. Je suis morte, mes rêves piétinés, mais ça ne m'arrivera plus. On ne me reprendra plus jamais à faire confiance aux héros. S'ils viennent me demander des trésors, ils paieront le prix fort. Surtout quand celui qui me le demande porte le nom de Jason !

La fontaine se colora de rouge vif. Piper dégaina son poignard, mais sa main tremblait presque trop pour le tenir.

– Jason, Léo, il faut qu'on parte. Tout de suite.

– Avant d'avoir fait affaire ? demanda Médée. Et votre quête, les garçons ? Mon prix est tellement bas. Saviez-vous que cette fontaine est magique ? Si on y jetait un homme mort, même si son corps était déchiqueté, il en ressortirait vivant et parfaitement reformé – plus fort et plus puissant que jamais.

– Vraiment ? fit Léo.

– Léo, elle ment, s'écria Piper. Elle a déjà fait le coup a quelqu'un, un roi, je crois. Elle a convaincu ses filles de le découper en morceaux pour qu'il ressorte de l'eau jeune et en bonne santé, mais ça n'a fait que le tuer !

– Ri-di-cule, cracha Médée, et Piper entendit le pouvoir que renfermait chaque syllabe. Léo, Jason, mon prix est simple. Battez-vous, tous les deux ! Si vous vous blessez, ou si l'un ou l'autre se fait tuer, pas de problème. On vous jette dans la fontaine et vous serez encore plus en forme qu'avant. Vous avez *envie* de vous battre, n'est-ce pas ? Vous avez une dent l'un contre l'autre !

– Non, les gars ! cria Piper.

Mais ils se toisaient déjà d'un œil noir, comme s'ils venaient de découvrir ce qu'ils éprouvaient véritablement.

Piper ne s'était jamais sentie aussi impuissante de sa vie. Maintenant elle comprenait ce qu'était la véritable sorcellerie. Elle avait toujours cru que la magie se résumait à des baguettes et des boules de feu, mais ceci était bien pire. Médée ne comptait pas juste sur ses poisons et potions. Son arme la plus puissante, c'était sa voix.

Léo grimaça et dit :

– Jason est toujours la star. Il est toujours le centre d'attention et il me sous-estime.

– Tu es agaçant, Léo, enchaîna Jason. Tu ne prends jamais rien au sérieux. T'es même pas fichu de réparer un dragon.

– Arrêtez ! supplia Piper, mais ils avaient chacun sorti une arme : Jason son épée en or, Léo un marteau de sa ceinture à outils.

– Laisse-les faire, Piper, dit Médée. Je te rends service. Autant que ça se passe maintenant, ce sera tellement plus simple pour toi de faire ton choix ! Encélade sera content. Tu pourrais récupérer ton père dès aujourd'hui !

L'enjôlement de Médée n'avait pas prise sur elle, il n'empêche que l'enchanteresse avait une voix très persuasive. Retrouver son père dès aujourd'hui ? Malgré toutes ses résolutions, oui, Piper le voulait. Elle le voulait si fort que ça lui faisait mal.

– Vous travaillez pour Encélade, devina-t-elle.

– Moi, servir un géant ? s'exclama Médée en riant. Bien sûr que non. Mais nous œuvrons tous à la même cause supérieure – et tu ne saurais rêver de défier notre protectrice. Laisse tomber, fille d'Aphrodite. Il est inutile que tu meures, toi aussi. Sauve ta vie et ton père retrouvera la liberté.

Léo et Jason se faisaient toujours face, prêts à se battre, cependant ils paraissaient incertains et déroutés – comme s'ils attendaient un nouvel ordre. Il devait y avoir quelque chose en eux qui résistait, espéra Piper. Ceci allait tellement à l'encontre de leur nature, à l'un comme à l'autre.

– Écoute-moi, ma fille.

Médée détacha un diamant de son bracelet et le jeta vers un des jets d'eau de la fontaine. Lorsqu'il traversa la lumière multicolore, Médée dit :

– Ô Iris, déesse de l'Arc-en-ciel, montre-moi le bureau de Tristan McLean.

La brume scintilla et Piper découvrit le bureau de son père. Jane, l'assistante, était assise au téléphone, avec son sempiternel tailleur de femmes d'affaires noir, les cheveux tirés en chignon serré.

– Bonjour, Jane.

L'assistante raccrocha tranquillement le téléphone.

– Que puis-je faire pour vous, madame ? Bonjour, Piper.

– Vous...

Piper était tellement en colère qu'elle ne trouvait plus ses mots.

– Oui, mon enfant, commenta Médée. L'assistante de ton père. Très facile à manipuler. C'est un esprit organisé, pour une mortelle, mais d'une faiblesse incroyable.

– Merci, madame, dit Jane.

– Je t'en prie, rétorqua Médée. Je voulais juste te féliciter, Jane. Tu as fait preuve d'une grande habileté pour convaincre M. McLean de quitter la ville précipitamment et de partir pour Oakland en jet privé sans prévenir ni la presse, ni la police. Bien joué ! Personne n'a l'air de savoir où il est passé. Et lui dire que la vie de sa fille était en jeu, c'était une bonne façon de garantir sa coopération.

– Oui, acquiesça Jane d'une voix neutre de somnambule. Il s'est montré extrêmement coopératif à partir du moment où il a cru que Piper était en danger.

Piper regarda son poignard. La lame tremblait dans sa main. Elle ne saurait pas mieux s'en servir pour se battre qu'Hélène de Troie, mais il faisait toujours office de miroir, et ce qu'elle y vit était le reflet d'une fille qui avait peur, et aucune chance de l'emporter.

– J'aurais peut-être de nouveaux ordres à te donner, Jane, reprit Médée. Si la fille coopère, il sera peut-être temps de ramener M. McLean à la maison. Peux-tu préparer une histoire crédible pour la presse ? Et le pauvre aura sans doute besoin de faire un séjour en psychiatrie.

– Entendu, madame. Je me tiens prête.

L'image se dissipa et Médée se retourna vers Piper.

– Là, tu vois ?

– Vous avez attiré mon père dans un piège, dit Piper. Vous avez aidé le géant...

– Oh, je t'en prie, ma chérie, ne te mets pas dans tous tes états ! Ça fait des années que je me prépare à cette guerre, avant même d'être ramenée à la vie. Je suis prophétesse, comme je te disais. Je prédis l'avenir aussi bien que votre petite Oracle. Il y a des années, alors que je souffrais encore dans les Champs du Châtiment, j'ai eu une vision des sept héros de votre prétendue Grande Prophétie. J'ai vu ton ami Léo que voilà, et qu'il serait un ennemi redoutable un jour. J'ai agité la conscience de ma protectrice, je lui ai fait part de cette révélation et elle est arrivée à s'éveiller un peu – juste assez pour lui rendre visite.

– La mère de Léo, s'écria Piper. Léo, écoute ça ! Elle a aidé à faire tuer ta mère !

– Ah ouais, marmonna Léo, à demi comateux. Alors... j'attaque Jason, c'est ça ? Pas de problème ?

– Tu n'as aucune crainte à avoir ! promit Médée. Et Jason, frappe-le fort. Montre-moi que tu es le digne héritier de ton homonyme.

– Non ! ordonna Piper, qui sentait que c'était sa dernière chance. Jason, Léo, elle vous manipule. Rangez vos armes.

L'enchanteresse leva les yeux au ciel.

324

– Je t'en prie, cocotte ! Tu ne fais pas le poids contre moi. J'ai été formée par ma tante, Circée l'immortelle. Je peux rendre les hommes fous ou les guérir rien qu'avec ma voix. Quel espoir ces jeunes héros chétifs ont-ils face à moi ? Allez, les garçons, entretuez-vous !

– Jason, Léo, écoutez-moi. (Piper fit passer toute son émotion dans sa voix. Depuis des années, elle s'efforçait de se contrôler et de masquer sa faiblesse, mais à présent, elle mit tout dans ses paroles : sa peur, son désespoir, sa colère. Elle savait qu'elle signait peut-être l'arrêt de mort de son père, mais elle aimait trop ses amis pour les laisser s'entretuer.) Médée vous ensorcelle. Ça fait partie de sa magie. Vous êtes meilleurs amis. Ne vous battez pas l'un contre l'autre. Battez-vous ensemble contre elle !

Ils hésitèrent et Piper sentit le sortilège se briser.

Jason battit des paupières.

– Léo, est-ce que j'allais t'éventrer, là ?

– Qu'est-ce que tu as dit sur ma mère... (Léo fronça les sourcils, puis se tourna vers Médée.) Vous. Vous travaillez pour Femme de Terre. Vous l'avez envoyée à l'atelier d'usinage. (Il plongea la main dans sa ceinture à outils.) J'ai une masse qui est parfaite pour toi, ma petite dame !

– Bah ! ricana Médée. Je vais me faire payer autrement, c'est tout.

Elle appuya sur un dé de la mosaïque du sol et le bâtiment trembla. Jason porta un coup d'épée à Médée, mais elle se volatilisa et réapparut un instant plus tard au pied de l'Escalator.

– Tu es lent, héros ! se moqua-t-elle. Défoule-toi donc sur mes toutous !

Avant que Jason n'ait le temps de la pourchasser, les deux cadrans solaires géants, de part et d'autre de la fontaine, s'ouvrirent. Deux bêtes grondantes – des dragons ailés de chair et d'os, à la carapace dorée – s'extirpèrent de leurs fosses.

Chacun faisait la taille d'un camping-car, ce qui n'était peut-être pas grand comparé à Festus, mais déjà pas mal.

– Alors c'est ça qu'il y avait dans les chenils, dit Léo d'une petite voix.

Les dragons déployèrent leurs ailes en sifflant entre leurs crocs. Piper sentit la chaleur qui se dégageait de leurs écailles brillantes. L'un d'eux tourna vers elle ses yeux orange et furieux.

– Ne le regarde pas dans les yeux ! cria Jason. Ça te paralyserait.

– Effectivement ! (Médée remontait tranquillement l'ascenseur, appuyée à la main courante.) Ça fait longtemps que j'ai ces deux chéris, vous savez. Mon grand-père Hélios me les avait offerts. C'est eux qui tiraient mon char quand j'ai quitté Corinthe, et maintenant, ils vont vous tuer. Ciao !

Les dragons bondirent et Jason et Léo passèrent aussitôt à l'attaque. Piper fut époustouflée par leur témérité ; ils synchronisaient leurs assauts, comme deux partenaires qui s'entraînent depuis des années.

Médée était presque arrivée au premier étage, où elle aurait le choix d'un vaste assortiment d'engins mortels.

– Oh non ! grommela Piper, qui s'élança à ses trousses.

Lorsque Médée vit Piper, elle se mit à grimper pour de bon. Pour une dame de trois mille ans, elle était rapide. La jeune fille enjambait les marches quatre à quatre, pourtant elle n'arrivait pas à la rattraper. Médée ne s'arrêta pas au premier étage. Elle sauta sur l'Escalator suivant et continua de monter.

Les potions, pensa Piper. Bien sûr, c'était ce qu'elle voulait. Elle était célèbre pour ses potions.

Piper entendait la bataille faire rage, tout en bas. Léo donnait des coups de sifflet tonitruants et Jason hurlait pour détourner l'attention des dragons. Elle n'osa pas regarder – pas quand elle courait un poignard à la main. Il ne manquerait plus qu'elle loupe une marche, tombe et s'embroche une narine. Ce serait trop héroïque.

Au deuxième étage, elle saisit au passage un bouclier sur un mannequin et continua de grimper. Elle imagina leur vieil entraîneur lui crier dans sa tête, exactement comme il le faisait en cours de gym : *Bouge-toi, McLean, t'appelles ça grimper un Escalator ?*

Elle atteignit le dernier étage tout essoufflée, mais c'était trop tard. Médée était déjà au rayon des potions.

L'enchanteresse attrapa un flacon en forme de cygne – le bleu qui provoquait la mort dans d'atroces souffrances – et Piper fit la seule chose qui lui vint à l'idée. Elle lança le bouclier.

Médée se retourna, le visage triomphant, pile à temps pour recevoir en pleine poitrine un Frisbee métallique de vingt-cinq kilos. Elle tituba en arrière et s'écrasa sur le présentoir en brisant les flacons et renversant les étagères. Lorsque l'enchanteresse se releva d'entre les débris, sa robe était maculée d'une dizaine de couleurs différentes. De nombreuses taches fumaient et brillaient.

– Imbécile ! gémit Médée. As-tu la moindre idée de ce que peuvent faire autant de potions mélangées ?

– Vous tuer ? suggéra Piper avec espoir.

D'épaisses vapeurs montèrent de la moquette, aux pieds de Médée. Elle toussa et son visage se contracta de douleur – ou jouait-elle la comédie ?

Au rez-de-chaussée, Léo appela :

– Jason, à l'aide !

Piper risqua un rapide coup d'œil et faillit sangloter de désespoir. Un des dragons avait plaqué Léo à terre. Il montrait les crocs, prêt à mordre. Jason bataillait contre le second à l'autre bout de la salle, beaucoup trop loin pour faire quoi que ce soit.

– Tu nous as tous condamnés ! hurla Médée. (La fumée se propageait sur la moquette aussi vite que la tache, projetant des étincelles qui mettaient le feu aux vêtements sur leurs cintres.) Tu n'as que quelques secondes avant que cette mixture brûle tout et détruise l'immeuble. Il n'y a pas de temps...

CRAC ! Le plafond de vitrail vola en éclats multicolores, et Festus le dragon se posa dans le grand magasin.

Il se jeta dans la bataille, cueillant un dragon du soleil dans chaque serre. Pour la première fois, Piper se rendit pleinement compte de la taille et de la force de leur ami de bronze.

– Bien joué mon grand ! cria Léo.

Festus vola jusqu'au centre de l'atrium, puis précipita les dragons du soleil dans les fosses d'où ils étaient sortis. Léo courut à la fontaine et enfonça le dé de marbre qui contrôlait les cadrans solaires. Ils claquèrent lourdement, pour aussitôt vibrer sous les coups de butoir des dragons tentant de se libérer – en vain pour le moment.

Médée jura dans une langue antique. Le feu s'était propagé dans tout le troisième étage, à présent. L'air s'emplit de gaz toxiques. Alors même que le toit s'effondrait, Piper sentit que la chaleur augmentait encore. Elle recula jusqu'à la balustrade, pointant toujours son poignard vers Médée.

– Je ne me laisserai pas abandonner de nouveau ! (L'enchanteresse s'agenouilla et ramassa la fiole de panacée rouge, qui avait survécu à la casse générale.) Tu veux que ton copain retrouve sa mémoire ? Emmène-moi avec toi !

Piper jeta un coup d'œil derrière elle. Léo et Jason avaient grimpé sur le dos de Festus. Le dragon de bronze agita ses ailes puissantes, cueillit les deux cages contenant le satyre et les esprits de la tempête avec ses griffes et s'éleva en battant des ailes.

L'édifice trembla. Les flammes et la fumée couraient sur les murs, faisant fondre les balustrades et emplissant l'air d'une odeur âcre.

– Tu ne survivras jamais à ta quête sans moi ! plaida Médée. Ton héros croupira dans son ignorance et ton père mourra. Emmène-moi !

Une fraction de seconde, Piper fut tentée. Puis elle vit le sourire sinistre de Médée. L'enchanteresse était sûre de son pouvoir de séduction, sûre qu'elle pouvait toujours rattraper le coup et s'en tirer.

– Pas cette fois, sorcière ! s'écria Piper.

Et elle sauta par-dessus la balustrade. Sa chute ne dura qu'une seconde, avant que Léo et Jason l'attrapent au vol et la hissent sur le dos du dragon.

Elle entendit Médée hurler de rage tandis qu'ils traversaient le toit éventré et grimpaient dans le ciel de Chicago. Et puis le grand magasin explosa.

29   Léo

Léo n'arrêtait pas de tourner la tête. Il s'attendait presque à voir les dragons du soleil surgir, traînant un chariot ailé conduit par une vendeuse magique qui les bombarderait de potions en hurlant, mais ils ne furent pas suivis.

Il mit le cap sur le sud-ouest. La fumée de l'incendie du grand magasin finit par se perdre au loin, toutefois Léo ne se détendit que lorsque la banlieue de Chicago fit place à des étendues enneigées. Le soleil commençait à sombrer.

– Bien joué, Festus, dit Léo en tapotant la carapace de métal du dragon. C'est énorme, ce que t'as fait !

Le dragon frissonna. Des rouages sautèrent et cliquetèrent dans son cou.

Léo fronça les sourcils. Il n'aimait pas ces bruits. Si le disque de contrôle tombait de nouveau en panne... *Non*, espérait-il, c'était quelque chose de mineur. De réparable.

– Je te ferai une révision la prochaine fois qu'on se posera. Tu as bien mérité une bassine d'huile de moteur au Tabasco.

Festus fit pivoter ses crocs, mais même cela ne produisit qu'un ronronnement faible. Il volait à une cadence régulière, en inclinant les ailes pour prendre le vent, mais il était trop chargé. Les deux cages dans ses serres, plus trois personnes sur

330

le dos : plus Léo y pensait, plus il s'inquiétait. Même les dragons de métal ont leurs limites.

– Léo, demanda Piper en lui tapotant l'épaule. Ça va ?

– Ouais... pas trop mal, pour un zombie qui s'est fait bourrer le chou. (Pourvu, pensa-t-il, que son embarras ne s'entende pas trop dans sa voix.) Merci de nous avoir sauvés, Reine de Beauté. Si tu ne m'avais pas arraché à ce sortilège...

– Te fais pas de bile, dit Piper.

Mais Léo se faisait beaucoup de souci. Il était frappé par la facilité avec laquelle Médée l'avait monté contre son meilleur ami. Ces sentiments n'avaient pas surgi de nulle part – l'impression que Jason était toujours la vedette et qu'il n'avait pas vraiment besoin de lui. C'était quelque chose que Léo ressentait parfois, même s'il n'en était pas fier.

Ce qui le troublait le plus, c'était ce qu'il avait appris au sujet de sa mère. Médée avait vu l'avenir aux Enfers. C'était ce qui avait permis à sa protectrice, la femme aux voiles de terre, de venir à l'atelier d'usinage il y a sept ans pour lui faire peur et briser sa vie. C'était ce qui avait causé la mort de sa mère : un acte que Léo serait susceptible de commettre un jour. Ainsi, par un étrange détour, même si ses pouvoirs sur le feu n'étaient pas en cause, il était quand même responsable de la mort de sa mère.

Lorsqu'ils avaient abandonné Médée dans l'explosion du magasin, Léo s'en était un peu trop réjoui. Il espérait qu'elle n'en réchappe pas et retourne aux Champs du Châtiment, dont elle n'aurait jamais dû sortir. De ces sentiments-là non plus, il n'était pas fier.

Et si des âmes revenaient des Enfers... serait-il possible de ramener la mère de Léo ?

Il essaya de repousser cette idée. C'était une élucubration à la Frankenstein. Contre-nature. Malsaine. Médée était revenue à la vie, certes, mais entre ses ongles qui crachaient de la vapeur et sa tête fluorescente, elle n'avait pas l'air vraiment humaine.

Non, sa mère était morte. S'il se mettait à penser différemment, il deviendrait fou. L'idée, pourtant, revenait sans cesse le tarauder, comme un écho de la voix de Médée.

– On va devoir se poser bientôt, annonça-t-il à ses amis. Encore deux, trois heures de vol, pour être sûrs que Médée ne nous suive pas, mais je ne crois pas que Festus puisse tenir plus longtemps.

– Oui, acquiesça Piper. Hedge veut sans doute sortir de sa cage à canaris, aussi. La question, c'est : où allons-nous ?

– La région de la baie, suggéra Léo. (Ses souvenirs du magasin étaient flous, mais il lui semblait avoir entendu ça.) Médée a parlé d'Oakland, non ?

Piper resta si longuement silencieuse que Léo se demanda s'il avait fait une gaffe sans le savoir.

– Le père de Piper, intervint alors Jason. Il est arrivé quelque chose à ton père, n'est-ce pas ? On l'a attiré dans un piège.

La jeune fille poussa un bruyant soupir.

– Écoutez, Médée a dit que vous alliez tous les deux mourir dans la région de la baie. En plus, même si on y allait, c'est immense, la région de la baie de San Francisco ! Notre priorité, c'est de trouver Éole et de déposer les esprits de la tempête. Borée a dit qu'Éole était le seul capable de nous dire où aller exactement.

– Et comment on fait pour le trouver ? grommela Léo.

– Tu veux dire que tu ne la vois pas ? fit Jason en se penchant en avant.

Il tendit le bras, mais Léo ne vit rien que des nuages et les lumières de quelques petites villes éparses qui brillaient dans le crépuscule.

– De quoi tu parles ? demanda-t-il.

– De... ce truc-là. Dans l'air.

Léo tourna rapidement la tête vers ses amis. Piper était aussi perplexe que lui.

– D'accord, fit-il. Tu pourrais préciser ce que tu appelles « ce truc-là » ?

– On dirait une traînée de vapeur, dit Jason. Sauf qu'elle luit. Elle est à peine visible, mais elle est là, c'est indéniable. Comme on la suit depuis Chicago, je croyais que tu l'avais vue.

Léo secoua négativement la tête.

– Peut-être que Festus la perçoit. Tu penses qu'elle est créée par Éole ?

– Ben, c'est une piste magique tracée dans le vent, dit Jason. Éole est le dieu du Vent. Je crois qu'il sait que nous avons des prisonniers à lui livrer. Il nous indique le chemin.

– À moins que ce soit encore un piège, suggéra Piper.

Le ton de sa voix inquiéta Léo. Elle ne semblait pas seulement anxieuse ; elle semblait brisée par le désespoir, comme si leur sort était déjà scellé et ce, par sa propre faute.

– Pip's, ça va ? demanda-t-il.

– M'appelle pas comme ça.

– D'accord, très bien. T'aimes aucun des surnoms que je te donne. Mais si ton père a des ennuis et si on peut faire...

– Vous pouvez rien faire, interrompit-elle d'une voix qui tremblait. Écoute, je suis crevée. Si ça ne t'ennuie pas...

Elle s'appuya contre Jason et ferma les yeux.

Bon, bon, se dit Léo. Le message était clair, elle n'avait pas envie de parler.

Ils volèrent en silence un certain temps. Festus avait l'air de savoir où il allait. Il maintenait le cap sur le sud-ouest, les menant, espérait Léo, à la forteresse d'Éole. Encore un dieu du Vent, une autre variété de folie... ça promettait. Léo était impatient de le rencontrer.

Il avait bien trop de soucis en tête pour dormir mais, maintenant qu'il était hors de danger, son corps avait des idées différentes sur la question. Son niveau d'énergie dégringolait. Le battement monotone des ailes du dragon lui alourdissait les paupières. Il se mit à dodeliner de la tête.

– Dors un peu, dit Jason. Y a pas de problème. Passe-moi les rênes.

– Nan, ça va...

– Léo, t'es pas une machine. En plus, je suis le seul à voir le sillage de vapeur. Je veillerai à ce qu'on garde le cap.

Les yeux de Léo se fermaient malgré lui.

– D'accord, dit-il. Peut-être juste...

Sans finir sa phrase, il s'affaissa contre la nuque tiède du dragon.

Dans son rêve, il entendit une voix pleine de parasites, comme une radio qui capte mal :

– Allô ? Est-ce que ça marche, ce truc ?

La vision de Léo se précisa – si l'on peut dire. Tout était flou, gris et parcouru de bandes d'interférence. C'était la première fois qu'il faisait un rêve et que la connexion était mauvaise.

Apparemment, il était dans un atelier. Du coin de l'œil, il distingua des scies à banc, des tours à métal et des casiers à outils. Une forge rougeoyait joyeusement contre un mur.

Ce n'était pas celle de la colonie, elle était bien trop grande. Et il n'était pas dans le Bunker 9 : cet atelier était chaud et confortable, pas à l'abandon du tout.

À ce moment-là, Léo se rendit compte que quelque chose barrait le centre de sa vision : une masse duveteuse et si proche qu'il dut loucher pour la voir correctement. C'était un visage immense et hideux.

– Aïe ma mère ! glapit-il.

Le visage recula et devint net. Un homme barbu, en bleu de travail crasseux, le toisait. Il avait le visage grumeleux, couvert de boursouflures comme s'il avait été piqué par un million d'abeilles ou traîné sur du gravier. Ou les deux.

– Hum ! fit l'homme. Mon *père*, petit. Tu devrais quand même connaître la différence.

Léo écarquilla les yeux.

– Héphaïstos ?

Se trouver pour la première fois en présence de son père aurait dû impressionner Léo, le priver de la parole. Mais après ce qu'il avait vécu ces deux derniers jours, les Cyclopes, la magicienne et le visage dans la flaque d'eaux usées, tout ce que ressentit le jeune garçon fut une immense, une violente irritation.

– Et c'est maintenant que tu te manifestes ? s'écria-t-il. Après quinze ans ? Un vrai père modèle, Face Velue ! C'est quoi, ce délire de fourrer ton vilain nez dans mes rêves ?

Le dieu haussa un sourcil. Une petite étincelle embrasa quelques poils de sa barbe. Il rejeta la tête en arrière et partit d'un rire si tonitruant que les outils s'entrechoquèrent sur les établis.

– Tu parles comme ta mère, dit Héphaïstos. Esperanza me manque.

– Ça fait sept ans qu'elle est morte, répliqua Léo d'une voix qui tremblait. Au cas où ça t'intéresse.

– Bien sûr que oui. Je me soucie de vous deux, petit.

– Ah ouais. Ce qui explique que je ne t'aie jamais vu avant aujourd'hui.

Le dieu émit une sorte de bruit de gorge, mais il paraissait davantage mal à l'aise que fâché. Il sortit un moteur miniature de sa poche et se mit à jouer distraitement avec les pistons – exactement comme Léo, quand il était nerveux.

– Je ne sais pas m'y prendre avec les enfants, avoua le dieu. Ni avec les gens. Je ne sais pas y faire avec les formes de vie organique, quelles qu'elles soient, en fait. J'avais bien pensé te parler à l'enterrement de ta mère. Et de nouveau, quand tu étais en sixième. Ce lance-poulets à vapeur que tu as fabriqué pour ton cours de SVT, c'était très impressionnant.

– Tu l'avais vu ?

Héphaïstos pointa du doigt l'établi le plus proche, sur lequel un miroir de bronze étincelant montrait une image floue de Léo, endormi sur le dos du dragon.

– C'est moi ? demanda le garçon. Genre, moi maintenant en train de rêver que je me vois en train de rêver ?

Héphaïstos se gratta la barbe.

– Euh, tu m'embrouilles, là. Mais oui, c'est toi. Je ne te perds jamais de vue, Léo. Mais te parler, euh, c'est... différent.

– Tu as peur, dit Léo.

– Billes et boulons ! tonna le dieu. Bien sûr que non !

– Si, si, t'as peur.

Léo, cependant, sentit sa colère le quitter. Toutes ces années, il avait réfléchi à ce qu'il dirait à son père, si jamais il le rencontrait. Il l'engueulerait, le traiterait de dégonflé. Maintenant, en regardant ce miroir de bronze, Léo imagina son père suivant son évolution au fil des ans, s'intéressant même à ses stupides projets de SVT.

Héphaïstos était peut-être nul quand même, mais Léo le comprenait un peu. Il savait ce que c'était de ne pas arriver à s'intégrer, de fuir les gens. De s'enfermer dans un atelier au lieu d'essayer de frayer avec les formes de vie organique.

– Alors, grommela Léo. Tu te tiens au courant de ce que deviennent tous tes enfants ? Tu en as une douzaine à la colonie. Comment d'ailleurs... Laisse tomber. J'veux pas savoir.

Héphaïstos rougit peut-être, mais c'était difficile à voir, tant son visage était abîmé.

– Les dieux ne sont pas comme les mortels, petit. Nous pouvons être dans beaucoup d'endroits à la fois – partout où on nous invoque, partout où notre influence est forte. Il est rare, d'ailleurs, que notre essence soit tout entière en un seul lieu –

notre forme véritable. Elle est dangereuse, assez puissante pour tuer un mortel qui poserait les yeux dessus. Alors, oui... beaucoup d'enfants. Ajoute à cela nos deux aspects, grec et romain... (Les doigts du dieu se figèrent sur son projet de moteur.) Euh, tout ça pour dire qu'être un dieu, c'est compliqué. Et, oui, j'essaie de suivre ce que deviennent tous mes enfants, mais toi en particulier.

Léo était presque certain qu'Héphaïstos avait failli laisser échapper quelque chose d'important, mais il ne devinait pas quoi.

– Pourquoi me contactes-tu maintenant ? demanda-t-il. Je croyais que les dieux se taisaient.

– Oui, grogna Héphaïstos. Sur ordre de Zeus. C'est très bizarre, même venant de lui. Il a bloqué tous les envois de visions, de rêves et de messages-Iris de et vers l'Olympe. Hermès crève d'ennui parce qu'il ne peut plus faire ses tournées de courrier. Heureusement, j'ai gardé mon vieux matos de radio-pirate.

Héphaïstos tapota une machine sur une table. On aurait dit une combinaison d'antenne parabolique, de moteur V6 et de cafetière expresso. À chaque secousse d'Héphaïstos sur l'engin, le rêve de Léo changeait de couleur en clignotant.

– Je m'en étais servi pendant la guerre froide, dit le dieu avec enthousiasme. Radio Libre Héphaïstos. C'était le bon temps. Je la garde pour des diffusions à la carte, surtout, ou pour faire des vidéos virales du cerveau...

– Des vidéos virales du cerveau ?

– Mais là, il me rend bien service. Si Zeus savait que je te contacte, il me ferait la peau.

– Pourquoi Zeus est-il aussi casse-pieds ?

– Hum. C'est sa grande spécialité, petit.

Héphaïstos l'appelait « petit » comme si Léo était une pièce de machine agaçante – une rondelle de joint en trop, par exemple, dont il ne savait pas quoi faire mais qu'il ne voulait pas jeter de peur d'en avoir besoin un jour.

Pas particulièrement chaleureux. Cela étant, Léo n'avait pas forcément envie qu'Héphaïstos l'appelle « fiston ». Lui-même n'était pas prêt à appeler « Papa » ce grand bonhomme laid et maladroit.

Héphaïstos se lassa de son moteur et le jeta par-dessus l'épaule. Au lieu de s'écraser par terre, le moteur déplia des pales d'hélico miniature et alla se jeter dans une poubelle de recyclage.

– C'est à cause de la deuxième guerre des Titans, je pense, continua Héphaïstos. C'est ce qui a contrarié Zeus. Nous autres dieux nous nous sommes trouvés... dans une situation gênante. Je ne vois pas de meilleure façon de le dire.

– Mais vous avez gagné, dit Léo.

Le dieu grommela.

– Nous avons gagné parce que les demi-dieux de... (À nouveau, il hésita comme s'il avait failli faire une gaffe)... de la Colonie des Sang-Mêlé ont pris la direction des opérations. Nous avons gagné parce que nos enfants ont mené nos batailles à notre place, et plus intelligemment que nous. Si on avait compté sur le plan de Zeus, on se serait tous fait expédier au Tartare en combattant Typhon, le géant de la tempête, et Cronos l'aurait emporté. C'était déjà vexant que les mortels gagnent notre guerre pour nous, mais en plus ce jeune arriviste de Percy Jackson...

– Le gars qui a disparu.

– Oui. Lui. Il a eu le culot de refuser l'immortalité que nous lui offrions et de nous dire de faire plus attention à nos enfants. Euh, sans vouloir t'offenser.

– Oh, pourquoi je m'offenserais ? Je t'en prie, continue de m'ignorer.

– Tu es très compréhensif. (Le dieu fronça les sourcils, puis poussa un soupir las.) Tu étais sarcastique, hein ? Les machines ne pratiquent pas le sarcasme, d'habitude. Mais comme je te disais, les dieux ont eu honte de se faire donner la leçon par des mortels. Au début, bien sûr, nous étions reconnaissants. Mais au bout de quelques mois, ces sentiments ont viré à l'aigre. Nous sommes des dieux, après tout. Nous avons besoin d'être admirés, craints et vénérés.

– Même lorsque vous avez tort ?

– Surtout quand nous avons tort ! Et ce Jackson qui refuse notre don, comme si être mortel pouvait se révéler mieux qu'être un dieu... ça, c'est resté en travers de la gorge de Zeus. Il a décidé qu'il était grand temps de revenir aux valeurs traditionnelles. Respect était dû aux dieux. Désormais nous allions exercer une surveillance sur nos enfants, au lieu de leur rendre visite. L'Olympe serait fermée. C'était du moins une partie de son raisonnement. Et bien sûr, nous avons vite entendu des rumeurs selon lesquelles des forces obscures s'agitaient sous la terre.

– Les géants, tu veux dire. Les monstres qui se reforment instantanément. Les morts qui se réveillent. Ce genre de pépins ?

– Ah, petit...

Héphaïstos tourna un bouton de son poste de radiodiffusion. Le rêve de Léo passa en couleur, mais le visage du dieu était un tel mélange de zébrures rouges et d'hématomes dans tous les tons de violet et de jaune que Léo regretta le noir et blanc.

– Zeus est persuadé qu'il peut inverser le cours des choses, reprit le dieu. Replonger la terre dans son sommeil par notre silence. Aucun de nous n'y croit vraiment. Et je ne te cache pas que nous ne sommes pas en état de mener une autre guerre. Nous avons survécu de justesse aux Titans. Si nous répétons le schéma ancien, ce qui nous attend sera encore pire.

– Les géants, dit Léo. Héra dit que les demi-dieux et les dieux doivent s'unir pour les vaincre. C'est vrai ?

– Hum. Ça me fait mal au cœur de donner raison à ma mère, mais oui. Ces géants sont coriaces, petit. C'est une autre espèce.

– Espèce ? Tu en parles comme si c'étaient des chevaux de course.

– Ha ! Je dirais plutôt des chiens de guerre. Au début, tu comprends, toute la création était issue des mêmes parents – Gaïa et Ouranos, la Terre et le Ciel. Ils eurent plusieurs portées d'enfants : les Titans, les premiers Cyclopes et ainsi de suite. Et puis Cronos, le chef des Titans... enfin, tu connais sans doute l'histoire. Il a découpé son père en morceaux avec une faux et s'est emparé du monde. Puis nous sommes arrivés, nous autres dieux, qui sommes les enfants des Titans, et nous les avons battus. Mais ça ne s'est pas arrêté là. La Terre a engendré une nouvelle portée d'enfants, à cette différence près que cette fois-ci le père était le Tartare, l'esprit du gouffre éternel, l'endroit le plus sombre et le plus maléfique des Enfers. Ces enfants, les géants, avaient été conçus dans un seul dessein : se venger de nous qui avions renversé les Titans. Ils tentèrent de détruire l'Olympe et faillirent bien y parvenir.

La barbe d'Héphaïstos rougeoya. Il éteignit distraitement les flammèches.

– Héra, ma fichue mère, joue un jeu dangereux en ce moment, à s'immiscer comme elle le fait, mais elle a raison sur un point : vous autres demi-dieux devez vous unir. C'est le seul moyen d'ouvrir les yeux à Zeus et de convaincre les Olympiens d'accepter votre aide, le seul moyen de vaincre la menace qui monte. Et toi, Léo, tu as un rôle important à jouer.

Le dieu avait le regard lointain. Léo se demanda dans quels autres endroits il se trouvait en ce moment même, s'il pouvait véritablement se diviser en plusieurs parties. Peut-être que sa moitié grecque était en train de réparer une voiture ou se promenait en galante compagnie, pendant que son personnage romain regardait un match de foot et commandait une pizza. Léo essaya de s'imaginer avec des personnalités multiples et en conclut qu'il espérait que ce ne soit pas héréditaire.

– Pourquoi moi ? demanda-t-il, et aussitôt la question posée, d'autres affluèrent. Pourquoi m'avoir reconnu maintenant ? Pourquoi pas à mes treize ans, comme tu étais censé le faire ? Ou à mes sept ans, avant la mort de ma mère ! Pourquoi ne m'as-tu pas retrouvé plus tôt ? Et pourquoi ne m'as-tu pas prévenu pour ça ?

La main de Léo s'enflamma.

Héphaïstos le regarda tristement.

– C'est le plus difficile, petit. Laisser mes enfants tracer leur propre route. Nous ne pouvons pas intervenir, les Parques nous ont à l'œil. Quant à ta reconnaissance, tu étais un cas particulier, petit. Il fallait choisir le bon moment. Je ne peux pas t'en dire plus, mais...

Le rêve de Léo se troubla. Un bref instant, il céda la place à une rediffusion de *La Roue de la Fortune*, puis l'image d'Héphaïstos revint.

– Quelle barbe, dit-il, je ne vais plus pouvoir te parler longtemps, Zeus commence à détecter ce rêve illégal. C'est le seigneur de l'Air, après tout, y compris des ondes. Ton ami Jason a raison ; le feu est un don, pas une malédiction. Je n'accorde pas cette bénédiction à n'importe qui. Ils ne pourront jamais vaincre les géants sans toi, et encore moins leur maîtresse. Elle est pire qu'un dieu ou qu'un Titan.

– Qui est-ce ?

Héphaïstos fronça les sourcils et son image se voila.

– Je te l'ai déjà dit. Oui, je suis sûr de te l'avoir déjà dit. En tout cas, je t'avertis : en cours de route, tu vas perdre des amis et des outils précieux. Mais ce ne sera pas ta faute, Léo. Rien

341

ne dure éternellement, pas même les meilleures machines. Et tout peut être réutilisé.

– Qu'est-ce que tu veux dire ? Ça me plaît pas.

– C'est normal que ça ne te plaise pas. (L'image d'Héphaïstos était à peine visible, à présent, réduite à une forme parmi les parasites.) Méfie-toi juste de...

Le rêve de Léo bascula sur *La Roue de la Fortune* au moment où la roue s'arrêtait sur « Banqueroute », et le public poussa une grande clameur de déception.

Léo se réveilla brusquement – Jason et Piper hurlaient.

30 LÉO

Ils tombaient en vrille dans le noir, encore sur le dos de Festus, mais la carapace du dragon était froide et ses yeux de rubis éteints.

– Non ! cria Léo. Pas une deuxième fois ! Tu ne peux pas tomber une deuxième fois !

Il gardait difficilement l'équilibre. Le vent lui piquait les yeux, mais il parvint à ouvrir la trappe des commandes, sur la nuque du dragon. Il fit basculer quelques interrupteurs, tira sur certains câbles. Le dragon battit des ailes une fois, mais Léo sentit des effluves de bronze qui chauffe. Le système était en surcharge. Festus n'avait plus la force de voler et Léo ne pouvait pas accéder au panneau de contrôle principal, qui se trouvait dans sa tête – pas en plein vol. Il aperçut les lumières d'une ville qui s'étendait sous eux, par brefs éclairs perçant l'obscurité de leur chute. Encore quelques secondes, et ils s'écraseraient au sol.

– Jason ! cria-t-il. Prends Piper et sautez !

– Comment ?

– Il faut alléger la charge. Je pourrai peut-être réinitialiser Festus, mais là il est trop lourd !

– Et toi ? protesta Piper. Si t'arrives pas à le réinitialiser...

– T'inquiète pas, hurla Léo pour couvrir le bruit de l'air qui sifflait à leurs oreilles. Suivez-moi, on se retrouve au sol. Allez-y !

Jason attrapa Piper par la taille. Tous deux défirent leur harnais et disparurent dans le vide.

– Bon, lança Léo. Y a plus que toi et moi, Festus. Nous deux et deux grosses cages. Tu peux y arriver, mon grand !

Léo ne cessait de parler au dragon tout en s'efforçant de reprendre son contrôle. Ils chutaient à une vitesse mortelle. Léo voyait les lumières de la ville se rapprocher. Il allumait du feu au creux de sa main pour voir ce qu'il faisait, mais le vent le soufflait à chaque fois.

Il tira sur un câble qu'il pensait relié au centre nerveux cérébral du dragon, espérant lui donner un petit sursaut.

Le dragon grogna, faisant grincer du métal dans son cou. Ses yeux s'allumèrent faiblement et il déploya les ailes. Leur chute libre se transforma en vol en piqué.

– Bien joué, mon grand ! s'écria Léo. Accroche-toi !

Mais ils tombaient toujours bien trop rapidement, et le sol était dangereusement proche. Léo avait besoin d'un terrain où atterrir, et vite.

Il y avait un grand fleuve. Non. Mauvaise idée pour un dragon cracheur de feu. S'il coulait, Léo ne pourrait jamais le hisser hors de l'eau, surtout si les températures étaient glaciales. Il aperçut alors, sur la berge, une grande maison plantée sur une immense pelouse enneigée, entièrement ceinte de hauts murs de briques et brillamment éclairée. Ce devait être la propriété privée d'un millionnaire. Une piste d'atterrissage idéale. Léo guida Festus du mieux qu'il put et le dragon sembla reprendre vie. C'était bon, ils allaient y arriver !

Alors tout se gâta. Au moment où ils s'approchaient de la pelouse, des projecteurs placés sur la crête des murs pivotèrent pour se braquer sur Léo et l'aveuglèrent. Il entendit des déflagrations qui lui firent penser à des balles traçantes, un bruit de métal qui se déchire et puis... *BOUM*.

Léo perdit connaissance.

Lorsqu'il reprit ses esprits, Jason et Piper étaient penchés sur lui. Il était allongé dans la neige, couvert de graisse et de boue. Il recracha des brins d'herbe gelée.

– Où est-ce que...

– Ne bouge pas, dit Piper, les larmes aux yeux. Tu es tombé assez brutalement quand... quand Festus...

– Où est-il ?

Léo se redressa. Sa tête bourdonnait. Ils avaient atterri dans la propriété, mais il s'était passé quelque chose pendant qu'ils se posaient. Des coups de feu ?

– Sérieusement, Léo, insista Jason. Tu es peut-être blessé. Tu devrais pas...

Léo se leva avec effort. Alors, il vit les décombres. Festus avait dû lâcher les cages en franchissant le mur d'enceinte, car elles avaient roulé dans des directions opposées et s'étaient immobilisées sur le flanc, intactes.

Festus n'avait pas eu cette chance.

Le dragon s'était disloqué. Ses membres étaient éparpillés sur la pelouse. La principale section de son corps avait creusé une tranchée de six mètres de large et quinze de long avant de tomber en pièces. Il ne restait de sa carapace qu'un tas de débris carbonisés et fumants. Seuls son cou et sa tête avaient été épargnés par le choc et reposaient sur un massif de rosiers gelés comme sur un oreiller.

– Non, sanglota Léo.

Il courut vers la tête du dragon et lui caressa le museau. Ses yeux clignotèrent faiblement. Un filet d'huile s'échappa de son oreille.

– Tu peux pas partir, plaida Léo. Tu es ce que j'ai réparé de plus beau.

La tête du dragon fit tourner ses rouages, comme pour ron-ronner. Jason et Piper avaient accouru, mais Léo ne quittait pas Festus des yeux.

Il se souvint des paroles d'Héphaïstos : « Ce ne sera pas ta faute, Léo. Rien ne dure éternellement, pas même les meilleures machines. »

Son père avait essayé de le prévenir.

– C'est pas juste, dit-il.

Le dragon cliqueta. Un long grincement. Deux petits clics. Deux grincements. Ça faisait presque un thème... un vieux souvenir revint à la mémoire de Léo, et il se rendit compte que Festus essayait de lui dire quelque chose. Il utilisait le morse, le code que sa mère lui avait appris il y avait si longtemps. Léo se concentra et traduisit les sons en lettres : c'était un message simple, qu'il répétait en boucle.

– Ouais, dit Léo. Je comprends. Je le ferai. Je te le promets.

Les yeux du dragon s'éteignirent. Festus n'était plus.

Léo se mit à pleurer. Il n'en était même pas gêné. Ses amis l'entouraient, lui donnaient de petites tapes dans le dos, essayaient de le consoler, mais le bourdonnement qui emplissait sa tête noyait leurs paroles.

Au bout d'un moment, Jason dit, un peu plus fort :

– Je suis vraiment désolé, mec. Qu'est-ce que tu as promis à Festus ?

Léo renifla. Il ouvrit le panneau des commandes qui était dans la tête du dragon, histoire de vérifier, mais le disque de contrôle était cassé et brûlé de façon irréparable.

– Une chose que mon père m'a dite, répondit Léo. Tout peut être réutilisé.

– Ton père t'a parlé ? Quand ça ?

Léo garda le silence. Il s'attaqua délicatement aux charnières du cou du dragon et parvint à détacher la tête. Elle devait peser une cinquantaine de kilos, mais le garçon la leva à bout de bras. Il tourna alors les yeux vers le ciel étoilé et dit :

– Rapporte-la au bunker, papa. S'il te plaît, jusqu'à ce que je puisse la réutiliser. Je ne t'ai jamais rien demandé.

Le vent forcit et la tête du dragon s'envola des bras de Léo comme si elle ne pesait qu'une plume. Elle monta dans le ciel et disparut.

Piper dévisagea Léo, sidérée.

– Il t'a répondu ? !

– J'ai fait un rêve, dit Léo avec effort. Je vous raconterai plus tard.

Il savait qu'il devait plus d'explications à ses amis, mais il arrivait à peine à parler. Il avait l'impression d'être lui aussi une machine brisée – comme si on lui avait retiré une pièce sans laquelle il ne serait plus jamais complet. Il pourrait bouger, parler, il pourrait continuer de fonctionner. Mais son réglage était définitivement déficient.

Toutefois, pas question de craquer complètement. Car s'il cédait, Festus serait mort pour rien. Il devait mener cette quête à bien – pour ses amis, pour sa mère, pour son dragon.

Léo regarda autour de lui. La façade blanche de la grande maison, plantée au milieu de la pelouse, luisait. Les hauts murs de briques étaient hérissés de projecteurs et de caméras de sécurité, mais Léo vit maintenant – perçut, plus exactement – ce qui défendait véritablement l'enceinte.

– Où sommes-nous ? demanda-t-il. Je veux dire, dans quelle ville ?

– Omaha, dans le Nebraska, répondit Piper. J'ai vu un panneau pendant notre descente. Mais je ne sais pas à qui appartient cette maison. On est arrivés juste après toi, Léo, mais quand tu t'es posé, je te jure qu'on aurait dit... je sais pas...

– Des rayons laser, interrompit Léo, qui attrapa un débris de dragon et le lança vers la crête d'un mur.

Immédiatement, un canon de tourelle sortit d'entre les briques et un rayon de pure chaleur désintégra le fragment de bronze.

Jason siffla.

– Tu parles d'un système de sécurité ! Comment ça se fait qu'on soit encore en vie ?

– Festus, dit Léo, la gorge nouée. Il a concentré tous les tirs sur lui. Les lasers l'ont tailladé quand il a pénétré dans le périmètre de sécurité, et c'est pour ça qu'ils ne vous ont pas pris pour cible. Je l'ai mené dans un piège mortel.

– Tu ne pouvais pas savoir, dit Piper. Il nous a sauvé la vie, une fois de plus.

– Mais maintenant, qu'est-ce qu'on fait ? demanda Jason. Le portail est fermé à clé et j'imagine que si j'essaie de nous évacuer tous d'ici en volant, on va se faire faucher par les lasers.

Léo regarda l'allée qui menait à la grande maison.

– Eh ben puisqu'on peut pas sortir, on va devoir entrer.

31 JASON

S ans Léo, Jason serait mort cinq fois avant d'arriver à la
porte d'entrée.

Il y eut d'abord la trappe à détection de mouvement dans
l'allée, puis les lasers sur les marches du perron, ensuite le dif-
fuseur de gaz neurotoxiques sous la balustrade de la galerie,
les aiguilles de poison sensibles au toucher dissimulées dans
le paillasson et, enfin, la sonnette explosive.

Léo les désactiva tous. On aurait dit qu'il sentait les pièges ;
ensuite il sortait l'outil idoine de sa trousse à outils et les
démontait.

– T'es incroyable, mec, lui dit Jason.

Léo, qui examinait la serrure de la porte d'entrée, grimaça.

– Ouais, c'est ça. Je suis pas fichu de réparer un dragon,
mais je suis incroyable.

– Hé, c'était pas ta...

– La porte d'entrée n'est pas fermée à clé, annonça Léo.

Piper regarda la porte avec incrédulité.

– Vraiment ? Tous ces pièges et la porte est ouverte ?

Léo tourna la poignée. La porte s'ouvrit en douceur et il
entra sans hésiter.

Alors que Jason allait lui emboîter le pas, Piper le rattrapa
par le bras.

349

– Il a besoin de temps pour se remettre de la perte de Festus, expliqua-t-elle. Ne le prends pas mal.

– OK, dit Jason, d'accord.

Il n'empêche qu'il avait très mauvaise conscience. Dans le magasin de Médée, il avait balancé à Léo des trucs durs à avaler, des trucs qu'un ami ne devrait jamais dire. En plus, il avait failli l'éventrer avec son épée. Sans Piper, ils seraient morts tous les deux. Et leur amie n'était pas sortie indemne de cette rencontre, elle non plus.

– Piper, dit-il, je sais que j'étais dans le coaltar à Chicago, mais pour ton père... s'il est en danger, je veux t'aider. Je m'en fiche que ce soit un piège ou non.

Ses yeux avaient toujours eu des couleurs changeantes, mais là ils paraissaient brisés, comme si elle se savait face à un obstacle insurmontable.

– Jason, tu ne sais pas ce que tu racontes. S'il te plaît, ne me rends pas les choses encore plus difficiles. Viens, on devrait rester groupés.

Sur ces mots, elle franchit le seuil.

– Bien sûr, dit Jason à part soi, l'esprit de groupe, on est très forts pour ça.

La première impression de Jason sur la maison : sombre de chez sombre.

À en juger par l'écho de ses pas, le vestibule était immense, sans doute plus grand encore que chez Borée, mais le seul éclairage provenait des lumières du jardin. Une faible lueur s'infiltrait entre les épais rideaux de velours. Les fenêtres faisaient bien trois mètres de haut. Entre les pans de mur qui les séparaient s'alignaient des statues en métal grandeur nature. Les yeux de Jason s'accoutumèrent à l'obscurité et il distingua un ensemble de canapés disposés en U au milieu de la pièce, autour d'une table basse, avec un grand fauteuil à un bout. Un lustre imposant scintillait au plafond. Le mur du fond était couvert d'une série de portes, toutes fermées.

– Où est l'interrupteur ? demanda-t-il d'une voix qui résonna de façon inquiétante dans la salle.

– J'en vois pas, dit Léo.

– Du feu ? suggéra Piper.

Léo tendit la main, mais il ne se passa rien.

– Ça marche pas, dit-il.

– T'as plus de feu ? Pourquoi ? demanda Piper.

– Ben si je savais...

– C'est bon, c'est bon, s'empressa-t-elle de dire. Qu'est-ce qu'on fait, on explore ?

Léo secoua la tête.

– Avec tous les pièges qu'il y avait dehors ? Mauvaise idée.

Jason sentit sa peau se hérisser. Ça ne lui plaisait franchement pas d'être un demi-dieu. Il balaya la pièce du regard, et ce qu'il vit, ce ne fut pas un salon où il fait bon traîner. Il imagina de cruels esprits de la tempête tapis derrière les rideaux, des dragons sous les tapis, un lustre fait d'aiguilles de glace meurtrière, prêtes à les empaler.

– Léo a raison, dit-il. Pas question de se séparer de nouveau comme à Detroit.

– Oh, merci de me rappeler les Cyclopes, fit Piper d'une voix tremblante. Juste ce qu'il me fallait.

– Le jour ne se lèvera pas avant quelques heures, estima Jason. Il fait trop froid pour attendre dehors. On a qu'à faire entrer les cages et camper dans cette pièce. Au petit matin, on pourra décider de la suite.

Personne n'ayant de meilleure idée, ils roulèrent dans la maison les cages où étaient enfermés les esprits des vents et leur ancien entraîneur, puis s'installèrent. Heureusement, Léo ne trouva ni plaids empoisonnés ni coussins péteurs sur les canapés.

Léo n'avait pas l'air d'humeur à préparer des tacos. Et comme, de toute façon, ils n'avaient pas de feu, ils se contentèrent de rations froides.

Tout en mangeant, Jason examina les statues alignées le long des murs. Elles ressemblaient à des dieux ou des héros grecs. Peut-être était-ce bon signe. Peut-être, au contraire, servaient-elles de cibles d'entraînement. Sur la table basse, il y avait un service à thé et une pile de magazines en papier glacé, dont Jason ne pouvait pas lire les titres. Le grand fauteuil, au bout de la table, ressemblait à un trône. Aucun d'eux trois ne s'y risqua.

Les cages ne faisaient rien pour réchauffer l'ambiance. Les *venti* ne cessaient de se débattre dans leur prison, de tournoyer et de siffler, et Jason avait la désagréable impression qu'ils le surveillaient. Il sentait leur haine pour les enfants de Zeus – le seigneur du Ciel, qui avait ordonné à Éole de capturer les leurs. Les *venti* auraient adoré tailler Jason en pièces.

Quant à Hedge, l'entraîneur, il était toujours figé en plein cri, le gourdin en l'air. Léo essayait d'ouvrir la cage et s'y attelait avec différents outils, mais la serrure lui donnait du fil à retordre. Jason décida de ne pas s'asseoir à côté de lui au cas où Hedge se ranimerait brutalement et passe en mode boucninja de combat.

Il avait beau être tendu, une fois le ventre plein, Jason s'assoupit. Les canapés étaient un peu trop confortables – beaucoup plus, en tout cas, que le dos d'un dragon – et il avait assuré les deux derniers tours de veille pendant que ses amis dormaient. Il était crevé.

Piper s'était déjà roulée en boule sur l'autre canapé. Il se demanda si elle dormait vraiment ou si elle voulait éviter de parler de son père. Aussi énigmatiques qu'aient été les propos de Médée à Chicago – Piper pourrait récupérer son père si elle collaborait – ils n'étaient pas de bon augure. Jason se sentait encore plus coupable à l'idée que Piper avait pu risquer la vie de son père pour les sauver.

Et le temps leur était compté. Si Jason ne se trompait pas, ils étaient à l'aube du 20 décembre. Autrement dit, à un jour du solstice d'hiver.

– Va dormir, lui dit Léo, toujours attelé à la serrure de la cage. C'est ton tour.

Jason prit une grande inspiration.

– Léo, excuse-moi pour ce que je t'ai dit à Chicago. Ce n'était pas vraiment moi. T'es pas agaçant et tu prends les choses au sérieux, surtout ton travail. J'aimerais bien savoir faire la moitié des choses que tu sais faire.

Léo baissa son tournevis. Il leva les yeux au plafond et secoua la tête, l'air de dire : *Non mais qu'est-ce que je vais faire de ce mec ?*

– Je fais beaucoup d'efforts pour être agaçant, répondit-il. Ne dévalorise pas ma capacité à *agacer*. Comment veux-tu que je garde une dent contre toi si tu te mets à t'excuser ? Je suis un modeste mécano. Toi tu es le prince du Ciel, fils du seigneur de l'Univers. Je suis censé avoir une petite rancœur.

– Seigneur de l'Univers ?

– Bien sûr ! Tu es... *Bam bam*, l'homme à la foudre ! *Voum Voum*, je suis l'aigle qui prend son essor !

– La ferme, Valdez.

Léo esquissa un sourire.

– Tiens, tu vois bien que je t'agace.

– Je m'excuse de m'être excusé.

– Merci.

Léo se remit à travailler, mais la tension s'était dissipée. Il avait toujours l'air triste et fatigué, mais moins en colère.

– Va dormir, ordonna-t-il. J'en ai pour quelques heures à libérer l'homme-bouc, et ensuite il faudra que je trouve un moyen de fabriquer une cellule plus petite pour ces esprits de la tempête parce que j'ai pas l'intention de me trimbaler cette cage jusqu'en Californie.

– Tu as réparé Festus, tu sais, dit Jason. Tu lui as rendu une utilité. Je crois que cette quête a dû être le temps fort de sa vie.

Jason eut peur d'avoir gaffé de nouveau et mis Léo en colère, mais celui-ci se contenta de soupirer.

– J'espère, dit-il. Va dormir, maintenant, mec. J'ai besoin de temps sans formes de vie organique autour de moi.

Jason ne comprit pas très bien, mais il n'insista pas. Il ferma les yeux et sombra dans un long sommeil, béni par une absence de rêve.

Il ne se réveilla que lorsque les hurlements commencèrent.

– Aaaahhhhhh !

Jason se leva d'un bond. Entre la lumière crue qui baignait maintenant la pièce et le satyre qui hurlait, l'agression était totale.

– L'entraîneur est réveillé, annonça Léo, ce qui n'était pas une précision indispensable.

Gleeson Hedge caracolait sur ses pattes arrière de bouc et assénait des grands coups de gourdin sur les canapés en criant « Crève ! » Il passa au service à thé, qu'il réduisit en miettes, puis fonça vers le trône.

– M'sieur Hedge ! hurla Jason.

L'entraîneur se retourna, le souffle court. Il avait le regard tellement fou que Jason eut peur qu'il l'attaque. Le satyre avait l'air d'avoir mangé de la vache enragée – si on peut dire ça pour un homme-bouc. Il avait toujours son polo orange et son sifflet, mais ses cornes pointaient très distinctement entre ses cheveux bouclés, et son arrière-train charnu et couvert de longs poils blancs ne laissait aucun doute sur sa nature caprine.

– T'es le nouveau, dit-il alors en baissant son gourdin. Jason.

Il regarda Léo puis Piper, qui, visiblement, se réveillait à peine, elle aussi. Ses cheveux emmêlés avaient tout d'un nid pour gentil hamster.

– Valdez, McLean, reprit l'entraîneur. Qu'est-ce qui se passe ? On était au Grand Canyon. Les *anemoi thuellai* attaquaient et... (Il repéra la cage aux esprits de la tempête et son regard bascula de nouveau en mode « Attaque imminente ».) Crève !

– Du calme, m'sieur ! (Léo lui barra le chemin, ce qui ne manquait pas de courage même s'il faisait une tête de plus que l'entraîneur.) Tout va bien. Ils sont enfermés. On vient de vous sortir de l'autre cage.

– Cage ? Cage ? Qu'est-ce qui se passe ? C'est pas parce que je suis un satyre que je peux pas te faire faire des pompes, Valdez !

Jason s'éclaircit la gorge.

– Monsieur Hedge, ou Gleeson, je ne sais pas comment vous voulez qu'on vous appelle, vous nous avez sauvé la vie au Grand Canyon. Vous avez été très courageux !

– Bien sûr !

– L'équipe d'extracteurs est venue et nous a emmenés à la Colonie des Sang-Mêlé. On a cru qu'on vous avait perdu. Puis on a appris que les esprits de la tempête vous avaient conduits à leur, euh, manager, Médée.

– Cette sorcière ! Attendez... c'est impossible. C'était une mortelle. Elle est morte depuis longtemps.

– Ouais, dit Léo, ben c'est à croire qu'elle l'est plus.

Hedge haussa la tête en plissant les yeux.

– Alors comme ça on vous a envoyés braver les périls pour me sauver. Excellent !

– Hum. (Piper se leva et tendit les bras devant elle pour que l'entraîneur ne l'attaque pas.) En fait, Glee... est-ce que je peux continuer à vous appeler m'sieur Hedge ? Gleeson, j'y arrive pas. En fait nous sommes sur une autre quête. On vous a trouvé par hasard, si on peut dire.

– Ah. (L'entraîneur parut abattu, mais juste une seconde. Puis ses yeux se rallumèrent.) Mais ça n'existe pas, le hasard ! Pas dans une quête ! Ça *devait* arriver ! Alors ici c'est le repaire de la sorcière, hein ? Pourquoi tout est en or ?

– En or ?

Jason regarda autour de lui. À en juger par l'expression de Jason et Piper, eux non plus n'avaient pas remarqué.

La chambre était pleine d'or – les statues, le service à thé que Hedge avait écrasé et le fauteuil, lequel était indiscutablement un trône. Même les rideaux – qui avaient dû s'ouvrir tout seuls au lever du jour – semblaient tissés en fils d'or.

– Joli, commenta Léo. Pas étonnant qu'ils aient autant de systèmes de sécurité.

– C'est pas... c'est pas la maison de Médée, m'sieur, bafouilla Piper. On doit être chez un richard d'Omaha. On s'est enfuis de chez Médée et on s'est posés ici en catastrophe.

– C'est le destin, mes cocos ! insista Hedge. Je suis appelé à vous protéger. En quoi consiste la quête ?

Alors que Jason se demandait s'il préférait répondre ou renfermer l'entraîneur dans sa cage, une porte s'ouvrit tout au fond de la salle.

Un homme grassouillet en peignoir blanc entra, une brosse à dents en or dans la bouche.

Il avait une barbe blanche et un long bonnet de nuit à l'ancienne enfoncé sur ses cheveux blancs. Il pila net en les voyant et la brosse à dents roula au sol.

Il jeta un coup d'œil derrière lui et appela :

– Lit' ? Viens vite, mon fils, s'il te plaît. Il y a des gens bizarres dans la salle du trône.

Alors, comme on pouvait s'y attendre, l'entraîneur brandit son gourdin et cria :

– Crève !

32 JASON

Ils durent s'y mettre tous les trois pour maîtriser le satyre.

– Ho, m'sieur Hedge ! ordonna Jason. Baissez d'un cran !

Un homme plus jeune déboula dans la pièce. Jason supposa que c'était Lit', le fils du vieux monsieur. Il était en pantalon de pyjama et débardeur et brandissait une épée qui n'avait rien d'un accessoire de mode. Ses bras musclés étaient couverts de cicatrices et son visage, encadré de boucles brunes, aurait été beau s'il n'était lui aussi tout tailladé.

Lit' se tourna immédiatement vers Jason comme s'il représentait le principal danger, faisant tournoyer son épée au-dessus de sa tête.

– Une seconde ! (Piper s'avança d'un pas et prit sa voix la plus apaisante.) C'est un malentendu. Tout va bien.

Lit' pila net, mais il garda l'air méfiant.

Évidemment, les cris de Hedge – « Je les aurai ! Vous inquiétez pas ! » – ne contribuaient pas à calmer le jeu.

– M'sieur Hedge, plaida Jason, ils ne nous veulent peut-être pas de mal. En plus nous sommes entrés chez eux par effraction.

– Merci ! dit le vieil homme en peignoir. Maintenant dites-moi, qui êtes-vous et que faites-vous ici ?

– Rangeons tous nos armes, ordonna Piper. M'sieur Hedge, vous en premier.

L'entraîneur serra les mâchoires.

– Même pas un petit coup ? tenta-t-il.

– Non, insista Piper.

– Et si on faisait un compromis ? Je les tue d'abord et ensuite si on découvre qu'ils ne nous voulaient pas de mal, je m'excuse.

– NON ! trancha la jeune fille.

– Boh, soupira l'entraîneur en baissant son gourdin.

Piper adressa à Lit' un petit sourire d'excuse. Même avec ses cheveux en pétard et ses vêtements vieux de deux jours, elle était extrêmement mignonne et Jason sentit un pincement de jalousie en la voyant faire.

Lit' grogna et rengaina son épée.

– Tu parles bien, jeune fille. Heureusement pour tes amis, sinon je les aurais pourfendus.

– J'apprécie, dit Léo. J'essaie toujours de ne pas me faire pourfendre avant le déjeuner.

Le vieil homme en peignoir soupira et donna un coup de pied dans la théière que l'entraîneur avait cabossée.

– Bien, dit-il, puisque vous êtes là, asseyez-vous donc.

Lit' fronça les sourcils.

– Majesté...

– Non, non, ça va, Lit'. À nouveau pays, nouvelles coutumes. Je les autorise à s'asseoir en ma présence. Après tout, ils m'ont vu dans mes vêtements de nuit. Inutile d'observer le protocole. (Il sourit avec bonne volonté, mais on voyait que c'était un peu forcé.) Bienvenue dans ma modeste demeure. Je suis le roi Midas.

– Midas ? Impossible, s'écria Hedge. Il est mort.

Ils étaient assis sur les canapés, tandis que le roi avait pris place dans son trône. Il s'était laissé aller contre le dossier, ce qui n'est pas évident en peignoir – Jason avait peur que le vieil homme oublie et décroise les jambes. Avec un peu de chance, il portait un caleçon en or en dessous.

Lit' était debout derrière le trône, les deux mains sur le pommeau de son épée ; il jetait des coups d'œil à Piper en faisant jouer les muscles de ses bras, rien que pour agacer le monde. Jason se demanda s'il avait l'air aussi musclé quand il brandissait son épée. Malheureusement, il en doutait.

Piper se pencha en avant.

– Ce que notre ami satyre veut dire, Majesté, expliqua-t-elle, c'est que vous êtes le deuxième mortel que nous rencontrons qui devrait être – excusez-moi l'expression – mort. Le roi Midas a vécu il y a plusieurs milliers d'années.

– Intéressant.

Le roi porta le regard sur le ciel bleu illuminé par le soleil hivernal, derrière les vitres. Au loin, le centre-ville d'Omaha ressemblait à un jeu de construction pour enfants – beaucoup trop propre et trop petit pour une ville normale.

– Vous savez, reprit-il, je crois que j'ai été un peu mort pendant un bout de temps. C'est étrange. C'est comme un rêve, tu ne trouves pas, Lit' ?

– Un très long rêve, Majesté.

– Et pourtant, maintenant, nous sommes là. Je suis très heureux. Je prends bien plus de plaisir à être en vie.

– Mais comment ça se fait ? demanda Piper. Vous n'avez pas eu de... protectrice, par hasard ?

Midas hésita, mais une petite lueur s'alluma dans son regard.

– Quelle importance, ma chère ?

– On pourrait les tuer de nouveau, suggéra Hedge.

– Hedge, ça ne fait pas avancer les choses, gronda Jason. Vous ne voulez pas aller faire le guet dehors ?

Léo toussota.

– C'est pas dangereux ? demanda-t-il. Ils ont un système de sécurité redoutable.

– Ah oui, dit le roi. Désolé. Mais c'est un bijou, non ? C'est fou ce qu'on peut encore s'offrir avec de l'or, aujourd'hui. Vous avez des jouets formidables, dans ce pays !

Il repêcha une télécommande d'une poche de son peignoir et pianota sur quelques touches – un code, devina Jason.

– Voilà, annonça Midas. Il peut sortir sans risque, maintenant.

L'entraîneur poussa un grognement.

– D'accord, dit-il. Mais si vous avez besoin de moi...

Il adressa un clin d'œil éloquent à Jason. Puis il se désigna lui-même d'un geste, pointa deux doigts sur leurs hôtes et les passa en travers de sa gorge. Un langage des signes très subtil.

– Ouais, merci, répondit Jason.

Après le départ du satyre, Piper tenta un autre sourire diplomatique.

– Alors... vous ne savez pas comment vous vous êtes retrouvés ici ?

– Oh si, en gros, dit le roi, qui se tourna vers Lit' en fronçant les sourcils. Pourquoi on a choisi Omaha, déjà ? Je sais que ce n'était pas pour le temps.

– Pour l'Oracle, expliqua Lit'.

– Ah oui ! On m'avait dit qu'il y avait un oracle à Omaha. (Le roi haussa les épaules.) Apparemment, c'était une erreur. Mais c'est une belle maison, non ? Lit' – c'est le diminutif de Lityersès, à propos... un nom horrible, mais sa mère y tenait – Lit' a tout l'espace qu'il veut pour s'entraîner. Il est très connu pour son maniement de l'épée, vous savez. On l'appelait le Faucheur d'Hommes, autrefois.

– Ah, trop chouette ! commenta Piper avec tout l'enthousiasme qu'elle put rassembler.

Le sourire de Lit' tenait plus d'un rictus cruel que d'autre chose. Jason était convaincu, à présent, qu'il n'aimait pas ce type, et il commençait à regretter d'avoir envoyé Hedge dehors.

– Alors, dit-il, tout cet or...

Les yeux du roi s'allumèrent.

– Tu es venu pour l'or, mon garçon ? Prends une brochure, je t'en prie !

Jason regarda les brochures disposées sur la table basse. L'OR, UN INVESTISSEMENT ÉTERNEL.

– Euh, vous vendez de l'or ?

– Non, non, répondit le roi. Je le fabrique. Dans une période incertaine comme celle que nous traversons, l'or est l'investissement le plus sage, tu ne crois pas ? Les gouvernements tombent. Les morts reviennent. Les géants attaquent l'Olympe... Mais l'or garde sa valeur !

– J'ai déjà vu cette pub, marmonna Léo en fronçant les sourcils.

– Oh, ne te laisse pas embobiner par des imitateurs de pacotille ! s'exclama le roi. Je te garantis que je peux battre tous les prix, pour un investisseur sérieux. Je peux produire une large gamme d'articles en or dans un délai très court.

– Mais... (Piper secoua la tête avec perplexité.) Majesté, je croyais que vous aviez renoncé à votre faculté de changer en or ce que vous touchez ?

– Renoncé ? répéta le roi, visiblement étonné.

– Oui, dit Piper. C'était le don d'un dieu et...

– De Dionysos, acquiesça Midas. J'avais sauvé un de ses satyres et pour me remercier, le dieu m'a accordé un vœu. J'ai choisi la faculté de transformer en or tout ce que je touche.

– Mais vous avez changé votre fille en or par accident, se souvint Piper. Et vous avez compris que vous aviez été cupide. Alors vous vous êtes repenti.

362

– Repenti ! (Le roi Midas tourna un visage stupéfait vers Lit'.) T'entends ça, mon fils ? Tu t'absentes un millénaire ou deux, et l'histoire est entièrement déformée. Dis-moi, chère petite, les légendes prétendent-elles que j'avais perdu mon pouvoir magique ?

– Je crois que non. Elles disent juste que vous aviez appris a en inverser l'effet avec de l'eau courante et que vous aviez ramené votre fille à la vie.

– C'est vrai. Il m'arrive encore de devoir inverser l'effet de ma magie. Il n'y a pas d'eau courante dans cette maison, parce que je ne veux pas d'accidents – il montra ses statues d'un geste – mais nous avons choisi de vivre près d'un fleuve, en cas de besoin. De temps en temps, par distraction, je donne une tape dans le dos à Lit'...

Celui-ci recula de quelques pas.

– J'ai horreur de ça, dit-il.

– Je me suis déjà excusé, mon fils. Toujours est-il que l'or est quelque chose de merveilleux. Pourquoi voudrais-tu que j'y renonce ?

– Ben... (Piper avait l'air vraiment perdue, maintenant.) Ce n'est pas la morale de l'histoire ? Que vous aviez compris la leçon ?

Midas éclata de rire.

– Je peux voir ton sac à dos une seconde, ma chère ? Envoie-le moi.

Piper hésita, mais elle craignit d'offenser le roi. Elle vida son sac et le lança aux pieds de Midas. Dès que le roi l'attrapa, l'objet se changea en or, comme sous l'effet d'un givre qui se propageait sur le tissu. Il resta souple et doux d'aspect, mais c'était incontestablement de l'or. Le roi le renvoya à Piper.

– Comme tu vois, dit-il, je peux encore transformer n'importe quoi en or. Ton sac à dos est magique, en plus, maintenant. Vas-y, fourre tes petits esprits de la tempête dedans.

– Sérieux ? demanda Léo, subitement intéressé.

Il prit le sac des mains de Piper et l'approcha de la cage. Dès qu'il défit la fermeture Éclair, les vents s'agitèrent et hurlèrent en signe de protestation. Les barreaux de leur cage tremblèrent. La porte s'ouvrit d'un coup et les vents furent aspirés dans le sac. Léo referma la glissière et sourit.

– Faut reconnaître que c'est très cool, conclut-il.

– Tu vois ? dit Midas. Mon pouvoir magique, une malédiction ? Tu rigoles. Je n'ai pas compris la leçon et la vie n'est pas une histoire, jeune fille. Honnêtement, Zoé était d'un commerce bien plus agréable en statue d'or qu'en vrai.

– Elle était trop bavarde, expliqua Lit'.

– Exactement ! Alors je l'ai changée en or de nouveau (Midas tendit le doigt. Là, dans le coin de la pièce, il y avait la statue d'une fille à l'expression outragée, comme si elle pensait : *Mais papa !*)

– C'est horrible ! s'exclama Piper.

– Mais non. Ça ne la gêne pas. En plus, si j'avais compris ma leçon, je ne serais pas affublé de *ça*...

Midas retira son immense bonnet de nuit et Jason se sentit partagé entre le rire et la nausée. Le roi avait de longues oreilles grises et velues qui dépassaient de ses cheveux blancs – comme Bugs Bunny, mais ce n'étaient pas des oreilles de lapin C'étaient des oreilles d'âne.

– Oh, non ! fit Léo. Je me serais dispensé de voir ça !

– C'est abominable, hein ? soupira Midas. Quelques années après que j'ai reçu mon pouvoir magique, j'ai été le juge d'un concours de musique entre Pan et Apollon, et j'ai déclaré Pan vainqueur. Apollon, en mauvais perdant, a dit que je devais avoir des oreilles d'âne, et voilà le résultat. Voilà comment j'ai été récompensé d'avoir dit la vérité. J'ai essayé de garder le secret. Personne ne le savait sauf mon coiffeur, mais il n'a pas pu se retenir de parler. (Midas montra du doigt une autre statue : un homme chauve en toge, une paire de ciseaux à la main.) Le voilà. Il ne divulguera plus les secrets de personne.

Le roi sourit. Brusquement, Jason cessa de le voir comme un vieillard inoffensif en peignoir de bain. Une lueur joyeuse brillait dans ses yeux : l'expression d'un fou qui se savait fou, qui acceptait sa folie et s'en réjouissait.

– Oui, reprit-il, l'or a de nombreux usages. Je crois que ça doit être pour ça que j'ai été ramené à la vie, hein, Lit' ? Pour financer notre protectrice.

Lit' hocha la tête.

– Oui, dit-il, pour ça et pour mon adresse à l'épée.

Jason jeta un rapide coup d'œil à ses amis. La température de la pièce semblait avoir chuté de quelques degrés d'un coup.

– Vous avez donc une protectrice, déduisit Jason. Vous travaillez pour les géants.

Le roi Midas fit un geste dédaigneux.

– Personnellement, je n'apprécie pas particulièrement les géants, bien sûr. Mais même les armées surnaturelles doivent être payées. J'ai une grande dette envers ma protectrice. J'ai essayé de l'expliquer au dernier groupe qui est venu, mais elles se sont montrées très hostiles. Impossible de les faire coopérer.

Jason glissa la main dans sa poche et la referma sur sa pièce en or.

– Le dernier groupe ? demanda-t-il.

– Des Chasseresses, grommela Lit'. Maudites servantes d'Artémis.

Jason sentit une étincelle d'électricité – une étincelle réelle – lui parcourir l'échine. Puis il perçut une odeur de feu électrique, comme s'il avait fait fondre quelques ressorts du canapé.

Sa sœur était venue ici.

– Quand ça ? demanda-t-il. Qu'est-ce qui s'est passé ?

Lit' haussa les épaules.

– Il y a quelques jours, peut-être, dit-il. Je n'ai pas pu les tuer, malheureusement. Elles cherchaient une meute de loups maléfiques, un truc de ce genre. Elles ont dit qu'elles allaient vers l'ouest, qu'elles suivaient une piste. Une histoire de demi-dieu disparu, je me souviens plus.

Percy Jackson, pensa Jason. Annabeth avait dit que les Chasseresses étaient à sa recherche. Et dans son rêve sur la maison en ruines dans la forêt de séquoias, il avait entendu hurler des loups ennemis. Héra les avait appelés ses gardiens. Tout ça était forcément lié.

Midas gratta ses oreilles d'âne.

– Très antipathiques, ces Chasseresses, dit-il. Elles refusaient catégoriquement de se laisser changer en or. J'ai installé une grande partie des systèmes de sécurité du jardin pour éviter ce genre de problèmes, vous savez. Je n'ai pas de temps à perdre avec des investisseurs qui ne sont pas sérieux.

Jason se leva et jeta un coup d'œil à ses amis, qui reçurent le message.

– Bien, conclut Piper avec un sourire. Ce fut un grand plaisir de vous rencontrer. Bon retour à la vie et merci pour le sac en or.

– Oh, mais vous ne pouvez pas partir ! s'écria Midas. Je sais que vous n'êtes pas des investisseurs sérieux, mais c'est pas grave ! Il faut que je reconstitue ma collection.

Lit' arborait un rictus cruel. Le roi se leva, et Léo et Piper s'écartèrent.

– Ne vous inquiétez pas, dit le roi d'un ton rassurant. Vous n'êtes pas obligés de vous changer en or. Je laisse le choix à tous mes invités : entrer dans ma collection ou mourir des mains de Lityersès. Les deux sont bien, vraiment.

Piper tenta de l'enjôler.

– Majesté, vous ne pouvez pas...

Avec une rapidité qu'on n'aurait jamais imaginée chez un vieillard, Midas s'élança vers elle et l'attrapa par le poignet.

– Non ! hurla Jason.

Déjà, un givre d'or recouvrait Piper, et une fraction de seconde plus tard, elle n'était plus qu'une statue étincelante.

Léo essaya d'invoquer le feu, mais il avait oublié que son pouvoir ne marchait pas dans cette maison. Midas lui effleura la main et Léo fut transformé à son tour en or massif.

Jason se trouva paralysé d'horreur. Ses amis – terrassés, tous les deux. Et il n'avait rien pu faire.

Midas sourit, l'air de s'excuser.

– Eh oui, l'or l'emporte sur le feu. (Il balaya d'un grand geste les meubles et les rideaux en or.) Dans cette pièce mon pouvoir atténue tous les autres : le feu, l'enjôlement... Ce qui ne me laisse plus qu'un trophée à remporter.

– Hedge ! cria Jason. On a besoin d'aide !

Pour une fois, le satyre ne chargea pas. Jason se demanda s'il avait été abattu par les lasers, ou s'il était tombé au fond d'un piège.

Midas gloussa.

– Pas de bouc à la rescousse ? Dommage. Mais te fais pas de bile, mon garçon. Ce n'est vraiment pas douloureux. Demande à Lit'.

Jason se raccrocha à une idée.

– Je choisis le combat, déclara-t-il. Vous avez dit que j'avais la possibilité de me battre avec Lit'.

Midas haussa les épaules, l'air un peu déçu.

– J'ai dit que tu pouvais mourir des mains de Lityersès. Mais bien sûr, si tel est ton choix.

Le roi recula et Lit' brandit son épée.

– Je vais prendre plaisir à ce duel, dit-il. Je suis le Faucheur d'Hommes !

– Viens donc, moissonneur !

Jason invoqua son arme. Cette fois-ci, elle se matérialisa sous sa forme de javelot, et Jason se félicita de la longueur supplémentaire que cela lui apportait.

– Oh, une arme en or ! dit Midas. Très joli.

Lit' chargea.

Il était rapide. Il fendait, piquait et enchaînait les estocades ; Jason les évitait de justesse, mais son esprit changea de mode : il se mit à analyser les schémas d'attaque et à décortiquer le combat de Lit', qui était entièrement dans l'offensive.

Jason parait les coups, les esquivait. Lit' sembla surpris, au bout de quelques instants, qu'il soit toujours en vie.

– Qu'est-ce que c'est que ce style ? grommela-t-il. Tu ne te bats pas comme un Grec

– L'entraînement de la légion, rétorqua Jason, sans trop savoir d'où il tenait ça. C'est romain.

– Romain ? (Lit' se fendit de nouveau et Jason fit dévier la lame de son épée.) C'est quoi, « romain » ?

– Flash info, dit Jason. Pendant que tu étais mort, Rome a vaincu la Grèce et fondé le plus grand empire de tous les temps.

– Impossible. J'en ai jamais entendu parler.

Jason pivota sur le talon, frappa Lit' en plein torse avec le bout de sa hampe et l'envoya s'écraser dans le trône de Midas.

– Ouh là ! s'écria Midas. Ça va, Lit' ?

– Ça va, grogna ce dernier.

– Vous feriez mieux de l'aider à se relever, suggéra Jason.

– Non, papa ! hurla Lit'.

Trop tard. Midas posa la main sur l'épaule de son fils et, soudain, une statue au visage rageur occupa le trône du roi Midas.

– Malédiction ! pesta celui-ci. C'est un sale tour que tu nous as joué, demi-dieu. Tu me le paieras. (Il tapota l'épaule en or de Lit'.) T'inquiète pas, fiston, je te porterai au fleuve dès que je lui aurai réglé son compte.

Sur ces mots, Midas s'élança vers Jason, qui fit un bond de côté. Le vieil homme était étonnamment leste. D'un coup de pied, Jason lui envoya la table basse dans les jambes et Midas s'étala, mais il n'allait pas rester à terre longtemps, c'était clair.

Jason jeta alors un coup d'œil à la statue en or de Piper, et une vague de colère le submergea. Il était le fils de Zeus ! Il ne pouvait pas laisser tomber ses amis.

Il sentit comme une force le tirer au creux de son ventre, et la pression atmosphérique chuta si abruptement que ses tympans tintèrent. Midas devait le sentir, lui aussi, car il se releva et attrapa ses oreilles d'âne à deux mains.

– Aïe ! Qu'est-ce que tu fabriques ? Mon pouvoir est suprême, ici !

Le tonnerre gronda. Dehors, le ciel vira au noir.

– Tu connais un autre bon usage de l'or ? demanda Jason.

Midas dressa les sourcils, soudain intéressé.

– Nan ?

– C'est un excellent conducteur d'électricité.

Jason brandit son javelot et le plafond vola en éclats. Un éclair fendilla le toit comme s'il s'agissait d'une simple coquille d'œuf, toucha la pointe du javelot de Jason, puis ricocha en arcs d'énergie électrique qui déchiquetèrent les canapés. Des blocs de plâtre se détachèrent du plafond. Le lustre grinça, sa chaîne rompit et Midas hurla quand il le reçut sur les épaules. Le cristal se changea immédiatement en or.

Quand les grondements se turent, une pluie glaciale se mit à tomber dans la maison éventrée. Midas, bel et bien cloué au sol par son lustre, jurait et pestait en grec ancien. Sous l'effet de la pluie qui trempait tout, le lustre en or se retransformait en cristal. Piper et Léo se métamorphosaient, eux aussi, tout comme les autres statues de la pièce.

Alors, la porte d'entrée s'ouvrit brusquement et Hedge déboula, le gourdin à la main. Il avait la bouche pleine de terre, de neige et d'herbe.

– Qu'est-ce que j'ai raté ? demanda-t-il.

– Où étiez-vous ? rétorqua Jason. (Le violent effort qu'il avait fourni pour invoquer la foudre lui donnait le tournis et il était à deux doigts de s'évanouir.) Je vous ai appelé au secours.

L'entraîneur rota.

– Je cassais la croûte, désolé. Qui faut tuer ?

– Personne, maintenant ! Emportez Léo, je m'occupe de Piper.

– Ne me laissez pas comme ça ! supplia Midas.

Tout autour du roi, les statues de ses victimes redevenaient de chair et d'os : sa fille, son coiffeur, et un tas d'hommes armés d'épées, l'air en colère.

Jason attrapa le sac à dos en or de Piper ainsi que ses propres affaires. Puis il jeta un tapis sur la statue de Lit'. Avec un peu de chance, cela empêcherait le Faucheur d'Hommes de reprendre vie humaine – du moins avant les victimes de Midas.

– Partons d'ici, lança Jason à Hedge. Je crois que ces gens ont deux mots à dire à Midas.

33 PIPER

Piper se réveilla tremblante et frigorifiée.

Elle avait fait un rêve horrible, avec un vieillard à oreilles d'âne qui lui courait après en criant : « T'es de la bombe ! »

– Oh, mon Dieu. (Elle claquait des dents.) Il m'a changée en or !

– Ça va aller, maintenant.

Jason se pencha sur elle et l'enveloppa d'une épaisse couverture, qui ne la réchauffa pourtant pas.

Elle cligna des yeux et tenta de voir où ils étaient. À côté d'elle flambait un feu de camp dont la fumée âcre emplissait l'air. Les reflets des flammes jouaient sur des murs de pierre. Ils étaient dans une caverne peu profonde, qui ne leur offrait pas beaucoup de protection. Dehors, le vent hurlait et poussait la neige par rafales obliques. Impossible de dire si c'était le jour ou la nuit : la tempête plongeait tout dans l'obscurité.

– L-Léo ? articula Piper avec effort.

– Présent et dédoré. (Léo était lui aussi enveloppé de couvertures. Il n'avait pas bonne mine, mais semblait quand même en meilleure forme que Piper.) J'ai eu droit au traitement au métal fin, moi aussi, mais j'en suis sorti plus vite, je sais pas pourquoi. On a dû te plonger dans le fleuve pour te

371

récupérer complètement. On a essayé de te sécher mais... il fait vraiment, vraiment froid.

– Tu es en hypothermie, expliqua Jason. On t'a donné le maximum de nectar possible. M'sieur Hedge a pratiqué un peu de magie sylvestre...

– De médecine du sport, interrompit l'entraîneur, qui approcha son visage disgracieux de celui de Piper. C'est un de mes hobbies. Tu vas sentir le champignon sauvage et le Gatorade pendant quelques jours, mais ça va passer. Tu ne mourras sans doute pas. Je ne crois pas.

– Merci, dit Piper d'une voix faible. Comment avez-vous battu Midas ?

Jason lui raconta l'histoire en mettant le plus gros sur le compte de la chance.

L'entraîneur renifla.

– Il est trop modeste, le petit. Si tu l'avais vu ! Taïaut, taïaut, un coup d'épée ! Et *bang*, je balance la foudre !

– M'sieur Hedge, vous n'avez rien vu, objecta Jason. Vous étiez dehors en train de manger la pelouse.

Mais le satyre était parti sur sa lancée.

– Et puis je suis arrivé avec mon gourdin et on a pris le contrôle des lieux. Après je lui ai dit : « Petit, je suis fier de toi ! Si tu pouvais juste travailler ta force au niveau du torse... »

– M'sieur, coupa Jason.

– Ouais ?

– Fermez-la, s'il vous plaît.

– Pas de problème.

L'entraîneur alla s'asseoir près du feu et se mit à grignoter son gourdin.

Jason posa la main sur le front de Piper pour se faire une idée de sa température.

– Léo, dit-il, tu pourrais renforcer le feu ?

– Je m'en occupe.

Léo invoqua un boule de flammes de la taille d'un ballon de base-ball et la lança dans le feu.

– J'ai si mauvaise mine que ça ? demanda Piper en frissonnant.

– Mais nan, répondit Jason.

– Tu sais pas mentir. Où est-ce qu'on est ?

– Pikes Peak, dit Jason. Dans le Colorado.

– Mais c'est à au moins huit cents kilomètres d'Omaha, non ?

– À peu près, acquiesça Jason. J'ai attelé les esprits de la tempête pour qu'ils nous transportent jusqu'ici. Ça leur a pas plu. Ils sont allés un peu plus vite que je voulais, et ils ont failli nous écraser contre le flanc de la montagne avant que j'arrive à les renfermer dans le sac. Je ne tenterai pas l'expérience une seconde fois.

– Et qu'est-ce qu'on fait là ?

Léo plissa le nez.

– Je lui ai posé la même question, dit-il.

Jason porta le regard au loin, comme s'il cherchait quelque chose dans la tempête.

– Vous vous rappelez cette trace de vent brillante, hier ? Là, elle était toujours dans le ciel, mais beaucoup plus pâle. Je l'ai suivie tant que j'ai pu la voir. Ensuite... honnêtement je ne saurais pas trop vous dire. J'ai juste eu le sentiment qu'il fallait qu'on s'arrête ici.

– Bien sûr. (L'entraîneur recracha des échardes de son gourdin.) Le palais flottant d'Éole devrait être ancré au-dessus de nous, juste au sommet. C'est un de ses points d'amarrage préférés.

– C'est peut-être pour ça. (Jason fronça les sourcils.) Je ne sais pas. Il y avait autre chose, aussi.

– Les Chasseresses allaient vers l'ouest, se souvint Piper. Vous pensez qu'elles sont dans les parages ?

Jason se frotta l'avant-bras comme si les tatouages le gênaient.

– Je ne vois pas comment qui que ce soit pourrait survivre sur cette montagne en ce moment. Elle est violente, cette tempête. C'est déjà la veille du solstice, mais on a pas le choix, on est bien obligés d'attendre la fin de la tempête. Il faut qu'on te laisse le temps de te reposer avant de se risquer à sortir.

Il n'avait pas besoin de convaincre Piper. Le vent qui hurlait à l'extérieur de la grotte l'effrayait, et elle grelottait de façon incontrôlable.

– Il faut qu'on te réchauffe. (Jason s'assit à côté d'elle et tendit les bras un peu maladroitement.) Euh, ça te gêne si...

– Ah oui, d'accord, fit-elle d'un ton qui se voulait décontracté.

Il la prit dans ses bras et, cahin-caha, ils se rapprochèrent du feu. L'entraîneur mâchonnait le bout de son gourdin et crachait des échardes dans les flammes.

Léo déballa des ustensiles et se mit à faire frire des hamburgers dans une poêle.

– Bon, les gars, maintenant que vous êtes installés bien douillettement pour l'histoire du soir... il y a quelque chose dont je veux vous parler depuis un moment. Sur le chemin d'Omaha, j'ai fait un rêve. Un peu dur à suivre, entre les parasites et les interférences de *La Roue de la Fortune*...

– *La Roue de la Fortune* ? (Piper supposa que Léo plaisantait, mais quand il releva la tête, il avait une expression des plus sérieuses.)

– Le truc, dit-il, c'est que mon père, Héphaïstos, m'a parlé.

Léo leur raconta son rêve. À la lueur des flammes, dans les hurlements du vent, l'histoire était encore plus sinistre. Piper n'avait pas de mal à imaginer la voix du dieu, troublée par les parasites, mettant Léo en garde contre les géants qui étaient les fils du Tartare, l'avertissant qu'il allait perdre des amis au cours de sa quête.

Elle essaya de fixer ses pensées sur quelque chose d'agréable : les bras de Jason qui l'entouraient, la chaleur qui se répandait lentement dans son corps, mais elle était terrifiée.

– Je ne comprends pas, dit-elle. Si les demi-dieux et les dieux doivent travailler ensemble pour tuer les géants, pourquoi les dieux gardent-ils le silence ? S'ils ont besoin de nous...

– Ha, interrompit Hedge. Les dieux détestent avoir besoin des humains. Ils aiment que les humains aient besoin d'eux, mais pas l'inverse. La situation va devoir s'aggraver encore beaucoup avant que Zeus finisse par admettre qu'il a commis une erreur en fermant l'Olympe.

– C'est presque intelligent, ce que vous dites là, m'sieur, commenta Piper.

– Quoi ? grogna l'entraîneur. Mais je *suis* intelligent ! Ça ne m'étonne pas que vous n'ayez pas été informés de la Guerre des géants, les cocos. Les dieux n'aiment pas qu'on en parle. Ça fait mauvaise presse d'admettre qu'on a besoin de l'aide des mortels pour battre ses ennemis. C'est gênant, quoi.

– Il y a autre chose, pourtant, ajouta Jason. Quand j'ai rêvé d'Héra dans sa cage, elle m'a dit que Zeus était inhabituellement parano. Et Héra elle-même : elle dit qu'elle est allée dans ces ruines parce qu'une voix lui avait parlé dans sa tête. Et si quelqu'un manipulait les dieux, de la même façon que Médée nous a manipulés ?

Piper frissonna. Elle avait eu la même idée : qu'une force qu'ils ne pouvaient pas voir tirait les ficelles derrière la scène et aidait les géants. Peut-être que cette même force informait Encélade de leurs faits et gestes, et avait provoqué la chute de leur dragon à Detroit. Il pouvait s'agir de la femme de terre endormie de Léo, ou d'un de ses serviteurs...

Léo mit des petits pains ronds à griller sur la poêle.

– Ouais, Héphaïstos a dit à peu près la même chose, que Zeus avait un comportement plus bizarre que d'habitude. Mais ce qui m'a troublé, moi, ce sont les choses que mon père n'a pas dévoilées. Par exemple, deux ou trois fois, quand il parlait des demi-dieux, ou qu'il m'expliquait qu'il avait beaucoup d'enfants. Ch'aipas. Il avait l'air de sous-entendre que rassembler les meilleurs demi-dieux serait presque impossible, que c'était vraiment une idée stupide même si Héra misait là-dessus, et qu'il y avait un secret qu'il n'était pas censé me révéler.

Jason remua. Piper sentit la tension raidir les bras du garçon.

– Chiron a eu la même attitude, à la colonie, dit-il. Il a évoqué un serment sacré selon lequel il ne devait pas discuter de... quelque chose. M'sieur Hedge, vous êtes au courant ?

– Tu parles ! Je ne suis qu'un satyre. On nous dit pas les trucs croustillants. Surtout à un vieux...

Hedge ne termina pas sa phrase.

– Un vieux type comme vous ? demanda Piper. Mais vous n'êtes pas si vieux que ça, si ?

– Cent six ans, marmonna l'entraîneur.

Léo faillit s'étrangler.

– Vous dites ?

– Calme-toi, Valdez, ça fait que cinquante-trois en années humaines. Il n'empêche, ouais, que je me suis fait quelques ennemis au Conseil des Sabots Fendus. Ça fait un sacré bail que je suis protecteur. Mais ils se sont mis à dire que je devenais imprévisible. Trop violent. Vous vous rendez compte ?

– La vache. (Piper se força à ne pas regarder ses amis.) C'est incroyable !

L'entraîneur fit la grimace.

– Ouais. Et puis quand on a enfin une bonne guerre contre les Titans, est-ce qu'ils m'envoient sur le front ? Non ! Ils m'expédient le plus loin possible, à la frontière canadienne – vous y croyez, à ça ? Et puis après la guerre, ils me mettent au vert. L'École du Monde Sauvage. Soi-disant que je suis trop vieux pour aider, rien que parce que j'aime bien jouer l'attaque. Tous ces cueilleurs de fleurs du Conseil et leurs discours sur la nature...

– Je croyais que les satyres aimaient la nature, risqua Piper.

– J'adore la nature, bon sang ! s'emporta Hedge. La nature, c'est des grosses bêtes qui bouffent les petites ! Et quand vous êtes un satyre comme moi – non-grand, dirons-nous – vous prenez un gros gourdin et vous ne laissez personne vous marcher sur les pieds. C'est ça, la nature ! (Il renifla avec indignation.) Cueilleurs de fleurs... Enfin, j'espère que tu as un menu végétarien, Valdez. Je mange pas de chair.

– Ouais, m'sieur, pas besoin de manger votre gourdin. J'ai des croquettes de tofu. Piper est végétarienne, elle aussi. Je les mets à cuire dans une seconde.

L'odeur des hamburgers emplissait l'air. D'habitude, Piper détestait cette odeur de viande frite, mais là, son estomac gargouillait comme s'il voulait se rebeller.

Reprends-toi, se morigéna-t-elle. *Pense brocolis. Carottes. Lentilles.*

Son estomac n'était pas seul à se rebeller. Allongée près du feu, dans les bras de Jason, Piper sentait sa conscience la brûler comme une balle chauffée à blanc qui progressait lentement vers son cœur. Toute la culpabilité qu'elle refoulait depuis une semaine, depuis le premier rêve d'Encélade, allait l'étouffer.

Ses amis voulaient l'aider. Jason avait même dit qu'il était prêt à tomber délibérément dans un traquenard pour sauver son père. Et Piper les avait exclus.

Qui sait si elle n'avait pas déjà condamné son père en attaquant Médée ?

Elle ravala un sanglot. Elle avait peut-être eu raison de sauver ses amis à Chicago, mais elle n'avait fait que repousser le problème. Elle ne serait jamais capable de trahir ses amis, pourtant une toute petite voix en elle, la voix du désespoir, se demandait : *Et si je le faisais ?*

Elle essaya d'imaginer ce que dirait son père. *Hé P'pa, si tu étais enchaîné par un géant cannibale et que je devais trahir deux amis pour te sauver, qu'est-ce que tu me conseillerais ?*

C'est marrant, mais ce n'était jamais venu dans leur Jeu des Trois Questions. Évidemment, son père ne prendrait jamais une question pareille au sérieux. Il lui raconterait sans doute une des vieilles histoires de Papy Tom − une histoire de hérissons lumineux ou d'oiseaux qui parlent − et il en rirait, comme si le conseil était idiot.

Piper regrettait de ne pas mieux se souvenir de son grand-père. Parfois, elle rêvait de cette petite maison de deux pièces dans l'Oklahoma. Elle se demandait comment ça aurait été, de grandir là-bas.

Son père ne la comprendrait pas. Il avait passé sa vie à fuir ce lieu, à prendre de la distance par rapport à la réserve, à jouer tous les rôles possibles sauf celui d'un Amérindien. Il disait toujours à Piper qu'elle avait beaucoup de chance d'être aisée et de grandir dans une belle maison cossue de Californie, à l'abri du besoin.

Elle en était venue à avoir vaguement honte de ses racines − les vieilles photos de papa dans les années 1980, par exemple, où il arborait un carré dégradé et des vêtements délirants. « Tu te rends compte de la dégaine que j'avais ? » disait-il. Être cherokee, c'était du même ordre, pour lui : quelque chose de risible et légèrement embarrassant.

Mais qu'étaient-ils d'autre ? Son père n'avait pas l'air de le savoir. C'était peut-être pour ça qu'il changeait tout le temps de rôle et ne semblait jamais heureux. Pour ça aussi que Piper s'était mise à voler, en quête de quelque chose qu'il ne pouvait pas lui donner.

Léo mit les croquettes de tofu dans la poêle. Dehors, le vent faisait toujours rage. Piper repensa à une vieille histoire que lui avait racontée son père... une histoire qui apportait peut-être quelques réponses à ses questions.

Un jour, en CE1, elle était rentrée à la maison en larmes et avait demandé à son père pourquoi il l'avait appelée Piper. À l'école, les gamins se moquaient d'elle parce que Piper Cherokee, c'était un nom d'avion.

Son père rit, comme s'il n'avait jamais fait le rapprochement.

– Non, Pip's. C'est un bel avion, mais ce n'est pas pour ça que je t'ai appelée comme ça. C'est Papy Tom qui a choisi ton nom. Tu sais que *Piper* veut dire « joueur de pipeau » ? La première fois qu'il t'a entendue pleurer, il a dit que tu avais une voix forte, qui portait plus loin que la musique de n'importe quel joueur de pipeau. Il a dit que tu pourrais apprendre les chansons cherokees les plus difficiles, même celle des serpents.

– La chanson des serpents ?

Son père lui avait raconté la légende. Un jour, une Cherokee avait aperçu un serpent qui jouait trop près de ses enfants et l'avait tué avec une pierre, sans se rendre compte qu'il s'agissait du roi des serpents à sonnettes. Les serpents se préparèrent à partir en guerre contre les humains, mais le mari de la femme tenta de faire la paix. Il jura qu'il était prêt à tout pour dédommager les serpents à sonnettes. Les reptiles le prirent au mot. Ils lui dirent d'amener sa femme au puits pour qu'ils puissent la mordre et prendre sa vie en échange. Le cœur brisé, l'homme fit ce qu'ils lui avaient demandé. Les serpents furent impressionnés que l'homme ait fait un tel sacrifice pour tenir sa parole. Ils lui apprirent la chanson des serpents, que tous les Cherokees pourraient désormais utiliser. Depuis ce jour, quand un Cherokee croise un serpent et chante cette chanson, le serpent reconnaît en lui un ami et ne le mord pas.

– C'est horrible ! avait dit Piper. Il a laissé mourir sa femme ?

Son père avait écarté les bras.

– Ce fut un sacrifice énorme. Mais une vie apporta la paix entre des générations de serpents et de Cherokees. Papy Tom était persuadé que la musique cherokee pouvait résoudre tous les problèmes ou presque. Il pensait que tu apprendrais beaucoup de chansons et deviendrais la grande musicienne de la famille. Et c'est pour cela que nous t'avons appelée Piper, la joueuse de pipeau.

Un sacrifice énorme. Son grand-père avait-il entrevu son avenir alors qu'elle était encore bébé ? Avait-il eu l'intuition qu'elle était la fille d'Aphrodite ? Son père lui dirait sans doute que c'était de la folie ; Papy Tom n'était pas devin.

Il n'empêche... Elle avait donné sa parole quand elle s'était engagée dans cette quête. Ses amis comptaient sur elle. Ils l'avaient sauvée quand Midas l'avait changée en or. Ils l'avaient ramenée à la vie. Elle ne pouvait pas les remercier par des mensonges.

Peu à peu, Piper se réchauffait. Elle cessa de trembler et se cala confortablement contre la poitrine de Jason. Léo servit le dîner. Piper n'avait pas envie de bouger, ni de parler ou de faire quoi que ce soit qui mette fin à ce doux moment de répit. Mais il le fallait. Elle changea de position pour être face à Jason.

– Il faut qu'on parle, dit-elle. Je ne veux plus rien vous cacher.

Les deux garçons et le satyre la regardèrent, la bouche pleine de hamburger. Trop tard pour faire marche arrière.

– Trois jours avant l'excursion au Grand Canyon, raconta-t-elle, j'ai eu une vision dans un rêve. Un géant qui me disait que mon père avait été pris en otage. Il me disait que si je ne coopérais pas, ils le tueraient.

Les flammes crépitèrent. Jason fut le premier à parler.

– Encélade ? demanda-t-il. Tu as prononcé ce nom-là une fois ou deux.

Hedge siffla.

– Sacré géant, dit-il. Il crache du feu. J'aimerais pas qu'il fasse rôtir mon papa-bouc.

Jason le fusilla du regard.

– Continue, Piper. Qu'est-ce qui s'est passé ensuite ?

– J'ai... j'ai essayé de joindre mon père, mais je suis tombée sur sa secrétaire qui m'a dit de ne pas m'inquiéter.

– Jane ? se souvint Léo. Médée n'a pas dit qu'elle la contrôlait ?

Piper hocha la tête.

– Pour récupérer mon père, poursuivit-elle, je devais saboter la quête. Je ne m'étais pas rendu compte que ce serait nous trois. Et puis, quand nous nous sommes mis en route, Encélade m'a envoyé un autre avertissement. Il m'a dit qu'il voulait votre mort à tous les deux. Il veut que je vous emmène au sommet d'une montagne. Je ne sais pas laquelle au juste, mais c'est près de San Francisco. On voyait le pont du Golden Gate de là-haut. Il faut que j'y sois à midi au plus tard le jour du solstice, c'est-à-dire demain. C'est un échange.

Elle se sentait incapable de croiser le regard de ses amis. Elle s'attendait à ce qu'ils se fâchent, qu'ils la laissent tomber, qu'ils la jettent dehors, en pleine tempête.

Au lieu de quoi, Jason se rapprocha d'elle et lui passa un bras autour des épaules.

– Ma pauvre Piper, murmura-t-il, je suis vraiment désolé.

Léo hocha la tête.

– Ouais, renchérit-il, ça craint carrément. Tu portes ça toute seule depuis une semaine ? Mais Piper, on aurait pu t'aider.

La jeune fille les regarda par en-dessous.

– Quoi ? Vous m'engueulez pas ? J'ai ordre de vous tuer !

– Enfin, écoute ! dit Jason. Tu nous a sauvé la vie à tous les deux pendant cette quête. Je remettrais ma vie entre tes mains sans hésiter.

– Moi pareil, approuva Léo. Je peux avoir un câlin ?

– Vous ne comprenez pas ! Je viens sans doute de signer l'arrêt de mort de mon père en vous disant ça.

– J'en doute. (Hedge rota. Il avait enveloppé son hamburger au tofu dans une assiette en carton et mangeait le tout comme un taco.) Le géant a pas obtenu ce qu'il voulait, donc il a encore besoin de ton père pour faire pression. Il va laisser passer la date limite et voir si tu viens. Il veut que tu entraînes tout votre groupe là-haut, c'est ça ?

Piper hocha la tête, l'air de réfléchir.

– Ça veut dire qu'Héra est prisonnière ailleurs, raisonna l'entraîneur. Et il faut la sauver avant la même heure même jour. Ça fait que tu es obligée de choisir entre ton père ou Héra. Si tu pars à la recherche d'Héra, alors Encélade réglera son compte à ton père. De toute façon, même si tu coopérais, Encélade ne te laisserait jamais repartir. Tu fais partie des Sept de la Grande Prophétie, c'est évident.

Les Sept de la Grande Prophétie. Elle en avait déjà parlé avec Léo et Jason. Oui, elle devait en faire partie, c'était sans doute vrai, mais elle avait encore du mal à y croire. Elle ne se trouvait pas si importante que ça. Elle n'était qu'une fille d'Aphrodite sans cervelle. Quel intérêt pouvait-il y avoir à l'attirer dans un piège ou à la tuer ?

– On n'a pas le choix, en résumé, conclut-elle d'un air malheureux. Il faut qu'on délivre Héra, sinon c'est le roi des géants qui sera libéré. C'est notre quête et le monde en dépend. Encélade a l'air d'avoir des moyens de me surveiller. Il n'est pas idiot. Si nous changeons de direction, il le saura. Et il tuera mon père.

– Il ne va pas tuer ton père, dit Léo. Nous allons le sauver.

– On n'a pas le temps ! s'écria Piper. Et puis c'est un piège.

– On est tes potes, Reine de Beauté. On va pas laisser ton père mourir. Il faut juste qu'on trouve un plan.

Hedge poussa un petit grognement.

– Ça aiderait de savoir où est cette montagne. Peut-être qu'Éole pourrait te le dire. La région de la baie de San Francisco a mauvaise réputation pour les demi-dieux. L'ancien antre des Titans, le mont Othrys, est perché sur le mont Tam, là où Atlas tient le ciel. J'espère que c'est pas la montagne que tu as vue.

Piper essaya de se rappeler le paysage de ses rêves.

– Je ne crois pas, dit-elle. C'était dans les terres.

Jason regardait les flammes en fronçant les sourcils, comme s'il essayait de se souvenir de quelque chose.

– Mauvaise réputation... Ça me parait faux. La région de la baie...

– Tu crois que tu y es déjà allé ? demanda Piper.

– Je... (Il avait l'air sur le point de se souvenir de quelque chose. Puis l'anxiété revint dans son regard.) Hedge, qu'est-ce qui s'est passé au mont Othrys ?

L'entraîneur prit une autre bouchée de carton au tofu.

– Ben, l'été dernier, Cronos s'est fait construire un nouveau palais là-haut. Il devait servir de Q. G. pour son nouveau royaume, tout ça. Une grande baraque bien moche. Mais en fin de compte, il y a pas eu de combats là-bas. Cronos a marché sur Manhattan pour essayer de s'emparer de l'Olympe. Si mes souvenirs sont bons, il a confié son palais à d'autres Titans, mais, après la défaite de Cronos, le palais s'est écroulé de lui-même.

– Non, coupa Jason.

Ils le regardèrent tous.

– Comment ça, non ? demanda Léo.

– Ce n'est pas ce qui s'est passé. Je... (Il se crispa soudain et tourna la tête vers l'entrée de la grotte.) Vous avez entendu ?

Pendant une seconde, rien. Puis Piper les entendit : des hurlements qui déchiraient la nuit.

34 PIPER

- **D**es loups, murmura Piper. Ils ont l'air d'être tout près. Jason se leva et déploya son épée. Hedge et Léo bondirent en position d'attaque, eux aussi. Piper voulut faire de même, mais des points noirs se mirent à danser devant ses yeux.

– Reste là, lui dit Jason. On va te protéger.

Elle serra les dents. Elle détestait se sentir impuissante. Elle ne voulait pas qu'on la protège. D'abord cette satanée cheville, maintenant l'hypothermie à la gomme. Elle voulait être debout, le poignard à la main.

À ce moment-là, juste à l'orée de la lumière que le feu projetait devant la grotte, elle vit une paire d'yeux qui rougeoyaient dans le noir.

Bon, se dit-elle. *Un peu de protection, c'est peut-être pas mal, en fin de compte.*

D'autres loups s'avancèrent dans la lueur des flammes – des bêtes à la fourrure noire pleine de neige et de glaçons, plus grandes encore que des danois. Leurs crocs luisaient ; une intelligence inquiétante brillait dans leurs yeux rouges. Le loup qui se tenait en tête avait presque le gabarit d'un cheval et sa gueule était mouillée comme s'il venait de tuer une proie.

Piper tira son poignard de son fourreau.

385

Jason fit un pas et prononça des paroles en latin.

Piper ne voyait pas comment une langue morte pouvait faire de l'effet sur des bêtes sauvages, il n'empêche que le mâle dominant retroussa les babines. Sa fourrure se hérissa tout le long de son dos. Un autre loup voulut s'avancer, mais le mâle dominant lui mordit l'oreille. Toute la meute recula alors dans l'obscurité.

– Faut que je me mette au latin, les mecs, dit Léo, le marteau la main. Qu'est-ce que tu as dit, Jason ?

– Ch'aipas, grogna Hedge, mais en tout cas ça n'a pas suffi. Regardez.

Les loups revenaient, toutefois le mâle dominant n'était pas avec eux. Ils n'attaquèrent pas. Ils se mirent à attendre, disposés en demi-cercle à la bordure de la lumière des flammes, barrant la sortie de la grotte. Ils étaient une bonne douzaine.

– Voilà le plan, annonça l'entraîneur en levant son gourdin. Je les tues tous et vous les gars, vous vous sauvez.

– Ils vont vous tailler en pièces, m'sieur, dit Piper.

– Nan, je suis costaud.

À ce moment-là, Piper aperçut la silhouette d'un homme qui approchait dans la tempête, se frayant un chemin entre les bêtes sauvages.

– Restez groupés, dit Jason. Ils respectent les meutes. Hedge, pas de folie. On ne vous abandonne pas, ni vous ni personne d'autre.

Une boule se forma dans la gorge de Piper. C'était elle, le maillon faible de leur meute, à présent. Sûr que les loups pouvaient sentir sa peur. C'était comme si elle portait une pancarte À TABLE !

Les loups s'écartèrent et l'homme avança dans la lumière. Il avait les cheveux gras et ébouriffés, couleur de suie et coiffés d'une couronne d'osselets. Il portait des fourrures en haillons – loup, lapin, raton laveur, cerf et quelques autres que Piper

386

ne reconnut pas. Elles n'étaient pas traitées et, à en juger par l'odeur, pas de première fraîcheur non plus. L'homme avait la silhouette agile et musclée d'un coureur de fond. Mais le plus horrible, c'était son visage. Sa peau fine et blême était tendue sur son crâne. Ses dents pointues comme des crocs. Ses yeux brillaient du même éclat rouge que ceux de ses loups, et ils se posèrent sur Jason avec une haine sans mélange.

– *Ecce filli Romani*, dit-il.

– Parle anglais, l'homme-loup ! tonna Hedge.

– Dis à ton faune de tenir sa langue, fils de Rome, gronda l'homme-loup, s'il ne veut pas que je le dévore en premier.

Piper se rappela que « faune » était le nom romain des satyres. Pas très utile comme information. Maintenant, si elle pouvait se souvenir du rôle que jouait cet homme-loup dans la mythologie grecque, voilà qui pourrait servir.

Le nouveau venu examina leur petit groupe, les narines frémissantes.

– C'est donc vrai, dit-il d'un ton songeur. Une enfant d'Aphrodite, un fils d'Héphaïstos, un faune et un enfant de Rome, qui plus est fils du seigneur Jupiter. Tous ensemble, et ils ne s'entre-tuent pas. C'est très intéressant.

– On vous a parlé de nous ? demanda Jason. Qui ça ?

L'homme-loup montra les dents – était-ce un rire, était-ce un défi ?

– Oh, ça fait un moment qu'on quadrille l'ouest du pays dans l'espoir d'être les premiers à vous trouver, demi-dieu. Le roi des géants saura me récompenser quand il s'éveillera. Je suis Lycaon, le roi des loups, et ma meute a faim.

Dans l'obscurité, les loups grondèrent.

Du coin de l'œil, Piper remarqua que Léo levait son marteau et sortait autre chose de sa ceinture à outils – un flacon rempli d'un liquide transparent.

Piper se creusait fébrilement la cervelle. Elle savait qu'elle avait déjà entendu le nom de l'homme-loup, mais n'arrivait plus à se souvenir de son histoire.

Lycaon eut un regard oblique pour l'épée de Jason et se pencha d'un côté, puis de l'autre, en quête d'une ouverture, mais la lame du demi-dieu suivait chacun de ses mouvements.

– Va-t'en, lui ordonna Jason. Il n'y a rien à manger pour toi, ici.

– Sauf si tu aimes les hamburgers de tofu, ajouta Léo.

Lycaon montra les crocs. Visiblement, il n'aimait pas le tofu.

– S'il n'en tenait qu'à moi, fils de Jupiter, dit Lycaon d'une voix lourde de regret, je te tuerais en premier. C'est ton père qui a fait de moi ce que je suis aujourd'hui. J'étais un puissant mortel, le roi d'Arcadie, et j'avais cinquante fils, beaux et vigoureux. Zeus les a tous foudroyés.

– Ha ! s'écria l'entraîneur, il avait de bonnes raisons !

– Vous connaissez ce bouffon, m'sieur ? demanda Jason.

– Moi, je le connais, intervint Piper.

Le mythe lui revenait dans tous ses sinistres détails. Avec son père, ils avaient bien ri de cette histoire horrible. Elle ne riait plus, maintenant.

– Le roi Lycaon a invité Zeus à dîner, raconta-t-elle. Mais il n'était pas sûr que ce soit bel et bien Zeus, alors, pour tester ses pouvoirs, il lui a servi de la chair humaine. Zeus a été scandalisé et...

– Il a tué mes fils ! termina Lycaon dans un hurlement, auquel la meute entière fit écho.

– Et Zeus l'a changé en loup, dit Piper. On appelle les loups-garous des *lycanthropes*, du nom de Lycaon, le premier d'entre eux.

– Le roi des loups, conclut Hedge. Un clebs immortel et cruel qui pue de la gueule.

Lycaon gronda entre les crocs.

– Je vais te tailler en pièces, le faune !

– Fais gaffe, je vais te rendre chèvre avant que t'y arrives !

– Arrêtez, trancha Jason. Lycaon, tu dis que tu aimerais me tuer en premier... Qu'est-ce qui t'en empêche ?

– Hélas, fils de Rome, tu es déjà pris. Comme celle-là... – (Lycaon agita les griffes en direction de Piper) – n'a pas été fichue de te tuer, nous avons ordre de te livrer vivant à la Maison du Loup. Une de mes compatriotes a sollicité l'honneur de te tuer de ses mains.

– Qui ? demanda Jason.

Le roi des loups ricana.

– Oh, une de tes admiratrices ! Tu lui as fait beaucoup d'effet, apparemment. Elle ne va pas tarder à te régler ton compte, je ne peux vraiment pas me plaindre. Verser ton sang à la Maison du Loup devrait marquer très clairement mon nouveau territoire. Lupa y pensera à deux fois, avant de défier ma meute.

Le cœur de Piper fit un bond dans sa poitrine. Elle n'avait pas compris tout ce qu'avait dit Lycaon, mais quelle femme pouvait bien vouloir tuer Jason, songea-t-elle, à part Médée en personne ? Aussi incroyable que cela puisse paraître, elle avait dû survivre à l'explosion.

Piper se leva avec effort. Des points noirs dansèrent à nouveau devant ses yeux, et elle eut l'impression que la grotte tournait autour d'elle.

– Partez, maintenant, dit-elle, avant qu'on vous taille en pièces.

Elle avait essayé d'insuffler de la force dans ses paroles, mais elle était trop faible. Blême et le front perlé de sueur, elle frissonnait sous ses couvertures et avait du mal à tenir fermement son poignard : pas de quoi inspirer la terreur.

Une lueur amusée brilla dans les yeux rouges de Lycaon.

– C'est une tentative courageuse, fillette, dit-il. Je dois te reconnaître cela. Peut-être que je t'accorderai une mort rapide. Seul le fils de Jupiter doit être livré vivant. Les autres, je suis désolé, mais vous allez nous servir de dîner.

Piper sut alors qu'elle allait mourir. Mais au moins mourrait-elle debout, en se battant aux côtés de Jason.

Celui-ci avança d'un pas.

– Tu ne vas tuer personne, homme-loup. Pas sans me passer sur le corps d'abord.

Lycaon poussa un hurlement féroce, toutes griffes dehors. Jason l'attaqua, mais la lame de son épée en or traversa le roi-loup comme s'il n'était pas là.

Lycaon éclata de rire.

– L'or, le bronze, l'acier – aucun de ces métaux ne peut rien contre mes loups, fils de Jupiter.

– Il faut de l'argent ! s'écria Piper. L'argent blesse les loups-garous, hein ?

– On a rien en argent ! répondit Jason.

Les bêtes entrèrent d'un bond dans la lumière du feu. Hedge s'élança avec un cri d'attaque enthousiaste, mais Léo frappa le premier. Il jeta son flacon qui se cassa au sol, éclaboussant les loups de son contenu – l'odeur reconnaissable entre toutes de l'essence flotta dans l'air. Léo projeta une boule de feu vers la flaque et un mur de flammes se dressa.

Les loups battirent en retraite en glapissant. Certains, le pelage enflammé, durent se réfugier en courant dans la neige. Même Lycaon regardait avec appréhension la barrière ardente qui séparait maintenant sa meute des demi-dieux.

– Ah, c'est pas du jeu, grogna l'entraîneur. J'peux pas les frapper s'ils restent là-bas.

Chaque fois qu'un loup tentait de se rapprocher, Léo faisait déferler une nouvelle vague de feu d'entre ses mains, mais l'effort répété semblait l'affaiblir et au bout de quelques instants, le rempart de flammes commença à baisser.

– Je ne peux plus faire d'essence ! s'écria-t-il. Et il faut quelques minutes pour recharger la ceinture à outils. Qu'est-ce que t'as, mec ?

– Rien, dit Jason. Même pas une arme qui marche.

– Et la foudre ? demanda Piper.

Jason se concentra, mais il ne se passa rien.

– Je crois que la tempête de neige fait barrage, dit-il.

– Libère les *venti* ! cria Piper.

– Mais on n'aura plus rien à donner à Éole, objecta Jason. On sera venus jusqu'ici pour rien.

Lycaon rit à nouveau.

– Je sens votre peur, jeunes héros. Vous n'avez plus que quelques minutes à vivre. Priez vos dieux, si vous voulez. Zeus n'a eu aucune pitié pour moi, alors ne comptez pas sur la mienne.

Les flammes s'éteignaient déjà. Jason lâcha son épée en étouffant un juron, puis s'accroupit en position de corps à corps. Léo sortit son marteau. Piper brandit son poignard ; ce n'était pas grand-chose, mais c'était tout ce qu'elle avait. Quant à Hedge, il secoua son gourdin avec vigueur – c'était le seul du groupe qui avait l'air emballé par la perspective de mourir.

À ce moment-là, un chuintement déchira l'air, assez aigu pour trancher sur les hurlements du vent. Une longue tige se planta dans le cou de la bête la plus proche – la hampe d'une flèche en argent. Le loup se tordit et s'écroula au sol, où il se liquéfia en flaque d'ombre.

Une volée de projectiles s'abattit, fauchant plusieurs autres loups. La panique s'empara de la meute. Une flèche fusa vers Lycaon, mais le roi-loup l'intercepta en plein vol. Et poussa aussitôt un cri de douleur. Lorsqu'il rouvrit la main et lâcha la flèche, une estafilade barrait sa paume et la chair meurtrie fumait. Il fut alors atteint à l'épaule, et tituba.

– Maudites soient-elles ! cria Lycaon. (Il adressa quelques grognements à ses loups, qui tournèrent la queue et disparurent en courant dans l'obscurité. Le roi-loup fixa Jason de ses yeux rougeoyants.) On se reverra, petit.

Quelques secondes plus tard, Piper entendit d'autres bêtes hurler, mais le son était différent : moins menaçant, il évoquait les aboiements de chiens de chasse sur une piste. Un loup blanc, plus petit que les visiteurs précédents, entra brusquement dans la grotte, suivi de deux autres.

– On le tue ? fit Hedge.

– Non ! dit Piper. On attend.

Les loups inclinèrent la tête et posèrent de grands yeux dorés sur les demi-dieux et le satyre.

Une seconde plus tard, leurs maîtres firent leur entrée : un groupe d'une bonne demi-douzaine de chasseurs en treillis d'hiver gris et blanc. Tous étaient armés d'un arc, un carquois de flèches argentées sur le dos.

Leurs visages étaient cachés par les capuches de leurs parkas, mais il ne faisait aucun doute que c'étaient toutes des filles. L'une d'elles, un peu plus grande que les autres, s'accroupit à la lumière du feu de camp et ramassa la flèche qui avait blessé Lycaon à la main.

– Si près du but ! (Elle se tourna vers ses camarades.) Phoebe, reste avec moi. Vous autres, suivez Lycaon. On ne peut pas se permettre de le perdre. Je vous rattraperai.

Les Chasseresses murmurèrent leur assentiment et partirent dans la nuit, sur les traces de la meute de Lycaon.

La chef de la bande se tourna vers eux, le visage toujours caché par sa capuche.

– Nous suivons la piste de ce démon depuis plus d'une semaine. Tout le monde va bien ? Personne ne s'est fait mordre ?

Jason, immobile, regardait fixement la fille. Piper se rendit compte que sa voix lui semblait familière. C'était dans sa façon de parler, de prononcer les mots... un je-ne-sais-quoi qui lui rappelait Jason.

– C'est toi, devina-t-elle. Tu es Thalia.

La fille se crispa. Piper craignit qu'elle bande son arc, mais elle se contenta de rabattre sa capuche. Elle avait les cheveux très noirs, hérissés en épis, et portait un diadème sur le front. Son visage irradiait la santé, comme si elle était un peu plus qu'humaine, et ses yeux étaient bleu acier. C'était la fille de la photo de Jason.

– Je te connais ? demanda Thalia.

Piper reprit son souffle.

– Ça va te faire un choc, mais...

– Thalia. (Jason s'avança, la voix tremblante.) Je suis Jason, ton frère.

35 LÉO

Léo estima qu'il devait être le plus malchanceux du groupe, ce qui n'était pas peu dire. Pourquoi ne pouvait-il pas avoir, lui, la sœur disparue de longue date ou le père star de cinéma qu'il fallait sauver ? Tout ce qu'il avait, c'était une ceinture à outils et un dragon qui avait volé en éclats au milieu de la quête. C'était peut-être à cause de cette fichue malédiction du bungalow d'Héphaïstos, mais Léo n'y croyait pas. Il avait déjà la poisse bien avant d'arriver à la colonie.

Dans mille ans, se dit-il, quand les gens raconteraient cette quête devant un feu de camp, ils parleraient du vaillant Jason, de la ravissante Piper, et de leur acolyte le pétillant Valdez, qui les accompagnait avec une trousse de tournevis magiques et préparait parfois des hamburgers au tofu.

Et si ça ne suffisait pas, Léo tombait amoureux de toutes les filles qu'il voyait – à condition qu'elles soient complètement hors de sa portée.

Au premier regard, Léo trouva que Thalia était beaucoup trop jolie pour être la sœur de Jason. Puis il songea qu'il avait intérêt à garder son opinion pour lui. Ses cheveux noirs, ses yeux bleus et son assurance lui plurent tout de suite. Elle avait l'air d'une fille qui pouvait battre n'importe qui sur le terrain de sport comme au champ de bataille, et qui n'accorderait pas une seconde d'attention à Léo – exactement son type !

Jason et Thalia restèrent une minute face à face, trop sonnés pour parler. Puis Thalia se jeta sur son frère et le serra dans ses bras.

– Par les dieux ! s'écria-t-elle. Elle m'avait dit que tu étais mort ! (Elle prit le visage de Jason à deux mains et se mit à l'examiner sous toutes les coutures.) Louée soit Artémis, c'est bien toi. Cette petite cicatrice sur la lèvre – tu as essayé de manger une agrafeuse à deux ans !

– Vraiment ? demanda Léo en riant.

Hedge hocha la tête comme s'il approuvait les goûts de Jason.

– Les agrafeuses, c'est une excellente source de fer.

– Attends attends, bafouilla Jason. Qui t'a dit que j'étais mort ? Qu'est-ce qui s'est passé ?

À l'orée de la grotte, un des loups blancs aboya. Thalia se tourna et lui fit signe de la tête, mais elle ne lâcha pas le visage de Jason, comme si elle avait peur qu'il disparaisse.

– Ma louve me dit que nous n'avons pas beaucoup de temps, et elle a raison, mais il faut qu'on se parle. Asseyons-nous.

Piper fit mieux que s'asseoir. Elle s'écroula. Sans Hedge, qui la rattrapa, elle se serait ouvert la tête contre le sol de pierre.

Thalia accourut.

– Qu'est-ce qu'elle a ? Ah... je vois. Hypothermie. Et la cheville. (Elle regarda le satyre en fronçant les sourcils.) Tu ne pratiques pas la guérison par la nature ?

Hedge fronça le nez.

– Pourquoi crois-tu qu'elle a si bonne mine ? Tu ne sens pas le Gatorade dans son haleine ?

Thalia regarda Léo pour la première fois, et bien sûr c'était un regard chargé de reproches – *Pourquoi as-tu laissé le bouc jouer au docteur ?* – comme si c'était la faute du jeune garçon.

– Le satyre et toi, ordonna Thalia, emmenez cette fille à mon amie, devant la grotte. Phoebe est une excellente guérisseuse.

– Mais il fait froid dehors ! protesta Hedge. Je vais me geler les cornes.

Léo, lui, avait bien compris qu'ils étaient de trop.

– Venez, Hedge, dit-il. Ces deux-là ont des choses à se dire.

– Mouais, d'accord, marmonna le satyre. J'ai même pas pu cogner.

Hedge prit Piper dans ses bras et se dirigea vers la sortie de la grotte. Léo allait les suivre quand Jason lui lança :

– Euh, en fait, mec, tu voudrais pas rester un peu ?

Léo lut dans les yeux de Jason une chose à laquelle il ne s'était pas attendu : son ami lui demandait de l'aide. Il avait peur et éprouvait le besoin d'une tierce présence à ses côtés.

Léo sourit.

– Pas de problème. J'aime bien tenir la chandelle.

Thalia n'eut pas l'air ravie, mais ils s'assirent tous les trois devant le feu. Pendant quelques minutes, tous se turent. Jason regardait sa sœur comme si c'était un engin dangereux, susceptible d'exploser à la première erreur de manipulation. Thalia, elle, semblait plus à l'aise ; peut-être avait-elle l'habitude de tomber sur plus étrange encore qu'un proche perdu de vue. Il n'empêche qu'elle dévisageait Jason dans une sorte de transe stupéfaite, se souvenant peut-être d'un petit de deux ans qui essayait de manger une agrafeuse. Léo sortit quelques bouts de fils de cuivre et se mit à les tordre. Au bout d'un moment, il ne supporta plus le silence.

– Alors, lança-t-il. Les Chasseresses d'Artémis... Cette histoire de ne pas avoir de copains, c'est, genre, tout le temps, ou c'est plutôt un truc saisonnier ?

Thalia le toisa comme s'il était juste un cran au-dessus de l'amibe dans l'échelle de l'évolution. Oh ouais, cette fille lui plaisait trop...

Jason lui donna un coup de pied dans le tibia.

– Fais pas attention à Léo, dit-il à Thalia. Il essaie juste de rompre la glace. Mais, Thalia... qu'est-ce qui est arrivé à notre famille ? Qui t'a dit que j'étais mort ?

La jeune fille se mit à jouer avec un bracelet en argent qu'elle portait au poignet. À la lumière des flammes, dans sa parka argent, elle avait quelque chose de Chioné, la princesse des neiges – le même type de beauté froide.

– Est-ce que tu te souviens de certaines choses ? demanda-t-elle.

Jason fit non la tête.

– De rien. Je me suis réveillé il y a trois jours dans un car avec Léo et Piper.

– Ce qui n'était pas notre faute, se hâta de préciser Léo. Héra lui a volé sa mémoire.

Thalia se crispa.

– Héra ? Comment le savez-vous ?

Jason lui fit le récit de leur quête en commençant par la prophétie à la colonie, sans omettre Héra qui était prisonnière, le géant qui avait enlevé le père de Piper et la date butoir du solstice d'hiver. Léo intervint pour ajouter des infos importantes, à savoir qu'il avait réparé le dragon de bronze, qu'il pouvait lancer des boules de feu et qu'il faisait d'excellents tacos.

Thalia savait écouter. Rien ne semblait l'étonner : les monstres, les prophéties, les morts qui se réveillent. Mais quand Jason évoqua le roi Midas, elle jura en grec ancien.

– Je savais qu'on aurait dû brûler sa maison, dit-elle. Cet homme est un danger. Mais on ne voulait pas perdre la piste de Lycaon. Heureusement, vous vous en êtes tirés vivants ! Alors Héra te cache depuis toutes ces années, ou quoi ?

– Je ne sais pas. (Jason sortit la photo de sa poche.) Elle m'a laissé juste assez de mémoire pour reconnaître ton visage.

Thalia y jeta un coup d'œil et son expression s'adoucit.

– J'avais oublié cette photo. Je l'ai laissée dans le bungalow un, c'est ça ?

Jason fit oui de la tête.

– Je crois qu'Héra voulait qu'on se rencontre, dit-il. Quand on s'est posés ici, devant cette grotte, j'ai eu le pressentiment que c'était important. Comme si je savais que tu n'étais pas loin. C'est fou, non ?

– Nan, le rassura Léo. On était complètement destinés à rencontrer ta sublime sœur.

Thalia l'ignora. Sans doute ne voulait-elle pas montrer à quel point Léo l'impressionnait.

– Jason, dit-elle, avec les dieux, rien n'est trop fou. Mais on ne peut pas faire confiance à Héra, surtout pas nous qui sommes des enfants de Zeus. Elle déteste tous ses enfants.

– Pourtant elle a dit que Zeus lui aurait offert ma vie en geste de paix. Tu y comprends quelque chose ?

Thalia blêmit.

– Oh, par les dieux. Maman n'aurait pas... Tu ne te souviens pas si... Non, bien sûr, tu ne peux pas.

– Quoi donc ?

À la lumière dansante des flammes, le visage de Thalia sembla vieillir, à croire que son immortalité n'était plus aussi efficace.

– Jason... je ne sais pas comment te le dire. Notre mère n'était pas quelqu'un de stable. Elle a attiré l'attention de Zeus parce qu'elle était actrice pour la télévision et c'était effectivement une très belle femme, mais elle ne savait pas gérer le succès. Elle buvait, elle faisait des excès. On parlait tout le temps d'elle dans la presse *people*. Il fallait qu'elle se fasse remarquer, c'était un besoin viscéral chez elle. Avant même ta naissance, elle et moi, on se disputait sans arrêt. Elle... elle savait que papa était Zeus, et je crois que ça lui était monté à la tête. Avoir séduit le seigneur du Ciel... c'était l'exploit ultime, pour elle, alors quand il est parti, elle l'a très mal vécu. Le problème, avec les dieux, c'est qu'ils ne restent pas.

Léo repensa à sa mère, qui lui répétait si souvent que son père reviendrait un jour. Elle n'exprimait jamais de ressentiment. Elle ne semblait pas vouloir Héphaïstos pour elle, mais juste pour que Léo connaisse son père. Elle avait un boulot qui ne lui offrait aucune possibilité d'évolution, un appartement minuscule et d'interminables problèmes d'argent, pourtant elle acceptait tout cela. Tant qu'elle avait Léo, disait-elle, la vie était belle.

Il observa le visage de Jason – de plus en plus défait, à mesure que Thalia décrivait leur mère – et, pour une fois, il n'éprouva aucune jalousie envers son ami. Léo avait peut-être perdu sa mère, il avait peut-être vécu des moments difficiles, il n'empêche qu'il se souvenait d'elle. Il se surprit à tapoter un message en morse sur son genou : *Je t'aime.* Il eut de la peine pour Jason qui n'avait aucun souvenir semblable auquel se raccrocher.

– Est-ce que..., dit Jason, sans parvenir à finir sa question.

– Jason, tu as des amis, intervint alors Léo. Et maintenant tu as une sœur. Tu n'es pas seul.

Thalia tendit la main et Jason l'attrapa.

– Je devais avoir sept ans, reprit-elle, quand Zeus refit surface. Je crois qu'il avait des remords d'avoir bousillé la vie de maman, et il paraissait un peu différent. Plus âgé, si tu veux, plus sérieux. Et plus paternel envers moi. Au début, maman s'améliora. Elle adorait quand il venait à la maison, il lui apportait des cadeaux, faisait gronder le ciel pour elle, lui accordait toute son attention. Et elle en voulait toujours plus. C'est l'année où tu es né. Maman... ben, je ne me suis jamais entendue avec elle, mais tu m'as donné une raison de rester. Tu étais tellement mignon ! Et je ne faisais pas confiance à maman pour s'occuper de toi. Bien sûr, au bout d'un moment, Zeus a de nouveau cessé de venir. Il en avait sans doute marre des exigences de notre mère, qui avait toujours un truc à réclamer – qu'il l'emmène à l'Olympe, qu'il la rende immortelle, qu'il lui donne la beauté éternelle. Quand il est parti pour de bon, maman est devenue de plus en plus instable. C'est vers cette époque que les monstres ont commencé à m'attaquer. Maman disait que c'était la faute d'Héra. Elle prétendait que la déesse en avait contre toi, aussi – qu'Héra avait à peine toléré ma naissance, et que deux enfants demi-dieux dans la même famille constituait un trop grand affront. Maman disait même qu'elle ne voulait pas t'appeler Jason mais que Zeus avait insisté, pour calmer Héra qui aimait ce nom-là. Je ne savais pas quoi croire.

Léo jouait avec ses fils de cuivre. Il se sentait en trop. Il n'aurait pas dû être là, à écouter tout cela, en même temps il avait l'impression de découvrir pour la première fois qui était Jason – comme si sa présence ici et maintenant compensait les trois mois d'amitié imaginée à l'École du Monde Sauvage.

– Comment avez-vous été séparés, tous les deux ? demanda Léo.

Thalia serra fort la main de son frère.

– Si j'avais su que tu étais vivant... par les dieux, ça aurait tout changé. Quand tu avais deux ans, maman nous a fait monter dans la voiture en disant qu'on partait en vacances. On habitait en Californie. On est allés vers la région des vins, à un parc national qu'elle voulait nous montrer. Je me souviens de m'être dit que c'était bizarre parce qu'elle ne nous emmenait jamais nulle part, et qu'elle avait l'air hyper-stressée. Je te tenais par la main, on marchait vers un grand bâtiment au milieu du parc et... (Thalia laissa échapper un soupir.) Maman m'a dit de retourner à la voiture chercher le panier de pique-nique. Je ne voulais pas te laisser seul avec elle, mais c'était pour quelques minutes seulement. Quand je suis revenue... Maman était accroupie sur les marches en pierre, en larmes et toute recroquevillée. Elle a dit... elle a dit que tu étais parti. Qu'Héra t'avait réclamé et que c'était comme si tu étais mort. Je ne savais pas ce qu'elle avait fait. J'avais peur qu'elle ait complètement perdu la tête. Je me suis mise à courir et à te chercher partout, mais tu avais disparu. Elle a dû me traîner de force pour rentrer, je hurlais et donnais des coups de pied. Les jours suivants, j'étais hystérique. Je ne me souviens pas de tout, mais je sais que j'ai appelé la police et que maman a été longuement interrogée. Après, on s'est disputées. Elle m'a dit que je l'avais trahie, que je devais la soutenir, au contraire, comme s'il n'y avait qu'elle qui comptait. Au bout d'un moment, je ne l'ai plus supportée. Ta disparition, ça a été la goutte d'eau qui fait déborder le vase. J'ai fugué de la maison et ne suis jamais revenue, même quand maman est morte, il y a quelques années. Je pensais que tu avais disparu pour toujours. Je n'ai jamais parlé de toi à personne – pas même à Annabeth et Luke, mes deux meilleurs amis. C'était trop douloureux.

– Chiron savait, dit Jason d'une voix lointaine. Quand je suis arrivé à la colonie, il m'a jeté un seul coup d'œil et m'a dit : « Tu devrais être mort. »

– C'est impossible, insista Thalia. Je ne lui en ai jamais parlé.

– Hé, intervint Léo, ce qui compte, c'est que vous vous soyez retrouvés, non ? Vous avez de la chance !

Thalia hocha la tête.

– Léo a raison. Regarde-toi. Tu as mon âge ! Tu as grandi.

– Mais j'étais où ? Comment ai-je pu disparaître tout ce temps ? Et tous les trucs romains...

– Les trucs romains ? demanda Thalia en fronçant les sourcils.

– Ton frère parle latin, expliqua Léo. Il appelle les dieux par leurs noms romains et a des tatouages.

Léo pointa du doigt les marques qu'avait Jason sur l'avant-bras. Puis il mit Thalia au courant de tous les autres faits bizarres qui s'étaient produits : Borée qui s'était changé en Aquilon, Lycaon qui avait traité Jason de « Fils de Rome », et les loups qui avaient reculé quand Jason leur avait parlé en latin.

Thalia se mit à tirer sur la corde de son arc.

– Du latin. Zeus parlait de temps en temps en latin, la seconde fois qu'il a vécu avec maman. Comme je disais, il était différent, plus solennel.

– Tu penses qu'il était dans son avatar romain ? demanda Jason. Que c'est pour ça que je me considère comme un enfant de Jupiter ?

– Peut-être, dit Thalia. Je n'ai jamais entendu parler d'une chose pareille, mais ça expliquerait que tu penses selon des idées romaines et que tu parles latin, au lieu du grec ancien. Ça ferait de toi un cas unique. Il n'empêche, ça n'explique pas comment tu as pu survivre sans la Colonie des Sang-Mêlé. Que tu sois fils de Zeus ou de Jupiter, les monstres ont dû te pourchasser. Si tu étais seul, tu serais déjà mort depuis des années. Je sais que moi, je n'aurais jamais survécu sans mes amis. Il t'a bien fallu un entraînement, un abri sûr...

– Il n'était pas seul, coupa brusquement Léo. On a entendu parler d'autres gars comme lui.

Thalia le dévisagea avec curiosité.

– Qu'est-ce que tu veux dire par là ?

Léo lui parla du tee-shirt violet tailladé, au grand magasin de Médée, ainsi que du Cyclope qui se vantait d'avoir dévoré un fils de Mercure parlant latin.

– Il n'y a pas d'autre lieu pour les demi-dieux ? demanda Léo. Je veux dire, en dehors de la Colonie des Sang-Mêlé ? Peut-être qu'il y a un prof de latin détraqué qui kidnappe des enfants de dieux et les élève comme des Romains, qui sait ?

À peine Léo eut-il terminé sa phrase qu'il se rendit compte de la bêtise de son idée. Thalia le scruta de son regard bleu acier et il eut l'impression d'être un suspect soumis à une séance d'identification.

– J'ai parcouru le pays en long et en large, reprit Thalia d'un ton songeur. Je n'ai jamais vu aucun signe d'un prof de latin détraqué ou de demi-dieux en tee-shirts violets. Cela étant...

Elle laissa la phrase en suspens, comme si une pensée troublante venait de germer dans son esprit.

– Qu'est-ce qu'il y a ? demanda Jason.

Thalia secoua la tête.

– Il faudra que j'en parle à la déesse. Peut-être qu'Artémis nous guidera.

– Elle vous parle encore ? s'enquit Jason. La plupart des dieux se taisent.

– Artémis obéit à ses propres règles, dit Thalia. Elle doit veiller à ce que Zeus n'en sache rien, mais elle trouve que c'est ridicule de fermer l'Olympe. C'est elle qui nous a mises sur la piste de Lycaon. Elle a dit que nous trouverions des traces d'un ami à nous qui a disparu.

– Percy Jackson, devina Léo. Le gars que cherche Annabeth.

Thalia hocha la tête. L'inquiétude se lisait sur son visage.

Léo se demanda si quelqu'un avait jamais eu l'air aussi inquiet, les nombreuses fois où il avait disparu. Il soupçonnait que non.

– Qu'est-ce que Lycaon a à voir là-dedans ? demanda Léo. Et quel rapport avec nous ?

– C'est ce qu'il faudrait découvrir vite, admit Thalia. Si votre date butoir est demain, nous sommes en train de perdre du temps. Éole pourrait vous dire...

La louve blanche réapparut à l'entrée de la grotte et jappa avec insistance.

403

– Il faut que j'y aille. (Thalia se leva.) Sinon je vais perdre la piste des autres Chasseresses. Mais je vais d'abord vous conduire au palais d'Éole.

– Si tu peux pas, c'est pas grave, dit Jason, mais on sentait qu'il avait le cœur en berne.

– Oh, j't'en prie ! (Thalia sourit et l'aida à se lever.) Ça fait des années que je suis privée de mon frère, je crois que je peux te supporter encore quelques minutes. Allez, en route !

36 LÉO

L orsqu'il vit le traitement réservé à Hedge et à Piper, Léo en
 fut franchement révolté.

Il les avait imaginés se gelant les fesses dans la neige, or
Phoebe, la Chasseresse, avait dressé une sorte de tente militaire
argentée juste devant la grotte. Comment elle avait pu faire
aussi vite, Léo l'ignorait, mais à l'intérieur, un poêle à pétrole
maintenait une douce chaleur et plusieurs gros coussins moelleux tapissaient le sol. Piper semblait avoir repris des forces ;
elle portait maintenant une parka neuve, des gants et un pantalon de treillis semblable à ceux des Chasseresses. Avec Hedge
et Phoebe, tous confortablement installés, elle buvait du chocolat chaud.

– J'hallucine, s'indigna Léo. Nous on se caille dans la
grotte et vous, vous avez droit à la tente cinq étoiles ? Vite,
une crise d'hypothermie ! Je veux du chocolat chaud et une
parka !

Phoebe renifla.

– Pff, les garçons..., soupira-t-elle, comme si c'était là
l'insulte suprême.

– C'est bon, Phoebe, dit Thalia. Ils ont besoin de manteaux
plus chauds. Et je crois qu'on peut se fendre d'un peu de chocolat chaud.

Phoebe grogna, mais quelques instants plus tard, Léo et Jason avaient droit eux aussi à leurs tenues d'hiver argentées, étonnamment chaudes et légères. Quant au chocolat, il était top.

– À la bonne vôtre ! dit l'entraîneur, qui se mit à croquer allégrement sa tasse Thermos.

– Ça peut pas être bon pour tes intestins, commenta Léo.

Thalia tapota Piper dans le dos.

– Tu es en état de bouger ?

Piper hocha la tête.

– Oui, grâce à Phoebe. C'est très fort, votre art de la survie en milieu naturel. Je pourrais courir quinze kilomètres.

Thalia lança un clin d'œil à Jason.

– Elle me plaît, ta copine. C'est une dure, pour une fille d'Aphrodite.

– Hé, moi aussi, je pourrais courir quinze kilomètres, avança Léo. Je suis un vrai dur, pour un fils d'Héphaïstos. Allons-y !

Thalia, bien évidemment, l'ignora.

Il fallut très exactement six secondes à Phoebe pour lever le camp, à la grande stupéfaction de Léo. La tente se replia en un rectangle de la taille d'un paquet de chewing-gum. Léo aurait bien demandé les plans à Phoebe, mais ils n'avaient pas le temps.

Thalia partit en courant le long d'un sentier de chèvre à flanc de montagne, et Léo regretta vite d'avoir joué les machos, car les Chasseresses le distançaient sans peine.

L'entraîneur gambadait avec l'entrain d'un chamois, en les relançant exactement comme quand ils avaient course à pied, à l'École du Monde Sauvage.

– Allez, Valdez ! On accélère la cadence ! Allez, on chante !

Auprès de ma blonde, il fait bon...

– On ne chante pas, interrompit sèchement Thalia, et le silence tomba sur le groupe.

Léo ralentit pour se placer à côté de Jason, à l'arrière du groupe.

– Comment ça va, mec ?

L'expression de Jason en disait long : *Pas bien*.

– Thalia prend ça si calmement, dit-il. Comme s'il n'y avait rien d'extraordinaire à ce que je réapparaisse. Je ne sais pas ce que j'attendais, mais... elle n'est pas comme moi. Elle a l'air beaucoup plus équilibrée.

– Hé, elle ne lutte pas contre une amnésie, elle, fit remarquer Léo. Et elle a eu plus de temps que toi pour s'habituer à la vie de demi-dieu. Attends d'avoir combattu des monstres et parlé à des dieux pendant quelques années, et tu verras comme tu seras zen.

– Peut-être. Mais j'aimerais bien comprendre ce qui s'est passé quand j'avais deux ans, et pourquoi ma mère s'est débarrassée de moi. Thalia a fugué à cause de moi.

– De toute façon, quelle que soit l'histoire, tu n'y étais pour rien. Et ta sœur est plutôt sympa. Elle te ressemble beaucoup.

Jason garda le silence. Léo se demanda s'il avait trouvé les mots justes. Il voulait réconforter son ami, mais la psychologie, ce n'était pas du tout son rayon.

Ce qu'il aurait voulu, c'était farfouiller dans sa ceinture à outils et dégoter pile la bonne clé à molette pour réparer la mémoire de Jason, voire un petit marteau – donner un coup bien ciblé à la partie cabossée et remettre le tout en état de marche. Ce serait tellement plus facile que de tâcher d'aborder le problème avec des mots. « Je ne sais pas y faire avec les formes de vie organique. » Merci pour l'hérédité, papa.

Léo était tellement absorbé par ses pensées qu'il ne se rendit pas compte que les Chasseresses s'étaient arrêtées. Il rentra dans Thalia et faillit l'envoyer rouler dans la pente, et lui avec. Heureusement, la Chasseresse était agile. Elle les retint tous les deux, puis pointa du doigt vers le ciel.

– Ben ça, fit Léo d'une voix étranglée, c'est ce qu'on appelle un gros caillou.

Ils étaient tout près du sommet de Pikes Peak. Le monde, à leurs pieds, disparaissait sous une couverture de nuages blancs. L'air était si raréfié que Léo avait du mal à respirer. La nuit était tombée, mais la pleine lune brillait et les étoiles étincelaient. À perte de vue vers le nord et le sud, des sommets de montagne s'alignaient, perçant les nuages comme des îlots – ou comme des dents.

Cependant, le véritable spectacle était au-dessus de leurs têtes. À quelque quatre cents mètres de haut, une imposante île de roche violette luminescente flottait librement dans le ciel. Sa taille était difficile à estimer. *Au moins aussi grande qu'un stade de foot*, pensa Léo. Les côtés étaient constitués de falaises déchiquetées criblées de grottes, d'où s'échappait de temps à autre, avec un son de grandes orgues, une rafale de vent. Sur la partie supérieure du rocher, des murs de cuivre encerclaient une forteresse.

La seule chose qui rattachait Pikes Peak à l'îlot flottant était une étroite passerelle de glace qui luisait au clair de lune.

Léo se rendit alors compte que cette passerelle n'était pas véritablement en glace, dans la mesure où elle n'était pas ferme. Elle serpentait selon les changements de direction des vents – devenait floue, s'étirait, se transformait même parfois en ligne pointillée, comme le sillage de vapeur d'un avion.

– Sérieux, dit Léo, on va pas traverser ça ?

Thalia haussa les épaules.

– Je n'adore pas les sommets, je dois t'avouer. Mais si vous voulez aller à la forteresse d'Éole, il n'y a pas le choix.

– La forteresse est toujours là-haut ? demanda Piper. Comment font les gens pour ne pas la remarquer, pile au-dessus de Pikes Peak ?

– La Brume, expliqua Thalia. Cela dit, ils la remarquent, à leur façon. Il y a des jours où Pikes Peak a l'air violet. Les gens disent que c'est un effet de lumière, alors qu'en réalité c'est le palais d'Éole qui se reflète sur le flanc de la montagne.

– C'est énorme, dit Jason.

Thalia sourit.

– Tu devrais voir l'Olympe, petit frère.

– Tu es sérieuse ? Tu y es allée ?

Thalia grimaça comme si c'était un souvenir désagréable.

– On devrait traverser en deux groupes séparés, suggéra-t-elle en changeant de sujet. La passerelle est fragile.

– Très rassurant, dit Léo. Jason, tu ne peux pas nous emmener en volant ?

Thalia rit, puis sembla comprendre que Léo ne plaisantait pas.

– Attends... Jason, tu sais voler ?

L'intéressé tourna le regard vers la forteresse flottante.

– Oui, d'une certaine manière. Disons plutôt que je peux contrôler les vents. Mais ils sont forts, ici ; je ne suis pas sûr d'avoir envie de m'y risquer. Tu veux dire que toi, tu ne sais pas voler, Thalia ?

Une brève seconde, la Chasseresse eut l'air terrifiée. Puis elle se maîtrisa, mais Léo comprit qu'elle avait bien plus le vertige qu'elle ne souhaitait le montrer.

– Honnêtement, j'ai jamais essayé. Je crois qu'il vaudrait mieux s'en tenir à la passerelle.

Hedge tâta le chemin de vapeur de glace du bout du sabot, puis sauta dessus. Étonnamment, la passerelle supporta son poids.

– Fastoche ! s'écria-t-il. Je vais passer en premier. Viens avec moi, Piper, je vais t'aider.

– Non, c'est bon, commença celle-ci, mais le satyre l'attrapa par la main et l'entraîna.

Ils arrivèrent au milieu sans encombre. Thalia se tourna alors vers sa camarade.

– Phoebe, je ne vais pas m'attarder. Va rejoindre les autres et dis-leur que j'arrive.

– Tu es sûre ?

Phoebe toisa Léo et Jason d'un œil méfiant, comme s'ils allaient kidnapper sa chef ou lui infliger qui sait quelle avanie.

– Tout va bien, lui assura cette dernière.

Phoebe hocha la tête à contrecœur, puis dévala le sentier, les louves blanches à ses talons.

– Jason, Léo, dit alors Thalia. Mettez les pieds aux mêmes endroits que moi. Il n'y a pas de raison que ça casse.

– Avec moi, le pire est à craindre, marmonna Léo, qui suivit pourtant Thalia avec Jason.

À mi-chemin, les choses se gâtèrent et ce fut bien sûr la faute de Léo. Piper et Hedge, déjà parvenus sains et saufs sur le roc flottant, leur faisaient signe de la main pour les encourager à grimper, mais Léo se laissa embarquer dans ses divagations. Il pensait aux ponts ; il se disait que si c'était son palais, il aurait conçu quelque chose d'autrement plus stable que ce machin en vapeur de glace mouvante. Il réfléchissait à différents types de piles et tabliers de pont. Quand soudain une révélation le fit s'arrêter net.

– À quoi leur sert cette passerelle ? demanda-t-il.

– Léo, fit Thalia en fronçant les sourcils, c'est pas le bon endroit pour s'arrêter. Je ne comprends pas ta question.

– Ce sont des esprits des vents. Ils peuvent voler, nan ?

– Oui, mais ils ont parfois besoin d'être reliés au monde d'en dessous.

– Donc la passerelle n'est pas tout le temps là ?

Thalia fit non de la tête.

– Les esprits des vents n'aiment pas être ancrés à la terre, mais c'est parfois nécessaire. Comme maintenant. Ils savent que vous venez.

L'esprit de Léo s'emballa. Il était tellement excité qu'il sentait presque sa température corporelle monter. Il avait du mal à traduire sa pensée en paroles, pourtant il savait qu'il tenait quelque chose d'important.

– Léo, demanda Jason, à quoi tu penses ?

– Oh, par les dieux, avance ! s'écria Thalia. Regarde tes pieds !

Léo piétina un peu sur place et constata avec effroi que sa température était bel et bien en train de grimper, exactement comme cette fameuse fois, devant la table de pique-nique, sous le pacanier, où la colère l'avait submergé. À présent, c'était l'excitation qui causait la réaction. Son pantalon dégageait de la vapeur dans l'air froid. Ses chaussures fumaient, littéralement, et ça ne plaisait pas à la vapeur de glace : une flaque se formait autour de lui.

– Léo, arrête, l'avertit Jason. Tu vas faire fondre la passerelle !

– Je vais essayer, promit Léo. (Mais son corps s'échauffait tout seul, entraîné par la vitesse de sa réflexion.) Dis donc, Jason, dans ce rêve Héra t'a bien dit que tu étais un *pont* ?

– Léo, sérieusement, calme-toi, reprit Thalia. Je ne sais pas de quoi tu parles, mais là la passerelle...

– Non mais écoute, insista Léo. Si Jason est un pont, qu'est-ce qu'il relie ? Peut-être deux endroits différents qui ne s'accordent pas, normalement – comme le palais des airs et la

411

terre ferme. Il a bien fallu que tu sois quelque part, avant notre rencontre, non ? Et Héra dit que tu es un échange.

– Un échange. (Thalia écarquilla les yeux.) Oh, par les dieux...

– De quoi vous parlez, tous les deux ? demanda Jason, les sourcils froncés.

Thalia murmura des paroles qui ressemblaient à une prière.

– Je comprends maintenant pourquoi Artémis m'a envoyée ici. Elle m'a dit de traquer Lycaon et que je trouverais un indice pour Percy. C'est toi, l'indice, Jason. Artémis voulait qu'on se rencontre pour que je puisse entendre ton histoire.

– Je comprends pas, protesta Jason. J'ai pas d'histoire. Je ne me souviens de rien.

– Mais Léo a raison, dit Thalia. Tout est lié. Si seulement nous savions où...

Léo claqua des doigts.

– Jason, comment as-tu appelé cet endroit, dans ton rêve, la maison en ruine ? La Maison du Loup ?

Thalia manqua s'étrangler.

– La Maison du Loup ? Jason, pourquoi tu ne me l'as pas dit ? C'est là qu'ils ont enfermé Héra ?

– Tu sais où c'est ? demanda Jason.

Alors, la passerelle céda en son milieu. Léo aurait fait une chute mortelle, sans Jason qui le happa par sa parka et le hissa près de lui. Ils se mirent à courir tous les deux vers l'îlot suspendu et lorsqu'ils se retournèrent, Thalia était de l'autre côté d'une brèche de dix mètres de large. Et la glace continuait de fondre.

– Allez-y ! cria Thalia, tout en reculant sur la passerelle qui s'écroulait. Découvrez où le géant a enfermé le père de Piper et délivrez-le ! J'emmène les Chasseresses à la Maison du Loup, on tiendra jusqu'à ce que vous nous rejoigniez. On peut faire les deux !

– Mais où est la Maison du Loup ? cria Jason.

– Tu sais où elle est, p'tit frère ! – Thalia était si loin, maintenant, que le vent couvrait presque sa voix. Léo fut assez sûr, cependant, de l'entendre ajouter : « On se retrouve là-bas. C'est promis. »

Elle tourna les talons et couvrit les derniers mètres en courant.

Léo et Jason n'avaient pas le temps de traîner, eux non plus. Ils grimpèrent à toutes jambes, la vapeur de glace se liquéfiant à leurs pieds. À plusieurs reprises, Jason attrapa Léo et fit appel aux vents pour les maintenir tous les deux à hauteur, mais l'exercice relevait plus du saut à l'élastique que du vol.

Quand ils abordèrent l'îlot flottant, Piper et Hedge les hissèrent sur la terre ferme au moment même où la passerelle de vapeur achevait de se dissoudre. Haletants, ils reprirent leur souffle au pied d'un escalier taillé dans la falaise, qui menait à la forteresse.

Léo baissa les yeux. Le haut de Pikes Peak flottait sous eux dans une mer de nuages, mais nulle trace de Thalia. Et Léo venait de faire disparaître l'unique issue.

– Qu'est-ce qui s'est passé ? demanda Piper. Léo, pourquoi tu as les vêtements qui fument ?

– Je me suis un peu échauffé, bafouilla-t-il. Je suis désolé, Jason. Honnêtement, je...

– Pas de problème, répondit celui-ci, le visage pourtant sévère. Il nous reste moins de vingt-quatre heures pour sauver une déesse et le père de Piper. Allons trouver ce dieu des Vents.

37 JASON

En moins d'une heure, Jason avait retrouvé sa sœur et l'avait perdue. Tout en escaladant les marches de pierre, il tournait sans cesse la tête, mais Thalia avait disparu.

Elle avait beau lui avoir promis qu'ils se reverraient, Jason avait ses doutes. Elle s'était trouvé une nouvelle famille chez les Chasseresses, une nouvelle mère en Artémis. Elle paraissait tellement forte et épanouie comme ça que Jason se demandait si elle lui ferait vraiment une place dans sa vie. En plus, elle semblait déterminée à retrouver son ami Percy. Et lui-même, l'avait-elle cherché avec la même âpreté ?

C'est injuste, se dit-il. *Elle croyait que tu étais mort.*

Ce qu'elle lui avait appris sur leur mère lui était insupportable. C'était presque comme si Thalia lui avait refilé un bébé – un affreux bébé braillard – en lui disant : « Tiens, c'est à toi. Prends-le. » Il n'en voulait pas, de ce bébé. Il ne voulait pas le regarder, ne voulait pas le reconnaître. Il refusait de savoir qu'il avait une mère déséquilibrée qui s'était débarrassée de lui pour calmer la colère d'une déesse. Pas étonnant que Thalia ait fugué.

Alors il revit mentalement le bungalow de Zeus, à la Colonie des Sang-Mêlé : cette petite alcôve où Thalia avait placé son lit de camp pour échapper au lourd regard de la statue du dieu

414

du Ciel. Leur père n'était pas l'affaire du siècle, lui non plus. Jason comprenait qu'elle ait tiré un trait sur cette partie-là de sa vie également, mais il en avait quand même gros sur le cœur. Lui n'aurait pas cette chance. Il avait le bébé sur les bras – plus exactement, le sac en or qui renfermait les esprits des vents sur le dos. Plus ils approchaient du palais d'Éole, plus le sac tirait sur ses épaules. Les vents se débattaient, cognaient et se retournaient violemment.

Le seul qui semblait guilleret, c'était l'entraîneur. Hedge caracolait sur les marches, grimpait et redescendait sans cesse vers eux. « Allez, les p'tits cocos, plus qu'un millier de marches ! »

Léo et Piper respectaient le silence de Jason. Ils devaient sentir qu'il n'était pas d'humeur causante. Piper lui jetait de fréquents coups d'œil inquiets, comme si c'était lui qui avait failli mourir d'hypothermie et pas elle. Peut-être aussi qu'elle réfléchissait à l'idée de Thalia. Ils lui avaient répété ce qu'avait dit la Chasseresse sur la passerelle – qu'ils pouvaient sauver et son père, et Héra – mais Jason ne voyait pas très bien comment, et il se demandait si cette possibilité avait rendu espoir à Piper ou n'avait fait qu'augmenter son angoisse, au contraire.

Léo ne cessait de tapoter ses jambes pour vérifier que son pantalon ne prenait pas feu. Il ne fumait plus, mais l'incident de la passerelle avait sérieusement secoué Jason. Léo n'avait pas eu l'air de s'apercevoir qu'il avait de la fumée qui lui sortait par les oreilles et des flammèches dans les cheveux. Si Léo se prenait de combustion spontanée à chaque émotion forte, la vie allait être compliquée. Jason s'imagina au fast-food avec lui : « Je voudrais un cheeseburger – Ahhh ! Mon ami s'enflamme ! Vite, un seau d'eau ! »

Mais ce qui inquiétait surtout Jason, c'était ce qu'avait dit Léo. Il n'avait aucune envie d'être un pont, un échange ou quoi que ce soit d'autre. Il voulait juste savoir d'où il venait. Et

Thalia avait paru tellement troublée quand Léo avait fait allusion à la maison en ruine de son rêve, ce lieu qui serait, à ce qu'en disait Lupa la louve, le point de départ de Jason. D'où Thalia connaissait-elle cet endroit et pourquoi était-elle si convaincue que Jason pouvait le trouver ?

La réponse paraissait à portée de main. Pourtant, plus Jason tentait de s'en approcher, plus elle semblait se dérober, se rebeller comme les vents dans son sac à dos.

Ils atteignirent enfin le sommet de l'îlot. La forteresse et son parc étaient entièrement encerclés de murs de bronze, et Jason se demanda qui pourrait bien vouloir attaquer la place. Un portail de sept mètres de haut s'ouvrit sur une route de pierre violette et lisse qui menait à la citadelle principale, une rotonde blanche à colonnades de style grec. Cette dernière ressemblait beaucoup à un des monuments de Washington, à la différence près que son toit était hérissé d'antennes radio et de paraboles.

– C'est bizarre, commenta Piper.

– À croire qu'on reçoit pas le câble sur les îlots flottants, dit Léo. La vache, visez un peu le jardin !

La rotonde trônait au centre d'un cercle de quatre cents mètres de rayon. Ce parc était à la fois surprenant et effrayant. Il était divisé en quatre quartiers pareils à de grandes tranches de pizza, qui représentaient une saison chacune.

La part qui se trouvait à leur droite était une étendue couverte de glace, avec un lac gelé et des arbres nus. Des bonshommes de neige roulaient au sol, ballottés pas le vent, et Jason n'arrivait pas à voir s'ils étaient vivants ou juste décoratifs.

À leur gauche, il y avait un jardin d'automne aux teintes rouges et mordorées. Des tas de feuilles mortes se soulevaient pour former des silhouettes – de dieux, de gens, d'animaux –

qui se mettaient à courir l'une après l'autre, puis se dispersaient.

Plus loin, derrière la rotonde, Jason distingua deux autres secteurs. L'un, avec ses moutons faits de nuages cotonneux, évoquait un pâturage verdoyant. L'autre était un désert où des boules d'herbes sèches, roulant sur le sable, traçaient des motifs étranges qui ressemblaient à des lettres grecques, des visages souriants et même une immense pub : NE MANQUEZ PAS ÉOLE-SOIR !

– Un secteur pour chacun des quatre dieux du Vent, devina Jason. Les quatre points cardinaux.

– Ce pâturage a l'air fabuleux, dit Hedge en se léchant les babines. Ça vous ennuie, les gars, si...

– Vas-y ! s'empressa de dire Jason.

Il était soulagé, en fait, d'envoyer l'entraîneur voir ailleurs. Il serait sans doute assez difficile d'entrer dans les bonnes grâces d'Éole, sans ajouter Hedge agitant son gourdin aux cris de : « Vas-y ! Crève ! »

Tandis que le satyre partait attaquer le printemps, Jason, Léo et Piper descendirent la route qui menait aux marches du palais. Ils franchirent bientôt le grand portail et débouchèrent dans un vaste hall de marbre blanc décoré de bannières violettes : CHAÎNE DES CAPRICES DU CIEL, ou simplement CANAL CC.

– Bonjour !

Une femme flotta vers eux. Flotta littéralement. Elle avait ce type de beauté que Jason connaissait chez les esprits de la nature de la Colonie des Sang-Mêlé : menue, des oreilles légèrement pointues, le visage sans âge d'une femme pouvant avoir seize ans comme trente. Ses yeux bruns pétillaient de bonne humeur. Malgré l'absence de vent, ses cheveux foncés se soulevaient au ralenti, comme dans une pub pour shampoing, et sa robe blanche l'enveloppait d'une corolle souple

417

et mouvante ; Jason se demanda si elle avait des pieds – si oui, ils ne touchaient pas le sol. Elle tenait une tablette tactile blanche à la main.

– Êtes-vous envoyés par Zeus ? demanda-t-elle. Nous vous attendions.

Jason voulut répondre mais il eut du mal à se concentrer car il venait de s'apercevoir que la femme était transparente. Sa silhouette était évanescente, comme faite de brouillard.

– Êtes-vous un fantôme ? demanda-t-il.

Il se rendit compte immédiatement qu'il l'avait vexée. Le sourire se transforma en moue.

– Je suis une *aura*, monsieur. Une nymphe du vent, au service du seigneur des Vents, comme on pourrait s'y attendre. Je me nomme Mellie. Nous n'avons pas de fantômes, ici.

Piper vint à la rescousse de Jason.

– Non, bien sûr que non ! Mon ami vous a juste prise pour Hélène de Troie, la plus belle mortelle de tous les temps. On peut facilement s'y tromper.

Waouh, Piper était trop forte ! D'accord, elle n'y était pas allée avec le dos de la cuiller, mais Mellie l'*aura* rougit.

– Oh... oui, je comprends. Alors vous venez bien de la part de Zeus ?

– Euh, répondit Jason, je suis le fils de Zeus, oui.

– Excellent ! Par ici, je vous prie. (Elle leur fit franchir un jeu de portes de sécurité qui donnaient sur un autre hall, flottant dans l'air sans quitter sa tablette des yeux. Elle ne regardait pas où elle allait, mais ce n'était sans doute pas grave, puisqu'à un moment donné, elle traversa une colonne de marbre comme si de rien n'était.) Ça tombe bien, nous ne sommes pas en grande écoute, là, dit-elle alors d'un ton songeur. Je pourrais vous caser juste avant son flash de 11 h 12.

– Euh, d'accord, fit Jason.

418

Le hall était un drôle d'endroit. Des vents soufflaient par rafales tout autour d'eux, ce qui donnait à Jason l'impression d'être bousculé au sein d'une foule invisible. Des portes s'ouvraient et claquaient toutes seules.

Les choses que Jason pouvait voir étaient tout aussi bizarres. Des avions en papier de toutes les tailles et formes sillonnaient la pièce et d'autres nymphes du vent, des *aurai*, en cueillaient certains au vol, les dépliaient et les lisaient, puis les relâchaient dans l'air, où ils se repliaient et poursuivaient leur trajectoire.

Une créature hideuse passa à tir-d'aile. On aurait dit un croisement de vieille dame et de poulet. Elle avait le visage ratatiné et des cheveux noirs retenus par une résille, des bras d'être humain et des ailes de poule, un gros corps couvert de plumes terminé par des pattes griffues en guise de pieds. On se demandait comment elle arrivait à voler. Elle se cognait partout, comme un ballon géant dans un défilé de carnaval.

– Ce n'est pas une *aura* ? demanda Jason à Mellie quand la créature passa près d'eux.

– Non, c'est une harpie, bien sûr ! répondit-elle en riant. Nos, euh, horribles belles-sœurs, si vous voulez. Il n'y a pas de harpies à l'Olympe ? Ce sont les esprits de rafales violentes, contrairement à nous, les *aurai*, qui sommes toutes des brises légères.

Sur ce, elle gratifia Jason d'un battement de paupières.

– Certes, fit-il.

– Alors, intervint Piper, vous vouliez nous emmener voir Éole ?

Mellie les fit passer par une sorte de sas. Une lumière verte clignotait au-dessus de la porte intérieure.

– Nous avons quelques minutes avant le lancement, dit-elle avec entrain. Si nous entrons maintenant, il ne vous tuera sans doute pas. Venez !

38 JASON

J ason frôla le décrochement de mâchoire. Le centre de la forteresse d'Éole était immense, grand comme une cathédrale
et surmonté d'une coupole argentée. Du matériel télé flottait
dans l'air : des caméras, des projecteurs, des éléments de décor,
des plantes en pot. Et il n'y avait pas de plancher. Jason rattrapa
de justesse Léo, qui allait tomber dans le vide.

– Bon sang ! glapit ce dernier. Tu préviens, la prochaine
fois, Mellie !

Une immense fosse circulaire plongeait au cœur même de
la montagne. Elle ne devait pas faire loin d'un kilomètre de
profondeur et ses parois étaient criblées de grottes. Certains
de ces tunnels devaient mener directement au-dehors. Jason
se souvint des rafales de vent qu'ils avaient vues s'échapper
de l'îlot, quand ils étaient encore à Pikes Peak. D'autres
grottes étaient scellées par une matière brillante qui faisait
penser à du verre ou de la cire. La fosse entière grouillait de
harpies, d'*aurai* et d'avions en papier mais, pour quelqu'un
qui ne savait pas voler, la chute était aussi certaine que
longue et fatale.

– Oh, par les dieux ! s'exclama Mellie. Je suis vraiment désolée. (Elle extirpa un talkie-walkie des plis de sa robe et parla
dedans.) Allô la déco ? C'est Nuggets ? Salut Nuggets. On pour-

rait avoir un plancher dans le studio principal, s'il te plaît ?
Oui, en dur. Merci.

Quelques secondes plus tard, une armée de harpies surgit
du fond de la fosse : trois douzaines de dames-poules démo-
niaques, chargées de divers matériaux de construction. Elles se
mirent à marteler et à coller, à grands renforts de ruban adhésif toilé, ce qui n'était pas pour inspirer confiance à Jason. En
un rien de temps, elles fabriquèrent un plancher de fortune
qui traversait le gouffre en serpentant. C'était un assemblage
d'à peu près n'importe quoi : contreplaqué, blocs de marbre,
carrés de moquette, mottes de gazon.

– Ça ne peut pas être solide, dit Jason.

– Oh que si ! affirma Mellie. Les harpies sont de vraies pros !

Facile à dire pour elle, qui flottait sans toucher le sol... Jason
estima qu'il était celui qui avait le plus de chances de survivre,
vu son aptitude à voler. Il s'engagea le premier sur le sol qui,
à sa grande surprise, tint bon.

Piper l'agrippa par la main et le rejoignit.

– Si je tombe, dit-elle, rattrape-moi.

– Oui, bien sûr, répondit Jason, espérant qu'il ne rougissait pas.

Léo monta à son tour sur le plancher.

– Moi aussi, tu me rattrapes, Superman, dit-il. Mais je ne te
tiens pas par la main.

Mellie les emmena au milieu de la fosse, où flottait une
sphère pleine de moniteurs vidéo à écran plat, en suspension
autour d'une sorte de poste de contrôle central. Un homme
naviguait d'un écran à l'autre et lisait des avions-messages.

Il les ignora quand Mellie les fit entrer. Elle écarta un Sony
42 pouces et les conduisit dans le poste central. Léo émit un
long sifflement.

– Waouh. Il me faut une pièce comme ça.

Diverses émissions télévisées passaient sur les écrans flottants. Jason en reconnut certaines, des journaux d'informations pour la plupart, mais il y en avait aussi d'assez étranges : on y voyait des combats de gladiateurs, ou même des demi-dieux affrontant des monstres. C'étaient peut-être des films de fiction, mais ça ressemblait plus à de la télé-réalité.

Dans la partie la plus éloignée de la sphère, il y avait une toile de fond bleue et soyeuse, avec des caméras et des projecteurs qui flottaient devant.

L'homme parlait dans un téléphone à oreillette. Une télécommande dans chaque main, il pointait vers différents écrans, un peu au hasard semblait-il.

Il portait un costume qui ressemblait au ciel : bleu, mais parsemé de nuages changeants, tantôt clairs, tantôt sombres, qui se mouvaient dans la trame du tissu. Il paraissait la soixantaine et arborait une épaisse chevelure blanche, mais son visage était couvert d'une tonne de maquillage de scène et avait cet aspect lisse que donne la chirurgie esthétique – résultat, il ne faisait ni vraiment jeune ni vraiment vieux, juste bizarre, comme une poupée Ken après un bref passage au four à micro-ondes.

Son regard passait frénétiquement d'un écran à l'autre comme s'il essayait de tout absorber à la fois. Il marmonnait dans son téléphone en tordant la bouche. Soit il s'amusait, soit il était fou, soit les deux.

Mellie s'approcha de lui en flottant.

– Monsieur Éole, ces demi-dieux...

– Une seconde ! (Il leva une main pour la faire taire, puis pointa du doigt vers un des écrans.) Regardez !

C'était une émission sur les chasseurs d'orages, ces dingues avides de frissons qui traquent les tornades. Sous les yeux de Jason, une Jeep plongea dans un entonnoir nuageux et se trouva catapultée dans le ciel.

Éole poussa un cri de ravissement.

– C'est la Chaîne des Catastrophes. Les gens font ça exprès, pour le plaisir ! (Il se tourna vers Jason avec un sourire dément.) Incroyable, non ? Tenez, on va se le repasser.

– Euh, monsieur, dit Mellie, c'est Jason, le fils de...

– Oui, oui, je me souviens, la coupa Éole. Tu es revenu. Comment ça s'est passé ?

Jason hésita, perplexe.

– Désolé, monsieur, je crois que vous me prenez pour...

– Non, non. Tu es bien Jason Grace ? C'était quand, l'année dernière ? Tu étais en route pour aller combattre un monstre marin, si je ne me trompe.

– Je... je ne m'en souviens pas.

Éole éclata de rire.

– Il devait pas être fameux, ce démon marin ! Non, moi je me souviens de tous les héros qui viennent me demander de l'aide. Ulysse – par les dieux, il est resté un mois entier ancré à mon île ! Toi, au moins, tu n'étais resté que quelques jours. Bon, regarde ce clip. Les canards se font aspirer dans...

– Monsieur ! intervint Mellie. L'antenne dans deux minutes !

– Ah ! s'exclama Éole. J'adore être à l'antenne ! Je suis comment ? Maquillage !

Aussitôt, une petite tornade de pinceaux et de boules de coton descendit sur lui. Ils l'enveloppèrent d'un nuage de fumée couleur chair, lui donnant une mine encore plus abominable qu'avant. Une brise s'engouffra dans ses cheveux et les dressa sur sa tête comme des branches de sapin de Noël givré.

– Monsieur Éole. (Jason fit glisser le sac à dos de ses épaules.) Nous vous avons apporté ces esprits de la tempête rebelles.

– Vraiment ! (Le dieu regarda le sac avec la réticence d'une star pour le cadeau d'un fan.) Eh bien, c'est très gentil.

Léo donna un coup de coude à Jason, qui tendit le sac.

423

– C'est Borée qui nous a dit de les capturer pour vous. Nous espérons que vous les accepterez et cesserez, vous savez, de faire tuer les demi-dieux.

Éole rit et adressa un regard incrédule à Mellie.

– Faire tuer les demi-dieux ? Moi, j'ai donné des ordres dans ce sens ?

Mellie chercha sur sa tablette.

– Oui, monsieur, dit-elle. Le 15 septembre. « Esprits de la tempête libérés par la mort de Typhon, les demi-dieux sont tenus pour responsables, » etc. oui, un ordre général de les tuer tous.

– Fichtre, lança Éole. J'étais de mauvaise humeur. Annule cet ordre, Mellie et, euh, qui est de garde, c'est Teriyaki ? Teri, emmène ces esprits de la tempête à la cellule 14^E, tu veux ?

Une harpie surgit de nulle part, cueillit le sac doré et s'enfonça en vrille dans le gouffre.

Éole sourit à Jason.

– Désolé pour cette histoire de tir à vue. Par les dieux, je devais être vraiment fâché. (Son visage s'assombrit brusquement et son costume aussi ; des éclairs de foudre sillonnèrent les revers de sa veste.) Tu sais... je m'en souviens. C'était presque comme si une voix me dictait de donner cet ordre. Un frisson glacé le long de ma nuque.

Jason se crispa. Un frisson glacé le long de sa nuque... Il avait l'impression que ça lui rappelait quelque chose, mais quoi ?

– Une... une voix dans votre tête, monsieur ? demanda-t-il.

– Oui. Très étrange. Mellie, on ne devrait pas les tuer ?

– Non monsieur, objecta patiemment celle-ci. Ils viennent de nous apporter les esprits de la tempête, donc tout est rentré dans l'ordre.

– Bien sûr. (Éole rit.) Désolé. Mellie, envoyons quelque chose de sympa à tous les demi-dieux. Un ballotin de chocolats, peut-être.

– Un ballotin de chocolats pour chaque demi-dieu au monde, monsieur ?

– Non, c'est trop cher. Tant pis. Attends, c'est l'heure ! Je suis à l'antenne !

Éole vola vers l'écran bleu tandis que la musique du bulletin météo commençait.

Jason jeta un coup d'œil à Piper et à Léo, qui avaient l'air aussi désarçonnés que lui.

– Mellie, demanda-t-il, est-ce qu'il est toujours comme ça ?

Elle sourit, l'air un peu confuse.

– Ben, vous savez ce qu'on dit. Si son humeur ne te convient pas, attends cinq minutes. Tu connais l'expression « une vraie girouette » ? Quelqu'un qui change d'avis aussi vite que le vent... et lui, c'est le roi des Vents.

– Cette histoire de monstre marin..., reprit Jason. M'avez-vous déjà vu ici ?

Mellie rougit.

– Excuse-moi, je ne m'en souviens pas. Je suis la nouvelle assistante de M. Éole. J'ai plus d'ancienneté que mes prédécesseurs, mais ça ne fait quand même pas très longtemps.

– Combien de temps tiennent ses assistantes, d'habitude ? demanda Piper.

– Oh... (Mellie réfléchit quelques instants.) Disons que moi, je suis en poste depuis une douzaine d'heures.

Une voix tonna dans les haut-parleurs flottants.

– Et maintenant, la météo des douze minutes ! Avec Éole votre météorologue de Canal CC, la Chaîne des Caprices du Ciel !

Des projecteurs se braquèrent sur Éole, debout devant l'écran bleu. Son sourire était d'une blancheur artificielle et il avait l'air d'avoir absorbé tellement de café que son visage allait exploser.

– Bonjour l'Olympe ! Ici Éole, maître des Vents, pour le point météo des douze minutes ! Aujourd'hui, un système dépressionnaire va gagner la Floride, des températures plus douces sont donc à prévoir car Déméter veut épargner les cultivateurs d'agrumes ! (Il fit un geste vers l'écran bleu, mais lorsque Jason regarda les moniteurs télé, il vit qu'une image numérique était projetée derrière Éole : une carte des États-Unis animée de petits soleils souriants et de nuages renfrognés.) Sur la côte Est... euh, une seconde. (Il tapota son oreillette.) Désolé, les gars ! Poséidon en veut à Miami, aujourd'hui, donc le coup de gel va persister sur la Floride ! Désolé, Déméter. Dans le Midwest, je ne sais pas ce que Saint Louis a fait pour offenser Zeus, mais des tempêtes hivernales sont à prévoir ! Borée en personne est dépêché pour punir la région. Mauvaises nouvelles, Missouri ! Non, attendez. Héphaïstos a de la peine pour le centre du Missouri, donc vous bénéficierez tous de températures bien plus modérées et d'un ciel ensoleillé.

Éole poursuivit dans cette veine, annonçant la météo de toutes les régions du pays en changeant ses prédictions à deux ou trois reprises selon les messages qu'il recevait dans son oreillette – les dieux, apparemment, passaient commande des vents et du temps qu'ils souhaitaient voir.

– Ce n'est pas possible, murmura Jason. Le temps n'est pas aussi aléatoire.

Mellie ricana.

– Tu trouves que les météorologues humains ont souvent raison, peut-être ? Ils parlent de fronts, de dépressions et d'humidité, mais le temps les surprend à tous les coups. Éole, au moins, nous explique pourquoi il est imprévisible. C'est très, très dur d'essayer de concilier tous les dieux. Y a de quoi rendre n'importe qui complètement...

Elle laissa sa phrase en suspens, mais Jason avait compris. *Dingue.* Éole était complètement dingue.

426

– C'était le point météo des douze minutes, conclut le dieu. On se retrouve dans douze minutes, et je vous promets du nouveau !

Les projos s'éteignirent, les moniteurs reprirent leurs diffusions suspendues et, un bref instant, le visage d'Éole se défit, marqué par la fatigue. Puis il se rappela qu'il avait de la visite et raccrocha son sourire.

– Alors comme ça, vous m'avez apporté des esprits de la tempête rebelles ? dit-il. Ben... merci, hein ! Et vous vouliez autre chose ? J'imagine que oui. Les demi-dieux ont toujours un truc à demander.

– Monsieur, dit Mellie, c'est le fils de Zeus.

– Oui, oui, je sais. J'ai déjà dit que je me souvenais de sa dernière visite.

– Mais, monsieur, ils sont envoyés par *l'Olympe*.

Éole parut sidéré. Puis il partit d'un rire si tonitruant que Jason sauta en l'air et faillit tomber dans le gouffre.

– Tu veux dire que tu viens au nom de ton père, cette fois-ci ? Enfin ! Je savais bien qu'ils enverraient quelqu'un renégocier mon contrat !

– Euh, pardon ? fit Jason.

– Loué soit le ciel ! s'écria Éole, qui poussa un soupir de soulagement. Ça fait, quoi, trois mille ans que Zeus m'a nommé maître des Vents. Je ne suis pas ingrat, bien sûr ! Mais mon contrat est tellement vague. Je suis immortel, ça c'est sûr. Maintenant, « maître des Vents », qu'est-ce que ça veut dire ? Suis-je un esprit de la nature ? Un demi-dieu ? Un dieu ? Je voudrais être le dieu des Vents, parce que ça donne droit à de bien meilleures prestations sociales. Est-ce qu'on pourrait commencer par là ?

Jason regarda ses amis, sidéré.

– Vous vous imaginez qu'on est venus vous annoncer une promotion ? demanda Léo.

427

– Alors c'est bien ça ! (Éole sourit jusqu'aux oreilles. Son costume vira au bleu limpide, sans le moindre nuage dans la trame.) Merveilleux ! Enfin, je crois que j'ai pris quelques belles initiatives pour Canal CC, n'est-ce pas ? Et bien sûr, la presse parle de moi tout le temps. Sans compter tous les livres que j'ai inspirés : *Autant en emporte le vent* ; *Du vent dans les branches de Sassafras* ; *Vent d'Est, Vent d'Ouest*...

– Euh, je ne crois pas que ces romans parlent de vous, interrompit Jason, sans remarquer Mellie qui secouait furieusement la tête.

– N'importe quoi ! s'écria Éole. Hein, Mellie, que ce sont tous des biographies de moi ?

– Tout à fait, monsieur, couina-t-elle.

– Là, tu vois bien ? Je lis pas, moi. J'ai pas le temps ! Mais il est clair que les mortels m'adorent. Donc, nous allons changer mon titre officiel en *dieu* des Vents. Ensuite, pour ce qui est de mon salaire et de mon équipe...

– Monsieur, le coupa Jason, nous ne sommes pas des émissaires de l'Olympe.

Éole cilla.

– Mais alors...

– Je suis le fils de Zeus, effectivement, mais nous ne sommes pas venus pour renégocier votre contrat. Nous menons une quête et avons besoin de votre aide.

Le visage d'Éole se durcit.

– Comme la fois dernière ? Comme tous les héros qui viennent ici ? Vous autres demi-dieux ! Vous ne pensez qu'à vous, hein ?

– Monsieur, je vous prie, je ne me souviens pas de la dernière fois, mais si vous m'avez déjà aidé...

– Je passe mon temps à aider ! Bon, des fois je saccage, aussi, mais la plupart du temps, j'aide, et quelquefois on me demande de faire les deux à la fois ! Tiens, Énée, le premier de ton espèce...

– Mon espèce ? demanda Jason. Vous voulez dire les demi-dieux ?

– Oh, je t'en prie ! Tu sais bien que je veux dire ta *lignée* de demi-dieux. Énée, fils de Vénus, unique survivant de Troie. Quand les Grecs brûlèrent sa ville, il se réfugia en Italie et fonda le royaume qui allait devenir Rome, patati, patata. C'est ça que je veux dire.

– Je ne pige pas, avoua Jason.

Éole leva les yeux au ciel.

– Ce qu'il y a, c'est que je me suis retrouvé au beau milieu de ce conflit, moi aussi. Junon m'appelle : « Oh, Éole, détruis les navires d'Énée pour moi, tu veux. Je ne l'aime pas. » Alors Neptune dit : « Désolé, c'est mon territoire ! Calme tes vents. » Et puis Junon revient à la charge : « Non, tu coules ses navires ou je dirai à Jupiter que tu fais preuve de mauvaise volonté ! » Vous croyez que c'est commode de jongler avec des demandes pareilles ?

– Non, concéda Jason. J'imagine que non.

– Et ne me parlez pas d'Amelia Earhart ! Je reçois *encore* des appels furibards de l'Olympe pour l'avoir fait tomber du ciel !

– Nous voulons juste un renseignement, dit Piper de sa voix la plus lénifiante. On nous a dit que vous étiez au courant de tout.

Éole rajusta ses revers de veste, l'air un peu moins remonté.

– Eh bien... c'est exact, évidemment. Par exemple, je sais que votre affaire, là (Il agita les doigts dans leur direction) ce plan insensé de Junon de vous rassembler tous les trois, ça risque fort de finir en bain de sang. Quant à toi, Piper McLean, je sais que ton père a de sérieux ennuis.

Il tendit la main et un bout de papier vint se placer entre ses doigts. C'était une photo de Piper avec un homme qui devait être son père. Son visage disait effectivement quelque chose à Jason. Il était presque sûr de l'avoir vu dans des films.

Piper prit la photo. Ses mains tremblaient.

– Il... il l'avait dans son portefeuille.

– Oui, dit Éole. Tout ce qui se perd dans le vent me parvient tôt ou tard. Cette photo s'est envolée quand il s'est fait capturer par l'ogre de terre.

– Le quoi ? demanda Piper.

Éole balaya la question d'un geste et se tourna vers Léo en plissant les yeux.

– Quant à toi, fils d'Héphaïstos... oui, je vois ton avenir.

Un autre papier tomba entre les mains du maître des Vents, un vieux dessin aux crayons de couleur tout abîmé.

Léo le prit comme s'il craignait qu'il soit enduit de poison, puis tituba.

– Léo, demanda Jason, qu'est-ce que c'est ?

– Un truc que... que j'ai dessiné quand j'étais môme. (Il le replia rapidement et le fourra dans sa poche.) C'est... nan, c'est rien.

Éole éclata de rire.

– Rien, vraiment ? Juste la clé de votre succès ! Alors, où en étions-nous ? Ah oui, vous vouliez un renseignement. En êtes-vous si sûrs ? Ça peut être dangereux d'en savoir trop.

Il sourit à Jason comme s'il lui lançait un défi. Derrière lui, Mellie secouait la tête pour les mettre en garde.

– Oui, répondit Jason. Nous voulons savoir où se trouve le repaire d'Encélade.

Le sourire d'Éole se figea.

– Le géant ? Non mais qu'est-ce qui vous prend ? Il est abominable ! Il ne regarde même pas mon bulletin !

Piper montra la photo.

– Il a capturé mon père, Éole. Nous devons le sauver puis trouver l'endroit où Héra est prisonnière.

– Alors ça c'est impossible, répliqua le dieu. Même moi, je n'arrive pas à le voir et croyez-moi, j'ai essayé. Il y a un voile de magie sur l'emplacement actuel d'Héra. Un voile très fort, impossible à percer.

– Elle est dans un lieu qui s'appelle la Maison du Loup, dit Jason.

– Un instant ! (Éole porta la main au front et ferma les yeux.) Je reçois quelque chose ! Oui, elle est dans un lieu qui s'appelle la Maison du Loup ! Malheureusement, je ne sais pas où c'est.

– Encélade le sait, insista Piper. Si vous nous aidez à le trouver, on pourrait lui faire dire où est ce lieu...

– Ouais, embraya Léo. Et si on la sauve, elle vous sera vraiment reconnaissante...

– Et Zeus pourrait vous donner une promotion, conclut Jason.

Éole leva les sourcils.

– Une promotion... et tout ce que vous voulez de moi, c'est que je vous dise où trouver le géant ?

– Ben, si vous pouviez nous y emmener, aussi, ce serait super, tenta Jason.

Mellie tapa des mains avec enthousiasme.

– Oh, il pourrait ! Il envoie souvent des vents favorables et...

– Mellie, tais-toi ! gronda Éole. Je suis tenté de te virer pour avoir laissé entrer ces gens-là sous un faux prétexte.

Elle blêmit.

– Oui, monsieur. Bien sûr, monsieur.

– Ce n'était pas sa faute, dit Jason. Mais pour ce coup de main...

Éole inclina la tête, l'air de réfléchir. Puis Jason se rendit compte que le seigneur des Vents écoutait des voix dans son oreillette.

– Eh bien, annonça-t-il, Zeus approuve. Il dit... il dit que ce serait mieux que tu attendes la fin du week-end pour la sauver parce qu'il a prévu une méga-fête... Oups ! C'est Aphrodite qui l'engueule et lui rappelle que le solstice commence à l'aube. Elle dit que je devrais vous aider. Et Héphaïstos... Oui. Hum. Très rare qu'ils soient d'accord. Attendez...

Jason sourit à ses amis. Enfin, ils avaient de la chance. Leurs parents divins prenaient leur parti.

Jason entendit un rot retentissant en provenance de l'entrée. Hedge fit son arrivée, le visage couvert d'herbe. Lorsqu'elle l'aperçut sur le plancher de fortune, Mellie retint son souffle, l'air admirative.

– Qui est-ce ?

– Lui, là ? (Jason faillit avaler de travers.) Ben c'est juste m'sieur Hedge. Euh, Gleeson Hedge. C'est notre... (Jason hésita : *entraîneur, ami, boulet ?*)... notre guide.

– Il a du bouc, dites donc, murmura-t-elle.

Derrière elle, Piper gonfla les joues et fit semblant de vomir.

– Quoi de neuf, les gars ? lança Hedge, qui les rejoignit en trottant. Waouh, c'est chouette, ici. Oh, des carrés de gazon !

– M'sieur, vous venez de manger, dit Jason. Et le gazon nous sert de sol. Je vous présente, euh, Mellie...

– Une *aura*, lança Hedge avec un sourire ravageur. Belle comme une brise d'été.

Mellie piqua un fard.

– Éole que voici allait nous aider, ajouta Jason.

– Il semblerait que oui, marmonna le seigneur des Vents. Vous trouverez Encélade au mont Diablo.

– La montagne du diable ? traduisit Léo. C'est sinistre.

– Je connais ! s'écria Piper. J'y suis allée une fois avec mon père. C'est juste à l'est de la baie de San Francisco.

– Encore la région de la baie ? (Hedge secoua la tête.) Mauvais, ça, mauvais.

– Maintenant, dit Éole en esquissant un sourire, pour ce qui est de votre transport...

Brusquement, son visage s'affaissa. Il se pencha et tapota son oreillette comme si elle fonctionnait mal. Lorsqu'il se redressa, il avait l'œil hagard. En dépit du maquillage, il avait l'air vieux – vieux et terrifié.

– Elle ne m'a pas adressé la parole depuis des siècles. Je ne peux pas... oui, oui, je comprends.

Il ravala sa salive et regarda Jason comme si ce dernier venait de se transformer en cloporte géant.

– Je suis désolé, fils de Jupiter, dit-il. J'ai de nouveaux ordres. Vous devez tous mourir.

– Mais, mais, mais, monsieur ! couina Mellie. Zeus a dit de les aider. Aphrodite, Héphaïstos...

– Mellie ! tança Éole. Tu es déjà sur un siège éjectable. Sache qu'il y a des ordres qui dépassent même les désirs des dieux, surtout quand les forces de la nature sont en jeu.

· Les ordres de qui ? dit Jason. Zeus vous licenciera si vous ne nous aidez pas !

– J'en doute.

Éole donna une secousse du poignet et, tout au fond de la fosse, la porte d'un cachot s'ouvrit. Jason entendit les esprits de la tempête s'en échapper en hurlant ; assoiffés de sang, ils se mirent à grimper en tourbillon vers eux.

– Même Zeus comprend l'ordre des choses, ajouta Éole. Et si elle s'éveille – par tous les dieux – nul ne saurait lui tenir tête. Au revoir, jeunes héros. Je suis franchement désolé, mais je vais devoir faire vite. Je repasse à l'antenne dans quatre minutes.

Jason déploya son épée. Hedge leva son gourdin. Et Mellie l'*aura* cria : « Non ! »

Elle plongea sous leurs pieds à l'instant même où les esprits de la tempête heurtaient le plancher avec la force d'un ouragan, le faisant voler en éclats – les débris de marbre et de lino auraient fait des projectiles meutriers, si Mellie n'avait pas déployé ses robes comme un bouclier.

Ils tombèrent tous les cinq dans l'abîme, sous les anathèmes d'Éole.

– Mellie, tu es virée sans indemnité !

– Vite ! cria cette dernière. Fils de Zeus, as-tu des pouvoirs sur l'air ?

– Un peu.

– Alors aide-moi, ou vous êtes tous morts !

Sur ce, Mellie empoigna la main de Jason, qui sentit une décharge électrique lui remonter jusqu'à l'épaule. Il comprit ce qu'elle voulait. Il fallait qu'ils contrôlent leur chute et se dirigent vers l'entrée d'un des tunnels. Les esprits de la tempête se lancèrent à leurs trousses, soufflant un nuage de shrapnel.

Jason attrapa Piper par la main et cria :

– Tous groupés !

Hedge, Léo et Piper se blottirent les uns contre les autres en se raccrochant tant bien que mal à Jason et Mellie.

– Ça CRAINT ! hurla Léo.

– Venez donc, sacs à prouts ! lança Hedge aux esprits de la tempête. Je vais vous écrabouiller !

– Il est grandiose, soupira Mellie.

– On se concentre ! lui rappela Jason.

– Oui, oui !

Ils canalisèrent le vent de façon à s'engouffrer dans le boyau le plus proche. Malgré leurs efforts, l'entrée dans le tunnel fut violente : ils tombèrent pêle-mêle, à toute vitesse, dans un conduit à la pente très raide qui n'était pas conçu pour des humains, et se mirent à dégringoler sans pouvoir s'arrêter.

La robe de Mellie se gonfla comme un parachute. Jason et les autres s'accrochèrent désespérément à l'*aura*, ce qui finit

par les ralentir un peu, mais les esprits de la tempête les talon-
naient en hurlant.

– Je ne vais plus tenir longtemps, avertit Mellie. Restez
groupés ! Quand les vents vous frapperont...

– Tu es formidable, Mellie, dit Hedge. Ma maman était une
aura, tu sais. Elle n'aurait pas fait mieux.

– Tu m'envoies un message-Iris ? suggéra-t-elle.

Hedge la gratifia d'un clin d'œil lourd de sous-entendus.

– Vous pouvez prendre rancard plus tard ? cria Piper.
Regardez !

Derrière eux, l'obscurité envahissait le tunnel. Jason sentit
ses tympans claquer à cause de la pression qui montait.

– Je ne peux pas les arrêter, dit Mellie, mais je vais essayer
de vous protéger, c'est le dernier service que je peux vous
rendre.

– Merci, répondit Jason. J'espère que tu vas vite trouver un
nouveau boulot.

L'*aura* sourit, puis elle se dissipa en une brise douce et tiède
quelles enveloppa. Quelques secondes plus tard, les vrais vents
les frappèrent de plein fouet et les expédièrent dans le ciel avec
une telle force que Jason s'évanouit.

39   PIPER

Piper rêva qu'elle était sur le toit du dortoir de l'École du Monde Sauvage.

Il faisait froid, la nuit dans le désert, mais elle avait apporté des couvertures et, avec Jason à ses côtés, elle n'avait pas besoin de davantage de chaleur.

L'air sentait la sauge et le charbon de mesquite. Les pics déchiquetés des Spring Mountains barraient l'horizon, et derrière eux se devinait le halo lumineux de Las Vegas.

Les étoiles étaient si brillantes que Piper eut peur qu'elles ne les empêchent de voir la pluie de météores. Elle ne voulait pas que Jason croie qu'elle l'avait fait monter sur le toit sous un faux prétexte (même si c'était totalement le cas.) Mais les météores tinrent leur promesse. Presque toutes les minutes, un trait de feu blanc, jaune ou bleu sillonnait le ciel. Piper était sûre que Papy Tom aurait eu un mythe cherokee à raconter, cependant, pour le moment, elle était occupée à créer sa propre histoire.

Jason lui prit la main – enfin ! – et montra du doigt deux météores dont les trajectoires se croisaient dans le ciel en traçant une croix.

– Quel truc de ouf ! Je comprends pas que Léo n'ait pas eu envie de voir ça.

436

– En fait, répondit Piper d'un ton désinvolte, je ne lui ai pas proposé.

Jason sourit.

– Ah non ?

– Hmm-hmm. T'as jamais l'impression que trois, ça ferait un de trop ?

– Si, admit Jason. Comme maintenant. Tu te rends compte des ennuis qu'on aurait si on se faisait piquer ?

– Oh, j'inventerais quelque chose. Je peux être très persuasive. Bon, alors tu veux danser ?

Il rit. Il avait des yeux incroyables, et un sourire encore plus craquant à la lumière des étoiles.

– Sans musique. Sur un toit. Ça m'a l'air dangereux.

– Je suis une fille dangereuse.

– Je veux bien te croire.

Il se leva et lui tendit la main. Ils esquissèrent quelques pas de slow, puis la danse se mua en baiser. Piper faillit ne pas pouvoir l'embrasser de nouveau, tant elle souriait.

Puis son rêve changea. À moins qu'elle ne soit morte et aux Enfers, car elle se retrouvait dans le grand magasin de Médée.

– Faites que ce soit un rêve, et pas mon châtiment éternel, murmura-t-elle.

– Non, ma chérie, pas de châtiment, dit une voix mélodieuse.

Piper tourna la tête, redoutant de voir Médée. Une femme bien différente se tenait à côté d'elle, devant le portant des robes soldées à cinquante pour cent.

Elle était superbe : des cheveux mi-longs, un cou gracieux, des traits parfaits, une silhouette époustouflante dans un jean et un chemisier blanc neige.

Piper avait vu un paquet d'actrices – des copines de son père, qui étaient toutes canon, mais cette femme était différente. Naturellement élégante, à la mode sans effort, ravissante sans maquillage. Après avoir vu Éole avec ses liftings et sa ridicule batterie de produits de beauté, elle trouvait cette femme encore plus étonnante. Il n'y avait rien d'artificiel en elle.

Pourtant, sous les yeux de Piper, l'aspect de la femme se modifia. La jeune fille n'aurait pu dire quelle était la couleur exacte de ses yeux, ni même de ses cheveux. La femme ne cessait d'embellir, comme si son image se pliait aux pensées de Piper pour se rapprocher le plus possible de son idéal de beauté.

– Aphrodite, dit Piper. Maman ?

La déesse sourit.

– Tu ne fais que rêver, ma douce. Si on te demande, tu ne m'as pas vue. D'accord ?

– Je...

Mille questions se bousculaient dans la tête de Piper.

Aphrodite retira une robe turquoise du portant. La jeune fille la trouvait superbe, mais la déesse fit la moue.

– Ce n'est pas ma couleur, hein ? Dommage, elle est mignonne. Médée a vraiment des trucs sympas, ici.

– Ce... cet immeuble a explosé, bafouilla Piper. Je l'ai vu.

– Oui, acquiesça Aphrodite. C'est sans doute pour ça que tout est soldé. Ce ne sont plus que des souvenirs, maintenant. Excuse-moi de t'avoir tirée de ton autre rêve. Tellement plus agréable, je sais.

Piper se sentit rougir. Elle était partagée entre la colère et l'embarras mais, surtout, elle était déçue. Cruellement déçue.

– Ce n'est pas réel, dit-elle. Ça ne s'est jamais produit. Alors pourquoi en ai-je des souvenirs aussi forts ?

Aphrodite sourit.

– Parce que tu es ma fille, Piper. Tu perçois les possibilités bien plus nettement que les autres. Tu vois ce qui *pourrait* être. Et n'y renonce pas, c'est toujours du domaine du possible. Mal-

438

heureusement... (La déesse balaya le magasin d'un geste du bras.) Tu vas devoir surmonter d'autres épreuves d'abord. Médée va revenir, accompagnée de nombreux autres ennemis. Les Portes de la Mort se sont ouvertes.

– Qu'est-ce que ça veut dire ?

Aphrodite lui fit un clin d'œil.

– Tu le sais, Piper. Tu es futée.

Une sensation de froid s'empara de Piper.

– La dormeuse, dit-elle. La femme que Médée et Midas appellent leur protectrice. Elle est arrivée à percer une nouvelle porte aux Enfers. Elle fait sortir les morts et les ramène dans le monde.

– Hmm-Hmm. Et pas n'importe quels morts. Les pires, les plus puissants, ceux qui haïssent le plus les dieux.

– Et les monstres reviennent du Tartare de la même façon, devina Piper. C'est pour cela qu'ils ne restent pas désintégrés.

– Oui. Leur « protectrice », comme tu l'appelles, a une relation particulière avec Tartare, l'esprit de la fosse. (Aphrodite sortit un haut à paillettes dorées.) Non, j'aurais l'air ridicule avec ça.

Piper rit, un peu gênée.

– Toi, ridicule ? Tu ne peux avoir l'air que parfaite.

– Tu es gentille, dit Aphrodite, mais la beauté, c'est savoir trouver ce qui te va, ce qui est ton genre. Pour être parfaite, il faut se sentir à l'aise, ne pas essayer d'être quelque chose qu'on n'est pas. C'est particulièrement difficile pour une déesse, car nous pouvons changer si facilement.

– Mon père te trouvait parfaite, observa Piper d'une voix tremblante. Il ne s'est jamais remis de ton départ.

Aphrodite regarda au loin.

– Oui... Tristan. Oh, il était formidable. Tellement gentil et sympa, drôle, séduisant. Et en même temps, il portait une telle tristesse en lui.

– Est-ce qu'on pourrait ne pas parler de lui au passé, s'il te plaît ?

– Excuse-moi, ma chérie. Je ne voulais pas quitter ton père, bien sûr. C'est toujours tellement difficile, mais ça valait mieux. S'il avait compris qui j'étais vraiment...

– Attends. Il ne savait pas que tu étais une déesse ?

– Bien sûr que non ! (Aphrodite parut offensée.) Je ne lui aurais jamais fait un coup pareil. Pour la plupart des mortels, c'est beaucoup trop dur à accepter. Ça peut les démolir ! Demande à ton ami Jason – un garçon charmant, d'ailleurs. Sa pauvre mère n'a pas tenu le choc quand elle a appris qu'elle était amoureuse de Zeus. Non, il valait bien mieux que Tristan me prenne pour une mortelle qui l'a quitté sans explication. Un souvenir doux-amer, plutôt qu'une déesse immortelle et hors de portée. Ce qui m'amène à une question importante. (Elle ouvrit la main et montra à Piper une fiole en verre pleine d'un liquide rose.) C'est une des potions de Médée les plus légères. Elle efface seulement les souvenirs récents. Lorsque tu auras sauvé ton père, si tu y arrives, tu devrais la lui faire boire.

Piper n'en crut pas ses oreilles.

– Tu veux que je drogue mon père ? Tu veux que je lui fasse oublier ce qu'il a vécu ?

Aphrodite leva le flacon. Le liquide projeta un reflet rose sur son visage.

– Ton père a l'air sûr de lui, Piper, mais il oscille entre deux mondes. Toute sa vie, il s'est appliqué à nier les vieux mythes sur les dieux et les esprits, et en même temps il a toujours craint qu'ils ne soient vrais. Il a peur de s'être coupé d'une part importante de lui-même, et d'en payer le prix fort un jour. Maintenant, il est entre les mains d'un géant. Il vit un cauche-mar. Même s'il survit... s'il doit passer le restant de ses jours avec ces souvenirs, en sachant que des dieux et des esprits

rôdent sur terre, il s'effondrera. C'est ce qu'espère notre ennemie. Elle veut le briser et, ce faisant, saper ton courage.

Piper avait envie de hurler qu'Aphrodite se trompait. Son
père était la personne la plus forte qu'elle connaissait. Jamais
elle ne le priverait de ses souvenirs, comme Héra l'avait fait
pour Jason.

Elle ne put rester fâchée contre Aphrodite, cependant. Les
paroles de son père, à la plage de Big Sur, six mois plus tôt, lui
revinrent à l'esprit : « Si je croyais vraiment à la Terre des Fantômes, aux esprits-animaux ou aux dieux grecs... je crois que
ça m'empêcherait de dormir. Je passerais mes nuits à chercher
un coupable. »

À présent, Piper cherchait un coupable, elle aussi.

– Qui est-ce ? demanda-t-elle. Celle qui contrôle les géants ?

Aphrodite pinça les lèvres. Elle passa au portant suivant,
chargé d'armures cabossées et de toges déchirées, et les passa
en revue comme si c'étaient des modèles de designers.

– Tu as de la volonté, dit-elle d'un ton songeur. Les dieux
ne me reconnaissent jamais beaucoup de mérite, tu sais. Ils se
moquent de mes enfants, ils prétendent qu'ils sont vaniteux et
superficiels.

– C'est le cas de certains.

Aphrodite sourit.

– Soit. Peut-être que je suis vaniteuse et superficielle, moi
aussi, à mes heures. Il faut bien se faire plaisir, de temps en
temps. Ah tiens, c'est joli, ça. (Elle décrocha un plastron de
bronze brûlé et taché et le montra à Piper.) Non ?

– Non. Tu ne veux pas répondre à ma question ?

– Patience, ma douce, dit la déesse. Ce que je veux te faire
comprendre, c'est que l'amour est le moteur le plus puissant
qui soit au monde. Il incite les mortels à la grandeur. C'est par
amour qu'ils commettent leurs actions les plus nobles et les
plus courageuses.

Piper sortit son poignard et examina sa lame-miroir.

– Comme Hélène déclenchant la guerre de Troie ? demanda-t-elle.

– Ah, Katoptris ! Je suis contente que tu l'aies trouvé. Si tu savais comme on me reproche cette guerre ! Il n'empêche, honnêtement, que Pâris et Hélène formaient un joli couple. Et les héros de cette guerre sont immortels à présent – du moins dans la mémoire des hommes. L'amour est une force puissante, Piper. Il peut mettre même les dieux à genoux. Je l'ai dit à Énée, mon fils, lorsqu'il a fui Troie. Il pensait avoir échoué. Il se voyait comme un perdant ! Mais il a gagné l'Italie et...

– Et il est devenu l'ancêtre des fondateurs de Rome.

– Exactement. Tu vois, Piper, mes enfants peuvent être très puissants. Toi aussi, tu peux être très puissante, parce que mes origines sont uniques. Je suis plus proche du début de la création que tous les autres Olympiens.

Piper se creusa la tête pour se rappeler comment était née Aphrodite.

– Tu es sortie de la mer, c'est bien ça ? Debout sur un coquillage ?

La déesse éclata de rire.

– Ce peintre Boticelli avait beaucoup d'imagination. Grimper dans un coquillage, très peu pour moi ! Mais, oui, je suis sortie de la mer. Les premiers êtres à émerger du Chaos furent la Terre et le Ciel – Gaïa et Ouranos. Lorsque leur fils, le Titan Cronos, tua Ouranos...

– En le découpant avec une faux, se souvint Piper.

– Oui, confirma Aphrodite en plissant le nez. Les morceaux d'Ouranos tombèrent dans la mer. Son essence immortelle créa l'écume de mer. Et de cette écume...

– Tu es née. Je m'en souviens, maintenant. Donc tu es...

– Le dernier enfant d'Ouranos, qui était plus grand que les dieux ou les Titans. Ce qui fait de moi, curieusement, l'aînée

442

des dieux de l'Olympe. Je te le disais, l'amour est une force puissante. Et toi, ma fille, tu es bien plus qu'un joli minois. C'est pour cette raison que tu as déjà deviné qui réveille les géants et qui a le pouvoir d'ouvrir des portes dans les entrailles de la terre.

Aphrodite attendit, comme si elle voyait Piper assembler mentalement les pièces du puzzle et découvrir l'horrible image.

– Gaïa, lâcha alors Piper. La Terre elle-même. C'est elle, notre ennemie.

La jeune fille attendit qu'Aphrodite la contredise, mais la deesse ne leva pas les yeux du portant d'armures cabossées.

– Elle a somnolé pendant des éternités, dit Aphrodite, mais à présent elle se réveille lentement. Même endormie, elle est puissante, et lorsqu'elle sera pleinement réveillée... nous serons irrémédiablement condamnés. Tu dois vaincre les géants avant que ça ne se produise et renvoyer Gaïa dans son sommeil. Sinon la rébellion prendra de plus en plus d'ampleur. Les morts continueront de remonter des Enfers. Les monstres se régénéreront encore plus vite qu'aujourd'hui. Les géants saccageront le berceau des dieux. Et s'ils le font, la civilisation sera entièrement détruite.

– Mais Gaïa ? La Terre mère ?

– Ne la sous-estime pas, avertit Aphrodite. C'est une divinité cruelle. C'est elle qui a orchestré la mort d'Ouranos. Elle a donné la faux à Cronos en l'exhortant à tuer son propre père. Tout au long du règne des Titans, elle dormait paisiblement. Mais quand les dieux les ont renversés, elle s'est réveillée et, dans sa colère, elle a donné naissance à une nouvelle race, les géants, qu'elle a sommés de détruire l'Olympe une fois pour toutes.

– Et ça recommence, dit Piper. Les géants se lèvent.

Aphrodite hocha la tête.

– Maintenant tu es au courant. Que vas-tu faire ?

– Moi ? (Piper serra les poings.) Qu'est-ce que tu veux que je fasse ? Mettre une jolie robe et persuader Gaïa de sombrer de nouveau dans son sommeil ?

– Ce serait bien si ça pouvait marcher, dit Aphrodite. Mais non. Tu vas devoir trouver tes propres forces et te battre pour ce que tu aimes. Comme mes si chers Hélène et Pâris. Comme mon fils Énée.

– Hélène et Pâris sont morts, fit remarquer Piper.

– Et Énée est devenu un héros. Le premier grand héros de Rome. Le résultat dépendra de toi, Piper, mais je vais te dire une chose : il faut que les sept demi-dieux les plus valeureux soient réunis pour vaincre les géants, et cela ne pourra pas se faire sans toi. Lorsque les deux camps se rencontreront, tu seras leur médiatrice. C'est toi qui décideras s'il en découlera une amitié ou un carnage.

– Quels deux camps ?

La vision de Piper commençait à se brouiller.

– Tu vas bientôt devoir te réveiller, mon enfant, conclut la déesse. Je ne suis pas toujours d'accord avec Héra, mais elle a pris un risque audacieux, et je conviens qu'il fallait le faire. Zeus a tenu les deux camps séparés trop longtemps. C'est seulement en vous unissant que vous aurez la force de sauver l'Olympe. Maintenant réveille-toi. J'espère que les vêtements que j'ai choisis vont te plaire.

– Quels vêtements ? demanda Piper, mais son rêve disparut dans un fondu au noir.

40   PIPER

P iper se réveilla à une terrasse de café.
Elle crut d'abord qu'elle était encore en train de rêver.
C'était le matin, le soleil brillait. L'air était vif, mais pas trop
frais pour être agréablement assis dehors. Aux tables voisines,
des cyclistes, des employés de bureau et des étudiants buvaient
du café en bavardant.

Elle sentit un parfum d'eucalyptus. De nombreux piétons
allaient et venaient devant de jolies petites boutiques, et le
trottoir était bordé d'arbres taillés et d'azalées en fleurs,
comme si l'hiver était un concept inconnu dans cette ville.

Autrement dit, elle était en Californie.

Ses amis étaient assis sur des chaises autour d'elle et somnolaient paisiblement, les mains croisées sur la poitrine. Ils
portaient tous de nouveaux vêtements. Piper baissa les yeux
sur sa propre tenue et s'exclama :

– Maman !

Sans le vouloir, elle avait crié assez fort. Jason sursauta,
bouscula la table avec ses genoux et réveilla tout le monde.

– Quoi ? fit Hedge. Faut s'battre ? Qui ça ? Où ça ?

– On tombe ! (Léo s'agrippa à la table.) Non, on tombe pas.
Où est-ce qu'on est ?

Jason cligna des yeux en essayant de se repérer. Son regard se posa sur Piper et il étouffa un hoquet de surprise.

– Qu'est-ce que tu portes ?

La jeune fille se sentit rougir. Elle portait la robe turquoise qu'elle avait vue dans son rêve, sur des leggings et des bottes en cuir noirs. Elle avait son bracelet à breloques en argent préféré, qu'elle avait pourtant laissé chez elle à Los Angeles, et le vieux blouson de snowboard que lui avait donné son père – et qui, étonnamment, allait très bien avec sa tenue. Elle sortit Katoptris de son fourreau. À en juger par le reflet sur la lame, elle avait eu droit à une séance de coiffure, également.

– C'est rien, dit-elle. C'est ma... (Là-dessus, elle se rappela qu'Aphrodite l'avait priée de garder leur conversation sous silence.) C'est rien.

Léo sourit.

– Aphrodite frappe encore, hein ? Tu vas être la guerrière la mieux habillée de la ville, Reine de Beauté.

– Hé, Léo, dit Jason en lui donnant un coup de coude. Tu t'es regardé, récemment ?

– Qu'est-ce que... Oh.

Ils avaient tous eu droit à un relooking. Léo portait un pantalon à fines rayures, des souliers de cuir noir, une chemise blanche sans col, des bretelles, sa ceinture à outils, des Ray-Ban et un petit chapeau plat, genre canotier.

– Trop fort, Léo. (Piper se retint de rire.) Je crois que mon père avait la même tenue pour la première de son dernier film. Moins la ceinture à outils.

– Oh, c'est bon, Reine de Beauté !

– Mais il est super, comme ça ! dit l'entraîneur. Évidemment, moi, j'ai plus d'allure.

Le satyre tenait du cauchemar en Technicolor. Aphrodite l'avait affublé d'un ample costume de zazou jaune canari et de chaussures bicolores qui couvraient ses sabots. Il avait un chapeau jaune assorti, à larges bords, avec une chemise rose, une cravate bleu layette et, pour parachever l'ensemble, un œillet bleu à la boutonnière de sa veste, qu'il s'empressa de humer puis de manger.

– Ben moi, lança Jason, ta mère m'a épargné.

Piper savait que ce n'était pas tout à fait exact. Elle regarda Jason de plus près et son cœur esquissa une petite danse. Il était habillé tout simplement, d'un jean et d'un tee-shirt violet propre, comme le jour de la sortie au Grand Canyon. Il avait de nouvelles baskets et sa coupe de cheveux avait été rafraîchie. Ses yeux étaient bleus comme le ciel. Le message d'Aphrodite était clair : *Celui-là est déjà parfait comme il est.*

Piper était d'accord.

– Bref, dit-elle, un peu mal à l'aise. Comment on a atterri ici ?

– Oh, Certainement grâce à Mellie, affirma Hedge en mâchant son œillet avec bonne humeur. Ces vents nous ont fait traverser la moitié du pays, je dirais. On se serait certainement écrasés au sol, sans le dernier cadeau de Mellie, une douce brise, qui a amorti notre chute.

– Et elle s'est fait virer à cause de nous, dit Léo. On craint, les mecs.

– Oh, t'inquiète pas pour elle, dit Hedge. De toute façon, c'était plus fort qu'elle. Je fais cet effet aux nymphes. Dès qu'on aura fini cette quête, je lui enverrai un message et je l'aiderai à trouver quelque chose. Voilà une *aura* avec qui je me vois bien m'installer et élever un troupeau de bébés chèvres.

– Je vais me sentir mal, dit Piper. Quelqu'un veut un café ?

– Un café ? (Hedge sourit de toutes ses dents, teintées de bleu par l'œillet.) J'adore le café !

– Euh, fit Jason. Et nos sacs ? On a de l'argent ?

Piper baissa les yeux. Leurs sacs étaient à leurs pieds et semblaient intacts. Elle plongea la main dans la poche et y trouva deux choses inattendues. Tout d'abord, une liasse de billets. Et puis une fiole en verre : la potion d'amnésie. Elle laissa cette dernière et sortit les billets.

Léo émit un long sifflement.

– De l'argent de poche ? s'écria-t-il. Elle est trop cool, ta mère !

– Mademoiselle ! appela Hedge. Six cafés doubles pour moi, et ce que voudront les autres. C'est la jeune fille qui paie.

Il ne leur fallut pas longtemps pour savoir où ils étaient. « Café Verve, Walnut Creek, Californie », était-il écrit sur la carte. Et la serveuse leur dit qu'il était 9 heures, le 21 décembre. Autrement dit, le matin du solstice, trois heures avant l'échéance imposée par Encélade.

Ils n'eurent pas à se casser la tête pour trouver le mont Diablo non plus ; ils le voyaient à l'horizon, au bout de la rue. Comparé aux Rocheuses, le mont Diablo n'était pas impressionnant. Il n'était pas enneigé et dégageait une impression de sérénité, avec ses flancs dorés parsemés d'arbres gris-vert. Mais Piper savait que la taille pouvait être trompeuse, en montagne. Le mont était sans doute bien plus grand, vu de près. Les apparences étaient trompeuses, elles aussi. Tandis qu'ils étaient assis tranquillement au soleil de Californie, qui était censée être son pays, entourés de badauds décontractés, à boire des cafés crème en croquant des cookies aux pépites de chocolat, à quelques kilomètres d'eux, quelque part sur cette paisible montagne, un géant aussi puissant que maléfique s'apprêtait à dévorer son père.

Léo sortit un papier de sa poche – le vieux dessin aux crayons de couleur qu'Éole lui avait donné. Aphrodite devait estimer qu'il était important, pour l'avoir transféré magiquement dans sa nouvelle tenue.

– Qu'est-ce que c'est ? demanda Piper.

Léo replia soigneusement la feuille et la fit disparaître.

– Rien. Je ne vais pas te montrer mes chefs-d'œuvre du jardin d'enfants.

– C'est plus que ça, objecta Jason. Éole a dit que c'était la clé de notre succès.

Léo secoua la tête.

– Pas aujourd'hui. Il parlait de... plus tard.

– Comment peux-tu en être si sûr ? demanda Piper.

– Fais-moi confiance, dit Léo. Et maintenant, quelle va être notre stratégie ?

Hedge rota. Il avait déjà descendu trois cafés et une assiette de beignets, plus deux serviettes en papier et une fleur du bouquet qui était sur la table. Il aurait bien mangé sa petite cuiller, mais Piper lui avait tapé sur les doigts.

– On escalade la montagne, dit-il. On tue tout ce qui bouge sauf le papa de Piper et on se casse.

– Merci, général Eisenhower, grommela Jason.

– Hé, je dis ça, je dis rien !

– Les gars, intervint Piper, il faut que vous sachiez quelque chose.

C'était délicat pour la jeune fille puisqu'elle ne pouvait pas parler de sa mère, mais elle leur dit qu'elle avait compris certaines choses à travers ses rêves. Elle leur révéla que leur véritable ennemi était Gaïa.

– Gaïa ? (Léo secoua la tête.) C'est Mère Nature, non ? Elle est censée avoir des fleurs dans les cheveux, des oiseaux qui gazouillent autour d'elle et des lapins et des biches qui font sa lessive.

– Léo, dit Piper, ça c'est Blanche-Neige dans le dessin animé.

– D'accord, mais...

– Écoute, coco. (Hedge essuya les gouttes de café qui avaient coulé sur sa barbichette.) C'est grave, ce dont Piper nous parle là. Gaïa n'est pas une mauviette. Même moi, je ne serais pas sûr de faire le poids.

Léo siffla.

– Sérieux, mec ?

Hedge hocha la tête.

– Cette femme de terre, dit-il. Elle et son vieux, le Ciel, c'étaient pas des tendres.

– Ouranos, murmura Piper, qui ne put s'empêcher de regarder le ciel bleu en se demandant s'il avait des yeux.

– Exact, fit Hedge. Ouranos, donc, c'est pas le père idéal. Il jette leurs premiers enfants, les Cyclopes, dans le Tartare. Gaïa est furieuse, mais elle attend son heure. Ils ont ensuite une autre série d'enfants, les douze Titans, et Gaïa craint qu'ils finissent en prison, eux aussi. Alors elle s'en va trouver son fils Cronos...

– Le grand méchant géant, intervint Léo. Celui qu'ils ont vaincu l'été dernier.

– Ouep. Et Gaïa lui donne la faux et lui dit : « Hé, si j'appelais ton père ? Et pendant que je le distrais en bavardant avec lui, tu en profites pour le tailler en pièces. Ensuite, tu domines le monde. Ce serait sympa, non ? »

Ils restèrent tous sans voix. D'un coup, le cookie aux pépites de chocolat de Piper n'avait plus l'air aussi appétissant. Elle avait beau déjà connaître l'histoire, elle n'arrivait pas à l'encaisser. Elle essaya d'imaginer un jeune assez tordu pour vouloir tuer son père rien que pour une question de pouvoir. Puis elle imagina une mère assez tordue pour convaincre son fils de le faire.

– Franchement pas Blanche-Neige, en conclut-elle.

– Nan, Cronos était un sale type. Mais Gaïa est littéralement la mère de tous les sales types. Elle est tellement vieille, tellement puissante, tellement *immense* qu'elle a du mal à être pleinement consciente. La plupart du temps, elle dort, et c'est comme ça qu'on l'aime : quand elle ronfle.

– Mais elle m'a parlé, dit Léo. Comment peut-elle être endormie ?

Gleeson Hedge balaya d'un geste quelques miettes sur son revers de veste jaune canari. Il en était à son sixième café et ses pupilles étaient complètement dilatées.

– Jusque dans son sommeil, une partie de sa conscience est active : elle rêve, surveille, provoque des petits cataclysmes du style éruption volcanique ou résurgence de monstres. Même maintenant, elle est en partie endormie. Croyez-moi, il vaut mieux ne pas la voir pleinement éveillée.

– Mais sa puissance est en train de croître, dit Piper. C'est elle qui ranime les géants. Et si leur roi revient, ce fameux Porphyrion...

– Il lèvera une armée pour détruire les dieux, compléta Jason. En s'en prenant d'abord à Héra. Il y aura une nouvelle guerre et Gaïa s'éveillera pleinement.

Gleeson Hedge hocha la tête.

– C'est pourquoi nous aurions intérêt à limiter le plus possible le contact direct avec le sol.

Léo jeta un regard méfiant vers le mont Diablo.

– Alors, dit-il, escalader une montagne, ce serait risqué.

Le cœur de Piper se serra. On lui avait d'abord demandé de trahir ses amis. Maintenant ils essayaient de l'aider à sauver son père tout en sachant qu'ils allaient droit dans un piège. La pensée d'affronter un géant était déjà terrifiante ; mais savoir que Gaïa, une force plus puissante qu'un dieu ou un Titan, était la grande instigatrice...

– Les gars, dit Piper, je ne peux pas vous demander de faire ça. C'est trop dangereux.

– Tu rigoles ? (Gleeson rota et les gratifia tous de son sourire aux dents bleues.) Qui est prêt à castagner ?

41 LÉO

Léo avait espéré que le taxi pourrait les conduire jusqu'au sommet.

Ça aurait été trop beau... Le taxi grimpait la route de montagne avec des cahots de plus en plus fréquents et, parvenus à mi-hauteur, ils trouvèrent le poste du garde forestier fermé et la route barrée par une chaîne.

– Je peux pas aller plus loin, annonça le chauffeur. Vous êtes sûrs de vouloir continuer ? Ça va vous faire une trotte pour rentrer et je ne peux pas vous attendre. Ma voiture fait de drôles de bruits.

– On est sûrs.

Léo fut le premier à sortir. Il avait une petite idée de ce qui causait les ratés de l'auto, et lorsqu'il baissa les yeux, il vit que ses craintes étaient fondées. Les roues s'enlisaient dans le sol comme dans des sables mouvants. Pas très vite : juste assez pour donner à croire au conducteur qu'il avait un problème de transmission ou un essieu déficient. Mais Léo, lui, ne s'y trompait pas.

La route de montagne était un chemin de terre. Normalement, il aurait dû être dur et tassé, pas meuble du tout, mais Léo sentait déjà ses chaussures s'enfoncer. Gaïa leur jouait des tours.

452

Il paya le chauffeur de taxi pendant que ses amis sortaient. Et le gratifia d'un généreux pourboire : pourquoi pas ? C'était l'argent d'Aphrodite. En plus il avait l'impression qu'il risquait de ne jamais revenir de cette montagne.

– Gardez la monnaie, dit-il. Et rentrez vite.

Le chauffeur ne se fit pas prier. Quelques secondes plus tard, il disparaissait en soulevant un nuage de poussière.

La vue sur la vallée était à couper le souffle. Un patchwork de villes et de bourgades entourait le mont Diablo : de jolies banlieues résidentielles, aux rues en damier bordées d'arbres, avec des écoles, des magasins. Tous ces gens des classes moyennes, qui menaient une vie ordinaire, ce que Léo n'avait jamais connu.

– Là-bas c'est Concord, dit Jason en pointant du doigt vers le nord. À nos pieds, Walnut Creek. Au sud, après ces collines, Danville. Et par là...

Il désigna une rangée de collines dorées, vers l'ouest, qui faisaient barrage à une nappe de brouillard, comme le bord d'un bol.

– Ce sont les collines de Berkeley. La partie est de la baie, et San Francisco.

– Jason ? demanda Piper en posant la main sur son bras. Tu te souviens de quelque chose ? Tu es déjà venu par ici ?

– Oui... non. (Il lui jeta un regard angoissé.) J'ai juste l'impression que c'est important.

Gleeson Hedge donna un coup de menton vers l'ouest.

– C'est un territoire des Titans, là-bas. Un secteur qui craint, Jason. Crois-moi, on n'a pas intérêt à se rapprocher davantage de Frisco.

Jason, pourtant, regardait la vallée embrumée avec une telle nostalgie que Léo se sentit gagné par l'inquiétude. Pourquoi donc son ami donnait-il si fortement l'impression d'avoir un lien avec cet endroit que l'entraîneur qualifiait de maléfique, de terre peuplée de vieux ennemis pratiquant la magie noire ? Tant de gens avaient sous-entendu que Jason était un ennemi et que sa venue à la Colonie des Sang-Mêlé était une erreur des plus dangereuses.

Non, pensa Léo. C'était ridicule. Jason était leur ami.

Il voulut soulever son pied, mais il avait les deux talons pris dans la terre, à présent.

– Hé, les gars, dit-il. Faut qu'on bouge.

Les autres s'aperçurent du problème.

– Ici, Gaïa est plus forte, bougonna Hedge, qui extirpa les sabots de ses chaussures, tendant ces dernières à Léo. Garde-les moi, Valdez. Ce sont de belles grolles.

Léo plissa le nez.

– Pas de problème, m'sieur l'entraîneur. Vous voulez que je les cire ?

– Bel esprit d'équipe, Valdez, fit Hedge en hochant la tête. Mais on ferait mieux de grimper en haut de cette montagne tant qu'on peut encore arquer.

– Comment on va faire pour trouver le géant ? demanda Piper.

Jason tendit le doigt vers le sommet, d'où montait un panache de fumée.

– Y a pas de fumée sans feu, comme on dit. Dépêchons-nous.

À l'École du Monde Sauvage, Léo avait dû faire un certain nombre de marches forcées, aussi s'estimait-il en bonne forme physique. Il n'empêche qu'escalader une montagne quand la terre essaie de vous aspirer, c'est un peu comme courir sur un tapis de jogging en papier tue-mouches. Il ne tarda pas à roulotter les manches de sa chemise sans col. Il aurait bien aimé qu'Aphrodite lui donne un short et des chaussures un peu plus confortables, mais il la remerciait pour le chapeau qui protégeait ses yeux du soleil. Il fourra les mains dans sa ceinture à outils et en fit sortir diverses fournitures : des rouages, une clé anglaise, des bandes de bronze. Tout en marchant, il laissait ses mains travailler, sans vraiment réfléchir à ce qu'elles faisaient.

Le temps qu'ils arrivent en vue de la crête, Léo était le héros sale et en sueur le mieux habillé du monde et ses mains étaient noires de graisse de moteur.

Le petit objet qu'il avait fabriqué ressemblait à un jouet mécanique, comme ceux qu'on pose sur une table et qui traversent la surface en cliquetant. Léo ne savait pas à quoi il pouvait servir, mais il le rangea dans sa ceinture à outils. Son blouson de l'armée lui manquait, avec toutes ses poches. Sans parler de Festus. Ah, s'il avait un dragon de bronze cracheur de feu, là maintenant... mais Léo savait bien que Festus ne reviendrait pas, en tout cas pas sous son ancienne forme.

Il tapota le papier qu'il avait dans sa poche, ce dessin aux crayons de couleur qu'il avait fait à la table de pique-nique, sous le pacanier, quand il avait cinq ans. Il se souvenait que Tìa Callida chantait pendant qu'il dessinait, et qu'il avait eu un gros chagrin quand le vent avait emporté la feuille. « Ton heure n'est pas encore venue, petit héros, lui avait dit Tìa Callida. Un jour, tu auras ta quête. Tu rencontreras ton destin et ton dur voyage prendra enfin son sens. »

À présent, Éole lui avait rendu le dessin. Léo savait que cela signifiait qu'il approchait de l'heure de son destin, mais ce voyage-là était aussi frustrant que l'escalade de cette montagne : chaque fois que Léo croyait atteindre le sommet, il découvrait une autre cime encore plus haute juste derrière.

Procédons par ordre, se dit-il. *Aujourd'hui, il s'agit de survivre. Je réfléchirai au dessin fatidique plus tard.*

Pour finir, Jason s'accroupit derrière une saillie rocheuse et fit signe aux autres de l'imiter. Léo le rejoignit en crapahutant. Piper dut tirer Hedge par la manche.

– J'veux pas salir ma tenue ! se plaignit l'entraîneur.

– Pfff !

À contrecœur, le satyre s'agenouilla.

Juste de l'autre côté du rebord rocheux qui les abritait, dans l'ombre de la dernière crête, s'étendait un cratère boisé de la taille d'un terrain de foot, où le géant Encélade avait installé son campement.

Il avait abattu des arbres pour nourrir un immense feu aux flammes violettes. Le bord le plus éloigné de la clairière était jonché de bûches et de machines : un bulldozer, une sorte de grande grue terminée par des lames rotatives – *une récolteuse d'arbres*, se dit Léo, et une longue colonne de métal équipée d'une lame de hache qui n'était pas sans ressembler à une guillotine latérale.

Quel usage un géant pouvait-il faire de ces machines, voilà qui laissait Léo perplexe. La créature qui se dressait devant eux n'aurait même pas pu tenir dans le siège du conducteur. Encélade le géant était si énorme et hideux que Léo ne voulait pas le regarder.

Mais il s'y força.

Encélade mesurait une dizaine de mètres – il flirtait aisément avec les cimes des arbres voisins. Léo était sûr que le géant aurait pu les voir, tapis derrière la saillie rocheuse, s'il n'était aussi absorbé par l'étrange feu violet, autour duquel il décrivait des cercles en psalmodiant à mi-voix. Pour le haut du corps, le géant était humanoïde. Son torse puissant était couvert d'une armure de bronze ornée de motifs de flammes. Ses bras étaient bardés de muscles, et chaque biceps faisait au moins la taille de Léo. Sa peau couleur de bronze était noircie par les cendres. Il avait un visage aux traits grossiers, mal finis, comme une ébauche de modelage en argile ; ses yeux jetaient un éclat blanc et ses cheveux tombaient sur ses épaules en longues dreadlocks entremêlées d'ossements.

La partie inférieure d'Encélade était encore plus effrayante. Il avait des jambes couvertes d'écailles vertes, terminées par des serres en guise de pieds – comme les pattes avant d'un dragon. À la main, le géant tenait une lance grande comme un lampadaire. De temps à autre, il en plongeait la pointe dans les flammes, faisant rougeoyer le métal.

– Bon, chuchota l'entraîneur. Voici le plan...

Léo lui asséna un coup de coude dans les côtes.

– Vous n'allez pas l'attaquer tout seul !

– Oh, allez !

À ce moment-là, Piper ravala un sanglot et murmura :

– Regardez.

On distinguait à peine, de l'autre côté du feu, un homme attaché à un poteau. Sa tête pendait comme s'il avait perdu connaissance, de sorte que Léo ne pouvait pas voir son visage, mais Piper n'eut pas l'air d'hésiter.

– Papa, dit-elle.

Léo ravala sa salive. Il aurait aimé être dans un film de Tristan McLean. Le père de Piper aurait juste fait semblant d'être évanoui. Il aurait détaché ses liens et mis le géant K.O. à l'aide d'un gaz anti-géants astucieusement dissimulé par-devers lui. Alors, une musique aux accents héroïques aurait démarré et Tristan McLean se serait échappé, courant au ralenti tandis que derrière lui le flanc de montagne aurait explosé.

Seulement ils n'étaient pas au cinéma. Tristan McLean avait l'air plus mort que vif et il n'allait pas tarder à se faire dévorer. Les seules personnes à pouvoir empêcher cette fin tragique étaient trois demi-dieux adolescents tirés à quatre épingles et un bouc mégalomane.

– On est quatre, chuchota Hedge d'une voix pressante. Et il est tout seul.

– Il fait dix mètres de haut, rappela Léo, au cas où ça vous aurait échappé.

– Ouep. Alors toi, Jason et moi, on le distrait. Piper se faufile discrètement et délivre son père.

Ils se tournèrent tous vers Jason.

– Qu'est-ce qu'il y a ? demanda ce dernier. Je ne suis pas le chef.

– Si, rétorqua Piper, tu l'es.

Ils n'en avaient jamais vraiment parlé, toutefois personne ne contredit Piper, pas même Hedge. Ils avaient conjugué leurs forces et leurs idées pour arriver jusqu'ici, mais maintenant qu'il fallait prendre une décision vitale, Léo savait que c'était à Jason de trancher. Même privé de sa mémoire, le garçon dégageait une force tranquille. On voyait qu'il avait déjà livré des combats et qu'il savait garder son sang-froid. Léo, qui n'était pas franchement du genre à faire confiance, aurait remis sa vie entre les mains de son ami.

– Ça fait mal au cœur de le dire, soupira Jason, mais m'sieur Hedge a raison. Une diversion, c'est la seule chance de Piper.

La seule chance, pensa Léo. Pas une stratégie infaillible, ni même seulement jouable. Juste leur seule chance.

De toute façon, ils ne pouvaient pas en discuter toute la journée. Il ne devait pas être loin de midi, l'heure limite imposée par le géant, et le sol essayait toujours de les aspirer. Les genoux de Léo s'étaient déjà enfoncés de cinq centimètres dans la terre.

Léo regarda les machines et une idée de dingue germa dans son esprit. Il sortit le petit jouet qu'il avait fabriqué en grimpant. Oui, ça pourrait lui servir, à condition qu'il ait de la chance – ce qui serait du jamais vu.

– Allez, on se bouge, les gars, dit-il. Avant que je revienne à la raison.

42 LÉO

L e plan foira presque immédiatement. Piper partit le long de la saillie rocheuse en courant, pliée en deux, tandis que Léo, Jason et Hedge déboulaient dans la clairière, bien en vue.

Jason matérialisa son javelot en or, le brandit au-dessus de sa tête et hurla : « Géant ! » Ce qui ne manquait pas de courage, songea Léo. Lui-même se serait plutôt senti de dire quelque chose du style : « Nous sommes de misérables fourmis ! Ne nous tue pas ! »

Encélade interrompit ses incantations. Il se tourna vers eux et sourit, découvrant des crocs de tigre à dents de sabre.

– Eh bien, eh bien, gronda le géant. Qui voilà donc !

Léo, guère encouragé par cette entrée en matière, referma la main sur son gadget mécanique et fit quelques pas de côté pour se rapprocher du bulldozer.

– Libère l'acteur, affreux coco, cria l'entraîneur, ou je t'envoie mon sabot droit en plein dans le...

– M'sieur Hedge, la ferme, dit Jason.

Encélade partit d'un rire tonitruant.

– J'avais oublié que les satyres étaient de grands comiques ! s'exclama-t-il. Quand nous régnerons sur le monde, je crois que j'épargnerai ta race. Vous pourrez me distraire pendant que je mangerai tous les autres mortels.

Hedge regarda Léo en fronçant les sourcils.

– Est-ce un compliment ? Un je-ne-sais-quoi me dit que non.

Encélade ouvrit grand la bouche et ses dents étincelèrent.

– Dispersez-vous ! cria Léo.

Jason et Hedge plongèrent sur la gauche à l'instant où le géant crachait une salve de feu – un souffle brûlant qui aurait fait la jalousie de Festus. Léo s'abrita derrière le bulldozer, remonta son mécanisme de bronze et le déposa sur le siège du conducteur. Puis il courut vers la droite, en direction de la récolteuse.

Du coin de l'œil, il vit Jason se lever et charger le géant. Hedge arracha sa veste jaune canari, qui avait pris feu, en bêlant avec colère :

– J'aimais bien ce blazer !

Puis il brandit son gourdin et passa à l'attaque lui aussi.

Ils ne purent faire que quelques pas. Encélade frappa le sol avec sa lance et la montagne tout entière trembla.

L'onde de choc jeta Léo par terre. Il cligna des yeux, momentanément sonné. À travers un rideau de flammes et de fumée, il vit Jason se redresser en titubant, de l'autre côté de la clairière. Quant à Hedge, il avait perdu connaissance. Il était tombé en avant, la tête contre une bûche, et gisait le derrière à l'air, son pantalon jaune canari aux genoux – spectacle dont Léo se serait dispensé.

– Je te vois, Piper McLean ! tonna le géant.

Là-dessus, il se tourna et cracha des flammes vers un groupe de buissons sur la droite de Léo. Piper sortit dans la clairière tel un lièvre débusqué, tandis que les taillis derrière elle s'enflammaient.

Encélade éclata de rire.

– Je suis content que tu sois arrivée, dit-il. Et tu m'as apporté mes trophées !

460

Léo sentit son ventre se serrer. Piper les avait avertis que cet instant viendrait. Ils avaient joué le jeu d'Encélade.

Le géant dut comprendre ce que pensait Léo à son expression, car il rit de plus belle.

– C'est exact, fils d'Héphaïstos. Je ne m'attendais pas à ce que vous surviviez tous si longtemps, mais c'est pas grave. En vous amenant ici, Piper McLean scelle notre accord. Si elle vous trahit, je tiendrai parole. Elle pourra repartir avec son père. Qu'est-ce que j'en ai à fiche, d'une star de cinéma ?

Léo distinguait mieux le père de Piper, de là où il était. Ses vêtements, un pantalon et une chemise de soirée, étaient en haillons. Ses pieds nus couverts de boue. Il ne devait pas être complètement inconscient, car il leva la tête et gémit. Oui, c'était bien Tristan McLean. Léo avait vu ce visage dans suffisamment de films pour le reconnaître. À présent, il avait une méchante estafilade sur une joue et paraissait faible et amaigri – Envolée, l'image du héros.

– Papa ! cria Piper.

M. McLean battit des paupières et chercha du regard.

– Pip's ? Où... ?

Piper dégaina son poignard et se tourna face à Encélade.

– Laisse-le partir !

– Bien sûr, ma chérie, grommela le géant. Jure-moi fidélité et nous n'aurons pas de problèmes. Ce sont les autres seulement qui doivent mourir.

Piper regarda Léo, puis son père.

– Ne lui fais pas confiance ! avertit Léo. Il te tuera.

– Oh, voyons ! gronda le géant. Sais-tu que je suis fait pour combattre Athéna en personne ? Mère Gaïa a conçu chacun de nous, les géants, dans un objectif spécifique, pour combattre et tuer un dieu en particulier. Moi, je suis le pourfendeur désigné d'Athéna, l'anti-Athéna, si tu veux. Je suis petit, comparé

461

à certains de mes frères, mais intelligent. Et je respecterai notre accord, Piper McLean. Ça fait partie de mon plan !

Jason était debout, maintenant, prêt à passer à l'action, mais il n'en eut pas le temps : Encélade poussa un rugissement qui résonna dans la vallée – et dont l'écho se répercuta sans doute jusqu'à San Francisco.

Une demi-douzaine d'ogres parut à la lisière de la forêt. Avec un haut-le-corps, Léo se rendit compte qu'ils n'étaient pas tapis entre les arbres avant de se montrer. Ils avaient bel et bien surgi de terre.

Les ogres avancèrent en traînant les pieds. Plus petits qu'Encélade, ils faisaient quand même pas moins de deux mètres de haut. Chacun d'eux avait six bras : une paire à l'emplacement habituel, une autre qui partait du dessus des épaules et une troisième à mi-hauteur de la cage thoracique. Ils ne portaient que des pagnes en lambeaux de cuir et, de l'autre bout de la clairière, Léo sentit leur odeur pestilentielle. Six gars qui ne se lavaient jamais, dotés de six aisselles chacun. Il se dit que s'il survivait, il prendrait une douche de trois heures pour se rincer les narines de cette puanteur.

Il se rapprocha de Piper et lui demanda :

– Tu... tu sais qui c'est, ces ogres ?

La lame du poignard de Piper reflétait les flammes violettes du feu.

– Des Gégénéis, répondit-elle.

– Des quoi ?

– Ça veut dire « né de la Terre ». Les géants à six bras qui ont combattu Jason – le *premier* Jason.

– Très bien, ma chère ! s'exclama Encélade, visiblement ravi. Ils vivaient dans un lieu sinistre, en Grèce, le mont aux Ours. Le mont Diablo est bien plus agréable ! Ce sont des enfants inférieurs de notre Mère la Terre, mais ils ont leur utilité. Ils savent très bien manier les machines de chantier et...

462

– Broum, broum, tonna un des Gégénéis, et les autres répétèrent en faisant semblant de conduire avec leurs six mains, comme s'ils procédaient à un étrange rituel religieux. Broum, broum !

– Oui, merci, les garçons, dit Encélade. Ils ont aussi un compte à régler avec les héros. Surtout ceux qui s'appellent Jason.

– Ja-son ! hurlèrent les ogres.

Ils ramassèrent tous des mottes de terre qui se solidifièrent dans leurs mains, se transformant en pierres dangereusement pointues.

– Où est Ja-son ? Tuer Ja-son !

Encélade sourit.

– Tu vois, Piper, tu as le choix. Sauver ton père ou, hum, *tenter* de sauver tes amis et rencontrer une mort certaine.

Piper s'avança. Ses yeux brûlaient d'une telle rage que les ogres de terre reculèrent d'un pas. Elle respirait la puissance et la beauté, et cela n'avait rien à voir avec sa tenue ou son maquillage.

– Vous ne tuerez pas les gens que j'aime, dit-elle. Aucun d'eux.

Ses paroles se répercutèrent dans la clairière avec une telle force que les ogres de terre bougonnèrent :

– Bon, bon. Désolé.

Et battirent en retraite.

– Tenez bon, imbéciles ! tonna Encélade, qui aboya à l'attention de Piper : C'est pour cela qu'on te voulait vivante, ma chère. Tu aurais pu nous être très utile, mais c'est toi qui choisis ! Gégénéis, je vais vous montrer où est Jason.

Le cœur de Léo se serra. Le géant, pourtant, ne pointa pas du doigt vers son ami. Il désigna, de l'autre côté du feu, la silhouette inerte de Tristan McLean.

– Voilà Jason ! dit Encélade avec un plaisir manifeste. Taillez-le en pièces !

Et là, une surprise de taille attendait Léo : Jason leur adressa un seul regard, et aussitôt tous les trois surent quelle stratégie ils allaient adopter. Quand était née entre eux cette complicité qui leur permettait de se comprendre sans paroles ?

Jason chargea Encélade, tandis que Piper se précipitait auprès de son père et que Léo fonçait vers la récolteuse d'arbres, placée entre Tristan McLean et les ogres de terre.

Les Gégénéis étaient rapides, mais Léo fila à la vitesse d'un esprit de la tempête. Parvenu à un mètre cinquante de la récolteuse, il se propulsa d'un bond dans le siège du conducteur. Ses mains coururent sur le tableau de bord et le moteur répondit au quart de tour, comme si la machine savait que c'était une question de vie ou de mort.

– Ha !

Avec un hurlement, Léo dirigea le bras de la grue vers le feu et projeta un maximum de bûches enflammées sur les Gégénéis, soulevant une pluie d'étincelles. Deux ogres croulèrent sous l'avalanche incandescente et disparurent, absorbés par la terre – avec un peu de chance ils n'en ressortiraient pas de sitôt.

Les quatre ogres restants titubaient entre les braises et les bûches en flammes, tandis que Léo, sans perdre une seconde, s'approchait avec la récolteuse. Il enfonça un bouton et, au bout du bras de la grue, les redoutables lames rotatives entrèrent en action.

Du coin de l'œil, il vit Piper devant le poteau, qui s'efforçait de détacher son père. De l'autre côté de la clairière, Jason combattait le géant en esquivant son immense lance et son haleine de flammes. Quant à l'entraîneur, il était toujours héroïquement dans les pommes, son derrière de bouc à l'air.

Le flanc de la montagne n'allait pas tarder à se transformer en brasier. Le feu ne gênerait pas Léo, en revanche si ses amis se retrouvaient encerclés... Non. Il devait agir vite.

Un des Gégénéis, sans doute pas le plus malin, chargea la récolteuse à arbres et Léo fit pivoter le bras de grue dans sa direction. À peine les lames touchèrent-elles l'ogre qu'il se disloqua comme un agglomérat d'argile molle, en éclaboussant toute la clairière. Léo reçut un paquet de boue en pleine figure.

Tout en recrachant, il manœuvra son engin et fonça vers les trois ogres restants, qui se hâtèrent de battre en retraite.

– Vilain broum broum ! hurla l'un d'eux.

– Exactement, mec ! rétorqua Léo. Vous en voulez, du vilain broum broum ? Approchez un peu !

Pas de chance, les Gégénéis le prirent au mot. Trois ogres à six bras, qui balançaient de grosses pierres à une cadence effrénée... Léo vit tout de suite que c'était mort. Se surprenant lui-même par son agileté, il fit une culbute arrière une demi-seconde avant qu'un rocher défonce le siège du conducteur. Une pluie minérale s'abattit sur le métal. Le temps que Léo retombe sur ses pieds, la récolteuse avait l'air d'une boîte de soda écrasée par un talon rageur, et s'enfonçait dans la boue.

– Bulldozer ! cria Léo.

Les ogres continuaient à prélever des mottes de terre, mais leurs regards se braquaient maintenant sur Piper.

À dix mètres de là, le bulldozer vrombit. Le gadget improvisé par Léo avait accompli sa mission : il s'était faufilé dans le moteur et l'avait mis en route. L'engin s'ébranla et roula vers les Gégénéis.

À l'instant même où Piper tranchait les derniers liens de son père et le rattrapait dans ses bras, les géants projetèrent leur seconde volée de pierres. Le bulldozer pivota sur le sol boueux pour l'intercepter, cueillant la plupart des pierres dans sa pelle. L'impact fut si fort que l'engin recula en dérapant.

Deux rochers ricochèrent et frappèrent leurs expéditeurs – deux ogres de plus réduits en argile molle.

Malheureusement, une pierre toucha le moteur du bulldozer. Un nuage de fumée grasse s'en échappa et l'engin se tut abruptement. Encore un superbe jouet cassé.

Piper traîna son père sous la saillie rocheuse et le dernier ogre de terre se lança à ses trousses.

Léo était à court d'astuces mais il ne pouvait pas laisser le monstre attaquer Piper. Il se mit à courir à travers les flammes, tout en plongeant la main dans sa ceinture pour en retirer un outil au hasard – le premier qui viendrait.

– Hé, du schnoque ! cria-t-il en lançant un tournevis à l'ogre de terre.

Le coup ne fut pas fatal, loin de là, mais il retint l'attention de la créature : le tournevis s'était enfoncé jusqu'à la garde dans son front, comme dans de la pâte à modeler.

Avec un glapissement de douleur, le géant s'arrêta. Il arracha le tournevis, se retourna et fusilla Léo du regard. C'était le dernier ogre, malheureusement c'était aussi le plus grand et le plus teigneux de la bande. Gaïa avait vraiment mis le paquet : triple jeu de muscles, faciès extra-hideux, la totale.

Super, se dit Léo. *Je me suis fait un pote.*

– Meurs ! rugit l'ogre de terre. Ami de Ja-son, meurs !

Là-dessus, il ramassa des poignées de terre qui se transformèrent aussitôt en pierres dures comme des boulets de canon.

Léo était à bout de ressources. Il farfouilla dans sa ceinture à outils, sans pouvoir trouver la moindre idée. Il était censé être intelligent, mais ce coup-ci, aucun bricolage ne pouvait le sauver.

D'accord, songea-t-il. *En ce cas, mourons avec panache !*

Il s'embrasa, façon torche vivante, cria : « Héphaïstos ! » et s'élança vers l'ogre pour l'attaquer à mains nues.

Il n'en eut pas le temps.

Un éclair noir et turquoise jaillit derrière le géant. Une lame de bronze étincelante remonta sur un de ses flancs, redescendit le long de l'autre.

Clac-clac-clac, Clac-clac-clac... six grands bras tombèrent au sol, et les boulets de pierre roulèrent de leurs mains inutilisables. L'ogre de terre baissa les yeux, très surpris.

– Au revoir, mes bras, marmonna-t-il, avant de se fondre dans la terre à son tour.

Piper était plantée là, le souffle court, le poignard couvert d'argile. Son père était assis derrière la saillie rocheuse, blessé, en état de choc, mais vivant.

Piper avait le regard féroce, presque fou – tel un animal traqué. Léo se dit qu'il avait de la chance de l'avoir de son côté.

– Pas touche à mes amis ! marmonna-t-elle. (Léo comprit brusquement qu'elle parlait de lui et ça lui fit chaud au cœur.) Allez, viens ! ajouta-t-elle d'une voix forte.

Il s'aperçut alors que la bataille n'était pas finie, loin de là. Jason était encore en plein duel avec Encélade, et ça se passait mal.

43 JASON

L orsque son javelot se brisa, Jason comprit qu'il était
condamné.

Le combat avait bien commencé, pourtant. Le demi-dieu
avait suivi ses instincts, d'autant plus qu'il sentait, viscérale-
ment, qu'il avait déjà affronté des adversaires de ce gabarit par
le passé. La taille et la force avaient la lenteur pour prix, aussi
Jason devait-il se montrer plus rapide que le géant – ménager
ses forces et fatiguer l'ennemi, tout en évitant de se faire écraser ou rôtir.

Il esquiva le premier assaut du géant en roulant sur lui-
même et piqua Encélade à la cheville. Le javelot de Jason parvint à traverser l'épaisse peau de dragon et un filet d'ichor – le
sang doré des immortels – coula sur la serre griffue du géant.

Encélade poussa un rugissement de douleur et cracha une
gerbe de feu. Jason se déroba et glissa derrière le géant, pour
le frapper de nouveau, cette fois-ci à l'arrière du genou.

Le duel se poursuivit ainsi plusieurs secondes, ou minutes
– le temps était difficile à estimer. Jason entendait des bruits
de combat de l'autre côté de la clairière, des vrombissements
de machines, des hurlements d'ogre, des crépitements de
flammes, des pierres s'écrasant contre du métal. Lui parvenaient aussi les cris de défi de Piper et Léo, signe que ses amis

étaient encore en vie. Jason s'efforça pourtant de ne pas penser à ce qui se passait là-bas, car il ne pouvait pas se permettre de perdre sa concentration.

À deux reprises, la lance d'Encélade le manqua d'un millimètre. Jason esquivait toujours, mais le sol lui collait aux pieds. Gaïa était de plus en plus forte, et le géant gagnait en vitesse. Car s'il était lent, il n'était pas idiot. Il anticipait maintenant les assauts de Jason, et ces derniers, qui ne faisaient que l'agacer, renforçaient sa fureur.

– Je ne suis pas un monstre mineur, tonna Encélade. Je suis un géant, conçu pour exterminer les dieux ! C'est pas avec ton cure-dents bling-bling que tu vas me tuer, petit.

Jason ne gaspilla pas d'énergie à répondre. Il était déjà fatigué. La terre adhérait à ses semelles et il avait l'impression de peser cinquante kilos de plus. L'air était plein d'une fumée âcre qui lui brûlait les poumons. Des feux, nourris par les vents, faisaient rage tout autour de lui et la température avoisinait celle d'un four.

Jason leva son javelot pour parer le prochain coup du géant – grave erreur. *Ne combats pas la force par la force,* gronda une voix en lui – celle de Lupa la louve, qui lui avait dit cela il y avait si longtemps. Il parvint à esquiver la lance, mais elle lui érafla tout de même l'épaule et il sentit aussitôt son bras s'engourdir.

Il recula et trébucha contre une bûche enflammée.

Il devait gagner du temps – monopoliser l'attention du géant pendant que ses amis se débarrassaient des Gégénéis et délivraient le père de Piper. Il n'avait pas droit à l'échec.

Il battit en retraite dans l'espoir d'attirer le géant vers la lisière de la clairière. Encélade sentait sa fatigue. Il sourit en montrant les crocs.

– Le vaillant Jason Grace, ricana-t-il. Oui, on a entendu parler de toi, fils de Jupiter. Celui qui a dirigé l'assaut du mont

Othrys. Qui a tué le Titan Krios à lui tout seul et renversé le trône noir.

Jason eut un choc. Il ne connaissait pas ces noms mais ils lui donnaient la chair de poule, comme si son corps se souvenait d'une douleur que son esprit avait oublié.

– De quoi parles-tu ? demanda-t-il.

Il comprit son erreur quand Encélade cracha du feu.

Jason, s'étant laissé distraire, réagit trop lentement. La rafale le manqua mais le souffle chaud lui ratissa le dos. Il s'écroula par terre, les vêtements roussis. La fumée et les cendres l'aveuglaient et l'étouffaient.

Alors qu'il se redressait avec effort, la lance du géant se planta entre ses deux pieds.

Il parvint tout de même à se lever.

Si seulement il pouvait invoquer la foudre, ne serait-ce qu'un seul éclair... mais il était déjà épuisé et l'effort risquerait de l'achever. Il ne savait même pas si le géant craignait l'électricité.

« La mort au combat est une fin honorable », dit la voix de Lupa.

Quel réconfort, pensa Jason.

Ultime tentative : le demi-dieu respira à fond et chargea.

Encélade le laissa approcher, souriant d'avance. À la dernière seconde, Jason feinta, puis roula entre les jambes du géant. Il se releva rapidement et frappa de toutes ses forces, visant les reins d'Encélade, mais ce dernier l'avait vu venir. Il fit un bond de côté avec une vitesse et une agileté anormales pour un géant, comme si la terre l'aidait à se déplacer. Il balaya sa lance latéralement et heurta le javelot de Jason – avec un crépitement de mitraillette, l'arme d'or vola en morceaux.

Le souffle de l'explosion était encore plus chaud que celui du géant, et sa lumière dorée aveugla Jason. L'impact le renversa et lui vida les poumons d'un coup.

Quand il reprit ses esprits, il était assis au bord d'un cratère. Encélade se tenait de l'autre côté, dérouté et titubant. La destruction du javelot d'or avait dégagé une telle énergie qu'elle avait creusé dans le sol un cône parfait, profond de dix mètres ; les parois de la fosse étaient d'une matière vitreuse et brillante, née de la fusion de la terre et de la pierre. Jason ignorait comment il avait survécu. Ses vêtements dégageaient de la vapeur et lui-même était privé de toute énergie. Il n'avait plus d'arme. Et Encélade était encore bien vivant.

Il tenta de se lever, ses jambes étaient comme du plomb. Encélade contempla le gouffre en clignant des yeux, puis éclata de rire.

– Impressionnant ! tonna-t-il. Dommage que ce soit ton dernier tour, demi-dieu.

Le géant traversa le cratère d'un seul bond et se posa, un pied de chaque côté de Jason. Il leva sa lance, plaçant la pointe deux mètres au-dessus de la poitrine du garçon.

– Et maintenant, déclara Encélade, j'offre mon premier sacrifice à Gaïa !

44 JASON

L e temps sembla ralentir, ce qui était rageant car Jason ne pouvait toujours pas bouger. Il se sentait s'enfoncer dans la terre comme dans un matelas d'eau – une confortable invitation à se détendre et abandonner la partie. Il se demanda si les histoires qu'on lui avait racontées sur les Enfers étaient vraies. Finirait-il aux Champs du Châtiment ou à l'Élysée ? S'il ne se rappelait aucun de ses exploits, compteraient-ils quand même ? La question étant de savoir si les juges prendraient ce facteur en considération ou si Zeus, son père, lui ferait un petit mot : « Je vous prie d'excuser Jason et de lui épargner la damnation éternelle, il a souffert d'une amnésie. »

Jason ne sentait plus ses bras. Il vit la pointe de la lance s'approcher de sa poitrine au ralenti. Il savait qu'il devait bouger, mais il en était incapable. *C'est marrant*, se dit-il. *Tant d'efforts pour rester en vie, et boum. Tu te retrouves étendu sans rien pouvoir faire, à regarder un géant cracheur de feu t'embrocher.*

– Coucou ! hurla la voix de Léo.

Un grand coin de métal s'enfonça dans le torse d'Encélade avec un *Crac !* sinistre. Le géant perdit l'équilibre et tomba à la renverse dans la fosse.

– Jason, lève-toi ! cria Piper.

Sa voix secoua Jason, l'arracha à sa torpeur. Il se redressa, la tête cotonneuse, tandis que Piper l'attrapait sous les bras et le hissait sur ses pieds.

– Tu ne me fais pas le coup de mourir, lui ordonna-t-elle. Tu ne me fais pas ce coup !

– D'accord, chef.

Il avait le tournis, mais c'était la plus belle créature qu'il ait jamais vue. Ses cheveux fumaient. Son visage était maculé de suie. Elle avait une estafilade sur un bras et il lui manquait une chaussure. Sublime.

Une trentaine de mètres derrière elle, Léo était perché sur une machine de construction – une espèce de long canon doté d'un unique piston, énorme, au bord cassé net.

Jason plongea le regard dans le cratère et vit où était passé l'autre bout de la hache hydraulique. Encélade se relevait avec effort, une lame de hache de la taille d'un lave-vaisselle plantée dans son plastron.

Étonnamment, le géant parvint là à retirer. Il hurla de douleur et la montagne trembla. Le devant de son armure se couvrit d'ichor doré, mais Encélade ne flancha pas.

Avec un effort visible, il se pencha et ramassa sa lance.

– Jolie tentative, gronda-t-il en grimaçant, mais je suis invincible.

Sous leurs yeux, l'armure du géant se colmata et l'ichor cessa de couler. Même les entailles dans les pattes de dragon que Jason avait eu un tel mal à lui infliger n'étaient plus que de discrètes cicatrices, à présent.

Léo courut les rejoindre, vit le géant et pesta.

– C'est quoi son problème, à ce gars ? T'attends quoi pour mourir, mec ?

– Mon destin est décidé d'avance, répliqua Encélade. Les géants ne peuvent être tués ni par des dieux ni par des héros.

– Seulement par les deux à la fois, dit Jason. (Le sourire du géant se figea et Jason vit passer dans ses yeux quelque chose

473

qui ressemblait à de la peur.) C'est bien ça, hein ? Il faut que des dieux et des demi-dieux conjuguent leurs efforts pour te tuer.

– Tu ne vivras pas assez longtemps pour essayer !

Le géant entreprit de sortir du cratère, mais glissa sur les parois lisses.

– Quelqu'un a un dieu sous la main ? demanda Léo.

L'effroi gagna Jason. Il regarda le géant, à leurs pieds, qui se démenait pour sortir de la fosse, et comprit ce qui devait arriver.

– Léo, dit-il. Si tu as une corde dans ta ceinture, sors-la.

Sur ces mots, il sauta vers le géant sans autre arme que ses mains nues.

– Encélade ! Derrière toi ! cria Piper.

C'était une ruse grossière, mais Piper avait insufflé une telle urgence dans sa voix que même Jason s'y laissa prendre.

– Quoi ? fit le géant, qui tourna sur lui-même comme s'il avait une araignée géante sur le dos.

Jason encercla les chevilles du géant pile au bon moment. Celui-ci perdit l'équilibre, bascula dans le cratère et glissa jusqu'au fond. Lorsqu'Encélade voulut se relever, Jason noua les bras autour de son cou et, une fois le géant debout, se retrouva perché sur ses épaules.

– Descends ! hurla Encélade, qui essaya d'attraper Jason par les jambes.

Celui-ci se mit à courir et grimpa dans les cheveux du géant.

Père, pensa Jason. *Si dans ma vie j'ai fait quelque chose de bien, quelque chose que tu approuves, aide-moi maintenant. J'offre ma vie, mais sauve mes amis.*

Soudain, il sentit l'odeur métallique de l'orage flotter dans l'air. L'obscurité engloutit le ciel. Encélade, percevant le changement, se figea.

– Plaquez-vous au sol ! cria Jason à ses compagnons.

474

Et tous ses cheveux se dressèrent sur sa tête.

SCRAAAATCH !

La foudre s'engouffra par le corps de Jason, traversa Encélade et s'enfonça dans le sol. Le géant raidit le dos et Jason fut éjecté. Lorsqu'il reprit pied, il glissait sur la paroi du cratère, lequel se fissurait. L'éclair avait fracassé la montagne. Avec un grondement, la terre s'ouvrit et les jambes d'Encélade glissèrent dans le gouffre qui venait d'apparaître. Il tenta désespérément de se rattraper aux parois lisses de la fosse et, l'espace de quelques secondes, parvint à s'agripper au bord, les mains tremblantes.

Il porta sur Jason un regard chargé de haine.

– Tu n'as rien gagné, petit. Mes frères s'éveillent et ils sont dix fois plus forts que moi. Nous détruirons les dieux à leurs racines ! Tu mourras, l'Olympe mourra et...

Alors, il lâcha prise et tomba dans le gouffre.

La terre trembla et Jason dégringola à son tour vers le fond du cratère.

– Attrape ! hurla Léo en lui lançant la corde.

Jason avait déjà les pieds au bord de l'abîme quand il put enfin saisir la corde, et Léo et Piper le hissèrent *in extremis*.

Pantelants et terrifiés, ils virent le gouffre se refermer comme une bouche en colère. Le sol cessa de tirer sur leurs pieds.

Gaïa s'était retirée, pour le moment.

Le flanc de la montagne était ravagé par les flammes, et des tourbillons de fumée s'élevaient sur plusieurs dizaines de mètres. Jason aperçut un hélicoptère qui venait dans leur direction – des pompiers ou des journalistes.

Autour d'eux, c'était un champ de ruines. Les ogres de terre étaient tous réduits à des tas d'argile et il ne restait pour seules traces de leur passage que leurs projectiles de pierre et quelques pagnes peu ragoûtants, mais Jason soupçonnait qu'ils ne tarderaient pas à se reformer. Les machines de chantier gisaient éparses. Le sol était noirci et raviné.

Gleeson Hedge s'agita. Il se redressa en grognant et se frotta la tête. Son pantalon jaune canari, couvert de boue, tirait maintenant sur le caca d'oie.

Il balaya le champ de bataille du regard en écarquillant les yeux.

– C'est moi qui ai fait ça ? demanda-t-il.

Sans laisser le temps de répondre à Jason, l'entraîneur attrapa son gourdin et se leva, les jambes chancelantes.

– Vous vouliez de la castagne, les cocos ? Ben vous en avez eu ! C'est qui le plus fort, hein ?

Là-dessus, il exécuta une petite danse en shootant dans les cailloux, adressant aux tas d'argile des gestes certainement grossiers en langage satyre.

Léo sourit et Jason ne put se retenir : il éclata de rire. Il devait avoir l'air un peu hystérique, mais ça lui était égal – c'était un tel soulagement d'être encore en vie.

Alors, à l'autre bout de la clairière, un homme se leva. Tristan McLean avança en titubant. Il avait les yeux caves, le regard hagard, comme s'il venait de traverser les ruines d'une catastrophe nucléaire.

– Piper ? appela-t-il d'une voix qui se brisa. Pip's, qu'est-ce que...

Il n'arriva pas à finir sa phrase. Piper courut vers lui et le serra dans ses bras, mais il eut l'air de ne pas la reconnaître.

Jason avait éprouvé un passage à vide semblable : le matin du Grand Canyon, lorsqu'il s'était réveillé sans aucun souvenir. M. McLean avait le problème inverse. Lui en avait trop, de souvenirs, et le traumatisme était au-delà de ses forces mentales. Il craquait.

– Il faut qu'on l'évacue, dit Jason.

476

– Oui, mais comment ? demanda Léo. Il est pas en état de marcher.

Jason leva les yeux vers l'hélicoptère, qui décrivait maintenant des cercles juste au-dessus d'eux.

– Tu pourrais nous bricoler un mégaphone ? demanda-t-il à Léo. Piper a des choses à dire.

45 Piper

Piper n'eut pas de mal à emprunter l'hélico. Faire monter son père à bord, en revanche, fut plus difficile.

Il suffit de quelques mots dans le mégaphone improvisé par Léo pour convaincre la pilote de se poser sur la montagne. L'hélicoptère du service des parcs nationaux était assez grand pour permettre des opérations de sauvetage et d'évacuation médicale, et quand Piper dit à la très aimable pilote que ce serait une excellente idée de les conduire à l'aéroport d'Oakland, elle en convint sans hésiter.

– Non, dit son père quand ils voulurent l'amener vers l'hélico. Piper, il y avait des monstres, il y avait des monstres...

Léo et Jason durent aider la jeune fille à le soutenir, tandis que Gleeson rassemblait leurs affaires. Heureusement, l'entraîneur avait remis ses chaussures et remonté son pantalon, ce qui dispensa Piper d'expliquer pourquoi il avait des pattes de chèvre.

Ça lui fendait le cœur de voir son père dans cet état – poussé au-delà de ses limites, pleurant comme un petit garçon. Elle ignorait ce que le géant lui avait fait au juste, et comment les monstres lui avaient brisé le mental, et elle n'était pas sûre qu'elle supporterait de le découvrir.

– Ça va aller, papa, dit-elle de sa voix la plus rassurante. (Elle ne voulait pas enjôler son propre père, mais ne voyait pas d'autre solution.) Ces gens sont mes amis. Nous allons t'aider. Tu ne risques plus rien.

Il cligna des yeux et regarda les pales de l'hélicoptère.

– Des lames. Ils avaient une machine pleine de lames. Ils avaient six bras...

Quand ils arrivèrent à la porte de l'appareil, la pilote vint leur prêter main-forte.

– Qu'est-ce qu'il a ? demanda-t-elle.

– Une intoxication à la fumée, expliqua Jason. Ou un coup de chaleur.

– On devrait l'emmener à l'hôpital, dit la pilote.

– Oh non ! s'écria Piper, l'aéroport suffira bien.

– Oui, l'aéroport suffira bien, acquiesça aussitôt la pilote, qui fronça ensuite les sourcils comme si elle se demandait pourquoi elle avait changé d'avis. C'est Tristan McLean, l'acteur de cinéma, n'est-ce pas ?

– Non, dit Piper, il lui ressemble, c'est tout.

– Ouais, dit la femme, il lui ressemble, c'est tout. Je... (Elle battit des paupières, l'air déroutée.) J'ai oublié ce que je voulais dire. Allons-y.

Jason regarda Piper en levant les sourcils, visiblement impressionné, mais la jeune fille se sentait très mal. Elle n'aimait pas l'idée de manipuler les gens, de les convaincre de choses qu'ils ne pensaient pas, en fait. C'était tyrannique, immoral... ça lui faisait penser au genre de choses que ferait Drew, à la colonie, ou Médée, dans son abominable magasin. Et en quoi cela pouvait-il aider son père ? Elle ne parviendrait pas à le convaincre qu'il allait s'en remettre ou qu'il ne s'était rien passé. Le traumatisme était beaucoup trop profond.

Ils finirent par l'installer à bord et l'hélicoptère décolla. La pilote recevait sans cesse des appels radio lui demandant où elle se dirigeait, mais elle les ignorait. Ils tournèrent le dos à

479

la montagne en flammes et mirent le cap sur les collines de Berkeley.

– Piper. (Tristan McLean agrippa la main de sa fille comme s'il avait peur de tomber.) C'est bien toi ? Ils m'ont dit... ils m'ont dit que tu allais mourir. Ils ont dit qu'il allait se passer des choses affreuses.

– C'est bien moi, papa. (Piper fit appel à toute sa volonté pour ne pas pleurer. Elle devait être forte pour lui.) Tout va s'arranger.

– C'étaient des monstres, reprit-il. De véritables monstres. Des esprits de la terre tout droit sortis des histoires de Papy Tom. Et notre mère la Terre était fâchée contre moi. Et le géant Tsul'kälû, qui crache le feu... (Il riva de nouveau les yeux sur Piper, des yeux brisés comme des éclats de verre, qui brillaient d'une lumière démente.) Ils ont dit que tu étais un demi-dieu. Que ta mère était...

– Aphrodite, murmura Piper. Déesse de l'Amour.

Les amis de Piper se forçaient à regarder ailleurs. Léo tripotait un boulon sorti de sa ceinture à outils, tandis que Jason observait la vallée, en contrebas : des bouchons se formaient sur les routes car les mortels arrêtaient leurs voitures en découvrant avec stupeur que la montagne était la proie des flammes. Quant à Gleeson, il mâchouillait la tige de son œillet et, pour une fois, le satyre n'avait pas l'air d'humeur à hurler ni à fanfaronner.

Tristan McLean n'était pas censé se montrer dans un état pareil. C'était une star. Il était sûr de lui, il avait de la classe et de l'aisance, toujours une parfaite maîtrise de la situation. Telle était l'image qu'il se donnait en public. Piper avait déjà vu cette image se lézarder, mais là c'était différent. Cette fois, l'image était fracassée, il n'en restait rien.

– Je n'étais pas au courant pour maman, avant ton enlèvement, lui dit Piper. Dès qu'on a su où tu étais, on est accourus. Mes amis m'ont aidée. Plus personne ne te fera du mal.

480

Le père de Piper était secoué de tremblements incontrôlables.

– Vous êtes des héros, tes amis et toi, dit-il. J'ai du mal à y croire. Tu es une véritable héroïne. Pas comme moi – toi tu ne joues pas la comédie. Je suis tellement fier de toi, Pip's.

Tristan McLean avait bredouillé ces paroles d'une voix éteinte, absente. Il baissa le regard sur la vallée et Piper sentit sa main, qui serrait la sienne, se relâcher.

– Ta mère ne m'avait rien dit, tu sais.

– Elle pensait que ça valait mieux comme ça, répondit Piper.

Tout en prononçant ces mots, elle se rendait bien compte que l'excuse ne tenait pas la route, quel que soit le pouvoir d'enjôlement qu'elle puisse mettre à la faire valoir. Ce qu'elle ne dit pas à son père, c'était ce qui inquiétait le plus Aphrodite : « S'il doit passer le restant de ses jours avec ces souvenirs, en sachant que des dieux et des esprits rôdent sur terre, il s'effondrera. »

Piper plongea la main dans sa poche. La fiole était toujours là, légèrement tiède au toucher.

Pouvait-elle effacer les souvenirs de son père ? Il connaissait enfin la vérité à son sujet. Il était fier d'elle et pour la première fois, c'était lui qui l'admirait, et non l'inverse. Il ne l'enverrait plus en pension, maintenant, ne l'éloignerait plus jamais de lui. Désormais ils étaient unis par leur secret.

Comment Piper pouvait-elle renoncer à cela pour revenir en arrière ?

Tenant sa main au creux de la sienne, elle se mit à lui parler de sa vie, par anecdotes : son séjour à l'École du Monde Sauvage, son bungalow à la Colonie des Sang-Mêlé. Elle lui raconta que Gleeson Hedge mangeait des œillets et qu'il était tombé dans les pommes, le derrière à l'air, sur le mont Diablo ; que Léo avait apprivoisé un dragon ; que Jason avait repoussé une meute de loups en leur parlant en latin. Les amis de Piper faisaient un effort pour sourire en l'entendant narrer leurs aventures. Quant à son père, il semblait se détendre, mais ne souriait pas – Piper se demanda s'il l'écoutait vraiment.

Lorsqu'ils survolèrent la rangée de collines qui bordaient la partie est de la baie, Jason se crispa. Il se pencha au-dehors, si loin que Piper eut peur qu'il bascule dans le vide.

– Qu'est-ce que c'est, là-bas ? demanda-t-il en pointant du doigt.

Piper baissa les yeux mais ne repéra rien de particulier : juste des collines, des bois, des maisons, de petites routes serpentant entre les canyons. Une autoroute s'enfonçait par un tunnel dans les collines, reliant la baie aux bourgades de l'intérieur des terres.

– Où ça ?

– Cette route, dit Jason. Celle qui traverse les collines.

Piper mit le casque audio que lui avait donné la pilote et posa la question par radio. La réponse n'avait rien de palpitant.

– Ils me disent que c'est l'autoroute 24, expliqua Piper. Et là, c'est le Caldecott Tunnel. Pourquoi ?

Pour toute réponse, Jason regarda fixement l'entrée du tunnel. Ce dernier sortit de leur champ de vision et ils commencèrent à survoler le centre-ville d'Oakland, mais le garçon garda les yeux rivés sur l'horizon, l'air aussi perturbé que le père de Piper.

– Des monstres, dit Tristan McLean. Je vis dans un monde de monstres.

Une larme roula sur sa joue.

46   PIPER

Les aiguilleurs de l'aéroport d'Oakland refusèrent catégoriquement d'autoriser un hélicoptère qui n'était pas au
planning à se poser. Jusqu'à ce que Piper leur parle : le problème s'évanouit aussitôt.

Ils atterrirent et descendirent sur le tarmac. Tous les yeux
se tournèrent alors vers Piper.

– Et maintenant ? lui demanda Jason.

La jeune fille se sentit mal à l'aise. Elle ne voulait pas
prendre le commandement des opérations, mais elle devait se
montrer sûre d'elle-même, dans l'intérêt de son père. Elle
n'avait pas de plan. Elle venait de se rappeler qu'il était venu
à Oakland par avion ; son jet privé devait être encore là. Mais
aujourd'hui, c'était le solstice. Il fallait qu'ils sauvent Héra. Ils
n'avaient aucune idée de l'endroit où aller et ne savaient même
pas s'il n'était pas déjà trop tard. Et comment pouvait-elle laisser son père dans cet état ?

– Avant tout, dit-elle, je dois ramener mon père chez lui. Je
suis désolée, les gars.

Léo, Jason et Hedge accusèrent le coup en silence, puis Léo
dit avec effort :

– Oh oui, complètement. Il a besoin de toi, là. On va se
débrouiller, t'inquiète !

483

– Non, Pip's. (Tristan McLean, qui était assis dans l'encadrement de la porte de l'hélico, une couverture sur les épaules, se leva avec effort.) Tu as une mission à remplir. Une quête. Je ne peux pas...

– Je vais m'occuper de lui, dit alors Gleeson Hedge.

Piper se tourna vers lui. S'il y avait bien quelqu'un dont elle n'aurait pas escompté l'aide, c'était le satyre.

– Vous ?

– Je suis un protecteur, répondit Hedge. C'est ça, mon vrai boulot. Ce n'est pas de me battre.

Il semblait un peu déconfit, et Piper songea qu'elle n'aurait peut-être pas dû raconter qu'il s'était fait assommer au début de leur dernière bataille. À sa façon, le satyre était peut-être aussi fragile que son père.

Là-dessus, Hedge redressa le dos et serra les mâchoires.

– Bien sûr, je sais parfaitement me battre, aussi, ajouta-t-il en les fusillant tous du regard, les défiant de le contredire.

– Pour ça oui, dit Jason.

– Vous êtes une terreur, renchérit Léo.

L'entraîneur poussa un petit grognement.

– Mais je suis un protecteur et je peux assurer sur ce coup, reprit-il. Ton père a raison, Piper. Il faut que tu poursuives la quête.

– Mais... (Elle avait les yeux qui piquaient, comme dans l'incendie de forêt.) Papa...

Tristan McLean ouvrit les bras et Piper l'embrassa. Il tremblait si fort et semblait si frêle, à présent, que la jeune fille prit peur.

– Laissons-les seuls un instant, suggéra Jason.

Ils s'éloignèrent tous trois de quelques pas en entraînant la pilote avec eux.

– Je n'arrive pas à y croire, dit Tristan McLean, mais j'ai manqué à mon devoir de père.

484

– Non, papa !

– Ils ont fait de ces choses, Piper, ils m'ont montré de ces visions...

– Papa, écoute-moi. (Piper sortit la fiole de sa poche.) Aphrodite m'a donné cette potion pour toi. Elle efface les souvenirs récents. Ce sera comme s'il ne s'était jamais rien produit.

Il la regarda longuement, comme s'il traduisait ses paroles d'une langue étrangère.

– Mais tu es une héroïne, dit-il alors. Je l'oublierais ?

– Oui, répondit Piper dans un souffle. (Elle se força à prendre un ton rassurant.) Tu l'oublierais. Ce serait... ça redeviendrait comme avant.

Il ferma les yeux et laissa échapper un soupir.

– Je t'aime, Piper. Je t'ai toujours aimée. Je... je t'envoyais en pension pour que tu n'aies pas à connaître et partager ce qui fait ma vie. Mon enfance pauvre et sans avenir. Et puis la folie d'Hollywood. Je croyais qu'en t'éloignant, je te protégeais. (Il eut un petit rire.) Comme si pour toi, pour ton bien-être et ta sécurité, il valait mieux vivre sans moi.

Piper serra la main de son père. Elle l'avait déjà entendu dire qu'il voulait la protéger, mais elle ne l'avait jamais cru. Elle avait toujours pensé qu'il se donnait des excuses. Son père avait l'air tellement cool et sûr de lui, l'air de croquer la vie à pleines dents... comment pouvait-il prétendre qu'elle devait se protéger de cette belle joie de vivre ?

Elle comprenait enfin qu'il avait agi dans son intérêt, en s'efforçant de lui cacher sa peur et sa vulnérabilité. Il avait véritablement voulu la protéger. Et maintenant, sa capacité à gérer la situation avait volé en éclats.

Piper tendit la fiole à son père.

– Bois la potion, lui dit-elle. Peut-être qu'un jour nous pourrons reparler de tout ça. Quand tu seras prêt.

485

– Quand je serai prêt, murmura-t-il. À t'entendre, on croirait que c'est moi qui suis en train de grandir. Je suis censé être le parent. (Il prit le flacon et une infime lueur d'espoir brilla dans son regard.) Je t'aime, Pip's.

– Moi aussi, je t'aime, papa.

Tristan McLean but le liquide rose. Ses yeux se révulsèrent et il bascula vers l'avant. Piper le rattrapa et ses amis accoururent à la rescousse.

– C'est bon, je le tiens, dit Hedge. (Le satyre grommela, mais il était assez fort pour maintenir Tristan McLean debout.) J'ai déjà demandé à notre amie du service des parcs nationaux de rappeler son avion privé. Il est en route. Adresse ?

Piper allait la lui donner quand une idée lui traversa l'esprit. Elle regarda dans la poche de son père : son BlackBerry y était toujours ! C'était bizarre qu'il ait encore sur lui cet objet si normal, après tout ce qu'il venait de vivre, mais Encélade n'avait sans doute pas trouvé de raison de le prendre.

– Tout est là, dit Piper. Son adresse et le numéro de son chauffeur. La seule chose : méfiez-vous de Jane.

Les yeux de Hedge brillèrent, comme s'il entrevoyait la possibilité d'une bagarre.

– Qui est Jane ?

Le temps que Piper le lui explique, le Gulfstream blanc et fuselé de son père était venu se ranger près de l'hélico.

Hedge, aidé de l'hôtesse de l'air, installa le père de Piper à bord. Ensuite il redescendit faire ses adieux. Il serra Piper dans ses bras, puis se tourna vers Jason et Léo.

– Bon les cocos, vous avez intérêt à prendre soin de cette jeune fille, compris ? Sinon, je vous fais faire des pompes.

– Entendu, m'sieur l'entraîneur, dit Léo en réprimant un sourire.

– Pas besoin de pompes, promit Jason.

Piper embrassa une dernière fois le vieux satyre.

– Merci, Gleeson. Veillez sur lui, s'il vous plaît.

– Je m'en occupe, McLean, y a pas de souci. Ils ont plein de sodas et des enchiladas aux légumes à bord, plus des serviettes cent pour cent lin... Je pourrais y prendre goût !

Il s'engagea en trottinant dans la passerelle et faillit perdre une chaussure, découvrant son sabot l'espace d'une seconde. L'hôtesse de l'air écarquilla les yeux mais détourna la tête, comme si de rien n'était. Piper se dit qu'elle avait sans doute vu des choses bien plus étranges depuis qu'elle travaillait pour Tristan McLean.

Lorsque l'avion se mit à rouler sur la piste, Piper fondit en larmes. Elle s'était contenue trop longtemps et maintenant, il fallait que ça sorte. Sans qu'elle le voie venir, Jason la serra dans ses bras tandis que Léo, plutôt gêné, extirpait des Kleenex de sa ceinture à outils.

– Ton père est entre de bonnes mains, la rassura Jason. Tu as été formidable.

Piper, le nez dans le tee-shirt de son ami, sanglotait. Elle s'accorda six longues respirations entre ses bras. Sept. Puis elle estima qu'elle devait se reprendre. Ils avaient besoin d'elle. La pilote du service des parcs nationaux paraissait sur les épines, comme si elle commençait à se demander pourquoi elle les avait conduits jusqu'ici.

– Merci, les gars, lança Piper. Je...

Elle aurait voulu leur dire combien ils comptaient pour elle. Ils avaient tout sacrifié, y compris peut-être leur quête, pour l'aider. Elle ne pouvait pas les payer de retour, et ne parvenait même pas à exprimer sa reconnaissance par des mots. Mais elle lut sur les visages de ses amis qu'ils comprenaient.

Soudain, l'air, juste à côté de Jason, scintilla. Piper crut d'abord que c'était la chaleur se dégageant du tarmac ou des émanations de gaz de l'hélico, mais elle avait déjà vu ce

487

phénomène se produire, dans la fontaine de Médée. C'était un message-Iris. Une image se forma dans l'air : celle d'une fille brune en tenue de camouflage d'hiver argentée, tenant un arc à la main.

Jason tituba en arrière sous l'effet de la surprise.

– Thalia !

– Loués soient les dieux, dit la Chasseresse.

Il était difficile de voir ce qui se passait derrière elle, mais Piper entendit des cris, des explosions et des bruits de métal s'entrechoquant.

– On l'a trouvée, dit Thalia. Où êtes-vous ?

– À Oakland, répondit Jason. Et toi ?

– À la Maison du Loup ! C'est bien, Oakland, vous n'êtes pas trop loin. Pour le moment, nous repoussons les sbires du géant, mais on ne va pas tenir éternellement. Venez avant le coucher du soleil, sinon tout sera fichu.

– Alors c'est pas trop tard ? s'écria Piper. (Elle sentit une bouffée d'espoir monter en elle, vite refroidi par l'expression de Thalia.)

– Pas encore, dit Thalia. Mais c'est pire que je ne craignais, Jason. Porphyrion se lève. Dépêche-toi.

– Mais où est la Maison du Loup ?

– Notre dernière promenade, lança Thalia, dont l'image commençait à clignoter. Le parc. Jack London. Tu te souviens ?

Ces paroles étaient parfaitement hermétiques pour Piper, alors que Jason parut foudroyé. Il tituba, livide, et le message-Iris s'éteignit.

– Ça va, mec ? demanda Léo. Tu sais où elle est ?

– Oui, répondit Jason. Dans la vallée de la Sonoma. C'est pas loin, en avion.

Piper se tourna vers la pilote des parcs nationaux, qui avait suivi la scène avec une perplexité croissante.

– Madame, tenta Piper en la gratifiant de son plus beau sourire. Ça vous ennuierait de nous dépanner encore une fois, dites-moi ?

– Pas du tout, affirma la pilote.

– On ne peut pas emmener une mortelle au combat, intervint Jason. C'est trop dangereux. (Il se tourna vers Léo.) Tu saurais piloter cet engin ?

– Hum...

L'expression de Léo ne fit rien pour rassurer Piper. Mais il plaqua la main contre le flanc de l'hélicoptère en se concentrant, comme s'il écoutait l'appareil.

– Hélicoptère utilitaire Bell 412, dit-il alors. Rotor à quatre pales en matériau composite ; vitesse de croisière deux cent vingt-six kilomètres heure ; plafond six mille cent mètres. Le réservoir est presque plein. Ouais, c'est bon, je peux le piloter.

Piper décocha un nouveau sourire à la femme.

– Vous n'avez pas d'objection à ce qu'un mineur sans permis emprunte votre hélico, si ? On vous le rapportera, c'est promis.

– Je... (La pilote manqua s'étrangler, mais parvint tout de même à articuler :) Non, pas d'objection.

Léo sourit.

– Alors, à bord, les petits. Tonton Léo vous emmène faire un tour.

47   Léo

Piloter un hélicoptère ? Oui, pourquoi pas. Léo avait fait plein de choses plus folles, ces derniers jours.

Le soleil se couchait déjà quand ils survolèrent le pont de Richmond, mettant le cap sur le nord. Léo n'en revenait pas. Une fois de plus, rien de tel qu'un syndrome d'hyperactivité doublé d'un bon combat mortel pour faire passer le temps à toute vitesse.

Aux manettes de l'hélico, il oscillait entre la confiance en lui et la panique. Tant qu'il ne se posait pas de questions, il actionnait machinalement les bonnes commandes, consultait l'altimètre, maniait le levier de vitesse en douceur et volait droit. Dès qu'il réfléchissait à ce qu'il faisait, il angoissait. Il imaginait sa tante Rosa lui crier après en espagnol, le traitant de délinquant et de détraqué qui allait s'écraser au sol et faire brûler l'hélico. Quelque part, Léo se disait qu'elle avait raison.

– Ça va, tu t'en sors ? demanda Piper, assise à la place du copilote.

Elle paraissait encore plus inquiète que lui, aussi Léo prit-il l'air serein.

– Pas de souci, affirma-t-il. Alors, c'est quoi, cette Maison du Loup ?

Jason, qui était à l'arrière, s'accroupit entre leurs sièges.

– Une maison abandonnée dans la vallée de la Sonoma. C'est un demi-dieu qui l'a construite. Jack London.

Ce nom ne disait rien à Léo.

– C'est un acteur ? demanda-t-il.

– Un écrivain, corrigea Piper. Des histoires d'aventures, tu sais ? *L'Appel de la forêt*, *Croc-Blanc*, ça te dit quelque chose ?

– Ouais, enchaîna Jason. C'était un fils de Mercure. D'Hermès, je veux dire. C'était un aventurier, il a fait le tour du monde. Il a même été vagabond. Ensuite il a fait fortune en écrivant. Il s'est acheté un grand ranch à la campagne et a décidé de construire cette immense demeure : la Maison du Loup.

– Ainsi nommée parce qu'il écrivait des histoires de loups ? devina Léo.

– En partie, dit Jason. Mais le lieu et la raison pour laquelle il écrivait des histoires de loups, c'étaient des indices qu'il donnait sur son expérience personnelle. Il y a beaucoup de zones d'ombre dans sa biographie. Sa naissance, qui était son père, pourquoi il voyageait tant – des trucs qui ne s'expliquent que si on sait qu'il était demi-dieu.

La baie disparut derrière eux et l'hélico poursuivit sa trajectoire vers le nord. Des collines jaunes s'égrenaient à perte de vue.

– Jack London est donc allé à la Colonie des Sang-Mêlé, conclut Léo.

– Non, dit Jason. Pas lui.

– Tu me fais flipper avec tes histoires mystérieuses, mec. Tu te souviens de ton passé, ou pas ?

– De certains passages seulement, et rien de bon. La Maison du Loup se trouve sur une terre sacrée. C'est là que Jack London a commencé son voyage, quand il était enfant – là qu'il a découvert qu'il était un demi-dieu. C'est pour cette raison qu'il y est retourné plus tard. Il pensait qu'il pouvait vivre là-bas et s'approprier cette terre, mais ce n'était pas son destin. La Maison du Loup était maudite. Elle a brûlé dans un incendie une semaine avant le jour où il était censé y emménager avec sa femme. London est mort quelques années plus tard et ses cendres ont été ensevelies sur le site.

– Et d'où tu sais tout ça ? demanda Piper.

Une ombre passa sur le visage de Jason. Sans doute rien de plus qu'un nuage, pourtant Léo aurait juré qu'elle avait la forme d'un aigle.

– J'ai commencé mon voyage là-bas, moi aussi, dit Jason. C'est un lieu fort, pour les demi-dieux, un lieu dangereux. Si Gaïa peut se l'approprier, détourner son pouvoir pour ensevelir Héra et ramener Porphyrion à la vie... cela pourrait suffire à réveiller complètement la déesse de la Terre.

Léo gardait la main sur le manche à balai et mettait le cap sur le nord en poussant l'hélico à sa vitesse maximale. Il voyait une masse sombre à l'horizon – un amoncellement de nuages ou une tempête, pile là où ils allaient.

Le père de Piper l'avait qualifié de héros. Et Léo lui-même était épaté par certaines des choses qu'il avait faites : dégommer des Cyclopes, désactiver des sonnettes explosives, combattre des ogres à six bras avec des machines-outils. Il avait l'impression que c'était arrivé à quelqu'un d'autre. Lui n'était que Léo Valdez, un orphelin de Houston. Il avait passé sa vie à fuguer et, quelque part, il avait toujours envie de prendre la fuite. C'était quoi, ce nouveau délire, de mettre le cap sur une maison maudite pour combattre d'autres monstres maléfiques ?

La voix de sa mère résonna dans sa tête : *Rien n'est irréparable*

À part le fait que tu es partie pour toujours, songea Léo.

C'est en voyant Piper et son père enfin réunis que le garçon avait véritablement compris cela. Même s'il survivait à cette quête et sauvait Héra, il n'aurait pas droit à de joyeuses retrouvailles. Il ne rentrerait pas auprès d'une famille aimante. Il ne verrait pas sa mère.

L'hélicoptère trembla et la coque de métal se mit à grincer. Léo put presque reconnaître un message en morse dans les craquements : *C'est pas fini. C'est pas fini.*

Il redressa l'engin et les bruits cessèrent. Il se faisait des idées, c'était tout. Il ne pouvait pas se permettre de penser longuement à sa mère, ni à l'idée qui le taraudait : si Gaïa ramenait des âmes des Enfers, pourquoi ne pouvait-il pas, lui, faire en sorte qu'il en advienne quelque chose de bon ? Ruminer ce genre d'idées pouvait lui faire perdre la raison. Or il avait une tâche à accomplir.

Léo laissa son instinct prendre le dessus – exactement comme pour piloter l'hélicoptère. S'il pensait trop à la quête et à ce qui risquait de se passer ensuite, la panique l'emporterait. L'astuce consistait à traverser l'épreuve sans trop réfléchir, et la surmonter.

– Trente minutes de trajet, annonça-t-il à ses amis, sans savoir d'où il tirait cette info. Si vous voulez vous reposer, profitez-en.

Jason attacha sa ceinture de sécurité et sombra presque aussitôt dans le sommeil. Piper et Léo, en revanche, étaient parfaitement éveillés.

Au bout de quelques minutes d'un silence gêné, Léo dit :

– Ton père ne risque rien, tu sais. Avec ce barjo de bouc comme garde du corps, les gens vont le laisser tranquille.

Piper lui jeta un coup d'œil et Léo fut frappé de voir à quel point elle avait changé. Ce n'était pas seulement physique. Sa présence était plus forte. Elle semblait plus... plus *là*. À l'École du Monde Sauvage, elle avait passé le semestre à jouer les invisibles, cachée au dernier rang de la salle de classe, au fond du bus, au coin du réfectoire le plus éloigné des chahuteurs. Maintenant, il serait impossible de la rater. Et peu importait sa tenue, là n'était pas la question : elle attirait irrésistiblement le regard.

– Mon père, répondit-elle d'un ton pensif. Ouais, je sais. Je pensais à Jason. Je m'inquiète à son sujet.

Léo hocha la tête. Plus ils s'approchaient de ces nuages sombres, plus il se faisait du souci, lui aussi.

– Les souvenirs commencent à lui revenir, dit-il. Ça le met un peu à cran, c'est obligé.

– Mais si... s'il s'avère qu'il est quelqu'un d'autre ?

Léo y avait pensé. Si la Brume était capable d'altérer leurs souvenirs, était-il possible que la personnalité de Jason soit une illusion également ? Si leur ami n'était pas leur ami, sachant qu'ils se dirigeaient vers une maison maudite – un lieu de tous les périls pour des demi-dieux – qu'adviendrait-il si Jason retrouvait entièrement la mémoire au beau milieu d'un combat ?

– Nan, finit par répondre Léo. Après tout ce qu'on a vécu ensemble, moi je dis que c'est pas possible. Nous sommes une équipe. Jason peut gérer.

Piper passa la main sur sa robe turquoise, toute déchirée et brûlée depuis la bataille du mont Diablo.

– J'espère que tu as raison, dit-elle. J'ai besoin de lui... (Elle s'éclaircit la gorge.) Je veux dire que j'ai besoin de lui faire confiance.

– Je sais.

Après avoir vu son père craquer, Léo comprenait que Piper ne pouvait pas se permettre de perdre Jason. Sous ses yeux, son père, la star de cinéma Tristan McLean, un des gars les plus cool d'Hollywood, avait vacillé au bord de la folie. Le spectacle avait été pénible pour Léo, alors pour Piper... Waouh, il n'osait pas l'imaginer. Il songea que ça avait dû ébranler sa confiance

494

en elle, aussi. Elle devait se demander si la faiblesse était héréditaire, et si elle risquait de s'effondrer comme son père.

– Hé, t'inquiète pas, dit Léo. Tu es la Reine de Beauté la plus
forte et la plus puissante que j'aie jamais rencontrée, Piper. Tu
peux avoir confiance en toi-même. Et, pour ce que ça vaut, tu
peux me faire confiance à moi aussi.

À ce moment-là, une rafale de vent secoua brutalement
l'hélico et Léo sauta en l'air. Avec un juron, il redressa l'hélicoptère. Piper poussa un petit rire nerveux.

– Je peux te faire confiance, hein ?

– Ah, la ferme, hein !

Mais Léo lui décocha un grand sourire et, une brève
seconde, il eut la sensation de partager un moment de détente
avec une amie.

Alors ils entrèrent de plein fouet dans les nuages d'orage.

48 LÉO

A u début, Léo crut qu'une pluie de cailloux criblait le pare-brise. Puis il vit que c'était de la neige fondue. Le givre se formait rapidement sur le tour de la vitre et des vagues de glace molle et mouillée lui barraient la vue.

– Une tempête de verglas ? cria Piper pour couvrir le bruit du moteur et du vent. Depuis quand il fait si froid dans le comté de Sonoma ?

Léo n'en était pas certain, mais il lui semblait détecter dans cette tempête une malveillance consciente : comme si elle les frappait délibérément.

Jason ne tarda pas à se réveiller. Il crapahuta vers l'avant de l'hélico en s'agrippant aux dossiers de Léo et Piper.

– Je crois qu'on approche, dit-il.

Léo était trop occupé à se battre avec le manche à balai pour répondre. Quasiment d'un instant à l'autre, l'hélico était devenu très difficile à piloter ; il manquait de reprise et ballottait dans le froid glacial. Puis les commandes refusèrent de répondre et ils se mirent à perdre de l'altitude.

Le sol, en dessous d'eux, formait un sombre tapis de bois noyés dans le brouillard. La crête d'une colline se dressa sur leur trajectoire et Léo tira brutalement sur le manche : moins une ! L'hélico passa au ras des cimes d'arbres.

– Là-bas ! cria Jason.

Une petite vallée s'ouvrait devant eux et ils distinguèrent, en plein milieu, la forme obscure et floue d'une bâtisse. Léo mit le cap dessus. Des éclairs de lumière crépitaient tout autour de la maison, ce qui lui rappela la propriété de Midas. Des arbres, en lisière de la clairière, explosaient. Des silhouettes se mouvaient dans la brume. Le combat semblait faire rage partout.

Léo posa l'hélicoptère dans un champ gelé, à une cinquantaine de mètres de la maison, et coupa le moteur. Il allait pousser un soupir de soulagement quand il entendit un sifflement et aperçut une forme sombre qui surgissait du brouillard et fonçait droit sur eux.

– Sortez ! hurla-t-il.

Ils s'éjectèrent tous les trois de l'hélicoptère et s'éloignèrent en courant. À peine avaient-ils fait quelques enjambées qu'une explosion retentissante secoua le sol. Léo s'étala par terre, sous une pluie d'éclats de glace.

Il se releva jambes flageolantes et vit que la plus grosse boule de neige du monde – de la neige, de la glace et de la terre agglutinées en un projectile de la taille d'un garage – avait carrément aplati le Bell 412.

Jason et Piper le rejoignirent. À part des éclaboussures de boue et de neige, ils avaient l'air indemnes.

– Ça va ? demanda Jason.

– Ouais, fit Léo, mais je crois qu'on devra un hélico neuf aux parcs nationaux.

Piper tendit le doigt vers le sud.

– Les combats se passent là-bas, dit-elle, avant de froncer les sourcils, l'air perplexe. Non... en fait, il y en a tout autour de nous.

Elle avait raison. La vallée entière résonnait de bruits et de cris. La neige et le brouillard interdisaient toute certitude, mais ils avaient quand même l'impression que la Maison du Loup se trouvait au centre d'un anneau de combats.

Les ruines du rêve de Jack London se dressaient derrière eux : des pans de murs de pierre rouge et grise, une carcasse de grosses poutres rustiques. Léo n'eut pas de mal à imaginer à quoi ressemblait l'édifice, avant l'incendie : un croisement de cabane en rondins et de château comme pouvait en construire un bûcheron milliardaire. Mais là, pris dans la brume et cette horrible neige fondue, les lieux dégageaient un sinistre sentiment de solitude. Il voulait bien croire que les ruines étaient maudites.

– Jason ! appela une voix de fille.

Thalia émergea du brouillard, la parka couverte de neige. Elle tenait son arc à la main et son carquois était presque vide. Elle s'élança à leur rencontre mais à peine avait-elle fait quelques pas qu'un ogre à six bras – un des Gégénéis – surgit de la tempête et se dressa sur sa route, une massue dans chaque main.

– Attention ! hurla Léo.

Ils se ruèrent à sa rescousse, mais Thalia maîtrisait la situation. Elle se propulsa en saut périlleux, arma son arc en pivotant et décocha alors qu'elle se reposait au sol à genoux. L'ogre, atteint d'une flèche d'argent entre les deux yeux, s'écroula et se réduisit en tas d'argile.

Thalia se releva et retira sa flèche, mais la pointe était brisée.

– C'était ma dernière, maugréa-t-elle en donnant un coup de pied au tas d'argile. Crétin d'ogre.

– Joli coup, cela étant, dit Léo.

Thalia l'ignora, comme d'habitude (signe indubitable qu'elle le trouvait plus cool que jamais.) Elle embrassa Jason et gratifia Piper d'un coup de menton.

– Vous tombez bien. Mes Chasseresses maintiennent un périmètre de sécurité autour de la maison, mais ils vont nous envahir d'un instant à l'autre.

– Qui ça, les ogres de terre ? demanda Jason.

– Et les loups de Lycaon, répondit Thalia en chassant d'un souffle un bout de glace sur son nez. Plus les esprits de la tempête.

– Mais on les a livrés à Éole ! protesta Piper.

– Lequel a tenté de nous tuer, rappela Léo. Peut-être qu'il est repassé du côté de Gaïa.

– Je ne sais pas, dit Thalia. Mais les monstres continuent à se reformer presque aussi vite que nous les tuons. On n'a pas eu de mal à prendre la Maison du Loup ; on a attaqué les gardes par surprise et on les a expédiés direct au Tartare. Là-dessus cette tempête de neige complètement anormale a éclaté et des tonnes de monstres nous ont assaillies, en déboulant par vagues successives. On est cernés, maintenant. Je ne sais pas qui mène l'assaut, mais à mon avis, c'était préparé. C'était un piège pour tuer tous ceux qui se risqueraient à sauver Héra.

– Où est-elle ? demanda Jason.

– À l'intérieur. On a essayé de la libérer, mais on trouve pas le moyen d'ouvrir la cage. Plus que quelques minutes et le soleil va se coucher. Héra pense que c'est le moment où Porphyrion renaîtra. En plus, les monstres sont en général plus forts la nuit. Si on ne délivre pas Héra très vite...

Thalia n'eut pas besoin de finir sa phrase.

Léo, Jason et Piper la suivirent vers la maison en ruine.

Jason posa les pieds sur le seuil et, immédiatement, ses jambes le lâchèrent.

– Hé ! s'exclama Léo en le rattrapant. Nous fais pas ce coup-là, mec. Qu'est-ce qui t'arrive ?

– Cet endroit... (Jason secoua la tête.) Désolé, les gars, ça m'est revenu d'un coup.

– Alors tu es déjà venu ici, bel et bien, dit Piper.

– On est venus tous les deux, expliqua Thalia, le visage assombri comme si elle revivait la mort d'un proche. C'est là que ma mère nous a amenés quand Jason était petit. Elle l'a abandonné ici en me faisant croire qu'il était mort. Il avait disparu d'un instant à l'autre.

– Elle m'a donné aux loups, murmura Jason. Héra a insisté pour qu'elle le fasse. Elle m'a donné à Lupa.

– Je ne connais pas cette partie de l'histoire, dit Thalia en fronçant les sourcils. Qui est Lupa ?

Une violente secousse ébranla le bâtiment. Dehors, un champignon bleu se forma en faisant pleuvoir des flocons de neige et des cristaux de glace, comme une explosion nucléaire où le froid remplaçait la chaleur.

– C'est peut-être pas le moment de poser des questions, suggéra Léo. Montre-nous la déesse.

Une fois à l'intérieur, Jason parut reprendre ses esprits. La maison était disposée en U et Jason les conduisit à une cour intérieure située entre les deux ailes du U. Au centre se trouvait un miroir d'eau vide et, au fond du bassin, tout comme Jason l'avait décrit d'après son rêve, deux flèches de pierre et de racines entremêlées avaient percé les fondations.

L'une des flèches était nettement plus grande que l'autre : une masse sombre d'environ six mètres de hauteur, qui ressemblait, trouva Léo, à une housse mortuaire en pierre. Sous la gangue de vrilles végétales, il distingua la forme d'une tête, des épaules carrées, un buste trapu et des bras épais. La créature semblait enfoncée dans la terre jusqu'à la taille... ou plutôt non : pas enfoncée, mais en train de s'extirper du sol, au contraire.

500

La flèche qui se dressait à l'autre bout du bassin était plus petite et son carcan végétal moins serré. Les racines n'en faisaient pas moins l'épaisseur d'un poteau téléphonique chacune, et il n'y avait pas assez d'espace entre elles pour permettre à Léo d'y glisser la main. Il pouvait voir quand même ce qu'il y avait à l'intérieur : au centre de la cage se tenait Tìa Callida.

Elle était exactement comme dans ses souvenirs : des cheveux noirs couverts d'un châle, une robe de deuil, un visage ridé et des yeux au regard effrayant.

Elle ne dégageait aucune lumière, n'irradiait pas de pouvoir particulier. Elle avait l'air d'une mortelle ordinaire – sa bonne vieille nounou psychotique.

Léo sauta dans le bassin et s'approcha de la cage.

– *Hola, Tìa*. On a des ennuis ?

Elle croisa les bras et poussa un soupir exaspéré.

– Ne m'examine pas comme si j'étais une de tes machines, Léo Valdez. Sors-moi de là !

Thalia rejoignit le garçon et toisa la cage avec dégoût – mais qui sait si son regard ne s'adressait pas à la déesse ?

– On a essayé tout ce qu'on pouvait, Léo, dit-elle, mais je n'avais peut-être pas le cœur à la tâche. S'il n'en tenait qu'à moi, on la laisserait là.

– Oh, Thalia Grace ! s'exclama la déesse. Quand je sortirai de là, tu regretteras d'être née.

– Économisez votre salive ! Ça fait des éternités que vous pourrissez la vie des enfants de Zeus. Vous avez lâché un troupeau de vaches souffrant de troubles du transit contre mon amie Annabeth...

– Elle m'avait manqué de respect !

– Vous m'avez fait tomber une statue sur les jambes.

– C'était un accident !

– Et en plus vous m'avez pris mon frère ! (L'émotion brisa la voix de Thalia.) Ici-même. Vous nous avez gâché la vie. On devrait vous abandonner à Gaïa !

– Hum, intervint Jason. Thalia, je sais, tu as raison. Mais c'est pas le moment. Tu devrais aider tes Chasseresses.

Thalia serra les mâchoires.

– D'accord, très bien dit-elle. Mais c'est pour toi, Jason. Si tu veux mon avis, elle ne le mérite pas.

Elle pivota sur ses talons, s'extirpa d'un bond du bassin et partit en trombe.

Léo se tourna vers Héra, admiratif malgré lui.

– Des vaches souffrant de troubles du transit ?

– Concentre-toi plutôt sur la cage, Léo, grommela la déesse. Et toi, Jason, tu es plus sage que ta sœur. J'ai bien choisi mon héros.

– Je ne suis pas votre héros, reine du Ciel, dit Jason. Si je vous aide, c'est seulement parce que vous m'avez volé mes souvenirs et que vous valez quand même mieux que l'autre option. D'ailleurs, où ça en est, de ce côté-là ?

Il indiqua d'un coup de menton la flèche qui ressemblait à une housse mortuaire grand modèle en granit, à l'autre bout du bassin. Léo se faisait-il des idées, ou elle avait gagné quelques centimètres depuis leur arrivée ?

– Ce que tu as devant les yeux, Jason, dit Héra, c'est le roi des géants en cours de reconstitution.

– Immonde, lâcha Piper.

– Immonde en effet, acquiesça Héra. Porphyrion, le plus fort de son espèce. Gaïa a dû utiliser beaucoup de pouvoir pour le faire revenir, beaucoup de *mon* pouvoir. Ça fait des semaines que je m'affaiblis à mesure qu'elle pompe mon énergie pour le doter d'un nouveau corps.

– Tu fais office de lampe à infrarouge, en somme, devina Léo. Ou d'engrais.

La déesse le fusilla du regard, mais il n'en avait rien à faire. Cette vieille dame lui empoisonnait la vie depuis qu'il était bébé ; il n'allait pas se priver de se payer sa tête, maintenant qu'il le pouvait.

– Ris tant que tu veux, rétorqua Héra d'un ton sec. Mais au coucher du soleil, ce sera trop tard. Le géant s'éveillera. Il me donnera le choix : l'épouser ou me faire dévorer par la terre. Or je ne peux pas l'épouser. Nous serons donc tous massacrés. Et à notre mort, Gaïa se réveillera.

Léo regarda la flèche du géant en fronçant les sourcils.

– Y aurait pas moyen de la faire sauter ?

– Sans moi, vous n'en aurez jamais la force. Autant essayer de faire sauter une montagne.

– On a fait ça tout à l'heure, remarqua Jason.

– Délivrez-moi et dépêchez-vous ! s'écria Héra.

Jason se gratta la tête.

– Léo, tu peux y arriver ?

– Ch'aipas, répondit ce dernier en s'efforçant de contenir la panique qu'il sentait monter. De toute façon, si c'est une déesse, pourquoi elle s'est pas évadée toute seule ?

Héra arpentait furieusement le sol de sa cage, pestant en grec ancien.

– Sers-toi de tes méninges, Léo Valdez. Je t'ai choisi à cause de ton intelligence. Quand un dieu est fait prisonnier, il perd l'usage de son pouvoir. Ton propre père m'a ficelée sur un trône d'or, une fois. Quelle humiliation ! J'ai dû le supplier – *le supplier !* – de me rendre ma liberté, plus m'excuser de l'avoir jeté du haut du mont Olympe.

– Ça ne paraît que justice, dit Léo.

Héra le gratifia d'un regard assassin.

– Je te suis depuis ton enfance, fils d'Héphaïstos, car j'ai toujours su que tu pourrais me secourir quand ce moment viendrait. S'il y a quelqu'un qui peut trouver le moyen de détruire cette horreur, c'est toi.

– Mais c'est pas une machine. On dirait que Gaïa a sorti la main du sol et...

Léo se sentit pris d'un vertige. Un vers de la prophétie lui était revenu à la mémoire : « La forge et la colombe briseront la cage. »

– Attendez, dit-il. J'ai une idée. Piper, je vais avoir besoin de ton aide. Et on va avoir besoin de temps.

Soudain, le froid tendit l'air. La température chuta si brusquement que les lèvres de Léo se fendillèrent, tandis que son haleine se muait en brume. Les murs de la Maison du Loup se couvrirent de givre. Des *venti* s'engouffrèrent dans la cour, mais au lieu d'avoir l'apparence d'hommes ailés, ils avaient celle de grands chevaux, aux corps de nuages d'orage et aux crinières d'éclairs de foudre. Certains avaient des flèches d'argent plantées dans les flancs. Venaient à leur suite des loups aux yeux rouges et des ogres de terre à six bras.

Piper dégaina son poignard. Jason empoigna une planche couverte de glace qui traînait au fond du bassin. Léo plongea la main dans sa ceinture à outils mais il était tellement troublé qu'il n'en retira qu'une boîte de Tic Tac. Il la remit aussitôt en espérant que personne n'ait rien vu, et sortit un marteau à la place.

Un des loups s'avança. Il traînait une statue en glace de taille humaine. Parvenu au bord du bassin, l'animal desserra les mâchoires et laissa tomber la statue devant eux. Cette dernière représentait une archère aux cheveux noirs et hérissés, le visage figé en une expression de surprise.

– Thalia !

Jason voulut s'élancer près d'elle, mais Léo et Piper le retinrent. Tout autour de la statue de Thalia, le sol se prenait de glace. Léo craignait, si Jason la touchait, qu'il ne gèle à son tour.

– Qui a fait ça ? hurla Jason, qui sentit l'électricité parcourir son corps. Je vais te tuer de mes propres mains !

Léo entendit un rire de fille fuser derrière les monstres, sonore et cristallin. Elle émergea du brouillard dans sa robe blanche comme neige, un diadème d'argent coiffant sa longue chevelure noire. Et elle les contempla de ces grands yeux bruns que Léo avait trouvés si beaux, au Québec.

– Bonsoir, mes amis, déclama Chioné, déesse de la Neige. (Elle adressa un sourire glacial à Léo.) Hélas, fils d'Héphaïstos, tu dis que tu auras besoin de temps ? C'est précisément l'outil qui te fait défaut, j'en ai peur.

49 Jason

J ason pensait qu'après la bataille du mont Diablo, rien ne
pouvait l'effrayer ou le troubler davantage.

Or sa sœur gisait à ses pieds, gelée. Il était encerclé de
monstres. Il avait cassé son épée d'or et l'avait remplacée par
un bout de bois. Il disposait d'environ cinq minutes avant que
le roi des géants déboule et les tue tous. Il avait déjà joué son
atout maître en faisant appel aux foudres de Zeus lorsqu'il
avait affronté Encélade, et il doutait d'avoir la force nécessaire
ni le concours du ciel pour renouveler cet exploit. Ce qui lui
laissait comme seuls soutiens une déesse captive et geignarde,
une pseudo-petite amie armée d'un poignard et Léo, qui avait
l'air de croire qu'il pouvait repousser les armées de l'ombre
avec des Tic Tac.

Pour couronner le tout, les pires souvenirs de Jason revenaient maintenant par vagues. Il avait la certitude d'avoir
affronté de nombreux dangers dans sa vie, mais il n'avait
jamais été aussi près de la mort qu'en cet instant.

L'ennemie était ravissante. Chioné sourit en regardant une
dague de glace se matérialiser au creux de sa paume, et ses
yeux pétillèrent.

– Qu'avez-vous fait ? demanda Jason.

– Oh, tant de choses, susurra la déesse des Neiges. Ta sœur

506

n'est pas morte, si c'est ce que tu veux savoir. Elle et ses Chasseresses feront de jolis jouets pour nos loups. Je m'étais dit qu'on les décongèlerait une par une et qu'on leur donnerait la chasse pour s'amuser. À leur tour, de jouer les proies !

Un grondement satisfait monta de la meute.

– Oui, mes chéris, dit Chioné sans quitter Jason du regard. Ta sœur a failli tuer leur roi, tu sais. Lycaon s'est réfugié dans une grotte quelconque où il doit être en train de lécher ses plaies, mais ses serviteurs sont venus se mettre à notre service pour venger leur maître. Et bientôt Porphyrion se lèvera et nous régnerons sur le monde.

– Traîtresse ! cria Héra. Affreuse petite déesse mineure semeuse de pagaille ! Tu n'es pas digne de me servir mon vin, encore moins de régner sur le monde.

Chioné soupira.

– Toujours aussi fatigante, reine Héra. Ça fait des millénaires que j'ai envie de te fermer le clapet.

Chioné agita la main et une coque de glace se referma sur la cage, obstruant tous les interstices des vrilles de terre.

– Voilà qui est mieux, déclara la déesse des Neiges. Maintenant, demi-dieux, parlons de votre mort.

– C'est vous qui avez attiré Héra dans ce piège, dit Jason. Et qui avez donné à Zeus l'idée de fermer l'Olympe.

Les loups grondèrent et les esprits de la tempête hennirent, prêts à attaquer, mais Chioné leva la main.

– Patience, mes amours. Où est le problème, s'il a envie de parler ? Le soleil se couche et le temps est de notre côté. Bien sûr, Jason Grace. Comme la neige, ma voix est douce, calme, et très froide. Il m'est facile de murmurer à l'oreille des autres dieux, surtout quand je ne fais que confirmer leurs craintes les plus profondes. J'ai également soufflé à Éole de donner l'ordre de tuer les demi-dieux. C'était un petit service que je rendais à Gaïa et je suis sûre que j'en serai recompensée quand ses fils, les géants, prendront le pouvoir.

– Vous auriez pu nous tuer au Québec, dit Jason. Pourquoi nous avoir épargnés ?

Chioné plissa le nez.

– Ça aurait fait désordre de vous tuer dans la maison de mon père, d'autant plus qu'il exige de rencontrer tous les visiteurs. J'ai tenté de le faire, souviens-toi. J'aurais adoré que mon père accepte de vous geler. Mais une fois qu'il vous a garanti de vous laisser partir en toute sécurité, je ne pouvais pas lui désobéir ouvertement. Mon père est un vieil imbécile qui vit dans la crainte de Zeus et d'Éole, il n'empêche qu'il a toujours du pouvoir. Bientôt, lorsque mes nouveaux maîtres se seront éveillés, je renverserai Borée et je monterai sur le trône du Vent du Nord, mais cette heure n'est pas encore venue. En plus, mon père avait raison sur un point : votre quête, c'était du suicide. J'étais sûre que vous alliez échouer.

– Et pour nous aider à nous planter, dit Léo, vous avez abattu notre dragon en plein vol au-dessus de Detroit. Ces câbles gelés dans sa tête, c'était votre faute. Vous allez nous le payer.

– C'est vous aussi qui informiez Encélade de nos déplacements, ajouta Piper. On a essuyé des tempêtes de neige tout du long.

– Oui, je me sens tellement proche de vous, à présent ! dit Chioné. Quand vous avez dépassé Omaha, j'ai décidé de charger Lycaon de vous traquer pour que Jason puisse mourir ici, à la Maison du Loup.

La déesse sourit.

– Vois-tu, Jason, ton sang versé sur ce sol sacré le souillera pour des générations. Tes frères demi-dieux seront indignés, en particulier quand ils trouveront les corps de ces deux pensionnaires de la Colonie des Sang-Mêlé. Ils croiront que les Grecs ont comploté avec les géants. Ce sera... délicieux.

Piper et Jason n'avaient pas l'air de comprendre ce que disait la déesse, mais Jason oui. Il avait retrouvé suffisamment de souvenirs pour comprendre la redoutable efficacité du plan de Chioné.

– Vous allez monter des demi-dieux contre d'autres demi-dieux, murmura-t-il avec effroi.

– Ce sera tellement facile ! Comme je le disais, je ne fais qu'encourager des tendances que vous auriez suivies de toute façon.

– Mais pourquoi ? s'exclama Piper en écartant les bras. Chioné, vous allez mettre le monde à feu et à sang. Les géants détruiront tout. Ce n'est quand même pas ce que vous souhaitez ! Rappelez vos monstres.

Chioné hésita, puis éclata de rire.

– Tes pouvoirs de persuasion s'accroissent, ma petite. Mais je suis une déesse. Tu ne peux pas m'enjôler. Nous autres divinités des Vents sommes des créatures du chaos ! Je renverserai Éole et libérerai les tempêtes. Et si nous détruisons le monde des mortels, tant mieux ! Ils ne m'ont jamais honorée, même au temps des Grecs. Les humains et leurs histoires de réchauffement planétaire... tu parles ! Je vais les refroidir un bon coup, moi. Lorsque nous aurons reconquis les sites anciens, j'enneigerai l'Acropole.

– Les sites anciens ! s'exclama Léo, les yeux écarquillés. C'est ça qu'Encélade voulait dire en parlant de détruire les racines des dieux. Il parlait de la Grèce.

– Tu pourrais passer de mon côté, fils d'Héphaïstos, continua Chioné. Je sais que tu me trouves belle. Pour la réussite de mon plan, la mort de tes deux compagnons me suffit. Dis non à cette ridicule destinée que t'ont attribuée les Parques. À la place, choisis de vivre et d'être mon héros. Tes talents me seront très utiles.

Léo parut sidéré. Il jeta un coup d'œil derrière lui, comme pour voir si Chioné parlait à quelqu'un d'autre. Jason fut pris d'une brusque inquiétude. Ce n'était pas tous les jours, supposa-t-il, que de ravissantes déesses faisaient ce genre de propositions à Léo.

Là-dessus, ce dernier éclata d'un rire tonitruant, qui le plia en deux.

– Passer de votre côté, hein ? Ben voyons. Et quand vous en aurez marre de moi, vous me changerez en glaçon. Si vous croyez que je peux oublier que vous avez détruit mon dragon, vous vous fourrez le doigt dans l'œil, ma petite dame. Quand je pense que je vous trouvais torride !

Le visage de la déesse des Neiges s'empourpra.

– Torride ? Comment oses-tu m'insulter de la sorte ? Je suis froide, Léo Valdez. Très, très froide.

Elle décocha une rafale de neige en direction des demi-dieux, mais Léo tendit la main. Un pan de flammes se dressa en crépitant devant eux et la neige se dissipa en nuage de vapeur.

Le garçon sourit.

– Vous voyez ce qui arrive à la neige au Texas, ma petite dame ? Elle fond.

– Assez joué, persifla Chioné. Héra décline et Porphyrion se lève. Tuez les demi-dieux. Qu'ils soient le premier repas de notre roi !

Jason brandit sa planche gelée, songeant brièvement qu'il était ridicule de mourir avec une arme pareille à la main, et les monstres attaquèrent.

50 Jason

U n des loups se jeta sur Jason, qui recula d'un bond et asséna son bout de bois sur le museau du fauve. Un craquement satisfaisant se fit entendre. Peut-être seules des armes d'argent pouvaient-elles tuer le loup, mais une vieille planche semblait capable de lui infliger la migraine du siècle.

Jason entendit soudain des claquements de sabots et, se tournant dans la direction d'où ils venaient, il aperçut un esprit de la tempête qui galopait vers lui. Il se concentra et invoqua le vent. Juste avant que l'esprit le piétine, Jason se propulsa dans l'air, attrapa l'encolure brumeuse du cheval et bascula sur son dos.

L'esprit de la tempête se cabra. Il tenta de jeter Jason à bas, puis de se réduire en brume pour s'en débarrasser, mais le garçon tint bon. Il intima au cheval l'ordre de conserver sa forme solide et ce dernier, apparemment, ne put refuser. Jason le sentait se débattre. Il percevait le tumulte de ses pensées – un chaos qui aspirait à se déchaîner. Le demi-dieu dut employer toute sa force mentale pour imposer sa volonté au cheval et le maîtriser. Il pensa à Éole, qui supervisait des milliers d'esprits de cette trempe, voire pires. Pas étonnant que le maître des Vents ait un peu perdu la raison, après des siècles d'une telle pression. Jason, lui, n'avait qu'un seul esprit à dompter, et il se devait de gagner la partie.

– Tu m'appartiens, maintenant, commanda-t-il.

Le cheval rua, mais Jason s'accrocha. L'animal se mit à caracoler autour du bassin ; sa crinière lançait des étincelles et ses sabots déclenchaient des tempêtes miniatures à chaque contact avec le sol.

– Tempête ? dit Jason. C'est bien ton nom ?

L'esprit-cheval secoua la crinière, manifestement heureux que le garçon l'ait reconnu.

– Bien, dit Jason. Maintenant, allons nous battre.

Sur ces mots, il chargea. Repoussant les loups avec de grands moulinets de sa planche, il plongea parmi les autres *venti*. Tempête était un esprit puissant ; chaque fois qu'il piétinait un de ses frères, il décochait une telle charge d'électricité que l'autre esprit se vaporisait en inoffensif nuage de brume.

À travers le chaos des combats, Jason entrevoyait ses amis. Piper était encerclée par des ogres de terre mais semblait tenir bon. Elle était tellement impressionnante quand elle se battait, et d'une beauté tellement rayonnante, que les ogres la contemplaient avec admiration en oubliant qu'ils étaient censés la tuer. Ils abaissaient leurs massues et la regardaient leur sourire et charger – jusqu'au moment où elle les pourfendait à coups de poignard et où ils s'effondraient, réduits en tas de boue.

Léo s'attaquait à Chioné en personne. Si en découdre avec une déesse relevait du suicide, le fils d'Héphaïstos était pourtant le mieux placé pour tenter le coup. La déesse des Neiges faisait sans cesse surgir des dagues de glace au creux de sa paume pour les lui lancer, assorties de bourrasques hivernales et tornades neigeuses. Léo ripostait à grands renforts de flammes. Son corps entier était parcouru de langues de feu, comme s'il s'était aspergé d'essence. Il s'approchait de la déesse armé de deux marteaux de mécanicien, dont il se servait pour assommer tous les monstres qui tentaient de lui barrer la route.

Jason se rendit compte qu'ils ne devaient qu'à Léo d'être encore en vie. Son aura embrasée réchauffait la cour et faisait obstacle à la magie de l'hiver de Chioné. Sans lui, ils seraient gelés comme les Chasseresses depuis longtemps. Partout où allait Léo, la glace fondait sur les pierres. Même Thalia dégivrait un peu quand il s'approchait d'elle.

Lentement, Chioné se mit à battre en retraite. À mesure que Léo gagnait du terrain, son expression rageuse se teintait de surprise, et même d'une légère panique.

Jason venait à bout de ses adversaires. Des loups gisaient entassés les uns sur les autres, inconscients. Certains, blessés, fuyaient en glapissant. Piper poignarda le dernier Gégénéis, le réduisant en tas d'argile molle. Jason piétina l'ultime *ventus,* qui se volatilisa sous les sabots de Tempête. Alors il fit volteface et vit Léo foncer vers la déesse des Neiges.

– Trop tard ! ricana Chioné. Il s'est éveillé ! Et ne vous imaginez pas que vous avez remporté une victoire, demi-dieux. Le plan d'Héra ne marchera jamais. Vous vous entretuerez sans avoir pu nous arrêter.

Léo embrasa ses marteaux et les lança à la tête de la déesse, mais celle-ci se transforma en neige – dessinant une image blanche et poudreuse d'elle-même. Les marteaux de feu percutèrent la femme de neige, qui vola en mille flocons et retomba en flaque.

Piper était hors d'haleine, mais elle sourit à Jason.

– Joli cheval, dit-elle.

Tempête se dressa sur ses jambes arrière et des arcs d'électricité fusèrent de ses sabots. La frime totale.

Alors Jason entendit un craquement derrière lui. La gangue de glace qui emprisonnait la cage d'Héra avait fondu, puis cédé.

– Oh, ne vous inquiétez pas pour moi ! s'écria la déesse. La reine du Ciel se meurt, à part ça tout va bien !

Jason mit pied à terre en ordonnant à Tempête de ne pas bouger. Les trois demi-dieux sautèrent dans le bassin et coururent vers la flèche.

Léo fronça les sourcils.

– Euh, Tìa Callida, demanda-t-il, tu rapetisses ou quoi ?

– Non, triple buse ! La terre m'aspire. Dépêche-toi !

Jason avait beau en vouloir à Héra, ce qu'il vit à l'intérieur de la cage l'inquiéta. La déesse sombrait, mais ce n'était pas tout. Le niveau du sol montait autour d'elle, comme de l'eau dans un réservoir. La pierre liquide recouvrait déjà ses mollets.

– Le géant s'éveille ! avertit Héra. Il ne vous reste plus que quelques secondes !

– C'est bon, dit Léo. Piper, faut que tu m'aides. Parle à la cage.

– Comment ça ? !

– Parle-lui. Utilise toute ta force pour convaincre Gaïa de dormir. Engourdis-la, berce-la. Essaie de la ralentir et de desserrer les vrilles, pendant que je...

– D'accord ! (Piper s'éclaircit la gorge.) Salut, Gaïa. C'est une belle soirée, hein ? Bon sang, comme je suis fatiguée. Et vous ? Que penseriez-vous d'un petit somme ?

Plus elle parlait, plus sa voix gagnait en assurance. Jason sentit ses propres paupières s'alourdir et il dut se forcer à ne pas écouter ses paroles. Lesquelles semblaient avoir de l'effet sur la cage. La boue montait plus lentement et les vrilles ramollirent très légèrement ; de dures comme la pierre, elles prirent une consistance végétale plus tendre. Léo sortit une scie circulaire de sa ceinture à outils (comment elle pouvait tenir à l'intérieur de la trousse relevait du mystère, pour Jason), puis il regarda le fil électrique et poussa un grognement dépité.

– J'ai nulle part où la brancher !

Tempête, l'esprit-cheval, sauta dans le bassin et poussa un hennissement.

– Vraiment ? demanda Jason.

L'animal baissa la tête et trotta vers Léo. Ce dernier tendit le câble, l'air de ne pas y croire, mais une petite bourrasque happa la prise et l'enfouit dans le flanc du cheval. Des étincelles jaillirent, le courant passa par les fiches et la scie circulaire démarra en vrombissant.

– Trop cool ! fit Léo en souriant. Ton cheval est équipé de prises de courant !

Leur bonne humeur ne dura pas longtemps. À l'autre bout du bassin, la flèche qui renfermait le géant s'effondra avec un craquement de chêne qu'on abat. La gangue de vrilles entremêlées s'ouvrit de haut en bas dans une pluie de pierres et d'éclats de bois, et le géant sortit de terre en s'ébrouant.

Jason pensait qu'aucune créature ne pouvait être plus terrifiante qu'Encélade.

Il se trompait.

Porphyrion était encore plus grand et plus musclé. Il n'irradiait pas de chaleur, ni ne semblait capable de cracher du feu, mais il se dégageait de lui une force plus terrible, une sorte de magnétisme – comme si le géant était tellement immense et compact qu'il avait son propre champ gravitationnel.

Comme Encélade, le roi des géants était humanoïde au-dessus de la taille, mais il avait des pattes de dragon couvertes d'écailles et la peau couleur caca d'oie. Ses longs cheveux étaient vert feuillage d'été, tressés et décorés d'armes diverses : des poignards, des haches, des épées, toutes de taille normale, certaines tordues et ensanglantées – des trophées, peut-être, pris jadis à des demi-dieux. Lorsque le géant ouvrit les yeux, il découvrit des globes blancs et lisses comme du marbre. Il prit une grande inspiration.

– Je suis vivant ! tonna-t-il. Louée soit Gaïa !

515

Jason laissa échapper un petit couinement héroïque – pourvu que ses amis ne l'aient pas entendu, se dit-il aussitôt. Aucun demi-dieu, il en était convaincu, ne pouvait s'attaquer seul à ce monstre. Porphyrion pouvait soulever des montagnes. D'un doigt, il pouvait l'écraser.

– Léo, fit Jason.

– Hein ?

Léo était bouche bée. Même Piper avait l'air estomaquée.

– Continuez, les gars, dit Jason. Libérez Héra !

– Qu'est-ce que tu vas faire ? demanda Piper. Tu ne peux quand même pas...

– Occuper un géant ? J'ai pas le choix !

– Excellent ! rugit la créature en voyant Jason approcher. Un hors-d'œuvre ! Qui es-tu ? Hermès ? Arès ?

Jason envisagea de jouer ce jeu, mais quelque chose lui dit de s'en abstenir.

– Je suis Jason Grace, fils de Jupiter, déclara-t-il.

Les yeux blancs se rivèrent sur lui. Dans son dos, Léo faisait vrombir sa scie circulaire et Piper parlait à la cage avec des inflexions apaisantes, en s'efforçant de chasser la peur de sa voix.

Porphyrion rejeta la tête en arrière dans un rire tonitruant, et regarda le ciel nocturne et nuageux.

– Remarquable ! Ainsi, Zeus, tu me sacrifies un de tes fils ? J'apprécie ton geste, mais ne t'imagine pas que je t'épargnerai pour autant.

Le ciel n'émit pas le moindre grondement. Jason ne pouvait compter sur aucune aide de là-haut – à lui de jouer, maintenant, et seul.

Il laissa tomber sa massue de fortune. Il avait les mains pleines d'échardes, mais peu importait. Il fallait qu'il gagne du temps pour Piper et Léo, et il ne pouvait le faire sans arme digne de ce nom.

Il allait devoir faire montre d'un aplomb qu'il était loin d'avoir.

– Si tu savais qui j'étais, hurla Jason au géant, tu t'inquiéterais de moi, pas de mon père. J'espère que tu as apprécié tes deux minutes et demie de retour à la vie, géant, parce que je vais te réexpédier direct au Tartare.

Le géant plissa les yeux. Il posa un pied au bord du bassin et s'accroupit pour mieux voir son adversaire.

– Alors on commence par les fanfaronnades, hein ? Comme au bon vieux temps. Très bien, demi-dieu. Je suis Porphyrion, roi des géants, fils de Gaïa. Jadis, j'ai surgi du Tartare, l'abîme de mon père, pour défier les dieux. Et pour déclencher la guerre, j'ai volé la reine de Zeus. (Il tourna la tête vers la cage de la déesse et sourit.) Bonjour, Héra.

– Mon mari t'a déjà tué une fois, monstre ! s'écria cette dernière. Il recommencera !

– Mais non, ma chère ! Zeus n'avait pas assez de puissance pour me tuer. Il a dû se faire aider d'un chétif demi-dieu et même comme ça, on a failli gagner. Cette fois-ci, nous achèverons ce que nous avons commencé. Gaïa s'éveille. Elle nous a fourni de nombreux serviteurs compétents. Nos armées feront trembler la planète et nous vous détruirons par la racine.

– Vous n'oserez pas, rétorqua Héra, mais Jason entendit à sa voix qu'elle s'affaiblissait. Piper continuait de murmurer des paroles douces à la cage et Léo de scier, mais la terre montait toujours à l'intérieur de la prison d'Héra et la couvrait à présent jusqu'à la taille.

– Oh que si, dit le géant. Les Titans ont essayé d'attaquer votre nouveau siège, à New York. Un plan téméraire, mais inefficace. Gaïa a plus de sagesse et de patience. Et nous, ses enfants les plus prestigieux, nous sommes mille fois plus forts que

517

Cronos. Nous saurons vous tuer, vous autres Olympiens, une bonne fois pour toutes. Vous devez être complètement déracinés, comme des arbres malades – il faut arracher vos racines les plus anciennes et les brûler.

À ce moment-là, le géant posa le regard sur Piper et Léo en fronçant les sourcils, comme s'il venait juste de remarquer qu'ils s'attaquaient à la cage.

Jason avança d'un pas et se remit à crier pour ramener l'attention de Porphyrion sur lui.

– Tu as dit qu'un demi-dieu t'avait tué. Comment, si nous sommes tellement chétifs ?

– Ha ! Tu crois que je vais te le dire ? J'ai été créé pour remplacer Zeus, je suis né pour éliminer le seigneur du Ciel. Je m'emparerai de son trône. Je prendrai sa femme – et si elle ne veut pas de moi, je laisserai la terre consumer son énergie vitale. Ce que tu vois devant toi, petit, ce n'est que ma forme affaiblie. Je vais grandir d'heure en heure, jusqu'au moment où je serai invincible. Mais je suis déjà fort capable de t'écraser comme un puceron !

Il se déploya de toute sa hauteur et tendit la main. Une lance de six mètres de long jaillit de terre ; il l'empoigna puis se mit à piétiner le sol de ses pattes de dragon. Les ruines tremblèrent. Tout autour de la cour, les monstres morts commencèrent à se reformer : des esprits de la tempête, des loups et des ogres de terre, qui répondaient à l'appel du roi des géants.

– Super, marmonna Léo. Juste ce qu'il nous fallait !

– Dépêche-toi, fit Héra.

– Ça va, c'est bon ! rétorqua sèchement le garçon.

– Dors, dors, gentille cage, dit Piper. Tu as sommeil, cage. Oui, je parle à un paquet de vrilles de terre. Ça n'a rien de bizarre.

Porphyrion ratissa le haut des ruines avec son javelot et faucha une des cheminées, provoquant une pluie d'éclats de bois et de gravats dans la cour.

– Alors, fils de Zeus ! J'ai fini de me vanter. À ton tour. Tu parlais de me tuer ?

Jason regarda le cercle de monstres qui attendaient avec impatience que leur maître leur ordonne de les tailler en pièces, lui et ses amis. La scie de Léo ronronnait toujours, Piper parlait toujours, mais la cause semblait maintenant désespérée. La cage d'Héra était presque entièrement pleine de terre.

– Je suis le fils de Jupiter ! cria Jason et, juste pour faire de l'effet, il invoqua les vents et décolla du sol. Je suis un enfant de Rome, consul auprès des demi-dieux, préteur de la Première Légion.

Jason ne savait pas trop ce qu'il disait, mais il débita ces mots comme s'il les avait déjà prononcés maintes fois dans sa vie. Il tendit les bras, exhibant les tatouages de l'aigle et des initiales SPQR, et vit avec surprise que le géant paraissait les reconnaître.

Un bref instant, Porphyrion eut même l'air troublé.

– J'ai abattu le monstre marin de Troie, poursuivit Jason. J'ai renversé le trône noir de Cronos et tué le Titan Krios de mes propres mains. Et maintenant, Porphyrion, je vais te tuer et te livrer en pâture à tes loups.

– Waouh, mec, murmura Léo, t'as mangé de la viande rouge ?

Jason se jeta sur le géant, bien décidé à lui régler son compte.

L'idée de combattre un immortel de douze mètres de haut à mains nues était tellement ridicule que même le géant parut surpris. Moitié en volant, moitié en sautant, Jason alla se percher sur le genou couvert d'écailles de Porphyrion, d'où il escalada son bras sans lui laisser le temps de comprendre ce qui se passait.

– Comment oses-tu ? tonna le géant.

Jason atteignit ses épaules et arracha une épée des tresses piquées d'armes du géant. Il cria « Pour Rome ! » et enfonça la lame dans la cible la plus proche : l'énorme oreille de Porphyrion.

Un éclair fusa du ciel et s'abattit sur l'épée, projetant Jason à terre. Il se réceptionna avec un roulé-boulé. Quand il se redressa, le géant titubait. Ses cheveux étaient en flammes et la moitié de son visage noirci par la foudre. L'épée s'était fendue dans son oreille ; un filet d'ichor doré coulait le long de sa mâchoire. Les autres armes crépitaient et lançaient des étincelles dans ses tresses.

Porphyrion faillit tomber. Le cercle de monstres poussa un grognement collectif et tous, ogres et loups, avancèrent en rivant un regard féroce sur Jason.

– Non ! cria Porphyrion, qui reprit son équilibre et se tourna, furibond, vers le demi-dieu. Je le tuerai moi-même.

Le géant brandit son javelot, qui se mit à luire.

– Tu veux jouer avec la foudre, petit ? Tu oublies que je suis la malédiction de Zeus. J'ai été créé pour éliminer ton père, ce qui veut dire que je sais exactement ce qui peut te tuer, toi.

Quelque chose, dans la voix de Porphyrion, disait à Jason qu'il ne bluffait pas.

Le jeune homme et ses amis avaient vécu à fond leur courte aventure. Ils avaient fait des trucs incroyables, tous les trois. Des exploits héroïques, même ; on pouvait le dire. Mais quand le géant leva sa lance, Jason comprit que jamais il ne pourrait parer cet assaut.

C'était la fin.

– Ça y est ! hurla Léo.

- Dors ! ordonna Piper, avec une telle force que les loups les plus proches s'écroulèrent au sol et se mirent à ronfler.

La cage de pierre et de bois s'écroula. Léo avait scié le pied de la vrille la plus épaisse, ce qui avait visiblement mis fin à la connexion entre Gaïa et la cage. Les vrilles tombèrent en poussière. La boue qui retenait Héra se désintégra. La déesse grandit en taille et se mit à irradier la puissance brute.

– Ha ! Ha ! s'écria-t-elle. (La déesse rejeta sa robe noire et apparut dans sa splendeur : vêtue d'un long fourreau blanc, les bras ornés de bijoux d'or. Son visage était terrifiant et beau à la fois ; un diadème d'or brillait dans ses longs cheveux noirs.) L'heure de ma vengeance est venue !

Porphyrion recula. Il ne dit rien, mais lança un regard haineux à Jason. Le message était clair : *Nous nous reverrons.* Puis il frappa le sol de la base de son javelot et disparut, englouti par la terre.

Dans la cour, les monstres pris de panique tentaient de fuir, mais ils étaient pris au piège.

L'éclat de la déesse redoubla.

– Couvrez-vous les yeux, mes héros ! cria-t-elle.

Mais Jason était en état de choc : il comprit trop tard.

Sous ses yeux, Héra se transforma en supernova, un anneau de force explosive qui pulvérisa instantanément tous les monstres. Lorsque Jason tomba, il sentit la lumière pourfendre son esprit, et sa dernière pensée fut que son corps brûlait.

51 PIPER

– J ason !
Contre tout espoir, Piper continuait d'appeler Jason, qu'elle tenait dans ses bras. Cela faisait maintenant deux minutes qu'il avait perdu connaissance. Son corps fumait et ses yeux étaient révulsés. Elle n'arrivait pas à voir s'il respirait encore.

– Il n'y a rien à faire, mon enfant, dit Héra.

La déesse les dominait par la taille, mais elle avait retrouvé sa modeste robe noire et son châle. Piper ne l'avait pas vue faire son numéro nucléaire. Elle avait fermé les yeux, heureusement pour elle, mais en découvrait maintenant les répercussions. Toute trace de l'hiver avait disparu de la vallée. Il ne restait aucun signe des combats non plus. Les monstres s'étaient pulvérisés. Les ruines avaient repris leur aspect antérieur : des ruines toujours, mais rien n'indiquait qu'elles avaient été envahies par une meute de loups, des esprits de la tempête et des ogres à six bras.

Même les Chasseresses étaient ranimées. Elles attendaient dans la clairière, à distance respectable, sauf Thalia qui était agenouillée à côté de Piper, une main sur le front de Jason. Elle regarda la déesse d'un œil noir et lui lança :

– C'est votre faute. Faites quelque chose !

– Ne me parle pas sur ce ton, petite. Je suis la reine...

– Guérissez-le !

La puissance d'Héra scintilla dans ses yeux.

– Je l'avais prévenu. Je ne lui aurais jamais fait de mal délibérément, d'ailleurs il était censé devenir mon champion. Avant de me montrer sous ma forme véritable, je leur ai dit à tous de se couvrir les yeux.

– Hum... (Léo fronça les sourcils.) Cette forme véritable est dangereuse, n'est-ce pas ? Alors pourquoi l'avoir prise ?

– J'ai libéré ma puissance pour vous aider, imbécile ! s'exclama Héra. Je me suis muée en énergie pure pour désintégrer les monstres, remettre ces lieux en état et même sauver ces misérables Chasseresses de la glace.

– Mais les mortels ne peuvent pas vous regarder sous cette forme ! cria Thalia. Vous l'avez tué !

Léo secoua la tête avec consternation.

– C'est ce que signifiait notre prophétie, dit-il. « Et sèmeront la mort en libérant d'Héra la rage. » Allez, Tìa, fais quelque chose, tu es une déesse ! Un tour de vaudou, n'importe quoi, mais fais-le revenir.

Piper n'écoutait la conversation que d'une oreille, toute concentrée qu'elle était sur le visage de Jason.

– Il respire ! annonça-t-elle soudain.

– Impossible, dit Héra. J'aimerais que ce soit vrai, mon enfant, mais aucun mortel n'a jamais...

– Jason, appela Piper en insufflant toute la force de sa volonté dans son nom – elle *ne pouvait pas* le perdre. Écoute-moi. Je sais que tu en es capable. Reviens. Tout ira bien.

Il ne se passa rien. S'était-elle fait des idées en croyant qu'il respirait ?

– La guérison ne fait pas partie des pouvoirs d'Aphrodite, dit Héra d'une voix teintée de regret. Même moi, je ne peux pas remédier à son sort. Son esprit mortel...

523

– Jason, répéta Piper, qui imagina sa voix pénétrer dans la terre et s'enfoncer en résonnant jusqu'aux Enfers. Réveille-toi.

Le garçon hoqueta et ses paupières s'ouvrirent. Ses yeux diffusèrent un instant des rayons d'or pur. Puis la lumière s'éteignit, et ils redevinrent normaux.

– Que... qu'est-ce qui s'est passé ?

– Impossible ! s'écria Héra.

Piper serra Jason dans ses bras et il finit par marmonner

– Tu m'étouffes.

– Désolée, dit-elle, tellement soulagée qu'elle rit tout en essuyant une larme qui roulait sur sa joue.

Thalia agrippa la main de son frère.

– Comment tu te sens ?

– Je suis brûlant, répondit-il d'une voix rauque. J'ai la bouche sèche et j'ai vu quelque chose de... vraiment terrifiant.

– C'était Héra, grommela Thalia. Sa Majesté la Bombe Nucléaire.

– Ça suffit, Thalia Grace, coupa la déesse. Je vais te changer en oryctérope si...

– Arrêtez, vous deux, lança Piper.

À la surprise générale, elles se turent.

Piper aida Jason à se lever et lui donna le nectar qu'il leur restait. Puis elle se tourna face à Thalia et à Héra.

– Héra, Votre Majesté, dit-elle, nous n'aurions pas pu vous sauver sans les Chasseresses. Et Thalia, sans Héra, tu n'aurais jamais revu Jason – et moi je ne l'aurais pas rencontré. Alors faites la paix, parce qu'on a d'autres problèmes nettement plus graves.

Les deux fusillèrent Piper du regard et pendant trois longues secondes, elle se demanda laquelle allait la tuer en premier

Thalia finit par pousser un grognement.

– Tu as du cran, Piper. (Elle sortit une carte argentée de sa parka et la glissa dans la poche du blouson de snowboard de la jeune fille.) Si jamais tu veux devenir Chasseresse, appelle-moi. Tu seras la bienvenue chez nous.

Héra croisa les bras.

– Heureusement pour cette Chasseresse, dit-elle, tes propos sont judicieux, fille d'Aphrodite. (Elle jaugea Piper du regard comme si elle la voyait pour la première fois.) Tu te demandais, Piper, pourquoi je t'avais choisie pour cette quête et pourquoi je n'avais pas dévoilé ton secret au début, alors que je savais qu'Encélade se servait de toi. Je dois reconnaître que jusqu'à maintenant, je n'étais pas sûre de ma décision. Quelque chose me disait que tu jouerais un rôle crucial dans cette quête et, à présent, je vois que j'avais raison. Tu es encore plus forte que je le soupçonnais. Et tu as raison quand tu parles des dangers qui nous attendent. Nous devons travailler ensemble.

Piper avait le feu aux joues. Elle ne savait pas comment répondre aux compliments d'Héra, mais Léo intervint.

– Ouais, dit-il. J'imagine que ce Porphyrion ne s'est pas désintégré gentiment, hein ?

– Non, répondit Héra. En me sauvant et en sauvant ce site, vous avez empêché Gaïa de se réveiller. Vous nous avez fait gagner du temps. Mais Porphyrion s'est bel et bien reformé. Il a jugé plus prudent de ne pas s'attarder ici, c'est tout, d'autant plus qu'il n'avait pas encore recouvré tout son pouvoir. Les géants ne peuvent être tués que si un dieu et un demi-dieu font équipe pour l'attaquer. Quand vous m'avez délivrée...

– Il a fui, enchaîna Jason. Mais où ?

Héra ne répondit pas, et un sentiment d'effroi s'empara de Piper. Elle se rappela que Porphyrion avait parlé de tuer les Olympiens en arrachant leurs racines. *La Grèce*. Elle regarda Thalia et comprit à la gravité de son visage que la Chasseresse en était venue à la même conclusion.

– Il faut que je trouve Annabeth, dit Thalia. Elle doit être informée de ce qui s'est passé ici.

– Thalia... (Jason agrippa la main de sa sœur.) On n'a jamais pu parler de ce lieu, ni de...

– Je sais, répondit la servante d'Artémis d'une voix plus douce. Je t'ai déjà perdu ici, une fois. Je ne veux pas te laisser à nouveau. Mais nous nous reverrons bientôt. Je viendrai te retrouver à la Colonie des Sang-Mêlé. (Elle jeta un coup d'œil à Héra.) Vous veillerez à ce qu'ils rentrent en toute sécurité ? Vous nous devez bien ça.

– Ce n'est pas à toi de me dire...

– Reine Héra, intervint Piper.

– Très bien, soupira la déesse. Entendu. Mais pars donc, Chasseresse !

Thalia embrassa Jason et prit congé de tout le monde. Après le départ des Chasseresses, un calme étrange tomba sur la cour. Le miroir d'eau à sec ne présentait aucune trace des vrilles de terre qui avaient ramené le roi des géants à la vie et tenu Héra prisonnière. Le ciel nocturne était clair et étoilé. Le vent bruissait dans les séquoias. Piper pensa à la nuit en Oklahoma où elle avait dormi dans le jardin de Papy Tom avec son père. Elle pensa à la nuit sur le toit de l'École du Monde Sauvage, où Jason l'avait embrassée – du moins dans ses souvenirs transformés par la Brume.

– Jason, qu'est-ce qui t'est arrivé dans cet endroit ? demanda-t-elle alors. Je veux dire... je sais que c'est là que ta mère t'a abandonné, mais tu as dit que c'était un site sacré pour les demi-dieux. Pourquoi ? Que s'est-il passé quand tu t'es retrouvé seul ?

Jason secoua la tête avec embarras.

– C'est encore trouble. Les loups...

– Tu as reçu ton destin, dit Héra. Tu m'as été donné pour devenir mon serviteur.

Jason fit la grimace.

– Vous n'avez pas laissé le choix à ma mère. Vous ne sup-
portiez pas que Zeus ait deux enfants d'elle. Qu'il soit tombé
amoureux d'elle *deux fois.* J'étais le prix à payer pour que vous
laissiez le reste de ma famille tranquille.

– C'était dans ton intérêt aussi, Jason, affirma Héra. La
seconde fois où ta mère est parvenue à gagner le cœur de Zeus,
c'était parce qu'elle l'avait imaginé sous un aspect différent,
l'aspect de Jupiter. Cela ne s'était jamais produit jusqu'alors :
deux enfants, un grec et un romain, nés dans la même famille.
Il fallait vous séparer, Thalia et toi. C'est ici que tous les demi-
dieux de ton espèce commencent leur voyage.

– De son espèce ? demanda Piper.

– Elle veut dire romain, expliqua Jason. Les demi-dieux sont
déposés ici. Nous rencontrons la déesse-louve, Lupa, la louve
immortelle qui a élevé Romulus et Rémus.

Héra hocha la tête.

– Et ceux qui sont assez forts survivent, ajouta t elle.

– Mais... (Léo avait l'air complètement dérouté.) Qu'est-ce
qui s'est passé après ? Je veux dire, Jason n'est jamais arrivé à
la colonie.

– Pas à la Colonie des Sang-Mêlé, non, en convint Héra.

Piper sentit la tête lui tourner, comme si le ciel partait en
vrille et l'aspirait.

– Tu es allé ailleurs, devina-t-elle. Dans un autre lieu pour
demi-dieux. C'est là que tu as passé toutes ces années. Mais où
est-il, cet autre lieu ?

Jason se tourna vers la déesse.

– Les souvenirs me reviennent, dit-il, mais pas l'emplacement. Vous n'allez pas m'aider à le retrouver ?

– Non, décréta Héra. Ça fait partie de ton destin, Jason.
C'est à toi de trouver le chemin du retour. Mais lorsque tu y

527

parviendras... Tu uniras deux grandes puissances. Tu nous rendras l'espoir face aux géants et, surtout, face à Gaïa elle-même.

– Vous voulez nous aider, fit remarquer Jason, mais vous retenez des informations.

– Si je vous dévoilais les réponses, elles perdraient toute valeur, expliqua Héra. Telle est la loi des Parques. Pour que ta voie mène quelque part, tu dois la tracer toi-même. Vous m'avez déjà étonnée, tous les trois. Je n'aurais pas cru cela possible... (La déesse secoua la tête.) Vous avez bien agi, demi-dieux, je n'en dirai pas plus. Mais ce n'est que le début. Maintenant, vous devez retourner à la Colonie des Sang-Mêlé et là-bas, vous commencerez à organiser l'étape suivante.

– Dont vous ne nous direz rien, grommela Jason. Et vu que vous avez tué mon beau Tempête, on va devoir rentrer à pied, j'imagine ?

Héra balaya la question d'un geste impatient.

– Les esprits de la tempête sont des créatures du chaos. Je ne l'ai pas détruit, mais je ne sais pas où il est passé ni si tu le reverras un jour. Cela dit, il existe un moyen plus facile de rentrer chez vous. Comme vous m'avez rendu un fier service, je peux vous aider – du moins pour une fois. À plus tard, demi-dieux, et bonne route.

Le monde bascula et Piper faillit s'évanouir.

Lorsqu'elle retrouva l'usage de la vue, elle était de retour à la colonie, dans le pavillon-réfectoire, à l'heure du dîner. Ils avaient atterri tous les trois sur la table du bungalow d'Aphrodite et Piper avait un pied dans la pizza de Drew. Les soixante pensionnaires se levèrent d'un coup, stupéfaits.

La méthode à laquelle Héra avait recouru pour leur faire traverser le pays en quelques secondes ne réussissait pas à Piper, qui réprima ses haut-le-cœur à grand-peine. Léo eut moins de chance. Il sauta à terre, courut au brasero de bronze le plus proche et vomit – sans doute pas la meilleure des offrandes faites aux dieux ce soir-là.

– Jason ? (Chiron s'approcha au petit trot. Le vieux centaure en avait certainement vu des vertes et des pas mûres, au cours des millénaires, pourtant même lui paraissait sidéré.) Comment... qu'est-ce que... ?

Les Aphrodite regardaient Piper bouche bée. Elle se dit qu'elle devait avoir une mine abominable.

– Salut, lança-t-elle du ton le plus naturel qu'elle put. C'est nous.

52 PIPER

Piper ne garderait qu'un souvenir confus du reste de la nuit. Ils avaient raconté leur histoire et répondu aux milliers de questions dont les bombardaient les autres pensionnaires, puis Chiron, voyant à quel point ils étaient exténués, leur avait ordonné d'aller se coucher.

Un vrai matelas, c'était trop bon ! Et Piper était tellement fatiguée qu'elle sombra immédiatement dans le sommeil, sans avoir le temps de s'interroger sur son retour au bungalow d'Aphrodite.

Le lendemain matin, elle se réveilla dans son lit de camp, parfaitement revigorée. Le soleil entrait par les fenêtres ouvertes, accompagné d'une jolie brise. On aurait pu se croire au printemps, et non en hiver. Les oiseaux gazouillaient ; les monstres hurlaient dans les bois. Des odeurs de petit déjeuner flottaient dans l'air, en provenance du pavillon-réfectoire : bacon frit, pancakes, pain grillé et autres délices.

Drew était plantée devant elle avec sa clique, et tous avaient les bras croisés. Piper se redressa et sourit.

– Bonjour, dit-elle. Quelle belle journée !

– Tu vas nous mettre en retard pour le petit déj', lâcha Drew d'un ton sec. Par conséquent je te nomme de corvée de ménage avant l'inspection des bungalows.

Une semaine plus tôt, Piper aurait giflé Drew ou se serait réfugiée sous ses couvertures. Là, elle repensa aux Cyclopes à Detroit, à Médée à Chicago, à Midas qui l'avait changée en statue d'or. Elle regarda Drew, songea que cette fille l'avait terrifiée et éclata de rire.

Décontenancée, la conseillère en chef perdit son air suffisant. Elle recula de quelques pas, puis se rappela qu'elle était censée se fâcher.

– Qu'est-ce que tu...

– Je te lance un défi, dit Piper. Midi dans l'arène, ça te convient ? Je te laisse le choix des armes.

Elle sortit de son lit, s'étira comme un chat et sourit à ses compagnons de bungalow. Elle repéra Mitchell et Lacy, qui l'avaient aidée à faire son sac à dos pour la quête. Ils avaient un sourire hésitant aux lèvres et leurs regards allaient de Piper à Drew comme devant une partie de ping-pong qui prenait une tournure intéressante.

– Vous m'avez manqué, vous tous ! s'exclama Piper. On va s'éclater quand je serai conseillère en chef.

Drew vira cramoisie. Même ses sous-fifres eurent l'air un peu inquiets. Ce n'était pas dans le scénario.

– Tu..., bafouilla-t-elle. Sale petite sorcière ! J'étais là bien avant toi. Tu ne peux pas...

– Te lancer un défi ? Bien sûr que si. Règlement de la colonie : j'ai été revendiquée par Aphrodite. J'ai mené une quête à bien, et tu ne peux pas en dire autant. Si j'estime que je serais une meilleure conseillère que toi, j'ai le droit de te lancer un défi. Sauf si tu préfères te désister. Est-ce bien exact, Mitchell ?

– Tout à fait, Piper.

Le sourire du garçon s'étirait maintenant jusqu'à ses oreilles. Quant à Lacy, elle sautillait sur place comme si elle tentait de décoller.

531

D'autres Aphrodite sourirent à leur tour, l'air d'apprécier les différentes couleurs par lesquelles passait le visage de Drew.

– Me désister ? hurla celle-ci d'un ton strident. Tu es folle !

Piper haussa les épaules. Puis, rapide comme une vipère, elle sortit Katoptris de sous son oreiller, le tira de son fourreau et porta la pointe sous le menton de Drew. Tous les autres reculèrent en vitesse ; un garçon renversa au passage une table de maquillage, soulevant un nuage de poudre rose.

– Ce sera donc un duel, dit Piper. Et si tu ne veux pas attendre jusqu'à midi, maintenant ça me va aussi. Tu imposes la dictature dans ce bungalow, Drew. Silena Beauregard avait compris, elle. Aphrodite, c'est la quête de l'amour et de la beauté. Il s'agit d'être aimant, de répandre la beauté. Les jolies marques d'amitié, les jolis moments passés ensemble, les jolis gestes... c'est pas juste une question d'avoir un joli look. Silena a commis des erreurs, mais à la fin, elle a soutenu ses amis et c'est ce qui fait d'elle une héroïne. Je vais rétablir les vraies priorités et j'ai l'impression que maman sera de mon côté. Tu veux voir ?

Drew louchait sur la pointe du poignard.

Une seconde passa. Puis deux. Piper s'en fichait. Elle était parfaitement heureuse et confiante, et cela devait se voir à son sourire.

– Je... je me désiste, finit par marmonner Drew. Mais je ne suis pas prête d'oublier ça, McLean.

– J'espère bien que non, rétorqua Piper. Et maintenant, file au pavillon-réfectoire expliquer à Chiron pourquoi nous sommes en retard. Il y a eu un changement de chef.

Drew se dirigea vers la porte. Même ses sous-fifres ne la suivirent pas. Elle allait franchir le seuil quand Piper l'interpella.

– Oh, Drew, ma chérie ?

L'ancienne conseillère en chef se retourna à contrecœur.

532

– Au cas où tu penses que je ne suis pas une vraie fille d'Aphrodite, dit Piper, je t'interdis de regarder Jason Grace. Il ne le sait peut-être pas, mais il est *à moi*. Si tu fais la moindre tentative d'approche, je te mets dans une catapulte et je t'expédie de l'autre côté du détroit.

Drew détala si vite qu'elle se cogna à l'encadrement de la porte, avant de sortir en courant.

Le silence tomba sur le bungalow. Les pensionnaires avaient tous les yeux rivés sur Piper. Elle se sentit alors prise de doutes. Elle ne voulait pas s'imposer par la peur. Elle n'était pas comme Drew, mais elle ne savait pas s'ils l'accepteraient.

Et puis, spontanément, les Aphrodite poussèrent des acclamations si fortes qu'on dut les entendre à l'autre bout de la colonie. Ils hissèrent Piper sur leurs épaules et la portèrent jusqu'au pavillon-réfectoire – en pyjama, les cheveux en pétard, mais peu importait. Piper ne s'était jamais sentie aussi bien dans sa peau.

Quand arriva l'après-midi, la jeune fille avait eu le temps d'enfiler une confortable tenue de la colonie et d'organiser les activités matinales du bungalow d'Aphrodite. Elle était prête à se reposer.

L'excitation de sa victoire était un peu retombée car elle était convoquée à la Grande Maison.

Chiron l'attendait sur la terrasse dans sa forme humaine, calé dans son fauteuil roulant.

– Entre, ma chérie. La vidéoconférence est en place.

L'unique ordinateur de la colonie se trouvait dans le bureau de Chiron, dont les murs étaient entièrement tapissés de bronze.

– Les demi-dieux et la technologie ne font pas bon ménage, expliqua-t-il. Les appels téléphoniques, les textos et même les recherches sur Internet, ce sont des choses qui peuvent attirer les monstres. Pas plus tard que cet automne, dans une école de Cincinnati, nous avons dû aller à la rescousse d'un jeune héros qui avait tapé « gorgones » sur son moteur de recherche et récolté plus d'infos qu'il n'en aurait souhaité, mais je m'égare. Ici à la colonie, tu ne crains rien. Il n'empêche, nous sommes très prudents. Tu ne pourras parler que quelques minutes.

– Entendu, dit Piper. Merci, Chiron.

Le centaure sourit et sortit en manœuvrant son fauteuil. Piper ne cliqua pas tout de suite sur le bouton d'appel. Le bureau de Chiron avait un petit côté capharnaüm très sympa. Un des murs était couvert de tee-shirts de différentes conventions – « Poneys Fêtards '09 LAS VEGAS » ; « Poneys Fêtards '10 HONOLULU », et ainsi de suite. Piper n'avait jamais entendu parler des Poneys Fêtards, mais à en juger par les taches, les brûlures et les trous faits par des armes dans les tee-shirts, leurs réunions devaient être du genre mouvementées. Sur l'étagère au-dessus du bureau de Chiron, il y avait un vieux Ghetto-Blaster et des minicassettes dont les jaquettes annonçaient « Dean Martin », « Frank Sinatra » et autres « Meilleurs Tubes des Années 40. » Chiron était si vieux que Piper se demanda s'il s'agissait des années 1840, 1940 ou, simplement, 40 après J.-C.

Cela étant, c'étaient surtout des portraits de demi-dieux qui tapissaient les murs, créant un véritable panthéon. Une des photos les plus récentes montrait un ado aux yeux verts et aux cheveux châtains. Comme il tenait Annabeth par la main, Piper en déduisit que c'était Percy Jackson. Sur certaines photos plus anciennes, elle reconnut des gens célèbres : des hommes d'affaires, des sportifs et même quelques acteurs que son père connaissait.

– Incroyable, murmura-t-elle.

Piper se demanda si sa photo serait un jour sur ce mur. Pour la première fois de sa vie, elle avait l'impression d'appartenir à quelque chose de plus grand qu'elle. Il y avait des demi-dieux sur terre depuis des siècles. Quoi qu'elle fasse, ce serait en leur nom à tous.

Elle respira à fond et lança l'appel. L'écran s'anima.

Gleeson Hedge lui sourit depuis le bureau de son père.

– T'as vu les nouvelles ?

– J'aurais eu du mal à les rater, répondit Piper. J'espère que vous savez ce que vous faites.

Au déjeuner, Chiron lui avait montré un journal. Le mystérieux retour de son père avait fait la première page. Jane, son assistante personnelle, avait été renvoyée pour avoir passé sa disparition sous silence et omis de prévenir la police. Une nouvelle équipe avait été constituée, avec l'approbation personnelle du « coach de vie » de Tristan McLean, un certain Gleeson Hedge. Selon le journal, M. McLean affirmait n'avoir aucun souvenir de ce qui s'était passé la semaine précédente, et les médias faisaient leurs choux gras de l'affaire. D'aucuns pensaient que c'était un coup marketing habilement monté – peut-être McLean s'apprêtait-il à jouer un personnage d'amnésique ? D'autres avançaient qu'il avait été enlevé par des terroristes ou des fans acharnés, ou encore qu'il s'était extirpé en héros des griffes d'une bande de chasseurs de rançon grâce au redoutable sens guerrier qu'il avait acquis dans *Le Roi de Sparte*. Quelle que soit la vérité, Tristan McLean était plus célèbre que jamais.

– Tout va bien, lui assura Hedge. Mais t'inquiète pas. On va le tenir à l'écart du public un mois ou deux, le temps que l'affaire se tasse. Ton père a des choses plus importantes à faire, pour le moment, comme se reposer ou parler à sa fille.

– Faites attention à ne pas prendre goût à Hollywood, Gleeson, dit Piper.

– Tu rigoles ? Éole a l'air sain d'esprit, à côté de ces gens. Je rentrerai dès que possible, mais il faut d'abord que ton père se remette. C'est un type bien. Oh, à propos, j'ai réglé l'autre petit souci. L'antenne des parcs nationaux de la baie de San

Francisco vient de recevoir un hélico neuf d'un donateur anonyme. Et la femme qui nous a aidés, tu te rappelles ? On lui a proposé un poste grassement payé comme pilote privée de Tristan McLean.

– Merci Gleeson, dit Piper. Merci pour tout.

– Oh, tu sais. Je fais pas exprès d'être génial, ça me vient naturellement. En parlant d'Éole, je te présente la nouvelle secrétaire de ton père.

Hedge fut écarté d'un petit coup de coude et une jolie jeune femme entra dans le champ en souriant.

– Mellie ? (Piper écarquilla les yeux. Pas de doute, c'était bien l'*aura* qui les avait aidés à s'enfuir de la forteresse d'Éole.) Tu travailles pour mon père, maintenant ?

– C'est formidable, non ?

– Est-ce qu'il sait que tu es, tu sais, une nymphe du vent ?

– Oh, non. Mais j'adore ce boulot. Je rencontre plein de gens... dans le vent !

Piper ne put s'empêcher de rire à la blagounette.

– Tant mieux. C'est super. Mais où est...

– Une seconde. (Mellie embrassa Gleeson sur la joue.) Allez, vieux bouc. Arrêtons d'accaparer l'écran.

– Quoi ? fit Hedge.

Mellie l'entraîna par le bras et lança, hors cadre :

– M. McLean ? Elle est là !

Une seconde plus tard, le père de Piper apparaissait à l'écran.

– Pip's ! s'exclama-t-il avec un grand sourire.

Il avait une mine rayonnante – exactement comme avant : l'ombre de barbe, les yeux bruns pétillants, le sourire confiant, les cheveux impeccables, comme s'il s'apprêtait à tourner. Piper était soulagée, mais elle ressentit une pointe de tristesse. « Exactement comme avant », ce n'était pas forcément ce qu'elle souhaitait.

Mentalement, elle lança le chrono. Pour un coup de fil comme celui-ci, un jour de travail, elle retenait rarement l'attention de son père plus de trente secondes.

– Salut, dit-elle d'une petite voix. Comment tu te sens ?

– Je suis vraiment désolé de t'avoir inquiétée avec cette histoire de disparition, ma chérie. Je ne sais pas... (Son sourire trembla et elle vit qu'il luttait pour se rappeler, s'efforçant de retrouver des souvenirs qui auraient dû être là, mais n'y étaient pas.) Pour être honnête, je ne pourrais pas dire ce qui s'est passé. Mais ça va, ça va. Gleeson Hedge est un don du ciel.

– Un don du ciel, répéta Piper – il ne croyait pas si bien dire !

– Il m'a parlé de ta nouvelle pension, dit Tristan McLean. Je regrette que ça n'ait pas marché, à l'École du Monde Sauvage, mais tu avais raison. Jane avait tort. Je n'aurais jamais dû l'écouter.

Plus qu'une dizaine de secondes, songea-t-elle, mais au moins son père semblait-il sincère.

– Tu ne te souviens de rien ? demanda-t-elle, non sans mélancolie.

– Bien sûr que si.

– Vraiment ? (Un frisson parcourut l'échine de Piper.)

– Je me souviens que je t'aime. Et que je suis fier de toi. Tu es contente à ta nouvelle école ?

Piper cligna des yeux. Elle n'allait pas se mettre à pleurer, maintenant ! Après tout ce qu'elle avait vécu, ce serait ridicule.

– Oui, p'pa. C'est plus une colonie de vacances qu'une école mais... ouais, je crois que je serai bien, là-bas.

– Appelle-moi aussi souvent que tu pourras. Et rentre à la maison pour Noël. Et, Pip's...

– Oui ?

Il posa la main sur l'écran comme s'il cherchait à la toucher malgré la distance.

– Tu es une jeune fille merveilleuse. Je ne te le dis pas assez souvent. Tu me rappelles tant ta mère ! Elle serait fière de toi. Et Papy Tom... (Il rit doucement.) Il me disait toujours que tu serais la voix la plus forte de la famille. Un jour tu vas m'éclipser, tu sais. Pour les gens, je serai le père de Piper McLean, et ce sera la plus belle réussite de ma vie.

Piper voulut répondre, mais elle eut peur de craquer. Elle se contenta de toucher les doigts de son père sur l'écran en hochant la tête.

Mellie, dans l'arrière-plan, murmura quelques mots et Tristan McLean soupira.

– C'est le studio qui m'appelle. Je suis désolé, chérie, dit-il, l'air sincèrement contrarié de devoir raccrocher.

– C'est pas grave, papa, parvint à dire Piper. Je t'aime.

Il lui lança un clin d'œil. Et l'écran s'éteignit.

Quarante-cinq secondes ? Voire une minute entière.

Piper sourit. Ce n'était pas grand-chose, mais c'était un début.

Elle trouva Jason assis sur un banc de la pelouse centrale, un ballon de basket entre les pieds. Il était en sueur après l'effort, mais craquant dans son short et son débardeur orange. Les cicatrices et autres ecchymoses qu'il avait accumulées au cours de leur quête s'estompaient à vitesse grand V, grâce aux soins des Apollon. Il avait les bras et les jambes musclés et bronzés – ce qui était toujours aussi troublant. Le soleil d'après-midi jouait dans ses cheveux blonds coupés court et semblait les changer en or pur, façon Midas.

– Salut, dit-il. Comment ça s'est passé ?

Piper dut faire un effort pour se concentrer sur la question.

– Hein ? Euh, plutôt bien.

Elle s'assit à côté de lui et ils observèrent le va-et-vient des pensionnaires. Deux Déméter taquinaient des garçons du bungalow d'Apollon qui jouaient au basket – elles leur tendaient des croche-pattes en faisant pousser de l'herbe autour de leurs chevilles. À la boutique de la colonie, les Hermès accrochaient une pancarte annonçant : CHAUSSURES VOLANTES TRÈS PEU USÉES, REMISE SPÉCIALE DE 50 % AUJOURD'HUI ! Les Arès tapissaient leur bungalow de barbelés neufs. Et chez les Hypnos, ça ronflait sec. En bref, une journée ordinaire à la colo.

Quant aux Aphrodite, ils surveillaient Piper et Jason du coin de l'œil, tout en faisant semblant de s'intéresser à autre chose. La jeune fille était presque certaine de voir de l'argent circuler et elle les soupçonna de parier sur un baiser.

– T'as dormi ? demanda-t-elle à Jason.

Il la regarda comme si elle avait lu dans ses pensées.

– Pas beaucoup, dit-il. J'ai fait des rêves.

– Sur ton passé ?

Il hocha la tête.

Elle n'insista pas. S'il voulait parler, très bien, mais elle le connaissait suffisamment pour ne pas le bousculer. Et tant pis si ce qu'elle savait de lui reposait essentiellement sur trois mois de faux souvenirs. « Tu perçois les possibilités », lui avait dit sa mère. Et Piper était bien décidée à amener ces possibilités à se réaliser.

– J'ai pas de bonnes nouvelles, lança-t-il. Mes souvenirs n'annoncent rien de bon pour... pour personne.

Piper aurait juré qu'il avait failli dire *pour nous*, genre : pour nous deux, et elle se demanda s'il s'était souvenu d'une fille de son passé. Mais elle ne se laissa pas attrister par cette pensée. Pas par une belle journée d'hiver comme celle-ci, avec Jason à côté d'elle.

– On trouvera une solution, affirma-t-elle.

Il la regarda d'un air hésitant, visiblement très désireux de la croire.

– Annabeth et Rachel vont venir à la réunion de ce soir. Je crois que je devrais attendre jusque là pour donner des explications, dit-il.

– D'accord.

Piper cueillit un brin d'herbe à ses pieds. Elle savait que des dangers les attendaient tous les deux. Le passé de Jason se dresserait entre elle et lui, si tant est qu'ils survivent à leur guerre contre les géants. Mais pour l'heure, ils étaient tous les deux en vie et elle était bien décidée à profiter pleinement de cet instant.

Jason l'examina avec méfiance. Le tatouage bleu qu'il avait à l'avant-bras était pâle à la lumière du soleil.

– Tu es de bonne humeur, dit-il. Comment peux-tu être certaine que ça va bien se passer ?

– Parce que c'est toi qui vas diriger notre mission, répondit-elle simplement. Je te suivrais n'importe où.

Jason cilla. Puis, lentement, il sourit.

– C'est dangereux de dire ça.

– Je suis une fille dangereuse.

– Je veux bien le croire.

Il se leva et épousseta son short, puis tendit la main à Piper.

– Léo dit qu'il a un truc à nous montrer dans les bois. Tu viens ?

– Absolument.

Elle lui prit la main et se leva.

Ils restèrent quelques instants main dans la main. Jason pencha la tête.

– Faut qu'on y aille, dit-il.

– Oui, une seconde.

Elle lui lâcha la main et sortit une carte de sa poche – la carte de visite argentée des Chasseresses d'Artémis que Thalia lui avait donnée. Elle la jeta au feu et la regarda se consumer. À partir de maintenant, les Aphrodite ne joueraient plus les brise-cœur. C'était un rite de passage dont ils pouvaient se dispenser.

De l'autre côté de la pelouse, ses compagnons de bungalow avaient l'air déçus de ne pas avoir assisté à un baiser. Ils se mirent à encaisser leurs paris.

Mais ça n'embêtait pas Piper. Elle était patiente et percevait beaucoup de belles possibilités.

– Allons-y, dit-elle à Jason. Il faut qu'on pense à notre stratégie.

53   Léo

Léo n'avait pas ressenti une telle appréhension depuis la fois où il avait offert des hamburgers de tofu aux loups-garous.

Parvenu à la falaise de calcaire, au cœur de la forêt, il se tourna vers le groupe et se força à sourire.

– Bon, dit-il, ben y a plus qu'à.

Il intima l'ordre à sa main de s'embraser et la posa contre la porte.

Ses compagnons de bungalow hoquetèrent de surprise.

· Léo, s'écria Nyssa, tu es un faiseur de feu !

– Ouais, je sais, merci.

Jake Mason, qui n'était plus dans le plâtre mais avait toujours des béquilles, dit :

– Par Héphaïstos, c'est tellement rare... Ça veut dire que...

La lourde porte de pierre bascula et ils restèrent tous bouche bée. La main de Léo en flammes devait leur paraître anecdotique, maintenant. Même Piper et Jason étaient stupéfaits, et ce n'était pas faute d'avoir vu des choses extraordinaires ces derniers jours.

Chiron était le seul à ne pas avoir l'air surpris. Le centaure fronça les sourcils et se caressa la barbe comme s'ils s'apprêtaient à traverser un champ de mines.

Cela ne fit que renforcer l'inquiétude de Léo, mais il était trop tard pour changer d'avis. Son instinct lui disait qu'il devait partager ce lieu – au moins avec le bungalow d'Héphaïstos, et il ne pouvait pas le cacher à Chiron et à ses deux meilleurs amis.

– Bienvenue au Bunker 9, déclara-t-il de la voix la plus assurée possible. Entrez.

Le groupe fit le tour de l'immense atelier sans un mot. Tout était exactement comme Léo l'avait laissé : les machines géantes, les établis, les vieilles cartes et les schémas. Une seule chose avait changé. La tête de Festus trônait à présent sur la table du milieu, encore brûlée et cabossée par l'accident d'Omaha.

Léo s'approcha, le cœur gros, et il caressa le front du dragon.

– Je suis désolé, Festus. Mais je ne t'oublierai pas.

Jason posa la main sur l'épaule de son ami.

– C'est Héphaïstos qui l'a apporté ici ? demanda-t-il.

Léo fit oui de la tête.

– Mais tu ne peux pas le réparer, devina Jason.

– Hors de question, répondit Léo. Mais je vais réutiliser sa tête. Festus sera du voyage.

Piper, qui venait de les rejoindre, fronça les sourcils.

– Qu'est-ce que tu veux dire, Léo ?

Avant qu'il puisse répondre, Nyssa s'exclama :

– Regardez ça, les gars !

Debout devant un établi, elle feuilletait un carnet de croquis contenant des centaines de plans de machines et d'armes.

– Je n'ai jamais rien vu de pareil, poursuivit Nyssa. Il y a plus d'idées de génie ici que dans l'atelier de Dédale ! Il faudrait un siècle rien que pour réaliser tous les prototypes.

– Qui a construit ce lieu ? Et pourquoi ? demanda Jake Mason.

Chiron garda le silence, tandis que Léo examinait la carte murale qu'il avait déjà remarquée lors de sa première visite. On y voyait la Colonie des Sang-Mêlé ainsi qu'une rangée de trirèmes dans le détroit, des catapultes positionnées dans les collines entourant la vallée et, ça et là, des marques signalant l'emplacement de pièges, tranchées et lieux d'embuscade.

– C'est un centre de commandement stratégique, dit-il. La colonie a été attaquée une fois, n'est-ce pas ?

– Durant la guerre des Titans ? demanda Piper.

– Non, fit Nyssa en secouant la tête. En plus, cette carte a l'air vraiment vieille. Regardez la date... c'est bien marqué 1864 ?

Tous les yeux se tournèrent vers Chiron.

Le centaure agita nerveusement la queue.

– Cette colonie a été attaquée à de nombreuses reprises, concéda-t-il. Cette carte date de la Guerre de Sécession.

Visiblement, Léo ne fut pas le seul interloqué. Les autres Héphaïstos échangèrent des regards perplexes.

– La Guerre de Sécession... vous voulez dire entre les sudistes et les nordistes, il y a environ cent cinquante ans ? demanda Piper.

– Oui et non, dit Chiron. Les deux conflits – celui des mortels et celui des demi-dieux – se reflétaient, comme c'est généralement le cas dans l'histoire occidentale. Prenez n'importe quelle guerre civile ou révolution depuis la chute de l'Empire romain, et vous verrez qu'elle correspond à une période où les demi-dieux étaient eux aussi en guerre les uns contre les autres. Mais cette guerre civile-là, la Guerre de Sécession, fut particulièrement horrible. Pour les mortels américains, elle demeure le conflit le plus meurtrier qu'ils aient connu de toute leur histoire, avec plus de victimes que les deux guerres mon diales. Pour les demi-dieux aussi, les ravages furent terribles. À l'époque, déjà, cette vallée abritait la Colonie des Sang-Mêlé. Une bataille atroce fit rage plusieurs jours durant dans ces bois et elle causa de nombreuses pertes dans les deux camps.

– Les deux camps, intervint Léo. Vous voulez dire que la colonie était divisée ?

– Non, dit alors Jason. Il parle de deux groupes différents. La Colonie des Sang-Mêlé était l'un des deux camps.

Bien que redoutant d'en savoir davantage, Léo demanda :

– Qui était l'autre ?

Chiron jeta un coup d'œil à la bannière en lambeaux du Bunker 9 comme s'il se souvenait encore du jour où elle avait été dressée.

– La réponse est dangereuse, avertit le centaure. Elle a trait à quelque chose dont j'ai juré sur le Styx de ne jamais parler. Après la Guerre de Sécession qui a ravagé les États-Unis, les dieux furent tellement horrifiés par le nombre de morts parmi leurs enfants qu'ils jurèrent d'empêcher que cela se reproduise. Les deux groupes furent séparés. Les dieux usèrent de toute leur force de volonté ; ils épaissirent la Brume au maximum pour être sûrs que les ennemis oublient tout les uns des autres et ne se croisent jamais dans leurs quêtes, cela pour éviter de nouveaux bains de sang. Cette carte remonte aux derniers jours sombres de 1864, quand les deux groupes se sont affrontés pour la dernière fois. Depuis lors, nous l'avons échappé belle à plusieurs reprises. Les années 1960, notamment, furent particulièrement dangereuses. Mais jusqu'à présent, nous sommes parvenus à éviter une nouvelle guerre civile. Léo a deviné juste, ce bunker servait de centre de commandement au bungalow d'Héphaïstos. Il a été rouvert quelques fois au cours du siècle dernier, en général pour servir de cachette en période de grands troubles. Mais c'est dangereux de venir ici. Cela agite de vieux souvenirs et réveille les anciennes querelles. Même sous la menace des Titans, l'année dernière, j'ai préféré ne pas prendre le risque d'utiliser ce bunker.

D'un coup, le sentiment de triomphe de Léo se mua en culpabilité.

– Hé, attendez ! protesta-t-il, c'est ce bunker qui m'a trouvé, pas l'inverse ! C'était voulu. C'est une bonne chose.

– J'espère que tu as raison, murmura Chiron.

– J'ai raison !

Sur ces mots, Léo sortit le vieux croquis de sa poche et le déplia sur la table pour que tout le monde puisse le voir.

– Tenez, dit-il avec fierté. Éole me l'a rendu. Je l'ai fait quand j'avais cinq ans. C'est mon destin.

– Léo, le coupa Nyssa en fronçant les sourcils, c'est un dessin de bateau aux crayons de couleur.

– Regardez !

Léo désigna du doigt la plus grande esquisse, sur le panneau d'affichage : c'était le plan d'une trirème. Lentement à mesure qu'ils comparaient les deux dessins, les Héphaïstos écarquillèrent les yeux. Le nombre de mâts et de rames, et même les décors gravés sur les boucliers ou ornant les voiles étaient exactement les mêmes sur le croquis ancien que sur le dessin de Léo.

– C'est impossible, dit Nyssa. Ce plan doit dater d'au moins un siècle.

Jake Mason se mit à lire à voix haute les inscriptions figurant sur le vieux croquis.

– *Prophétie... Incertitude... Vol...* C'est un plan de navire volant. Regardez, voici le train d'atterrissage. Et les armes... par Héphaïstos ! Des balistes à torsion, des arbalètes sur pied, un blindage en bronze céleste... Cet engin aurait fait une machine de guerre de la mort qui tue ! Est-ce qu'il a jamais été construit ?

– Pas encore, dit Léo. Regardez la figure de proue.

Cela ne faisait aucun doute, elle représentait une tête de dragon. Et pas n'importe lequel...

– Festus, murmura Piper.

Tous se tournèrent pour regarder la tête de dragon posée sur la table.

– Il est appelé à être notre figure de proue, expliqua Léo. Notre porte-bonheur, nos yeux des mers. Je suis censé construire ce navire. Je l'appelerai l'*Argo II*. Et je vais avoir besoin de votre aide, les gars.

– L'*Argo II*, fit Piper en souriant. Du nom du bateau de Jason.

Jason prit l'air un peu gêné, mais il hocha la tête.

– Léo a raison, c'est exactement le navire dont nous avons besoin pour notre voyage, dit-il.

– Quel voyage ? s'exclama Nyssa. Vous venez à peine de rentrer !

Piper passa le bout des doigts sur le vieux croquis.

– Nous devons affronter Porphyrion, le roi des géants. Il a dit qu'il détruirait les dieux par leurs racines.

– Effectivement, confirma Chiron. La Grande Prophétie de Rachel demeure très mystérieuse pour moi, mais une chose est claire. Vous trois, Jason, Piper et Léo, vous comptez parmi les sept demi-dieux qui doivent entreprendre cette quête. Vous devez aller combattre les géants dans leur terre natale, là où ils sont le plus fort. Vous devez les empêcher de réveiller pleinement Gaïa et de détruire le mont Olympe.

– Hum... (Nyssa passa d'un pied sur l'autre.) Tu ne parles pas de Manhattan, là, hein ?

– Non, dit Léo. Il s'agit du mont Olympe d'origine. Nous devons faire voile pour la Grèce.

54 Léo

Il fallut plusieurs minutes pour que les Héphaïstos rassemblés dans le bunker encaissent la nouvelle. Puis ils se mirent à poser des questions tous en même temps. Qui étaient les quatre autres demi-dieux ? Combien de temps allait-il falloir pour construire le navire ? Pourquoi n'allaient-ils pas tous en Grèce ?

– Mes héros ! (Chiron tapa du sabot par terre.) Les détails sont encore flous, mais Léo a raison. Il va avoir besoin de vous pour construire l'*Argo II*. C'est peut-être le projet le plus ambitieux jamais entrepris par le bungalow neuf, d'une envergure supérieure même au dragon de bronze.

– On en a au moins pour un an, dit Nyssa. Disposons-nous d'autant de temps ?

– Vous avez six mois grand maximum, annonça Chiron. Vous devrez partir d'ici au solstice d'été, lorsque les pouvoirs des dieux atteignent leur summum. Par ailleurs, il est bien évident que nous ne pouvons pas faire confiance aux vents d'hiver, et les vents d'été sont les moins forts et les plus faciles à prendre. Ce serait de la folie de partir plus tard, vous risqueriez de ne plus pouvoir arrêter les géants. Comme vous devez éviter de vous déplacer par voie terrestre et ne voyager que par air ou mer, ce navire sera le véhicule idéal. Jason étant le fils du dieu du Ciel...

Chiron laissa la phrase en suspens, mais Léo comprit qu'il pensait au pensionnaire disparu, Percy Jackson, fils de Poséidon. Sa présence dans l'équipe aurait été précieuse.

Jake Mason se tourna vers Léo.

– En tout cas, une chose est sûre. Tu es notre nouveau conseiller en chef. Cette mission est le plus grand honneur qui ait jamais été fait au bungalow neuf. Quelqu'un a-t-il des objections ?

Personne n'en avait. Tous les Héphaïstos regardèrent Léo en souriant, et celui-ci put presque sentir la malédiction de leur bungalow tomber en miettes et le désespoir de ses compagnons s'évaporer.

– Alors c'est officiel, conclut Jake. Tu es notre homme.

Pour une fois, Léo ne trouva pas de repartie. Depuis la mort de sa mère, il avait passé sa vie à fuir. Aujourd'hui, il avait trouvé un foyer et une famille. Il avait trouvé une tâche à accomplir. Et même s'il avait peur, Léo ne fut pas tenté de s'enfuir – mais alors pas du tout.

– Bon, finit-il par dire. Si vous me choisissez comme chef, les gars, c'est que vous êtes encore plus cintrés que moi. Alors on va la construire, cette machine de guerre de la mort qui tue !

55   JASON

Jason attendait dans le bungalow un, seul.

Annabeth et Rachel allaient arriver d'un instant à l'autre pour la réunion des conseillers en chef, et Jason avait besoin de temps pour réfléchir.

Ses rêves de la nuit précédente avaient été bien pires qu'il n'avait voulu le dire – même à Piper. Sa mémoire était encore vacillante, mais des bribes de souvenirs lui revenaient. La nuit où Lupa l'avait soumis à l'épreuve à la Maison du Loup, pour décider s'il finirait louveteau ou dévoré. Puis le long voyage vers le sud... pour où, il ne se le rappelait pas, mais il revoyait certains temps forts de sa vie passée, par images rapides. Le jour où il s'était fait tatouer, celui où on l'avait hissé sur un bouclier et proclamé préteur. Les visages de ses amis : Dakota, Gwendolyn, Hazel, Bobby. Et Reyna. Il y avait eu une fille du nom de Reyna, c'était une certitude. Il ignorait ce qu'elle avait représenté pour lui, mais ce souvenir le poussait à s'interroger sur ses sentiments envers Piper. Et à se demander s'il faisait quelque chose de mal. Le problème, c'était que Piper lui plaisait beaucoup.

Jason emporta ses affaires dans l'alcôve où avait dormi sa sœur. Il remit la photo de Thalia au mur pour se sentir moins seul. Puis il leva les yeux vers la statue de Zeus, puissant, fier et les sourcils froncés, mais elle ne lui faisait plus peur. Elle le rendait triste, c'était tout.

– Je sais que tu m'entends, lui dit Jason.

La statue demeura muette. Ses yeux peints donnaient au garçon l'impression qu'ils le fixaient.

– J'aurais aimé pouvoir te parler en personne, continua Jason, mais je comprends que ce n'est pas possible. Les dieux romains n'aiment pas avoir trop de contacts avec les humains et toi, tu es leur roi. Tu dois donner l'exemple.

Nouveau silence. Jason avait espéré une manifestation quelconque : un grondement de tonnerre un peu plus sonore que la normale, un flash de lumière, un sourire. Tant pis. Un sourire lui aurait fait froid dans le dos, de toute façon.

– Je me souviens de certaines choses, dit-il, gagnant progressivement de l'aisance. Je me souviens que c'est difficile d'être le fils de Jupiter. Tout le monde me considère toujours comme un chef, mais je me sens toujours seul. J'imagine que c'est pareil pour toi là-haut, à l'Olympe. Les autres dieux doutent de tes choix. Parfois tu dois prendre des décisions sévères et les autres te critiquent. Et contrairement à d'autres dieux, tu ne peux pas me venir en aide. Tu me tiens à distance pour ne pas avoir l'air de me privilégier. Je voulais juste te dire que...

Jason inspira à fond.

– Je comprends tout ça. Pas de problème. Je vais essayer de faire de mon mieux. Mais j'aurais vraiment besoin de conseils, papa. S'il y a quelque chose que tu peux faire... aide-moi à aider mes amis. J'ai peur de les conduire à leur mort. Je ne sais pas comment les protéger.

Sa nuque picota et il se rendit compte que quelqu'un se tenait derrière lui. Il se retourna et découvrit une femme vêtue d'une robe noire à capuche, une cape en peau de chèvre jetée sur les épaules et un glaive romain – un *gladius* – à la main.

– Héra, dit-il.

La créature rabattit sa capuche.

– J'ai toujours été Junon, pour toi. Et ton père t'a déjà donné des conseils, Jason. Il t'a envoyé Piper et Léo. Ils ne représentent pas juste une responsabilité, ce sont tes amis. Écoute-les et tu réussiras.

– C'est Jupiter qui vous a envoyée me dire cela ?

– Personne ne m'envoie nulle part, mon héros. Je ne suis pas un messager.

– Mais c'est vous qui m'avez mis dans cette situation. Pourquoi m'avoir envoyé à cette colonie ?

– Je crois que tu le sais, répondit Junon. Il fallait un échange de chefs. C'était la seule façon de combler le fossé.

– Je n'ai jamais dit que j'étais d'accord.

– Non. Mais Zeus m'a donné ta vie et je t'aide à accomplir ton destin.

Jason fit un effort pour contrôler sa colère. Il regarda son tee-shirt orange et les tatouages à son bras, fortement conscient que ces choses-là n'étaient pas censées aller ensemble. Il était devenu une contradiction ambulante, un mélange aussi dangereux que les concoctions de Médée.

– Vous ne me rendez pas tous mes souvenirs, dit-il. Malgré votre promesse.

– La plupart reviendront avec le temps. Mais c'est à toi de retrouver le chemin du retour. Tu as besoin de ces quelques mois à venir avec tes nouveaux amis, dans ton nouveau foyer. Tu es en train de gagner leur confiance. D'ici que vous soyez parés à embarquer sur ce navire, tu seras devenu un des chefs de cette colonie. Et tu seras prêt à jouer l'artisan de la paix entre deux grandes puissances.

– Et si vous ne disiez pas la vérité ? protesta Jason. Si vous faisiez tout cela pour déclencher une nouvelle guerre civile ?

Le visage d'Héra prit une expression impénétrable : amusement ? mépris ? affection ? Peut-être les trois. Elle avait beau paraître humaine, Jason savait qu'elle ne l'était pas, loin de là. Il revoyait encore cette lumière aveuglante – la forme véritable de la déesse, qui s'était gravée dans son esprit. Elle était Héra et Junon. Elle existait en plusieurs lieux à la fois. Ses motivations n'étaient jamais simples.

– Je suis la déesse de la Famille, dit-elle. Ma famille est divisée depuis trop longtemps.

– Ils nous ont séparés pour qu'on cesse de s'entretuer. C'est une bonne raison, à priori.

– La prophétie réclame un changement de notre part. Les géants vont se lever. Ils ne peuvent être tués qu'un par un, par un dieu et un demi-dieu formant équipe. Ces demi-dieux doivent être les sept plus grands de l'époque. À l'heure actuelle, ils sont répartis en deux lieux. Si nous demeurons divisés, nous ne pourrons pas gagner. Gaïa compte là-dessus. Tu dois unir les héros de l'Olympe et faire voile avec eux tous pour affronter les géants sur les anciens champs de bataille de Grèce. C'est le seul moyen de convaincre les dieux de vous prêter main-forte. Ce sera la quête la plus dangereuse et le voyage le plus important jamais entrepris par les enfants des dieux.

Jason ramena le regard sur l'imposante statue de son père.

– Ce n'est pas juste, dit-il. Je pourrais tout faire échouer.

– C'est un risque, en convint Héra. Mais nous autres dieux avons besoin des héros, et ce, depuis tout temps.

– Même vous ? Je pensais que vous détestiez les héros.

La déesse eut un sourire empreint d'ironie.

– J'ai cette réputation, en effet. Mais si tu veux savoir la vérité, Jason, j'envie souvent les autres dieux d'avoir des enfants mortels. Vous autres demi-dieux, vous avez un pied dans chaque monde. Je crois que cela aide vos parents divins – même Jupiter, maudit soit-il – à comprendre le monde mortel mieux que je ne le puis.

Junon poussa un soupir si triste que malgré sa colère, Jason se sentit à deux doigts de compatir.

– Je suis la déesse du Mariage, reprit-elle. L'infidélité est contraire à ma nature. Je n'ai eu que deux enfants divins, Arès et Héphaïstos, qui sont tous deux des sources de déception. Je n'ai pas de héros mortels qui obéissent à mes ordres, d'où mon amertume envers les demi-dieux – Héraclès, Énée, et tant d'autres. Mais c'est pour cette même raison que j'ai favorisé le premier Jason, un pur mortel, qui n'avait pas de parent divin pour le guider. Et que je suis heureuse que Zeus m'ait fait don de toi. Tu seras mon héros, Jason. Tu seras le plus grand des héros et tu feras naître l'unité entre demi-dieux, et donc au sein de l'Olympe.

Les paroles de la déesse s'abattirent sur les épaules de Jason, lourdes comme des sacs de sable. Deux jours plus tôt, il aurait été terrifié à l'idée de mener des demi-dieux dans une Grande Prophétie, de prendre la mer pour aller combattre les géants et sauver le monde.

Il était toujours terrifié, mais quelque chose avait changé. Il ne se sentait plus seul. Il avait des amis, à présent, et un foyer à défendre. Il avait même une déesse protectrice qui veillait sur lui, bien qu'il ne soit pas sûr de pouvoir lui faire confiance.

Jason devait tenir bon et accepter son destin, comme il l'avait fait lorsqu'il avait affronté Porphyrion à mains nues. Cela semblait impossible, certes. Il risquait de mourir. Mais ses amis comptaient sur lui.

– Et si j'échoue ? demanda-t-il.

– Pas de grande victoire sans grand risque, concéda la déesse. Si tu échoues, ce sera un bain de sang comme nous n'en avons jamais connu. Les demi-dieux s'entretueront. Les géants renverseront l'Olympe. Gaïa se réveillera et la terre se mettra à trembler pour détruire tout ce que nous avons construit en trois millénaires. Ce sera notre fin à tous.

– Super. Franchement super.

À ce moment-là, on tambourina à la porte du bungalow.

Héra recouvrit son visage de sa capuche. Puis elle tendit à Jason le glaive dans son fourreau.

– Prends-le pour remplacer l'arme que tu as perdue. Nous nous reparlerons. Que cela te plaise ou non, Jason, je suis ta protectrice et ton seul lien avec l'Olympe. Nous avons besoin l'un de l'autre.

La déesse disparut à l'instant où la porte s'ouvrait en grinçant. Piper entra.

– Annabeth et Rachel sont arrivées, dit-elle. Chiron a convoqué le Conseil.

56   JASON

Le Conseil était à mille lieues de ce que Jason avait imaginé. Pour commencer, il avait lieu dans la salle de jeux de la colonie, autour d'une table de ping-pong, avec un satyre qui servait des nachos et des cannettes de soda. En plus, quelqu'un avait apporté Seymour, la tête de léopard du salon, et l'avait accroché au mur, et de temps à autre, un conseiller lui lançait une Knacki.

Jason balaya la pièce du regard en essayant de se souvenir du nom de chacun. Heureusement, Piper et Léo étaient assis à côté de lui ; c'était leur première réunion en tant que conseillers en chef. Clarisse, la chef des Arès, avait ses grosses bottes sur la table, mais ça n'avait l'air de gêner personne. Clovis, du bungalow d'Hypnos, ronflait dans un coin et Butch, des Iris, en profitait pour voir combien de crayons il pouvait lui fourrer dans les narines. Travis Alatir, un des Hermès, chauffait une balle de ping-pong à la flamme d'un briquet pour voir quand elle allait finir par s'enflammer, tandis que Will Solace, des Apollon, enroulait distraitement une bande Velpeau autour de son poignet. La conseillère en chef du bungalow d'Hécate, Lou Ellen quelque chose, jouait à « j'ai volé ton nez ! » avec Miranda Gardiner des Déméter, à ce détail près que Lou Ellen avait détaché *par magie* le nez de Miranda, qui faisait tout pour le récupérer.

Jason avait espéré que Thalia serait là. Elle l'avait promis, après tout – pourtant elle n'avait donné aucun signe de vie jusqu'à présent. Chiron avait dit à Jason de ne pas s'inquiéter : lorsqu'elle combattait des monstres ou partait dans une quête pour Artémis, Thalia perdait parfois la notion du temps, mais elle n'allait pas tarder à arriver. Quand même, Jason ne pouvait pas s'empêcher de se ronger les sangs.

Rachel Dare, l'Oracle, était assise à la tête de la table avec Chiron. Elle portait son uniforme de l'institut Clarion pour jeunes filles, ce qui faisait un peu bizarre, mais elle souriait à Jason.

Annabeth était nettement moins détendue. Elle portait une armure par-dessus sa tenue de la colonie et avait tiré ses cheveux blonds en queue-de-cheval. Lorsque Jason était entré, elle l'avait regardé d'un œil inquisiteur comme si elle essayait de lui arracher des informations par sa seule volonté.

– Bien, dit Chiron, nous allons ouvrir la séance. Lou Ellen, s'il te plaît, rends son nez à Miranda. Travis, aurais-tu la gentillesse d'éteindre cette balle de ping-pong, merci, et Butch, je crois que vingt crayons c'est trop pour une narine humaine, quelle qu'elle soit. Bien. Comme vous le voyez, Jason, Piper et Léo sont rentrés et leur quête a été couronnée de succès... jusqu'à un certain point. Certains d'entre vous connaissent déjà une partie de leurs aventures ; je leur laisse la parole pour qu'ils vous en disent davantage.

Tous les yeux se tournèrent vers Jason. Il s'éclaircit la gorge et commença son récit. De temps en temps, Piper ou Léo intervenait pour ajouter un détail qu'il avait omis.

Le tout ne prit que quelques minutes, mais elles parurent longues, sous tant de regards. Il régnait un silence de plomb et Jason savait que, pour que tous ces demi-dieux hyperactifs l'écoutent sans bouger, son histoire devait être stupéfiante. Il termina sur la visite d'Héra, juste avant le Conseil.

– Héra était donc là, dit Annabeth. Et elle t'a parlé.

Jason acquiesça d'un geste de la tête.

– Écoute, ajouta-t-il, je ne te dis pas que je lui fais confiance...

– Voilà qui est sage, interrompit Annabeth.

– ... mais elle n'invente pas quand elle parle d'un autre groupe de demi-dieux. C'est de là que je viens.

– Des Romains. (Clarisse lança une Knacki à Seymour.) Tu veux nous faire croire qu'il existe une autre colonie de demi-dieux, mais qu'ils vénèrent les dieux sous leur forme romaine et qu'on a jamais entendu parler d'eux.

Piper se redressa.

– Les dieux ont maintenu les deux groupes à l'écart, expliqua-t-elle, parce qu'à chaque fois qu'ils se rencontrent, ils essaient de s'entretuer.

– Je respecte ça, dit Clarisse. Mais quand même, on ne s'est jamais croisés pendant des quêtes ?

– Oh que si, intervint tristement Chiron. Il y a eu de nombreuses rencontres. À chaque fois, c'est la tragédie, et ensuite les dieux font tout pour gommer les souvenirs des demi-dieux qui ont été impliqués. La rivalité entre les deux groupes remonte à la guerre de Troie, Clarisse. Les Grecs ont envahi Troie et l'ont réduite en cendres. Énée, le héros troyen, a pu s'enfuir et est parvenu en Italie au terme de son périple, où il a fondé le peuple qui allait prendre le nom de Rome. Les Romains sont devenus de plus en plus puissants. Ils vénéraient les mêmes dieux, mais sous des noms différents et avec des personnalités légèrement différentes elles aussi.

– Plus guerrières, intervint Jason. Plus unies. Plus tournées vers l'expansion, la conquête et la discipline.

– Beurk, fit Travis Alatir.

D'autres demi-dieux, autour de la table, eurent l'air pareillement rebutés, en revanche Clarisse haussa les épaules comme si ça lui semblait plutôt bien.

Annabeth fit pivoter son poignard, pointe sur la table.

– Et les Romains détestaient les Grecs, dit-elle. Ils se vengèrent en s'emparant des îles grecques, qu'ils inclurent dans leur Empire romain.

– Ils ne les détestaient pas à proprement parler, objecta Jason. Les Romains admiraient la culture grecque et en étaient un peu jaloux. De leur côté, les Grecs estimaient que les Romains étaient des barbares, mais ils respectaient leur puissance militaire. C'est comme ça qu'à la période romaine les demi-dieux en sont venus à se diviser – le camp des Grecs, le camp des Romains

– Et c'est comme ça depuis cette époque, devina Annabeth. Mais c'est de la folie. Qu'est-ce qu'ils fabriquaient pendant la guerre des Titans, Chiron ? Ils n'ont pas voulu participer ?

Chiron tira sur sa barbe.

– Ils ont participé, Annabeth, et comment. Pendant que Percy et toi dirigiez les combats pour sauver Manhattan, à ton avis, qui a conquis le Q. G. des Titans sur le mont Othrys, en Californie ?

– Une seconde, dit Travis. Je croyais que le mont Othrys s'était écroulé quand on avait battu Cronos.

– Non, prononça Jason d'une voix forte. (Des bribes de combat lui revinrent par flashs : un géant en armure étoilée, au casque surmonté de cornes de bélier. Son armée de demi-dieux qui escaladait le mont Tam en se taillant un chemin dans les hordes de serpents-monstres à coups de glaive.) Il ne s'est pas écroulé comme ça. Nous avons détruit leur palais. J'ai vaincu le Titan Krios de mes propres mains.

Les yeux d'Annabeth étaient tempêtueux comme un *ventus*. Jason voyait presque ses pensées s'agiter dans sa tête et assembler les pièces du puzzle.

– La baie de San Francisco. On nous a toujours dit d'éviter cette région à cause du mont Othrys. Mais ce n'était pas la seule raison, hein ? dit-elle. La colonie des Romains doit être par là.

Et je parie qu'elle y a été installée justement pour qu'ils surveillent le territoire des Titans. Où est-elle, au juste ?

Chiron gigota dans son fauteuil roulant.

– Je ne sais pas. Honnêtement, même moi, on ne me l'a jamais révélé. Lupa, mon homologue, est du genre avare d'informations. Et les souvenirs de Jason ont été gommés.

– La colonie est blindée de protections magiques, dit Jason. Et fortement gardée. On pourrait la chercher des années sans la trouver.

Rachel Dare croisa les mains. De toutes les personnes présentes, elle était la seule qui n'avait pas l'air tendue.

– Mais tu essaieras, n'est-ce pas ? Vous construirez le navire de Léo, l'*Argo II*. Et avant de faire voile pour la Grèce, vous irez à la colonie des Romains. Vous aurez besoin d'eux pour affronter les géants.

– Mauvais plan, objecta Clarisse. Si ces Romains voient un navire de guerre approcher, ils supposeront qu'on les attaque.

– Tu as sans doute raison, en convint Jason. Mais nous devons essayer quand même. J'ai été envoyé ici pour découvrir la Colonie des Sang-Mêlé et tenter de vous convaincre que les deux camps n'étaient pas obligés d'être ennemis. Je suis un réconciliateur.

– Hmm hmm, fit Rachel. Parce qu'Héra est persuadée qu'il faut l'union des deux camps pour remporter la guerre contre les géants. Sept héros de l'Olympe, des Grecs et des Romains.

Annabeth hocha la tête.

– C'était quoi, déjà, le dernier vers de ta Grande Prophétie ?

– *Des ennemis viendront en armes devant les Portes de la Mort.*

– Gaïa a ouvert les Portes de la Mort, dit Annabeth. Elle laisse sortir les pires abominations des Enfers et les lâche contre nous. Médée, Midas, et ce n'est pas fini, j'en suis sûre. Ce vers signifie peut-être que les demi-dieux romains et grecs s'uniront, trouveront les portes et les refermeront.

– Ça pourrait signifier qu'on se battra devant les Portes de la Mort, fit remarquer Clarisse. Pas forcément qu'on va coopérer.

Il y eut un silence, le temps que tous digèrent cette réjouissante éventualité.

– Je serai du voyage, annonça alors Annabeth. Jason, quand ce navire sera prêt, laisse-moi venir avec vous.

– J'espérais que tu te porterais volontaire, dit Jason. S'il y a bien quelqu'un dont on aura besoin, c'est toi.

Léo fronça les sourcils.

– Une seconde, intervint-il. Pas de problème, moi ça me va, c'est cool, mais pourquoi Annabeth en particulier ?

Annabeth et Jason se regardèrent et ce dernier comprit qu'elle avait suivi son raisonnement.

– Héra m'a dit que mon arrivée chez vous faisait partie d'un échange de chefs, expliqua Jason. Une façon pour chacune des deux colonies d'apprendre l'existence de l'autre.

– Ouais ? Et alors ?

– Un échange, ça marche dans les deux sens. Quand je suis arrivé ici, ma mémoire avait été gommée. Je ne savais ni qui j'étais, ni d'où je venais. Heureusement pour moi, vous m'avez accepté et je me suis trouvé une place parmi vous, les gars, un nouveau foyer. Je sais que vous n'êtes pas mes ennemis. À la Colonie des Romains, on n'est pas si accueillants. T'as intérêt à faire tes preuves vite fait, sinon tu survis pas. Ils ne le traiteront peut-être pas si bien que ça, et s'ils apprennent d'où il vient, ça va être chaud pour lui.

– Pour lui qui ? demanda Léo. De qui tu parles ?

– De mon copain, répondit Annabeth, le visage grave. Il a disparu au moment où Jason est arrivé, pratiquement. Si Jason est venu à la Colonie des Sang-Mêlé...

– Exact, dit Jason. Percy Jackson se trouve à l'autre colonie, et il ne sait sans doute même plus qui il est.

Les dieux dans *Le Héros perdu*

Aphrodite : Déesse grecque de l'Amour et de la Beauté. Mariée à Héphaïstos mais amoureuse d'Arès, le dieu de la Guerre. Forme romaine : Vénus.

Apollon : Dieu grec du Soleil, des Prophéties, de la Musique et de la Guérison ; fils de Zeus et frère jumeau d'Artémis. Forme romaine : Apollon.

Arès : Dieu grec de la Guerre ; fils de Zeus et d'Héra, demi-frère d'Athéna. Forme romaine : Mars.

Artémis : Déesse grecque de la Chasse et de la Lune ; fille de Zeus et sœur jumelle d'Apollon. Forme romaine : Diane.

Borée : Dieu grec du Vent du Nord, un des quatre *anemoi* (dieux des Vents) directionnels. Dieu de l'Hiver, père de Chioné. Forme romaine : Aquilon.

Chioné : Déesse grecque de la Neige ; fille de Borée.

Déméter : Déesse grecque de l'Agriculture, fille des Titans Rhéa et Cronos. Forme romaine : Cérès.

Dionysos : Dieu grec de la Vigne et du Vin, fils de Zeus. Forme romaine : Bacchus.

Éole : Dieu grec des Vents. Forme romaine : Éole.

Gaïa : Personnification grecque de la Terre. Forme romaine : Terra.

Hadès : Dans la mythologie grecque, seigneur des Enfers et dieu des Morts. Forme romaine : Pluton.

Hécate : Déesse grecque de la Magie, enfant unique des Titans Persès et Astéria. Forme romaine : Trivia.

Héphaïstos : Dieu romain du Feu, des Forges et de l'Artisanat ; fils de Zeus et d'Héra, époux d'Aphrodite. Forme romaine : Vulcain.

Héra : Déesse grecque du Mariage ; épouse et sœur de Zeus. Forme grecque : Junon.

Hermès : Dieu grec des Voyageurs, de la Communication et des Voleurs ; fils de Zeus. Forme romaine : Mercure.

Hypnos : Dieu grec du Sommeil ; fils (sans père) de Nyx (la Nuit) et frère de Thanatos (la Mort).

Iris : Déesse grecque de l'Arc-en-ciel et messagère des dieux ; fille de Thaumas et Électre. Forme romaine : Iris.

Janus : Dieu romain des Seuils, Portes et Portails, ainsi que des Débuts et des Fins.

Notos : Dieu grec du Vent du Sud, un des quatre *anemoi* (dieux des Vents) Directionnels. Forme romaine : Favonius.

Ouranos : Personnification grecque du Ciel. Forme romaine : Uranus.

Pan : Dieu grec de la Nature ; fils d'Hermès. Forme romaine : Faunus.

Pomone : Déesse romaine de l'Abondance.

Poséidon : Dieu grec de la Mer ; fils des Titans Cronos et Rhéa, frère de Zeus et d'Hadès. Forme romaine : Neptune.

Zeus : Dieu grec du Ciel et roi des dieux. Forme romaine : Jupiter.

RICK RIORDAN

L'AVENTURE
CONTINUERA EN 2013

HÉROS DE L'OLYMPE
LA MARQUE D'ATHÉNA

D'autres livres

www.wiz.fr
Logo Wiz : Cédric Gatillon

Composition Nord Compo
Impression CPI Bussière en septembre 2012
à Saint-Amand-Montrond (Cher)
Éditions Albin Michel
22, rue Huyghens, 75014 Paris

ISBN : 978-2-226-22002-8
ISSN : 1637-0236
N° d'édition : 19507/08. – N° d'impression : 123488/4.
Dépôt légal : mai 2011.
Loi n° 49-956 du 16 juillet 1949 sur les publications destinées à la jeunesse.
Imprimé en France.